第七篇
金融危机篇

谈谈西方金融危机*

在80年代初期连续三年的西方经济危机的影响下，许多发展中国家出现了债务危机。危机波及的范围和影响是深刻的，其中以墨西哥、阿根廷、巴西、波兰的危机尤为严重。在西方政府、国际金融组织和西方大商业银行继续提供新贷款和重新安排偿还期以及债务国采取了重新调整经济计划等措施后，目前这场危机已有所缓和。但是，人们还普遍担心，问题并没有解决，有的人甚至认为，可能爆发一场类似30年代的金融危机。

要回答是否会爆发一场金融危机之前，首先要明确什么是金融危机。一般来说，金融危机是指金融领域里出现的严重混乱状况，根据其混乱的严重性来判断是否称得上危机，而其严重性，首先要看在银行信用领域的表现程度，以及对货币金融市场、对外贸易、国际收支，乃至整个国民经济所造成的影响。正如马克思所说的："信用制度加速了生产力的物质上的发展和世界市场的形成，同时，信用加速了这种矛盾的暴力程度，即危机……。"因此，如果我们把握了银行信用领域里所出现的混乱情况和对经济危害的程度，那么，就能比较准确地判断，是否爆发了金融危机和出现类似30年代的世界金融危机。

一

让我们回顾一下30年代金融危机的情况，这将有助于我们对问题的分析。

30年代银行信用危机的触发点是从奥地利信贷银行倒闭风潮开始的。奥地利是第一次世界大战的战败国，战后银行业处于收缩状态，力量较弱。但是全国金融资本非常集中，1930年只剩下5家大银行，奥地利信贷银行是最大的一家，占5家大银行资本总额的45.2%，存款总额的55.1%。该

---

* 本文原载《世界经济》1983年第12期，并由香港《东方日报》转载。

行持有大量企业股票，集中了大量的工商业放款。当经济危机袭击奥地利后，工厂企业大量破产，该行工商业放款收不回来，而所持有的股票因行市下跌，损失惨重，遂使资金周转不灵，进而出现挤兑风潮，该行股票行市急剧下跌，持有者纷纷抛售，在奥地利政府和金融当局采取种种援救措施无效后，被迫于 1931 年 5 月宣布破产，损失 1.4 亿奥地利先令。需要指出的是：该行在资金周转发生问题后，不是采取收缩政策，而是增加国际银行的短期贷款，继续扩展业务发放长期贷款，以致遭受损失和牵扯面更大。1931 年 5 月后，奥地利政府采取担保信贷银行的债务给予援助，通过奥地利国家银行继续给予贷款支持，这样的援助实际上是没有黄金保证的信用膨胀，在资金大量外流和外逃时，就直接对黄金储备形成压力，促使危机的进一步深化。

奥地利信贷银行破产成为触发各国银行信用危机的导火线，而信用危机又加剧了世界经济危机的程度。首当其冲的是德国。当时德国本身存在严重的国际支付危机，每年要支付大量的战争赔款和利息，不得不向英、美等国筹借短期银行信贷。奥地利信贷银行宣布破产后，英、美等西方国家担心资金的安全，纷纷从德国提取短期资金。由于外资大量抽走，从 5 月到 7 月，德国黄金储备就减少了 42%，德国政府于 1931 年 7 月宣布停业两天，德国四大银行中的两家随即破产。同年 9 月宣布停止支付对外债务，禁止黄金自由输出。德国中止对外支付后，英国在德国的资金不能调回，加之大量资金从英国抽走（仅在 1931 年 7 月的一周内，英国黄金储备减少 2 300万英镑），同年 9 月底，英国宣布停止黄金支付，停止纸币兑现，放弃金本位，英镑贬值 31%。由于英国放弃金本位，与英镑关系密切的国家也纷纷放弃了各种类型的金本位。与此同时，许多国家的银行大批破产倒闭。1933 年春，美国又爆发了信用危机的新浪潮，存款大量提取，银行资金周转不灵，发生挤兑风潮，大批银行破产，引起资金外逃，联邦储备银行黄金储备减少，于是美国放弃金本位，美元贬值。

30 年代的这场货币金融危机，在银行信用领域里的情况是相当严重的。其严重性有以下四点：

1. 出现了大批银行倒闭风潮，而且引起国际性的连锁反应和整个货币金融领域的严重混乱；

2. 中止了国内和国际的支付关系，危害和动摇了整个国际信用体系；

3. 造成西方金本位货币制度的崩溃；

4. 进一步加深了世界经济危机。

二

第二次世界大战后，国际金融领域与30年代相比，发生了很大的变化，了解这些变化，有助于分析、判断战后西方金融领域里出现的各种形式的风潮和危机。

(一) 以美元为中心的国际货币体系的建立与瓦解

第二次世界大战以后，美国凭借其经济实力，建立了以美元为中心的固定汇率制，规定美元与黄金挂钩，即35美元兑1盎司黄金，其他货币与美元保持固定汇率，美元可以代替黄金作为储备。这样，美元就变成了资本主义世界各国货币所必须围绕的中心，从而使美国取得了世界金融的霸权地位。但是，由于世界经济发展的不平衡性，美国国际收支连年巨额逆差，因而黄金不断外流，储备不断减少。这就使人们担心，美国是否能继续按35美元1盎司黄金官价向其他中央银行兑换黄金。因此，每当出现对美元不利因素时，就会导致抛售美元、抢购黄金等混乱局面。由于美元在国际货币体系中充当了清算货币、储备货币和干预货币的职能，因此，美元一旦发生危机，就会形成国际货币体系的危机。从60年代到70年代美元曾发生过多次危机。

但是，自从1971年8月15日美国停止按35美元1盎司的黄金官价兑换黄金，并于同年12月、1973年2月两次宣布美元法定贬值后，西方各国货币纷纷实行浮动汇率，以美元为中心的固定汇率制为基础的货币体系已告瓦解。这时，美元危机与国际货币体系危机没有必然的联系；同时，由于实行浮动汇率后，西方外汇市场货币汇价的波动，金价的起伏经常发生，因此很难判断是否构成一场货币危机，而只能以各种主要货币汇价动荡的程度进行比较，结合对经济影响的深度来判断是否构成一次美元危机或西方的货币危机。比如，1977年、1978年美国外贸、国际收支经常项目一再出现创纪录的逆差，美元汇价不断下跌，以美元计价的金价也不断上升，1978年10月30日，美元对其他主要西方货币跌至历史最低点，引起整个西方货币金融市场的混乱。1978年11月1日，美国被迫采取了严厉的干预措施，如提高利率阻止资金外流，增加拍卖黄金抑制金价保卫美元，以及向其他国家借300亿美元用以干预汇价等等。为此，西方经济金融界以及我国的一些同志把1977年、1978年西方货币金融市场的动荡称为西方货币危机或美元危机。

总之，第二次世界大战以后，在西方货币金融领域里，经常发生各种货币汇价的升值、贬值、上浮、下浮，金价的波动起伏，股票证券行市的涨落，利率的上扬、下跌，以及国际资金市场的抽紧、放松等动荡的现象。有时，某一种现象表现得格外突出，有时，几种现象同时出现。人们常把这些动荡称为货币风潮、股市风潮或货币危机、信用危机等。但是，严格来说，这些危机不能称为金融危机，因为它涉及或影响银行信用领域的问题还不严重，没有出现大批银行挤兑、倒闭的风潮。

（二）战后的信用膨胀政策及其影响

由于金本位与金汇兑本位制的瓦解，信用货币无论在种类上、金额上都大大增加。目前，信用货币占西方各国通货流通量的90%以上，各种形式的支票、支付凭证、信用卡等品种繁多，现金在某些国家的通货中只占百分之几。货币供应量和存放款的增长大大高于工业生产增长速度，而且国民经济的发展对信用依赖很深。随着西方经济和国际贸易的发展，必然出现信用的国际化，这一定程度上促进了西方经济的发展，它解决了投资资金的来源，也为货币资本生息开辟了途径。在国家垄断资本主义条件下，各国政府奉行了增加有效需求、扩大财政赤字的凯恩斯主义，加强了对经济的干预，通过赤字财政和廉价货币来达到刺激经济、增加就业的目的，实质上也就为通货膨胀和信用膨胀大开方便之门。马克思认为，信用一方面促进资本主义的经济发展，另一方面又是促成生产过剩危机的有力杠杆。但是第二次世界大战以后，每到经济危机时期，各国政府在货币金融领域内所奉行的政策，即向流通中注入大量货币以刺激经济的回升。这在一定程度上抵消了经济危机对信用的抑制作用，这是战后经济危机中没有爆发大规模银行信用危机的原因之一。当然，严重通货膨胀、信用膨胀对经济的危害和潜伏的祸害是不能低估的。

（三）欧洲货币市场与西方金融领域的不稳定性

随着信用关系的扩大，银行的作用也日益增大。各国为了充分发挥银行信用的作用，同时吸取30年代银行大批倒闭的教训，都逐步健全了各国银行制度。各国中央银行通过贴现率、存款准备金、公开市场等政策和措施来控制和调整全国的货币流通与信用，较之30年代时的情况要好得多。但是，随着世界经济贸易的发展，银行国际业务的扩张，出现了一些新情况和新问题，这主要是欧洲货币市场的出现和带来的问题，这是60年代以来国际金融领域中的一件大事。诚然，这个市场对西方资本转移起了特殊作用，但对通货膨胀、货币汇价、银行信用风险产生了巨大影响。在这里，我们不去全面评价这个市场的功过，但是，我们应看到它给金融领域带来的不稳定性。

1. 经营欧洲货币业务的风险增大。因为欧洲货币的借贷特别是一年以下的短期借贷，主要是建筑在信用的基础上，银行对此缺乏控制力量。如果信贷过度集中在一个国家或一个对象上，万一出现清偿困难，则很容易受到损失。近年来，银行由此遭受巨大损失事件屡有发生。目前，因缺乏统一管理，随着市场的发展、业务的扩大，银行所承受的风险也将增大。

2. 影响各国金融政策的实施。对参与欧洲货币市场的国家来说，如果欧洲美元资金运用、依赖过多或这种资金流出入过于频繁，数额过大，那么，在一定程度上将会影响到该国国内货币流通状况。该国金融当局控制国内货币流通量和信贷额度更加困难，金融政策的作用越来越小。如果该国银行或大企业一旦在市场上遭受巨额倒账的话，就可能引起连锁反应，从而引起该国金融的紊乱，影响汇价政策的实施，甚至威胁中央银行的黄金外汇储备。

3. 影响外汇和黄金市场。欧洲货币市场的产生和发展，都同外汇交易有密切关系。在浮动汇率的条件下，其关系更为密切。在外汇交易中，保值和投机牟利活动往往是交织在一起进行的。这类活动使大量短期资金在几种货币之间频繁转移，对汇价的短期波动有直接影响。如果这些资金冲向黄金，必然对金价的波动造成很大影响。特别是近几年，一些跨国公司利用国际局势动荡和一些国家经济形势和政策的变化，时而进行抢购，哄抬金价，时而抛售，造成金价下泻，以便从中渔利。而这些投机资金，大多来自欧洲货币市场。

三

在我们列举了战后国际金融领域里的一些重大变化后，再来看一看1974—1975年资本主义国家严重的银行风潮。

1973年底，资本主义国家爆发了第二次世界大战以后最严重的经济危机。在危机前夕的1973年10月，美国已发生圣地亚哥国民银行因贷款无法收回而倒闭的事件。在各国先后陷入经济危机后，银行倒闭、停业接连发生。震动较大的是1974年5、6月西德最大的私人银行之一的赫塔斯特银行和美国第20家大银行富兰克林国民银行因经营远期外汇投机蒙受巨额损失，被迫倒闭。在这次事件的冲击下，外汇市场收缩，国际资金紧张。由此受影响而倒闭的有以（色列）英银行、开曼群岛的几家银行以及意大利的几家银行，突出的是意大利的辛杜那金融集团的破产，从而导致意大利安布鲁西亚银行股票猛跌。这次银行风潮，因牵连而受损失的还有美国摩根银行等十几家欧美银行。此后，除法国、日本外，在美国、西德、瑞士、英国、意大利等许多资本主义国家都发生许多银行破产倒闭或严重亏损事件。据不完全统计，这场银行风潮波及的大大小小银行、金融公司有一百多家。美国不少有名的大银行，如花旗银行和大通银行都曾被列入美国“问题银行”名单，引起金融界的震惊。

引起这次银行风潮的主要原因是：（1）经济危机的影响。在这次经济危机中，受影响最严重的是在1972年经济高涨后膨胀最快的那些行业，如房地产业和建筑业、油轮业、航运业、航空业等，而这些行业又是银行放款和投资的重要对象。这类放款和投资不易收回，损失也很大。值得指出的是，这次危机通货膨胀严重发展，物价猛涨，利率剧升，股票和证券暴跌，使银行直接或间接受到严重打击。如英国经营房地产投资兼做存放款业务的金融公司“边缘银行”遭受亏损和倒闭的达数十家。（2）银行业本身的脆弱性。由于资本主义各国战后长期实行信用膨胀政策，银行的信贷投放增加很快，造成银行业财务上日益脆弱，表现在自有资金比重减少，放款对存款比例增大，存款准备金不足。如从1960年到1974年，美国全部商业银行资本额占资产额的比重从8.1%降为6.9%；放款占存款的比例由56.2%升至82%；各大银行用做存款准备的现金和中短期政府库券对存款的比率由34.7%降为13.6%；短期资金占放款的比例从4.5%升到48.5%。上述的这种过度投放、存短放长的做法，在银行资金出现紧张时，特别容易遭遇困难。（3）外汇投机遭受损失。在浮动汇率下，银行经营外汇业务，本来就有一定风险。但有些银行为追求暴利，利用汇率变动频繁进行投机，结果遭受亏损而破产。西德的赫斯塔特银行和美国的富兰克林国民银行就是例子。

这次银行风潮中，各国金融当局采取的主要对策措施有：（1）对小银行，凡损失超过资本者，令其清理停业。（2）对影响较大的银行，则组织力量尽力抢救，如无法挽救，由政府出面与大银行洽商收购，尽量缩小影响。如英格兰银行和英国几家大清算银行组织营救委员会，对30家“边缘银行”提供13亿英镑的贷款解决资金困难。西德联邦银行和西德银行界筹资10亿马克，支持流动资金不足的银行。美国富兰克林银行倒闭前，联邦储备银行出资17亿美元给予支持，破产后由金融当局安排，让欧洲集团银行的欧美银行出资予以收购。（3）对一般银行则加强管理和监督。英格兰银行设立专门机构，负责对银行监管。美国联邦银行加强对银行尤其是大银行持股公司的控制，对于银行外汇业务规定了申报制度，扩大存款保险制度的适用范围，加强对银行放款额度的控制。西德政府起草了管理信用机构的法案，规定联邦信贷监督局可以随时检查银行账务，等等。

我个人认为，由于采取了上述措施，1973年底开始的这场严重的银行风潮，虽然对国际金融领域造成了较严重的混乱，但还没有形成西方国家整个银行业的危机和类似30年代的金融危机。当然，由于这次经济危机的深度要比1929—1933年小得多，这也是没有形成整个世界性金融危机的主要原因。但是，国内外经济界有些人认为，这次风潮已够得上一次金融危机。他们把1974—1975年的经济危机称为与金融危机同时并发的危机，主要理由是，这次倒闭的银行有好些是国际知名的大银行，而且影响和波及整个国际金融领域，是第二次世界大战以来震动最大的银行倒闭风潮。

四

下面我们再来看看1982年西方银行倒闭风潮的情况和国际金融领域里存在的问题。

1982年西方银行倒闭最多的要数美国，全年倒闭了近50家（1981年为10家），平均每周一家。从倒闭的数字来看，要比1974年、1975年多，但都是小银行。由于美国银行属于分散性的银行体制，全国有1万多家银行，因此倒闭一些小银行是常有的事。值得注意的是，有些小银行的倒闭导致一些大银行严重损失，如宾尼亚广场银行的倒闭，使排名第6位的伊利诺斯大陆银行吃了2.2亿美元的倒账，震惊了美国金融界。这些银行倒闭的主要原因除了受经济危机的影响，还与美国政府采取的经济金融政策有关，主要有以下几方面的问题：（1）高利率的影响。由于美国实行持续的高利率政策，造成借贷成本昂贵。银行为了保证本身收益，不得不把优惠利率保持在高水平。但是利率越高，贷款的风险也越大，不少银行和企业因利率前景估计错误导致亏损和倒闭。（2）能源贷款的影响。自1973年后油价成倍上涨，能源开发成为热门。银行增大了能源贷款，像宾尼亚广场银行这样的小银行竟放了20亿美元的能源贷款。但在80年代上半期，油价下跌，石油公司亏损倒闭增加，这就使一批银行受到冲击。（3）经济危机的影响。由于这次经济危机的持续时间长，企业倒闭空前激增，特别是1982年出现创纪录的倒闭数字，许多债务人陷入了困境，这就大大增加了银行的呆账。仅1981年美洲银行的呆账就高达16亿美元。（4）银行资本与资产的比例进一步下降。1974年资本占资产的比例为6.9%，1981年已下降到3.6%，也就是说1元的资本要做28元的买卖，这表明美国银行风险增大了。（5）债务过分集中。目前拉丁美洲国家欠债有一半是欠美国银行的。截至1982年11月，美国银行向拉美和加勒比海地区共提供了1 129亿美元的贷款，仅花旗和汉华实业银行对上述地区的贷款分别达182亿和86亿美元。一旦这些国家经济崩溃或赖债，美国银行将首当其冲。为此，美国联邦存款保险公司、联邦储备局和货币管理局公布了对商业银行加强管制的补充条例。

总的看来，1982年美国银行倒闭风潮对国外的影响不如1974年大，但它潜在的问题要比1974—1975年还要严重。

其他亏损倒闭的银行有意大利最大的私人银行安布鲁西亚银行，该行在1974年就出过问题。另外还有加拿大、西班牙、西德、比利时、荷兰以及一些发展中国家的银行。

值得指出的是，1982年在国际金融领域里发生的一件大事是许多发展中国家先后爆发了债务危机，而这些债务与西方各国的银行关系密切。比如，波兰欠西方的250亿美元外债中，就有50多亿美元是欠西德的。如果波兰金融崩溃，将直接影响西德银行，如西德银行出问题，外国银行在该行的欧洲货币存款将被牵累。另外，日本银行在拉美地区的贷款也相当大，一旦拉美国家偿债困难，也将影响日本的银行。加之，有许多贷款是通过银团方式，即多边方式进行的，因此，这些发达国家的银行和美国银行一样都担心，如果债务不能偿还，将危害他们的利益。由于上述千丝万缕的联系和相互的利害关系，迫使这些国家的政府和国际金融组织以及各国的大银行结合在一起进行挽救措施，不得不继续向债务国提供贷款或重新安排偿还期限。这是这次国际银行风潮的一个新特点。根据这次西方银行倒闭和债务危机的情况来看，我认为，1982年还没有爆发整个西方银行业的金融危机。

五

从30年代、1974—1975年和1982年的银行倒闭风潮充分表明，金融危机主要受经济危机的影响。当然，在经济危机爆发前，也有可能在金融领域里某个薄弱环节先出问题，进而影响经济危机的爆发，例如30年代大危机，就是先从美国证券行市猛跌开始的，特别是银行信用危机和经济危机的关系更为密切。但是也应清醒地看到银行内在的脆弱因素。当前存在的问题主要有如下几个方面：

1. 银行信用过度膨胀，特别是70年代中期和后期表现得更为突出。一方面，石油资金源源不断流入国际金融市场；另一方面，发展中国家经济发展需要外资，于是银行对新兴石油能源工业贷款激增，银行信用进一步膨胀。而随后又出现新的转折，石油价格下跌，石油输出国国际收支转向逆差，资金的供求和渠道又出现新的转化，造成银行在资金来源和运用上的矛盾和困难。与此同时，主要西方大银行资本与资产的比例都在下降，因此，也加大了银行的风险（详见表1）。

表1

银行名	1973年（%）	1981年（%）
美国花旗	4.0	3.8
美国汉华实业	4.5	3.4
英国巴克莱	5.1	4.7
英国西敏寺	7.6	5.1
英国米兰	4.5	2.6
英国劳合	6.9	6.2
日本富士	4.0	3.5
日本三菱	3.7	3.2
西德德意志	3.4	3.1
西德商业	3.3	2.5
法国里昂信贷	0.9	0.9

2. 自有资金相对不足。据有关统计，各国银行在处理债务问题时，所采取的政策和做法很不一致。有的国家的各类银行对同一笔债务所拨出的呆账准备金相差约25%。从西方各国的银行来看，其差距高达100%以上。这些不同的差距，增大了银行的风险，也不利于银行间业务的正常竞争。

3. 同业拆放市场的结构起了变化。近些年来，欧洲货币市场上的新成员不断增加，特别是有些来自某些离岸金融中心的银行，由于这些地区金融管制较松，有的银行不以分行的身份出现，而以子公司或金融公司的面目出现，因此很难掌握了解这类银行的资信。与此同时，国内、国际资金同业拆放业务越来越成为大多数银行主要资金的来源渠道和对外贷款的途径，这一结构变化，增加了银行信贷风险。

4. 银行吃倒账的现象增加。由于西方经济危机的冲击，利率居高不下，企业倒闭增加，银行收不回贷款的事件屡见不鲜，这就给银行资金周转造成困难，特别是一些小银行，经受不起打击而破产倒闭。据统计，目前国际银行界面临 2 000 亿美元的债务，大都集中在一些发展中国家身上。因此，一旦出了问题，发生国际性的连锁反应是完全可能的。

但是，我们也应看到事物的另一方面：

1. 80 年代初期持续三年的西方经济危机即将过去，特别是美国经济已出现复苏迹象，美国高利率已经下降，整个国际利率水平也趋下降。经济情况的好转，利率的下跌，将有助于银行信贷业务的经营。

2. 各国中央银行之间的合作正在加强。比如，在墨西哥筹措新贷款问题上，欧、美、日各国中央银行表现出以往少有的意见一致，使其顺利地从国际资金市场获得 50 亿美元的新贷款。各国政府还通过各种国际金融机构（如国际货币基金组织、国际清算银行等），加强研究磋商防止金融危机的措施和对商业银行的监督等问题。

3. 目前许多银行，特别是一些大银行经营作风已有所改进，对大额放款和投资都特别谨慎，大都增加了准备呆账的资金。大金额、大项目的贷款大都采用银团方式，由不同国家的银行共同发放，分散了债务风险。同时，各国金融管理当局也加强了防范措施，特别是加强信贷方面的监督。

4. 发展中国家也不愿成为赖账者。这次发展中国家的债务危机是有其客观和主观原因的。但是，这些国家为了自身经济的发展和信誉是不会轻易赖账的。他们除了续债外，同时也采取了一系列经济金融调整措施和政策。例如，墨西哥实行了银行国有化，货币进一步贬值。但该国政府仍然承认其对外债务。发展中国家还准备通过南北对话，争取建立国际经济新秩序，通过南南合作，加强自力更生的能力。

从目前国际银行界所面临的问题和所出现的一些缓和情况来看，当前还不会爆发一场世界性银行倒闭的风潮和危机，特别是类似 30 年代那样的金融危机。当然，个别的银行破产倒闭还会时有发生，但是牵连的面，估计不会太广。

金融危机及其防范*

从资本主义经济发展来看，一个国家的金融领域出现混乱动荡，对银行信用体系、货币金融市场、对外贸易、国际收支及至整个国民经济造成严重影响可称之为金融危机，如果其波及蔓延他国，使其他国家和地区陷入严重困境，则称之为地区性金融危机、世界金融危机。

一般来说，金融危机可分为三类。一类是资本主义周期性经济危机的固有组成部分，与经济危机关系密切，金融危机促进经济危机，经济危机导致金融危机，经济危机与金融危机并发。另一类是在经济危机没有爆发的条件下，由于国际资本的冲击，国内经济泡沫化，金融体系脆弱等原因爆发的金融危机。还有一类可能起因于某些特殊事件，如战争、政变、灾荒等，被称为特殊的金融危机。危机主要表现为：股票等有价证券暴跌、资本外逃、资金匮乏、市场利率急剧提高、银行支付体系混乱、银行破产倒闭、储备剧烈下降、货币大幅度贬值等。

可以说，这三类金融危机的表现形式基本上相同，在危机爆发的原因上也有某些相同之处，因此这三类危机既有区别，也有联系。第二类金融危机的发展很可能引发经济危机。本文扼要阐述某些有关前两类危机的情况、原因及其防范。

一、资本主义1929—1933年金融危机

1929—1933年世界金融危机是资本主义生产过剩性经济危机的组成部分。1929年美国证券交易所的破产拉开了金融危机的帷幕，危机迅速蔓延，

---

* 本文原系在国家行政学院省部级干部金融专题研究班上的讲稿，该稿于1999年3月由该院省部级干部金融研究班办公室以内部材料形式刊印。1999年5月22日该文摘要刊登于《金融时报》。全文刊登于《国际金融研究》1999年第6期，《城市金融论坛》1999年第11期。1999年7月15日至16日，作者参加了在昆明举办的“迈向21世纪——国际金融与中国金融发展国际研讨会”，提交了此论文，该文被收集到何泽荣、黎维彬主编的《国际金融与中国金融发展》（云南民族出版社，2000年8月）中。

导致全球股市暴跌，从而引起借贷市场的混乱。1931 年 5 月，奥地利信贷银行破产成为触发各国银行信用危机的导火线，而信用危机加剧了世界经济危机的程度，首当其冲的是德国。当时德国本身存在严重的国际收支危机，每年要支付大量战争赔款和利息，不得不向美英等国筹借短期银行信贷，奥地利信贷银行宣布破产后，美英等西方国家担心资金安全，纷纷从德国提取短期资金。由于外资大量抽走，从 5 月到 7 月，德国黄金储备减少了 42%，德国政府于 1931 年 7 月宣布停业两天，德国四大银行中的两家随即破产，同年 9 月宣布停止支付外债，禁止黄金自由输出。德国中止对外支付后，英国在德国的资金不能够调回，加之大量资金从英国抽走，同年 9 月底，英国宣布停止黄金支付和纸币兑换，放弃金本位，英镑贬值 31%。由于英国放弃金本位，与英镑关系密切的国家也纷纷放弃了各种类型的金本位。与此同时，许多国家的银行大批破产倒闭。1931—1932 年，美国倒闭的银行达5 096家。1933 年春，美国又爆发了信用危机的新浪潮，存款大量被提取，银行资金周转不灵，发生挤兑风潮，又有 4 000 家银行倒闭，引起资金外逃，联邦储备银行黄金储备锐减，于是美国不得不放弃金本位，美元贬值。其他国家货币也纷纷贬值，截至 1936 年，欧、美、亚、非、拉几大洲就有 44 个国家的货币先后贬值，几乎没有一个国家得以幸免。截至 1933 年底，全世界有 25 个国家停止偿付外债，一系列政府宣布破产，这也是世界经济史上绝无仅有的现象。

20 世纪 30 年代的这场金融危机引发的情况相当严重，主要表现在以下四个方面：(1) 出现了大批银行倒闭的风潮，而且引起了国际性的连锁反应和整个货币金融领域的严重混乱；(2) 中止了国内和国际的支付关系，危害和动摇了整个国际信用体系；(3) 造成西方金本位货币制度的崩溃，各国货币纷纷贬值；(4) 进一步加深了世界经济危机。

二、二战后与周期经济危机相伴随的金融危机

二战后，由于西方国家受战争破坏的影响，经济恢复和发展情况各不相同，加之政治经济发展的不平衡性，虽然各国经济危机也频繁发生，但发生时间参差不齐，情况也不尽相同。总的说来，西方各国经济状况到 20 世纪 50 年代后期才有所恢复，直到 70 年代才基本恢复。截至 80 年代，真正称得上世界经济危机的只有 1957—1958 年、1973—1975 年、1979—1982 年三次。下面我们就后两次金融危机的情况分别阐述如下：

需要指出的是，二战后建立了以美元为中心的布雷顿森林货币体系，

其核心是美元与黄金挂钩，各国货币与美元挂钩，外汇交易波动不超过平价上下1%的固定汇率的金汇兑本位制。这一规定实际上让其他国家货币钉住美元，美元等同黄金，成为世界货币。随着资本主义经济政治发展不平衡，美国外贸和国际收支逆差扩大，虽然美国竭力想保持汇率波动的幅度和35美元兑1盎司黄金的官价，但是西方外汇市场不断掀起抛售美元、抢购黄金和其他硬币的风潮，以法国为首的中央银行带头用美元按官价兑换黄金，使得美国黄金储备大量流失。从1960年到1973年，西方外汇市场上一共出现十次冲击美元的大风潮，人们称为美元危机。由于美元危机造成金融领域的动荡，也有人称为国际货币体制危机和国际金融危机。

1971年8月，美国宣布停止按官价兑换黄金，同年11月和1973年2月，美元先后两次贬值，美元与黄金切断联系，多国货币纷纷实行浮动汇率，至此，以美元为中心的固定汇率彻底瓦解。

由于金本位和金汇兑本位制的瓦解，1973年以来，国际货币制度可称之为多元化的信用本位制，这就为资本跨国流动和信用扩张以及通货膨胀开了方便之门。

还需指出的是，二战后，每到经济危机时，各国政府在货币金融领域都奉行了扩张政策，即向流通中注入大量货币以刺激经济回升，以及扩大财政赤字，增加有效需求，加强对经济的干预。这在一定程度上抵消了经济危机对信用的抑制作用，是战后经济危机中没有爆发大规模银行信用危机并造成整个信用支付中止的主要原因。当然，严重的通货膨胀和信用膨胀对经济的危害和潜在祸害不能低估。

（一）1974—1975年西方金融危机

1973年底，资本主义国家爆发了二战以后最严重的经济危机。在危机前夕的1973年10月，美国已发生圣地亚哥国民银行因贷款无法收回而倒闭的事件。在各国先后陷入经济危机后，银行倒闭、停业接连发生。震动较大的是1974年5~6月，西德最大的私人银行之一的赫斯塔特银行和美国第20大银行富兰克林国民银行因经营远期外汇投机蒙受损失，被迫倒闭。在这次事件冲击下，西方外汇市场收缩，国际资金紧张。由于受影响而倒闭的还有以（色列）英银行、开曼群岛的几家银行以及意大利的几家银行，突出的是意大利辛杜那集团的破产，从而导致意大利股票，特别是安布鲁西亚银行股票猛跌。在这次银行风潮中，因牵连而受损失的还有美国摩根银行等十几家欧美银行。此后，除法国、日本外，在美国、西德、瑞士、英国、意大利等许多资本主义国家都发生许多银行破产或严重亏损事件。据不完全统计，这场金融危机波及大大小小的银行、金融公司一百多家。美国不少有名的大银行，如花旗银行和大通银行都被列入美国“问题银行”名单，引起国际金融界的震惊。

引起这次金融动荡的主要原因是：（1）经济危机的影响。在这次经济危机中，受影响最严重的是1972年经济高涨后膨胀最快的那些行业，如房地产业和建筑业、油轮业、航运业、航空业等，而这些行业又是银行放款和投资的重要对象。这类放款和投资因不景气而不易收回，损失也很大。值得指出的是，这次危机通货膨胀严重发展，物价猛涨，利率、股票证券暴跌，使银行直接或间接受到严重打击。（2）银行业本身的脆弱性。由于资本主义各国二战后长期实行信用膨胀政策，银行的信贷投放增加很快，造成银行业财务上日益脆弱，表现在自有资金比重减少，放款对存款比例增大，存款准备金不足。如从1960年到1974年，美国全部商业银行资本额占资产额的比重从8.1%降为6.9%；放款占存款比例由56.2%升至82%，存款准备金的比例结构失调。（3）外汇投机遭受损失。在浮动汇率下，银行经营外汇业务本来就有相当风险，但有些银行为追求暴利，利用汇率变动频繁进行投机，结果遭受损失而破产，西德的赫斯塔特银行和美国的富兰克林国民银行就是例子。（4）各国银行间国际业务的连带影响。

在这次银行风潮中，各国金融当局采取的主要对策措施有：（1）对小银行，凡损失超过资本者，令其清理停业。（2）对影响较大的银行，则组织力量尽力抢救，如无法挽救，由政府出面与大银行洽商收购，尽量缩小影响。如英格兰银行和英国几家大清算银行组织营救委员会，对30家“边缘银行”提供13亿英镑贷款解决资金困难；西德联邦银行和西德银行界筹资10亿马克，支持流动资金不足的银行；美国富兰克林银行倒闭前，联邦储备银行出资17亿美元给予支持，破产后由金融当局安排，让欧洲银行集团的欧美银行出资予以收购。（3）对一般银行则加强管理和监督。英格兰银行设立专门机构，负责对银行进行监管；美联储加强对大银行的监控，对银行外汇业务规定了申报制度，扩大存款保险制度的适用范围，加强对银行放款额度的控制；西德政府进一步拟订了管理信贷机构的法案，规定联邦信贷监督局可以随时检查银行账务等。

由于采取了上述措施，从1973年底开始的这场严重的银行风潮，虽然对金融领域造成了较严重的混乱，但还没有形成类似30年代的金融危机，特别是整个信用体系的危机。但是，这些倒闭的和受牵连的银行有许多国际知名的大银行，而且波及影响整个国际金融领域，是二战以来震动最大的银行倒闭风潮，因此，西方和国内的一些学者把1974—1975年的经济危机称为与金融危机并发的危机。经济危机中，经济停滞而物价仍然上涨的现象，被称为“滞胀”。

（二）1982年西方金融危机

1982年西方银行倒闭最多的要数美国，全年倒闭近50家，平均每周1家。由于美国银行属于分散性的银行体制，全国有1万多家，因此倒闭一些小银行是常有的事。值得注意的是，有些小银行的倒闭导致一些大银行严重损失，如宾尼亚广场银行的倒闭，使排名第6位的伊利诺斯大陆银行吃了2.2亿美元的倒账，震惊了美国金融界。这些银行倒闭的主要原因除了受经济危机的影响，还与美国政府采取的经济金融政策有关，主要有以下几方面的问题：（1）高利率的影响。由于美国实行持续的高利率政策，造成借贷成本昂贵；而利率越高，贷款风险也越大，不少银行和企业因利率前景估计错误而亏损和倒闭。（2）能源贷款的影响。1973年后石油价格成倍上涨，能源开发成为热门。银行增大了能源贷款，像宾尼亚广场银行这样的小银行竟放了20亿美元的能源贷款。但在80年代初期，油价下跌，石油公司倒闭增加，这就使一批银行受到冲击。（3）经济危机的影响。由于这次经济危机的持续时间长，企业倒闭空前激增，特别是1982年出现创纪录的倒闭数字，许多债务人陷入了困境，这就大大增加了银行的呆账，仅1981年美洲银行的呆账就高达16亿美元。（4）银行资本与资产比例进一步下降。1974年资本与资产比例为6.9%，1981年已下降到3.6%，这表明美国银行风险增大。（5）债务过分集中，截至1982年底，拉丁美洲国家欠债有一半是欠美国银行的。美国银行向拉美和加勒比海地区共提供了1 129亿美元的贷款，仅花旗银行和汉华实业银行对上述地区的贷款分别就达182亿美元和86亿美元。

除美国银行外，还有加拿大、西班牙、西德、比利时、荷兰、意大利等国的银行出现亏损和倒闭，一些发展中国家的银行也出现了金融风波。

值得指出的是，1982年的银行风潮虽然不如1974年大，但是在当年的国际金融领域里，许多发展中国家爆发了债务危机，而这些债务危机与西方各国银行关系密切。比如，波兰欠西方的250亿美元外债中，就有50亿美元是欠西德大银行的。另外，除美国外，日本在拉美地区贷款也相当多，一旦拉美国家偿债困难，也将影响美国和日本银行。加之许多贷款是通过国际银团多边借贷的，由于上述千丝万缕的联系和相互的利害关系，迫使这些国家政府和国际金融组织以及各国大银行结合在一起施行挽救措施，并不得不继续向债务国提供贷款或重新安排偿还期限。这是这次国际银行风潮的一个新特点。

三、二战后在周期性经济危机没有爆发条件下的金融危机

20 世纪 90 年代以来，影响比较大的是 1994 年墨西哥金融危机和 1997 年 7 月从泰国爆发的东南亚、东亚、俄罗斯、巴西的金融危机，现分别阐述如下：

（一）1994 年墨西哥金融危机

从严格意义上来说，1994 年墨西哥金融危机是一场经常项目长期失衡引发的货币金融危机。

1988 年墨西哥开始实施新经济政策，其中有一项重要内容便是实行“爬行汇率制”，即把比索钉住美元，波动范围限制在一个很小的幅度内。这项政策的初衷是通过稳定的汇率来促使墨、美之间的贸易，并借此降低国内通货膨胀率。这项政策确实起到了一定的效果，墨西哥经济一直快速增长，不仅洗刷了 80 年代债务危机的耻辱，而且成为拉美国家中的明星，通货膨胀率也从 80 年代末期的 100% 以下降至 1993 年的 10% 左右。但这项政策也存在一个致命的缺点：由于两国通货膨胀率差异依然很大（美国该时期通胀率一直在 3% 左右），比索对美元的汇率很长时间没有调整过，致使币值高估，从而打击了出口，墨西哥便出现了长期性的经常项目逆差。例如在 1994 年其逆差额达 280 亿美元，占国内生产总值的 8%，为平衡经常项目逆差，墨西哥大举借债，一方面以政府名义发行了大量债券，尤其是以美元计值的短期债券；另一方面大力发展国内股票，吸引外国投资者。据统计，在 1994 年底，墨政府发行的以美元计值的短期债券余额达 280 亿美元；外国投资者主要是美国投资基金，其投放在墨西哥股票市场的资金总额达 750 亿美元。墨西哥利用外资流入平衡经常项目逆差的做法并不可取，但问题的关键是，一个国家不可长期利用外资来解决国内经济结构的失衡。墨西哥新政府上台后，于 12 月 20 日宣布比索贬值，以此来解决经常项目逆差问题，不料由此引发了投资者信心危机，外国资金闻风而逃，势不可当，墨西哥比索不得不自由浮动，贬值达 50% 以上，股票价格掉下一半多，外汇储备濒于枯竭，银行出现严重亏损和破产，墨西哥对外支付出

现严重问题，不得不求助于美国和国际金融机构。在美国、国际货币基金组织和国际清算银行提供总计500亿美元的贷款担保下，墨西哥的这场货币金融危机才逐步平息下来。

墨西哥金融危机教训是深刻的，就国际收支管理方面有几点可资借鉴：(1)一个发展中国家不可能长期依赖外国资本流入来维持国际收支平衡。经常项目失衡往往是由经济结构失调造成的，要及时调整经济政策，来纠正这种失衡，不要错过时机。墨西哥政府出于政治考虑，一直拒绝货币贬值，以致到无法维持的地步。(2)外国资金、国际资本的流入有时具有很大的破坏性。这不仅指短期资金，而且指那些随时可以兑现逃走的证券投资，一旦有风吹草动，这些证券投资在瞬时内便会逃之夭夭，从而对一国的对外支付形成严重压力。鉴此，发展中国家把向外国投资者开放国内证券市场作为引进外资的主渠道，是很值得商榷的。至少这样做的时候要慎重，步骤要稳妥，包括对金融业的全面开放。(3)对外汇率不宜钉住某一国家的货币，应该采取多种货币加权的有管理的浮动汇率。(4)如果一个发展中国家准备实施资本项目项下的货币自由兑换，要选择一个理想时机，即在国内宏观经济环境较为宽松、经济结构十分和谐，国际收支特别是经常项目在一个相当长的时期内实现并保持平衡时。切不可在条件时机不成熟时仓促为之，否则，在市场出现较大波动时，就会遭受外国投资者（主要在证券市场）抛售本币的压力，受到国际资本投机的冲击。

(二) 1997年7月至今的亚洲金融危机

1997年下半年由泰铢贬值引发的亚洲金融危机波及了中国大陆以外的几乎所有的东亚国家和地区，给这一地区带来了数千亿美元的直接损失，其危机还蔓延到其他国家和地区。这场危机程度之严重，影响范围之广和持续时间之长都是人们始料未及的。其主要表现为：(1)东亚国家和地区的外汇市场和股票市场剧烈动荡，其中各国货币对美元的汇率跌幅在10%～70%以上，受打击最大的是泰铢、韩圆、印度尼西亚盾和新元，分别贬值39%、36%、72%和61%（以1998年3月底与1997年7月初相比）。(2)危机导致大批企业、金融机构破产和倒闭。例如，泰国和印度尼西亚分别关闭了56家和17家金融机构，韩国排名居前20位的企业集团中已有4家破产，日本则有包括山一证券在内的多家全国性金融机构出现大量亏损和破产倒闭，信用等级普遍下降。(3)国际资本大量外逃。据估计印度尼西亚、马来西亚、韩国、泰国和菲律宾私人资本净流入由1996年的938亿美元转为1998年的净流出246亿美元，仅私人资本一项的资金逆转就超过1 000亿美元。（4）受东南亚危机影响，1998年日元剧烈动荡，6月和8月日元兑美元两度跌至146.75日元和147.25日元，为近年来的最低点，造成西方外汇市场的动荡。（5）危机扩散蔓延到区外。1998年5月俄罗斯爆发了股市、债市剧跌的风潮，卢布大幅度贬值，资本大量外逃。造成美国、欧洲、日本乃至拉美的股市动荡。（6）1998年9月，美国长期资本管理公司在这场危机中兴风作浪，出现巨额亏损，后由美联储出面组织大商业银行出资相救，才免于倒闭。（7）1999年1月巴西雷亚尔大幅度贬值，资本大量外逃，股市和债市都大幅度下跌，经济金融陷入困境，对拉美和美国经济造成很大冲击。（8）危机除了直接影响东亚国家和地区的经济增长，造成一些国家出现负增长外，还使1998年全球经济增长放慢。（9）受危机影响的国家由于自身无法摆脱困境，不得不向国际金融机构求助。目前，泰、韩、菲、印尼、俄罗斯、巴西等国向国际货币基金组织、世界银行等国际金融机构的贷款协议总额已接近2 000亿美元。

总的来看，这是一场在没有发生周期性经济危机条件下爆发的金融危机，但其严重性和危害性以及波及面是二战以来最为严重的。亚洲某些股市行情下跌甚至超过1929年大危机，特别是对整个国民经济打击惨重，东盟国家财富的损失高达5 000亿美元。事实上，日本在这场危机前经济一直处在衰退之中。这场危机使不少国家和地区经济增长放慢和出现负增长，陷入了经济危机的深渊。为此，不少学者认为，亚洲的这场金融危机也导致和加深了亚洲的经济危机。

四、1997年7月以来的这场金融危机产生的原因

当前这场危机是在布雷顿森林货币体系瓦解25年后，在90年代经济全球化、区域集团化、金融和贸易自由化进一步深化的情况下发生的。因此，我们应该把握这样一个大背景，对危机产生的原因作深层次的观察分析。

（一）经济全球化、区域集团化对金融的连带作用

1997年全球贸易总额为6.7万亿美元，1998年为6.5万亿美元，全球跨国直接投资分别高达4 000亿美元和4 400亿美元，国际大型跨国公司和跨国银行的合并、扩张表明全球经济相互融合的程度加深。

区域性集团化也在加强。欧洲中央银行和统一货币欧元，分别于1998年5月和1999年元月启动，美、加、墨自由贸易区以及其他区域性经济金

融集团的关系也有较大的发展。

上述情况充分表明，当今任何国家都不可能脱离国际分工和依存关系而保持封闭式的自给自足的经济。这种相互依存要求各国之间进行经济技术合作、知识信息交流。这种合作不仅要发展双边合作或多边合作，而且要发展全球的、无歧视性的、平等互利的合作，共同构筑经济安全网。当然，我们要清醒地认识到，这种依存合作并不意味着没有竞争，相反，现代世界经济的一个重要特征就是国与国之间在经济金融贸易、技术上开展日趋剧烈的竞争。竞争是现代商品经济发展的基本规律，任何社会制度的国家都无法避开它。从某个局部看，竞争剧烈甚至你死我活，但总体看，它推动了社会生产力的进步和发展。正是由于全球经济的相互依存、合作、竞争和发展，各国间的关系才愈来愈密切，相互影响也愈深。一国经济金融出问题，也必然直接或间接影响连带他国，造成地区和全球的动荡。

东亚地区地缘接近，经济关系密切，信息传播快捷，日本一直是亚洲最大的资金供应国，其对亚洲的出口占全部出口的40%。东南亚和韩国的金融危机相继发生后，严重影响了日本，使日本银行不良债权问题扩大化、国际化；反过来，由于日本对东南亚、韩国的资金抽逃，又加深了该地区的危机。美国和拉美经济金融有着千丝万缕的联系，特别是巴西和墨西哥，它们是美国获得外贸顺差最多的国家，同时也影响着美国，进而对全球产生影响。俄罗斯与欧盟，特别是与德国经济金融关系密切，德国银行对俄罗斯的信贷高达500亿马克，美国在俄也有大量投资，因此，如果俄罗斯出现危机，将直接影响欧美的股市和经济。

（二）金融自由化带来的负面影响

随着经济全球化程度的加深，国际资本跨国性转移愈加频繁，规模日益扩大，迫使西方国家不得不放松管制，金融自由化成为不可逆转，主要表现为利率自由化、金融业务自由化和金融市场自由化。特别是20世纪90年代以来，金融扩张的速度大大超过经济贸易增长速度。国际金融交易的基础原本是国际贸易，但以投机牟利的货币资本可以不依附于产业资本和商业资本运动，同样可获得增值机会，有时所获利润比商品生产和流通领域要高得多，成为一种特殊牟利资本。数万亿美元的巨额资金活跃在股票、债券、外汇和黄金市场上，有时在一定程度上能促进经济发展，把某些矛盾和问题转移到金融领域，暂时出现经济金融领域的虚假繁荣，有人称之为经济金融泡沫。然而，金融商品价格和国际资本移动除受经济因素影响外，还受非经济因素、短期投机因素、心理预期等因素的影响，这种交易和转移带有很大的盲目性、投机性和破坏性。如果货币资本运动严重脱离商品生产的基础，虚拟（泡沫）经济的扩张速度大大超过“实体”经济发展速度，迟早要出问题，这是不以人们意志为转移的规律。特别是在经济全球化的今天，其破坏性极其严重，被称为“用金融杠杆掠夺财富的战争”。1997 年 7 月以来的亚洲金融风暴，虽有其自身的内因，但与国际资本的快速、频繁大进大出，兴风作浪不无关系。

（三）对外资过分依赖，经济结构失调，导致经济泡沫

亚太地区发展中国家在经济发展中过分依赖外资。例如，韩国外债从 1995 年底的 784 亿美元猛增到 1997 年 11 月的近 2 000 亿美元，其中 60% 是短期外债，外债占 GDP 的 135% ~140%，泰国外债从 1992 年的 280 亿美元上升到 1996 年底的 857 亿美元，仅 1998 年到期的短期外债就达 400 亿美元。与此同时，金融市场和金融机构迅速扩张。据统计，目前东南亚地区银行业呆账达 10 000 亿美元。这些资金主要投在非生产性的房地产和证券市场上，利用率很低，加剧了经济结构的不合理和经济的泡沫成分。

利用外资盲目追求经济高速增长，导致结构性生产过剩及经济泡沫是这场亚洲金融危机的根源。自日本泡沫经济以来，东南亚非但没有吸取教训，仍然依赖外资，追求高速度，使得结构失调严重，特别是以出口导向的外向型经济模式又进一步造成了出口贸易结构的失调。

1996 年以来，东亚国家和地区出口增长普遍下降，外贸赤字增加，产品必然过剩积压。以韩国为例，1997 年头 10 个月的半导体、汽车等十大主要出口产品出口减少 5%，第四季度钢铁、汽车、半导体的库存增长率分别高达 84.9%、43.1% 和 35.7%。又例如，东亚出口的 1/3 以上为电子产品，其中新加坡电子产品出口占总出口的 70%，马来西亚占 65%，韩国占 30%，中国台湾地区占 25% 左右，容易导致恶性竞争。由于电子产品科技含量高，技术更新快，投资风险大，这样的结构必然存在风险。此外，东南亚和港台大量有加工贸易和转口贸易，马来西亚此类贸易出口值就占总出口的一半以上，结构明显不合理。虽然韩国 70 年代就开始了以重工业为核心的产业结构调整，但至今出口还集中在钢铁、汽车、电子、加工贸易几个部门，因而受世界经济周期波动的影响很大。截至 1996 年底，东南亚地区电子产业和房地产普遍过剩，曼谷的空房率高达 40% 以上。

在经济处于这种状况的情况下，东南亚各国（地区）政府为了刺激经

济，普遍采取了保护本国（地区）金融市场的政策，使东南亚地区的金融机构普遍存在“道德风险问题”。它们相信，在其经营陷入危机时，政府不会袖手旁观，这就促使这些金融机构特别是大的非银行金融机构把大量资金（其中包括从国外借入的大量短期资金）投入到风险极高的房地产业及股票市场谋取高利。1986—1994 年，泰国股指从 150 点升到 3 200 点，印度尼西亚由不到 100 点升至 600 点，香港恒生指数 1990—1995 年从 7 000 点升至 16 000 点，造成持续的虚假泡沫现象。当房地产及股票价格上涨到基本因素难以支撑的水平而逐步跌落、国外短期融资无法继续取得、银行和非金融机构的不良债权和资产也随之迅速膨胀时，只要在某个经济环节上发生问题，都会引发信用危机和金融动荡。

（四）国际货币金融体系和监管体系严重不适应

20 世纪 70 年代以美元为中心的布雷顿森林货币体系瓦解后，黄金与货币切断了联系。目前实行的是多元化的信用本位制，多数国家实行有管理的浮动汇率，美元在国际支付和储备中仍起主导作用，不少国家货币仍依附于美元。这种制度本身就助长了信用膨胀和资金流动。20 多年来，每当国际金融领域出现动荡和问题时，国际货币基金组织、世界银行等国际金融机构都在协调各国金融货币政策，疏通国际资本流动，解决流通手段、储备资产、信贷资金、汇率以及债权、债务等问题上发挥了积极重要的作用。需要指出的是，当前国际货币制度以及国际金融机构已不适应经济全球化、金融自由化发展。国际货币基金组织一味强调鼓吹自由、开放、不干预，并开出一些不适应客观形势发展的陈旧药方，这些已愈来愈受到人们的质疑。改革当前的国际货币体系和国际金融机构已成为当务之急。国际银行业监管也不适应金融自由化的发展。国际清算银行巴塞尔委员会早在 80 年代拉美债务危机后，就制定了一系列对银行监管的条例，例如资本充足率（即银行的自有资本与风险资产的比例不得低于 8%）；1997 年 9 月，该委员会又把监管重点从控制银行内部活动转向与外部金融市场的关系，提出《有效银行监管的核心原则》，将风险管理领域扩大到银行业务各个方面，对银行实行持续的全方位监管，对跨国银行业务也要求实施统一的监管。但是，这些规定还有待进一步落实和完善，如何对付非金融机构及投资者的过度行为，如何就国际资本流动进行有效监管，对危害性的过度交易作出界定，制定有效游戏规则等，这些都是国际金融机构和各国政府面临的严峻考验。

除了国际金融体系和监管体系不适应经济金融全球化所带来的风险外，需要特别指出的是，从这次亚洲金融危机中可以看出，东亚国家和地区金融体系本身脆弱，没有严密的监管体系和内控制度，腐败现象严重。就日本金融体系来看，存在许多弊端和腐败问题，业务交易缺少透明度。此外，东南亚外汇制度也不完善、不健全，由于汇率制度缺乏弹性和过于放松的资本流出入制度，各国大量依赖短期外资。80 年代由于美元疲软，东南亚钉住美元的国家（地区）出口大增，带动经济高速增长。但是 1995 年后美元汇价普遍上扬，通货膨胀率降到 3% 以下，而东南亚各国通货膨胀率仍然较高，加之本币随美元对其他货币的升值以及工资成本大幅度上升，出口商品竞争力明显下降。在此情况下，维持相对高估的汇率水平更增加了货币政策操作的难度，以致在国际收支与国内货币投放等方面不能做到很好的协调，特别在国内金融市场和银行体制不健全的情况下风险就更大。

（五）政治因素与危机的关系

东亚国家（地区）的经济发展是落后国家赶超发达国家、实现工业化的一种典型模式，即通过引进外资和技术与本国的劳动力和资源相结合，以出口带动经济高速增长，实现经济赶超。

以亚洲“四小龙”为例，20 世纪 50 年代后期，它们是采取进口替代战略。由于不成功，60 年代，当美欧经济增长导致劳动成本上升，过去密集型产业逐步丧失优势，纷纷转向发展中国家之际，亚洲“四小龙”抓住机遇，推出出口导向型经济发展战略，依靠劳动密集型产品出口迅速实现了工业化。

不得不指出的是，政府在工业化发展过程中的干预作用。东南亚各国政府均采取过度的干预行为，这是东亚市场经济体制下的普遍特征。这在一定条件下对东亚经济发展模式运行的成功起到了保障作用，但过度的保护必然对经济的进一步发展造成一定的障碍。

东亚国家（地区）国内自然资源相对缺乏，亚洲“四小龙”的自然资源更为缺乏，东盟国家除了石油、锡、橡胶等少数资源外，其余也依靠进口，加之国内市场狭小，普遍采用出口导向，以出口带动经济增长。为了促进出口增长，政府采取了一系列相应的优惠政策。在资金私有制的情况下，政府又采取了一系列保护金融市场、吸引外资、鼓励银行信贷的措施；此外，对一些大企业和银行集团也采取扶植的倾斜政策。这往往造成政府过多干预，容易导致政企不分，滋生官僚主义和低效率，引起决策失误和腐败。韩国的教训是非常深刻的，由于政府政治干预下的过多保护，导致企业缺乏竞争力。日本金融机构问题成堆，对政府存在依赖心理，经营上存在侥幸心理，经营者不负责任。据 1998 年 1 月的统计，日本银行不良资产高达 76 万亿日元。

从另一个角度看，由于金融危机引起社会动荡进而导致政局变更。印度尼西亚、韩国都更换了总统，日本证券公司的舞弊行为引起政府要员特别是财政金融领导人更换，俄罗斯的风暴又引起总理等一些高层人员更迭，巴西金融危机后，银行行长也再度更换等，这使得金融危机增添了政治色彩，造成危机的复杂性。与此同时，美国、欧洲诸国、日本等受到国际经济金融动荡大背景的牵制和影响，在一定程度上影响了经济政策的连续性，使政治问题和各种矛盾更为突出，甚至造成某些地区国际关系的紧张。

此外，国际货币基金组织等国际金融机构对遭受危机打击的国家实行经济援助时，也会在条件上出现这样或那样的矛盾，特别是牵涉要求该国政府对经济金融政策作出苛刻调整的许诺。一般来说，援助对这些国家摆脱困境会有一定帮助，但也可能使其在今后的经济发展中出现被动，对此产生更多的依赖。

五、金融危机的防范

（一）要创造一个安全的国际经济环境

从当前到下一世纪世界经济发展的态势看，基本特征仍然是“依存、合作、竞争和发展”这八个字，这也是冷战结束后世界经济全球化发展的必然趋势。不论是世界各国的双边关系还是多边关系，最主要的是经济关系。经济工作、国际经济关系已成为国际组织和各地区集团以及各国政府的工作重心。因为人们愈来愈认识到交际、开放、自由贸易是世界经济可持续发展和富裕的源泉，“和平、自由、安全和富裕”成为人们的共识。为此，国际组织、各国首脑如何进一步发展世界经济关系，如何协调各国经济货币政策，疏通世界资金流向，即在投资、贸易、劳务、竞争、保护知识产权、市场准入等诸方面制定和确认普遍承认并遵守的游戏规则，处理好政府、经济界和非政府组织之间的新型关系，乃至关于文化思想、信息交流的正常对话都被提到议事日程进行双边或多边讨论。反对对抗，提倡对话，共同建立新型的国际经济关系和新的国际经济秩序，重视全球经济可持续性发展和金融安全，采取措施防范和缓解金融风险，已成为国际社会共同关心的焦点。1997 年 7 月以来的世界经济金融风波和危机中，国际金融机构和各国政府，包括我国政府都为缓和危机进行了积极努力。这表明，国际经济金融合作协调关系正在加强和发展。

（二）必须加快国际金融体系、国际金融机构以及国际监管的改革

改革现行的国际货币体系和金融机构已刻不容缓，打击投机活动、规范金融监管势在必行。去年国际货币基金组织和西方七国财长提出了建立预警系统、紧急援助基金，强调业务的透明度；1999 年 2 月 20 日，西方七国财长会议决定建立金融市场稳定论坛，对影响全球金融体系的薄弱环节进行研究。从制定行动纲领并监督实施的状况来看，估计今年在国际金融体系和金融机构改革方面，虽然会出现种种矛盾和争论，但在某些方面会取得一定的成效，一定程度上有助于国际金融体系的稳定。

当然，我们也要看到，由于世界经济发展的不平衡性以及经济全球化、金融自由化所带来的新情况和新问题，因此如何去适应和改革现行国际货币体系和协调各国利益冲突与矛盾是个十分复杂的系统工程。

国际货币体系和国际金融机构的改革要取得真正的成效还有相当的过程，特别是这场危机的影响还在继续蔓延，潜伏的危机还未真正过去。

欧元启动后，从长期看有助于欧盟经济发展和国际货币金融体系的稳定，但是，在当前欧盟各国分别掌握政权的情况下，超国家的欧盟中央银行如何实现和运行统一的货币金融政策将会产生难度，因为 11 个国家的经济发展客观上仍存在着差异，各国的财政政策和欧盟统一的货币政策必然会出现矛盾和冲突，加之欧盟普遍面临高失业，这必然影响欧元币值的稳定，对欧元进程带来挫折和不稳定因素。

（三）加强区域性合作

东盟国家在克服金融危机的过程中深深认识到，要摆脱危机，促进经济恢复，最重要的途径就是加强团结、齐心协力，不断推进经济改革，重振经济。

东盟首脑会议为克服金融危机，对付新的挑战，采取了三项重要措施：

（1）加快东盟自由贸易区进程。1993 年东盟宣布，在 15 年内即在 2008 年建成自由贸易区；1995 年东盟首脑会议决定，提前至 2003 年建成；这次危机后，准备提前至 2002 年建成。到 1998 年底，东盟国家约有 4.6 万种商品已纳入自由贸易区范畴之中，占全部商品的 82.2%，这将推动和促进东

盟经济和贸易的迅速发展。

（2）成立金融危机预警机制。东盟财长于1998年10月举行会议，并签订了一项关于成立金融危机预警机制的协议，以防范东盟地区再次出现金融动荡。根据协议，东盟在雅加达的秘书处设立一个专门收集东盟各国贸易、国际收支、财政收支、利率、汇率、经济增长率、资金流向等重要财经数据和资料的机构。东盟各国财长每年召开两次会议，与亚洲开发银行的专家一起研究这些资料，预测地区经济发展形势，就各成员国重大经济发展政策提出建议。东盟各国经济部长表示，坚决支持该系统，并签订补充协议，规定各成员国在改变重大财经政策时必须提前向其他成员国通报，且新政策不能违背东盟已签署的各项协议。

（3）建立东盟投资区。东盟经济部长于1998年10月签署了东盟投资区框架协议，规定将在2010年建成，届时东盟各国投资者将在区内享受同等国民待遇，除少数涉及国家安全的行业外，各国所有行业都向投资者开放。这将进一步加强区内的经济合作与发展。

东盟国家认为政治上的团结是经济合作的重要保证。为此，各国将进一步加强政治和外交上的协调合作，同时强调，以不干涉内政为原则，以积极正确的态度看待经济全球化给经济带来的危害。

（四）加强各国自身抵御金融危机的能力

国际上创造一个良好的经济金融环境，加强地区间的经济金融合作，这都是防范金融危机必须努力实现的目标。但就每个国家来说，其关键还是要加强自身防范风险的能力。具体包括以下几个方面：要有一个稳定的政治局势和社会秩序；要有一个切实可行、符合实际的经济发展战略目标；宏观经济政策要运用适当；财政、金融政策要协调，财政、金融体系要健全；利用外资要注意引导方向，特别是注意国际收支经常项目的平衡；汇率制度要有弹性，本币资本项目自由兑换要慎重；加强科技、教育的发展，提高国民素质，增强国民经济的综合实力。

从以上分析中可以看出，只有认真分析把握国际经济金融环境的发展趋势，制定符合实际的对内、对外经济发展战略，增强国民经济的综合实力，才是抵御防范金融危机和风险的关键所在。

六、对我国的几点启示

1. 正确对待经济全球化、金融自由化的挑战。经济全球化已是不可逆转、不可抗拒的潮流，它会带来正负两方面的影响，我们应当以积极的态度参与国际经济合作活动与交流。在加强国际贸易、投资劳务、技术合作时，要清醒地看到市场竞争的基本规律。世界货币美元、欧元、日元等多元化不可逆转，美元、欧元和日元有相互抗衡的一面，也有妥协的一面，因此需认真分析其发展趋势和影响，同时也应充分估计国际资本流动的投机性和破坏性。如何审时度势，趋利避害，完善和调整我国对外经济金融关系，不断增强我国在国际经济金融事务中的地位和作用显得更加重要。

2. 从我国国情出发，结合世界经济全球化发展趋势，制定切实可行的宏观经济政策和发展国民经济的目标及规划。处理好经济增长、通货膨胀、充分就业与国际收支平衡之间的协调、均衡关系。处理好改革与开放、国内市场与国际市场的关系。做好国内经济工作，加快社会保障体系的建设，增强承受、抵御风险的能力，使国民经济保持持续、快速、健康发展。

3. 利用引导好虚拟资本，提高驾驭虚拟资本的能力。凡实行市场经济的国家，不可避免地会产生虚拟资本。随着国内资本市场的发展，股票、债券上市的规模必然增大，会引起巨额资金的频繁流动，并带来正、负两方面的影响，为此要对股票发行进行规范，加强管理和监督，把资金引入国家急需的投资渠道。借鉴发展中国家的经验教训，加强对外资流入的监测和管理。具体可采取征收交易税、存款准备金和规定存取最低限额等，防止巨额频繁的短期资金流出、流入可能对国内货币政策乃至经济运行造成的严重干扰。利用外资的重点仍然是引进外国直接投资，把资金引导到生产性、基础性的行业上去。同时，注意国际收支中经常项目的平衡。

4. 加快金融体制改革的步伐和国有商业银行企业化的转换。迅速提高作为我国金融体系主体的国有商业银行的经营管理水平，理顺商业银行内部及外部各方面的关系，改进和完善商业银行内部管理制度，建立严格的内控制度和有效的管理办法，提高资产质量，特别是信贷资产质量。尽快妥善完成对不良资产的处理，保持人民币对内、对外币值的稳定，保持经济结构调整和经济发展，保持经济和社会稳定。

5. 认真细致地做好加入世贸组织的各项准备，必须逐步有序地开放国内市场，特别要谨慎处理好开放资本市场与经常项目下自由兑换的关系。应在调查研究的基础上，对我国现行浮动汇率制度与外经贸的关系做全面的总结。千方百计扩大出口，提高商品质量，调整商品结构，增强竞争能力，并提高整个服务业的人员素质。在条件不成熟的情况下，不急于实行资本项目下的人民币自由兑换。积极稳妥开拓国际金融市场，在重要国际金融中心建立和增设机构，促进对外金融贸易往来和发展。

6. 对国际经济金融动态和信息要进行跟踪。深入研究国际重大事件的形成和发展以及对世界经济所产生的影响，如这场亚洲金融危机，俄罗斯、巴西、拉美的金融动荡以及欧元启动对我国贸易、金融、清算、外汇储备等方面带来的影响，及时制定应采取的对策。应从理论上对周期性经济危机、金融危机、国际资本流动、国际银行业危机、跨国公司发展兼并的新特点和规律以及对世界经济金融尤其是对我国的影响进行深入研究。

评西方股市风暴*

一

1987 年 10 月 19 日，星期一，西方股票市场掀起了轩然大波，美国纽约股票市场首先发难，触发了全球性股票市场价格暴跌。这次股市风暴的特点是：

1. 股价跌幅大。美国道琼斯工业平均指数在一天内急跌 508.32 点，至 1 738.42 点，跌幅为 22.6%。无论是下跌的点数或是跌幅，都创有史以来一天内的最高纪录，甚至超过了 1929 年 10 月 28 日美国经济大危机前夕创下的一天内下跌 12.8% 的纪录。

2. 全球性。美国股市大跌，触发了全球几乎所有股市的恐慌性抛售。在欧洲，伦敦《金融时报》指数 19 日下跌 183.70 点，跌幅为 10.1%，亦创一天内的最大跌幅；瑞士信贷银行指数的跌幅为 11.3%；联邦德国为 3.7%；法国为 6.1%；荷兰为 7.8%；比利时为 10.5%。在亚洲，日本东京的《日本经济新闻》股价平均指数在 19 日下跌 620 点即 2.35% 后，20 日再跌 3 800 点即 14.76%；香港恒生指数在 19 日下跌 420.81 点即 11.12% 后，20 日宣布停市四天，26 日再创日跌 1 121 点即 33.3% 历史最高纪录；新加坡《海峡时报》指数 19 日的跌幅为 12.15%；澳大利亚所有普通股指数继 19 日跌 80.20 点即 3.74% 后，20 日又下跌 24.9%。巴西、墨西哥的股市跌幅也在 20% 以上。

3. 反弹乏力。20 日在美国股市采取一些技术性的补救措施如一些大公司购回本公司的股票，停止使用程序交易机之后，股票市场价格出现反弹，21 日其他股票市场价格也有所回升，但好景不长，26 日起，世界股市又起跌风。11 月 2 日美国道琼斯工业平均指数收盘价为 1 963.53 点，比 19 日有

---

* 本文与张颖合写，原载《红旗》杂志 1987 年第 22 期。

所反弹，但与8月25日该指数最高点相比仍下跌27.8%。这种波动性下跌的状况时有发生，阴云笼罩着国际金融市场。

二

引发纽约股市暴跌的原因，有起主导作用的必然性因素，也有偶然性因素。必然性因素是：

1. 近5年股票市场价格的上涨远远背离了股票实际价格，因而在经济规律的支配下，股票市场进行了强制性、突发性的自我调整，使股票价格向股票实际价格的方向回落。

股票并不是劳动生产物，它本身没有价值，其价格取决于股息收益和利息率，即与股息收益成正比，与利息率成反比。此外，股票的价格还取决于经济状况和经济周期的进程。在经济繁荣时期，企业利润增加，人们预期股票带来的收入会增多，因而对股票有大量的需求，购买者增加，股票价格高涨；反之在经济衰退时期，企业利润下降，股息收益降低，人们竞相抛售股票，从而使股票价格跌落。

在70年代以前，股票价格的走势与经济状况、经济周期是基本吻合的，虽然在某些时也会出现一定程度的背离，但背离的时间很短，背离的幅度也不大。如1949—1969年间，美国年平均经济增长率为4%，道琼斯工业指数增长率为8.7%。70年代以来，由于西方工业国家普遍出现“滞胀”，货币供应量的增加远远超过经济增长所需要的货币必要量，这些多余的货币一部分冲击商品市场，加剧了通货膨胀，物价上涨，另一部分连同生产中游离出来的闲置资本则进入国际金融市场，形成国际借贷资本流向发展中国家，因而这一时期，股票价格的走势与经济状况也大体一致。如1970—1982年期间美国年平均经济增长率为2.6%，道琼斯工业平均指数增长率为1.4%，而且1969—1970年、1973—1975年美国道琼斯工业指数出现连续、较大幅度下跌的年份，均伴有或引发经济衰退。

自1983年以来，由于发展中国家出现债务危机及为偿还债务本息而出现的资金倒流，石油价格下降使生产性资本相对节约等因素，国际金融市场上的闲置资本进一步膨胀，为了寻求新的出路，它们大量涌向股票市场。股票市场既是一个投资市场，又是一个投机市场，而闲置资本充斥、近几年市场利率较低以及各种金融创新技术的发展，则加剧了股票市场的投机气氛，越发使股票市场价格大大背离了由经济基础所决定的股票实际价格。

如1983—1985年美国经济年平均增长率仅4.1%，而道琼斯工业指数年平均上涨15.4%，1986年和1987年头三季美国经济增长率分别为2.9%和3.6%，但道琼斯工业指数则从1985年12月的1 517.02点扶摇上升至1987年8月25日2 722.42点，形成股票市场的虚假繁荣。其他国家的股票价格与经济状况也出现了这种大幅度的背离。因此在经济规律的作用下，股票市场出现强制性的自我调整是必然的。

2. 美国经济发展的不健康因素和金融市场中存在的不稳定因素强化了调整的必然性：（1）美国1986财政年度和1987财政年度赤字分别高达2 211亿美元和1 480亿美元，虽然里根政府采取了若干措施，但赤字依然庞大。（2）连续几年的巨额贸易逆差使美国国际收支经常项目逆差严重，美元汇率虽已大幅度贬值，但外贸逆差仍然没有改善，1987年头8个月贸易逆差高达1 165亿美元。（3）西方外汇市场动荡不安，美元汇率持续疲软，美国为了制止通货膨胀、稳定汇率和吸引外资流入，提高了利率水平。（4）从1985年开始，在美国的外国资产逐渐超过美国在外国的资产，预计至1987年底美国对外债务将达4 000亿美元，成为世界上头号的债务国。上述种种因素，使人们对美国经济前景失去信心，因而强化了股市调整的必然性。

至于何时进行调整则是由偶然性因素决定的。由于美国同伊朗发生直接军事冲突而引起海湾局势陡然紧张，这是一个因素。近年来股票程序交易机使用中存在的问题，也可以看做是一个直接诱发因素。近年在美国，人们购买或出售股票往往是根据程序交易机图表显示而作出决定的，10月19日那天，交易机全部显示了出售的信号，造成了人们的心理恐慌而纷纷抛售手中的股票，以致价格一泻千里。无怪乎有人把这次风潮归罪于程序交易机。

三

那么，这次股票价格的大幅度下跌会否像1929年那样引发崩溃性的世界经济危机呢？历史不会简单重演。与1929年相比，这次股票价格下跌有许多不同之处。

1. 银行制度相对稳定。按照美国联邦储备局的现行规定，任何机构、个人将银行借款用以购买股票的比重不得超过其借款总额的50%，而1929年这一比重则为78%。因此1929年的股票价格下跌，造成借款人难以归还贷款，引起信用危机等连锁反应。而这次股票价格下跌，由于持股人用自有资金购买股票的比重增大，因而引起信用危机等连锁反应的可能性相对减弱。至1987年5月底，美国股票抵押贷款余额仅占商业银行贷款余额的2.2%，因此不会引起信用危机。

2. 国家干预加强。1929年由于没有联邦存款保险公司保险，因此股票大跌后出现银行业挤兑现象，同时中央银行收紧了银根，更是雪上加霜，造成大量企业和银行倒闭。而这次股票价格大跌后，联邦储备银行立即放松银根，向银行系统注入资金，商业银行也降低了利率保证银行流动资金的供应，加之商业银行还有联邦存款保险公司的保险，因此没有发生挤提银行存款的现象。

3. 工业生产形势较好。1929年10月股票价格大崩溃之前，美国工业产量已开始萎缩，7、8、9三个月以年率15%的速度（即与上一年同期相比）缩减，因而股票市场的大恐慌对生产的下降起了火上浇油的作用，触发了世界经济大危机。而1987年的工业产量和需求都有强劲的增加，7、8、9三个月工业产量以年率9%的幅度上升，其他国家和地区经济情况也不错，这就使股票市场的暴跌并不意味着真正的经济崩溃。

但是值得注意的是，现在美国持有股票的人数增多，1929年股票持有人仅占全部人口的1%，而1987年达20%；股息收益的重要性下降，1929年公司红利开支占其全部收入的7%，而现在红利开支占其全部收入的3%；普通股红利与股价的比率也从1949年的6.5%下降至1985年的4.25%，说明越来越多的股票购买者，不是为了获得持股企业分得的红利，而是期望股票面值价格的上涨，从中牟取更大利益。其他国家也有类似的发展。这就表明，由于70年代西方经济滞胀，80年代西方经济复苏缓慢以及发展中国家债务危机、石油价格下跌等因素而迅速膨胀起来的巨额闲置货币资本，日益脱离了货币资本向生产资本再向商品资本形态转化的循环过程而相对独立。这些闲置的货币资本为了追逐股票、外汇等交易而产生的高额利润，在国际金融市场不断流转。这种货币资本的运动逐步出现了与商品生产相分离的现象，成为一种特殊的牟利资本，带有很大的盲目性、投机性和破坏性。货币资本的运动脱离了商品生产的基础，迟早要出问题，这是不以人们意志为转移的规律。在这样的情况下，股价、汇价、利率等波动更为剧烈，国际金融市场更为不稳定。对于国际资本流动的这种发展趋势和运动规律，我们需要密切关注和深入研究。

四

尽管类似1929—1933年那样的经济大崩溃不会重演，股票市场价格的暴跌对美国和世界经济的影响也是不容忽视的。

1. 股票价格持续下跌，最先受影响的是股票经纪行和投资银行，进而影响商业银行和其他金融机构。因为股票市场价格下跌，许多种股票在市场根本没有销路，不易在市场抛出，这样股价继续下跌的风险将由经纪行承担。一些股票抵押贷款发放较多的金融机构也会蒙受损失，出现了倒闭现象。至1987年5月，美国的银行对经纪行的股票、债券抵押贷款达388.9亿美元。

2. 美国的工商企业筹资更为困难。美国的工商企业历来较多地依赖于股票市场的直接融资，这次股票市场的危机将迫使工商企业更多地依靠间接融资即银行贷款，扩大了不同公司的融资成本差距，并使中小企业遭受到打击，投资需求不振，从而影响经济的增长。

3. 股票价格的下跌使部分闲置资本的持有者转而投向美国国债市场、贵金属市场，从而加剧西方外汇市场美元汇率和商品市场贵金属价格的波动。

4. 一部分股票投资者蒙受巨大损失，从而其消费需求受到一定影响，商品价格也会因此下跌，进而影响发展中国家的初级产品出口价格和出口收入，进而影响国际贸易。

此外，从战后美国股市和经济的走势来看，如前所述，1969—1970年、1973—1975年道琼斯工业平均指数的两次较大幅度下跌均引发或伴随美国的经济衰退。1969年和1970年的股票指数分别下降3.3%和14.1%，经济增长率分别为2.4%和－0.3%。1973年和1974年的股票指数分别下降2.9%和18.9%，1974年和1975年的经济增长率分别为－0.5%和－0.3%，甚至1957年和1960年道琼斯工业平均指数跌幅较小的两次也引发了美国的经济衰退或低速增长。我们要密切注意由于股市风潮所引起的汇价和商品价格的波动对我国对外贸易、金融和利用外资会带来什么样的影响。

从次贷危机到全球金融危机：微观机理、制度根源、应对策略*

从2007年3月开始发生的次贷危机已经演变为自1929年大萧条以来全球最严重的一次金融危机。在经济金融全球化的背景下，危机的爆发、表现、扩散、救助等为金融危机研究提供了全新的标本。本文将从经济金融学理论的高度剖析这场危机发生的微观机理和制度根源，分析这次金融危机对我国经济金融发展的影响和启示，并提出应对策略。

一、从次贷危机到华尔街风暴的发展过程回顾

（一）美国的经济背景与次贷危机的形成

次贷危机酝酿过程有以下几个要素：一是从2001年起，美联储实行低利率政策。在网络泡沫破灭以及“9·11”事件后，美联储采取迅速减息政策，短期利率水平在短短一年内由6.5%减至1.75%，此后，联邦基金利率又降至1%，为40年来最低水平。二是长期的利率政策效果明显，再加上政府实施的减税政策，推动美国房贷需求和房价不断攀升。从2000年到2006年，美国全国房价上涨了80%，涨幅为历史之最。三是商业银行为追求高利润，大量发放住房抵押贷款，且次贷的规模占比逐渐增大。为增加流动性，商业银行通过资产证券化手段，把这些贷款打包成抵押贷款支持证券（MBS）、资产支持证券（ABS）等债券，发行到债券市场。众多的投资银行、商业银行和基金公司为上述证券提供担保或直接购入，参与到其发行和交易之中。美联储数据显示，次级贷款占全部住房抵押贷款的比例从5%上升到2006年的20%。一些贷款机构甚至推出了“零首付”、“零文件”的贷款方式。宽松的贷款资格审核放弃了信贷过程中强调的第一还款来

---

* 本文与杨海平合著，原载《经济学动态》2009年第2期，标题为《从次贷危机到华尔街风暴：微观机理、制度根源、应对策略》。

源——借款人的偿付能力，仅依靠房地产的抵押价值，造成贷款违约风险的不断积累。因为次级抵押贷款的收益率高于优质贷款，即使违约率较高，只要房价上升，一旦违约可没收抵押品，通过拍卖收回贷款本息。所以房价上涨有力地支持了次级按揭贷款的发放，借款人可以通过再融资缓解偿付压力，达到无风险套利目的，因而过度贷款导致房地产市场泡沫升级。四是在 MBS 的基础上不断推出新的结构性金融工具（CDS、CDO）满足市场需求。资产支持证券反复衍生和杠杆交易，满足了市场需求，但也造成潜在风险的积累。

（二）次贷危机的爆发

2003 年 6 月至 2004 年 6 月，美国利率水平一直维持在低位，之后，由于通货膨胀压力的增大，美联储开始逐步提高利率，至 2006 年 7 月，连续 17 次加息，联邦基金利率由 1% 上升至 5.25%，并一直维持到 2007 年 9 月中旬。在此期间，由于货币政策的时滞性，政策效果尚未立即显现，加之金融衍生产品的不断发展，次贷市场仍然一片繁荣。然而宏观经济环境的变化使得这种繁荣无法持久维持下去。利率调整的政策效应在 2006 年下半年日渐显现，美国房价开始下降，这使得原本资信状况欠佳的次贷贷款人越来越难以承受房贷负担，违约率上升。次级抵押贷款借款人的违约切断了上述金融工具赖以产生的基础现金流，风险开始暴露。2007 年 2 月，美国次贷危机开始浮出水面。汇丰控股在美国次级房贷业务增加 18 亿美元坏账拨备，美国最大次级房贷公司国家金融服务公司减少放贷，美国第二大次级抵押贷款机构新世纪金融公司发布盈利预警。2007 年 4 月，新世纪金融公司破产，拉开了次贷危机的帷幕，至 2007 年 7 月，次贷危机全面爆发：标准普尔降低了次债的评级，贝尔斯登旗下的对冲基金濒临瓦解，麦格理银行声明旗下两只高收益基金投资者面临 25% 的损失，欧美股市全线暴跌，违约率逐渐增加，次贷拖欠 60 天的比率超过 15%，是 2005 年同期的 3 倍。

（三）次贷危机的扩散

到目前为止，次贷危机经过四轮冲击波：第一波冲击始于 2007 年七八月份，表现在危机集中显现，大批与次级住房抵押有关的金融机构纷纷破产倒闭，美国联邦储备委员会进入降息周期。第二波是 2007 年年底至 2008 年年初，花旗、美林、瑞银等全球著名金融机构因次级贷款出现巨额亏损，市场流动性压力骤增，美联储和一些西方国家中央银行被迫联手干预。第三波则是2008年3月，美国第五大投资银行贝尔斯登濒临破产，迫使美联储紧急向其注资，并大幅降息75个基点。第四波冲击的标志是“两房”被接管。次贷危机的扩散过程由四个层面展开，在时间上相互交叉，在效应上相互推动。一是从次贷危机向金融危机发展。二是从区域危机向全球危机发展。三是沿着流动性危机（美国房地产次级抵押贷款市场出现支付危机，金融市场中一切以次级按揭贷款为基础的证券，如次级MBS债券，及其在这些证券之上进一步衍生出的金融产品如CDO严重贬值，以这些金融资产为抵押向银行以15~30倍杠杆贷款的各类基金，被迫竞相变卖资产以缓解银行催债的压力）——信用违约危机（主要标志是信用违约掉期等金融衍生产品市场出现全面危机）——利率市场危机（房利美、房地美发行的信用等级接近美国国债的债券出现孳息率大幅上升的危险局面，这种危机影响美国国债的信心，从而触发更大规模的全球金融市场震荡，金融衍生产品市场中规模最大的利率掉期市场面临崩溃）——美元地位危机（美国国债和房利美、房地美债券的信心危机，导致世界范围内对美国金融产品的恐慌性抛售）的路径演变。四是从金融危机向经济危机过渡。

二、金融危机对全球的冲击和影响

（一）对世界经济的影响

一是重创了美国的银行体系。美国有大量的州立银行与中小银行。这些银行在过去几年内投资了大量的次级抵押贷款金融产品以及其他证券化产品。次贷危机爆发后，它们出现了大面积的资产减记与亏损。这些中小银行抵御危机的能力很差，也很难得到美国政府的救助，因此在未来破产倒闭的概率很高。二是重创了全球金融业。全球信用衍生产品市场规模已达500多万亿美元，信用违约担保掉期（CDS）高达62万亿美元，信用衍生产品市场参与者已从最初的银行扩展到固定收益投资者、保险公司、高收益市场基金、新兴市场基金以及非金融机构。在全球金融市场信心受到次贷危机的普遍打击之后，信用衍生产品立刻遭遇了信用贬值的冲击。据不完全统计，英国、德国、法国、瑞士、荷兰、日本、澳大利亚等国家的50多家银行、对冲基金、养老基金及保险公司受到波及，损失上千亿美元。三是美联储频繁降息，从长远看，不利于美元现有地位的维持。可以预见，区域货币、金融合作将加强以抵消美元汇率的波动。四是美元的国内购买力难以维持，在美国仍然存在大量逆差的背景下，频繁降息造成的美元贬值压力从远期看将削弱美元的国内购买力，使通货膨胀压力进一步加剧。五是国际贸易格局将发生变化，对国际货币体系主导权的争夺将日趋激烈。当前不平衡的国际贸易格局，是与美国过度消费模式相联系的。美国金融危机促使各国反思过度消费模式，必然引起各国对外贸易的调整，以内需为主将成为各国的重点，贸易格局将趋于均衡化。与此同时，由于金融危机发生在占全球主导地位的美国，各国对国际金融组织主导权的争夺必然日趋激烈。六是新一轮并购战和财富争夺战与国际跨国公司重新组合将展开。金融危机引发的全球流动性的重新布局以及资产、公司价值的重估会引发新一轮的并购重组与财富争夺。七是对国际金融市场的悲观预期。国际金融市场未来的前景具有极大的不确定性。由于次贷市场具有极大的分散度和极差的透明度，投资人难以确定谁持有高风险债务及这种风险的程度和密集度。人们对不确定性产生恐惧感，进一步加重了市场的悲观预期。更严重的是，向次贷市场发放的大部分贷款是通过表外业务进行的，因而没有人知道未来还会出现什么新问题。八是由于次贷危机造成的对金融体系的冲击，已经通过不同的渠道影响到实体经济，造成了全球性的经济衰退。

（二）对我国经济的影响

从整体来看，美国金融危机对我国的影响有限，但不能低估。美国金融危机给我国造成的负面影响有：一是直接造成持有美国相关金融资产的金融机构的损失。二是巨额外汇储备缩水风险。三是受危机影响的外国金融机构，其变现已持有我国的各类资产对我国经济的冲击。近些年，这些机构通过 QFII、FDI、私募股权投资等渠道，广泛渗透到我国经济、金融领域，特别是房地产、金融股权和 A 股市场。有些机构将急需撤回资金，会给我国的房地产、A 股市场产生影响，进而对我国宏观经济的稳定增添新的变数。四是美国金融危机除波及自身经济外，已影响欧洲、日本经济增长，将导致我国外需明显减少，外需下降对我国经济增长造成极大的下行压力。但由于我国仍是较为封闭的金融体系，美国的金融危机对我国金融机构的影响相当有限，还不会直接威胁我国的经济金融安全。此外，美国金融危机对我国并不全是负面影响，也给我国提供了较多的机遇。首先，美国金融危机的恶化，减缓了世界供求紧张状况，全球石油、大宗商品价格大幅下降，避免了我国不得不面对的滞胀风险，为我国的宏观调控提供了空间。其次，美国的金融危机加快了世界经济金融格局的调整，有利于我国提前进行全球布局。最后，我国可利用世界经济低迷时期，保持本国经济的平稳增长，提高我国在国际社会中的相对地位，切实提高我国未来的国际地位。

三、应对措施综述及评析

（一）美联储采取的措施[①]

1. 新的流动性管理手段。一是调整贴现窗口贷款政策。从2007年8月起，美联储多次通过调整贴现政策，鼓励出现财务困难的商业银行向美联储借款。这些政策包括下调贴现率、延长贷款期限。二是启用新的融资机制。2007年12月12日，美联储推出对合格存款类金融机构的创新融资机制（TAF）。三是启用新的融券机制。2008年3月11日，美联储推出了另一项创新流动性支持工具（TSLF）。四是启用一级交易商信贷工具（PDCF），向一级交易商开放贴现窗口。其实质是向符合条件的一级交易商（主要指投资银行）开放传统上只向商业银行开放的贴现窗口，提供隔夜贷款。五是推出资产支持商业票据，即货币市场共同基金流动性工具（AMLF），通过支持货币市场共同基金支持商业票据市场。六是推出商业票据融资工具（CPFF），直接支持商业票据市场。2008年10月7日，美联储宣布创建CPFF，运作机制是通过特殊目的载体（SPV），直接从符合条件的商业票据发行方购买评级较高且以美元标价的3个月期资产抵押商业票据（ABCP）和无抵押的商业票据，为美国的银行、大企业、地方政府等商业票据发行方提供日常流动性支持。七是向商业银行的准备金付息。

2. 对金融机构的直接救助。一是救助投资银行贝尔斯登。2008年3月14日，美国第五大投资银行——贝尔斯登出现了流动性危机。为了援助贝尔斯登，美联储紧急批准了JP摩根与贝尔斯登的特殊交易，即美联储通过JP摩根向贝尔斯登提供应急资金，以缓解其流动性短缺问题。贝尔斯登将其流动性最差的300亿美元资产作抵押，美联储通过JP摩根向其提供为期28天的等额融资。这是自20世纪30年代美国经济“大萧条”以来，美联储首次向非银行金融机构开放贴现窗口。二是救助房利美和房地美。2008年7月13日，美联储和美国财政部联合宣布对陷入财务困境的“两房”提供救助。其中，美联储将允许“两房”直接从美联储贴现窗口借款，条件

① 王宇：《美国政府应对金融危机的非常规措施》，载《中国经济时报》，2008-11-26。

是美联储将在两家企业的资本充足率监管和其他审慎性监管中发挥咨询作用。在9月7日美国政府接管“两房”方案中，美联储成为美国财政部向“两房”提供信用贷款的财务代理人。三是救助美国国际集团（AIG）。美国次贷危机爆发以来，由于市场违约风险急剧上升，作为全球信用违约掉期市场主要卖方的AIG受到严重影响。2008年9月16日，美联储宣布向AIG提供850亿美元的高息抵押贷款，条件是美政府需获得AIG 79.9%的股权，并持有其向其他股东分红的否决权。2008年10月8日，美联储再度声明，此前向AIG提供的850亿美元贷款额度已用尽，允许AIG以投资级固定收益证券作抵押，美联储将再度给予AIG 378亿美元的贷款额度。2008年11月23日，美国对濒于破产的花旗银行给予250亿美元的注资，并提供3 060亿美元贷款和有价证券担保以解救该行。

（二）美国财政部的措施

一是在2008年1月4日，美国国会宣布实施1 500亿美元的一揽子财政刺激计划。根据这一计划，美国家庭将得到不同程度的税收返还，商业投资第一年可以享受50%折扣，中小企业还可以享受到额外税收优惠。另外，房利美和房地美证券化限额被临时上调，联邦住房委员会的担保额也相应增加。二是援助并接管“两房”。三是推出有史以来最大规模的7 000亿美元的财政金融救援计划。

（三）采取国际联合救助行动

2007年12月12日、2008年3月11日和9月18日、10月8日和10月13日，为了应对不断恶化的金融危机冲击，美联储先后与欧洲中央银行、英格兰银行和日本银行等进行了大规模的国际联合援助行动。主要内容包括：（1）各主要国家中央银行通过公开市场操作等渠道向本国货币市场注入流动性。（2）美联储与主要国家的中央银行建立临时货币互换安排，并根据形势发展调整互换的期限和规模。（3）2008年10月8日，美联储、欧洲中央银行、英格兰银行、加拿大中央银行、瑞典中央银行和瑞士国家银行等联合宣布降息50个基点。2008年12月16日，美联储把联邦基金利率降至历史最低点——0~0.25%。

（四）中国政府采取的措施

面对金融危机冲击造成经济下滑的态势，我国采取了适度宽松的货币政策与积极财政政策的政策组合。一是放松货币政策。包括大幅度降低利率，2008 年 11 月 27 日，中央银行降息 1.08%，为 11 年来的最大降幅；取消信贷规模管制，保证市场流动性；加大金融支持经济的力度。二是积极财政政策。中国政府宣布截至 2010 年将投入 4 万亿元，主要是加大基础设施投入力度，扩大内需。

（五）对以上应对措施的评析

第一，从整体上看，这些应对措施都是遵循凯恩斯范式出台的，意味着萧条经济学的回归。这与尊重市场并不矛盾。在正常情况下，应该遵循市场在配置资源过程中的基础性作用，而在萧条情况下，在市场自我恢复机制遭到破坏之际应该由政府进行干预。应该明确，这种萧条时期的干预总体上有利于降低经济自我调整的成本。第二，随着世界各国加大救市力度，特别是政府直接购买金融机构股权，短期内在一定程度上恢复了市场的信心，市场上的信用利差有所下降，市场的交易也有所回升，有助减缓金融危机造成的损失。第三，这些措施的实施难以阻挡金融危机导致经济衰退的趋势，金融机构的信用萎缩状态并没有消除，经济体内在调整也尚未完成。第四，美国、欧洲、日本以及一些发展中国家，通过中央银行向市场注入大量流动性，并通过财政部注入大量的资本。这些行为是对金融市场功能在短时间内极度萎缩，市场流动性枯竭的反应，注入的大量流动性也停留在金融机构手中，并没有最终进入实体经济，不会构成对商品的现实购买力。从长远来看，这部分流动性造成了未来物价上涨的压力。一旦经济企稳回升，金融机构重新扩张，市场上的流动性就很容易转化为现实的购买力，也即从通货紧缩演变成通货膨胀。货币当局应该对此进行前瞻性研究并及时采取相应措施。

四、金融危机爆发的微观层面机理

从微观和技术层面上看，由于结构性产品的复杂性、评级机构的缺陷、金融企业治理结构与内控制度、会计财务规则等原因，金融市场风险定价功能遭到破坏。

（一）结构性产品的复杂性

一是信用链条、利益链条长。引发本轮危机的房屋次贷产品，从最初的房屋抵押贷款到最后的 CDO 等衍生产品，中间经过借贷、打包、信用增级、评级、销售等繁杂阶段，整个过程设计有数十个不同机构参与，信息不对称的问题非常突出。围绕次贷的信用链条、利益链条可以分解为：(1) 次级贷款银行负责放贷，制造出次级贷款。(2) 投资银行、房利美和房地美公司负责包装加工、抵押和资产证券化，产生 MBS、ABS。这些投资银行包括雷曼兄弟公司、贝尔斯登公司、美林证券、花旗银行、美联银行、德意志银行、美国银行等大牌投资银行。为数不少的投资银行购买了 ABS、MBS 后，根据资产池中的现金流，发行担保债务凭证（CDO)。(3) 资产评级公司进行评级提升信用。(4) 对冲基金批发性购入次级债券并向其他机构转让。(5) 养老基金、政府托管基金、教育基金、保险基金以及外国机构投资者成为最终购买者与持有者。CDO 等产品的存在使得次级按揭贷款借款人和 CDO 投资者的距离越来越远，信用链过长造成了风险估计的困难。而且，CDO、CDO 平方、立方等产品是基于次级抵押贷款有定期的现金流还款衍生而来的，因此，只要房价继续走高，所购房产就一定会增值；有增值，就一定有还款来源；有还款来源，就可以通过证券化分散风险。这就是次贷及其衍生产品信用链条存在的基础。当基础资产面临信用风险时，就会产生链条式反应。二是 CDO 交易结构的复杂性。其复杂性表现在：第一，对基础资产现金流分析与资产池汇集并进行复杂的切割与重组，CDO 的基础资产组合包括 ABS、MBS 等结构性产品，还包括垃圾债券、银行贷款等资产。第二，资产出售和转让的复杂性。贷款银行将抵押贷款真实出售给特殊机构 SPV，特殊机构业务范围仅限于发行资产支持证券及用发行证券所得的资金购买贷款，通过 SPV 发行证券可以实现风险隔离、表外融资、降低赋税等目的。第三，信用增级的复杂性。由 SPV 聘请信用评级机构对证券进行内部评级，并对内部评级不理想的基础资产利用超额抵押法（内部增信)、购买信用违约互换（称为外部增信）等形式进行信用增级。信用违约互换（CDS）相当于一种保险契约的概念，买方定期支付一笔费用给卖方，一旦违约事件发生，买方可根据契约获取一定数额的赔偿金。这笔数额通常为违约事件当时参考资产票面价值与当时市价的差距，以补偿违约事件造成的损失。一旦违约事件发生，该契约宣告结束；若无违约事件发生，该契约将运行至约定的结束日。第四，结构性产品销售的复杂性。SPV 委托投资银行等债券承销商将 CDO 向投资者销售，发行完毕后可在债券交易所挂牌交易，但大量的产品在 OTC 市场而不是场内市场进行交易。一般而言，资产在公开市场交易，价格公开透明。在私下的 OTC 交易，由于没有公开价格，资产透明度差。目前，一些参与结构化产品的投资银行和经纪公司75%到80%的资产是不能马上在市场上标价的。由于信息透明度不够，资产定价困难，市场参与者不知道所持有的资产风险究竟有多大，绝大多数投资者都依赖于评级机构的评级来确定投资的选择。

（二）评级机构的缺陷

一是评级机构的市场地位及盈利来源容易导致评级行为的扭曲。在评级产业初创阶段，评级机构的报告是由投资者支付费用的。20世纪70年代，评级机构的商业模型开始改变，费用开始由证券发行人来支付。评级机构代表了投资者的利益。但是大部分情况下收入来源是证券发行人，这就造成了潜在的利益冲突，即信用评级机构被认为在证券发行人的压力下给证券以不公正的评级。这样信用评级机构的评级会变得缺少精确性和诚实性，信用评级机构自身面临社会信用问题。数据显示，与传统的公司债券评级业务相比较，评定同等价值的次级债券，评级公司所得到的费用是前者的两倍，这是评级机构不能客观对次级抵押贷款证券风险作出评价的原因之一。二是信用评级机构的亲周期性与预警能力的滞后性。首先，评级机构的评级结果容易受到经济周期的影响，表现出与经济周期高度一致的特性。其次，很多证券在风险已经显性化的情况下仍旧没有出现评级的变化。对于大多数投资者而言，由于自身风险估计能力有限，信用评级是其判断证券风险的主要依据，投资者对于评级机构过度依赖。一旦评级公司对于风险的预警出现滞后，投资者就不能及时调整投资策略，风险直接造成损失。同时，监管部门也会因为对评级信息的依赖而出台滞后性监管政策。三是信用评级技术的缺陷。信用评级机构被指责的一个重要原因是对证券发行人信息不能精确地进行评估，进而造成证券信用风险估计的误差。证券信用风险估计过程，关键的估计因素是违约概率和违约回收率。在次贷危机过程中，由于评级公司技术的缺陷导致对于违约概率和违约回收率的估计都存在偏差。

（三）会计财务规则及风险定价

从会计规则看，最近十余年来金融机构普遍采用的会计准则之一是市值定价，也被称为按公允价值定价。其核心在于，金融机构应定期针对某项资产的市场价格，调整资产负债表上的相应资产价格。市值定价的确有助于让资产负债表更加公允地反映市场价值。但客观上，它使得金融机构的资产负债表亲周期性特征明显，在市场繁荣时期同时扩张而放大繁荣，它也导致金融机构资产负债表在危机时期同时收缩而加剧危机的严重程度。金融机构资产负债表的收缩也将导致金融机构账面利润或亏损的同步变动，从而放大利润或亏损。从风险定价看，金融机构过分依赖数据模型对风险进行定价与计量，忽视了分析判断，过度依赖历史数据而忽视市场变化。在复杂衍生产品的定价和估值中，往往以模型推导代替市场决定和专家判断，往往反应滞后，造成巨大损失。

（四）美国投资银行经营边界的模糊化与高杠杆的采用

一是经营边界的模糊化。传统上投资银行以赚取佣金收入为主。20 世纪 90 年代以来，对资本金要求很低的投资银行在高利润的诱惑和激烈竞争的压力下，大量从事次贷市场和复杂产品的投资，投资银行悄然变成了追逐高风险的对冲基金。例如，高盛公司在近年内，直接股权投资和其他投资所获占到其总收入的 80% 左右。出于竞争压力，其他投资银行也在作类似的转型。二是采用过高的杠杆比率。高杠杆的大面积使用使得投资银行的经营风险不断上升。一方面，由于杠杆率较高，一旦投资出现问题会使其亏损程度远远超出资本金；另一方面，高杠杆使得这些投资银行对流动性要求较高，在市场较为宽松时，尚可通过货币市场融资来填补交易的资金缺口，而一旦自身财务状况恶化，评级公司降低其评级使融资成本上升，便可能造成投资银行无法通过融资维持流动性。

（五）金融机构治理结构与风险控制

一是激励机制的扭曲。其表现在以当期业绩作为奖惩依据；对员工起薪较低，但对那些业绩优异的员工则给予重奖。股东对管理层也同样如此，看涨式期权类的奖金激励方式大行其道，极大地助长了金融业高管层的道德风险——冒险成功可获得高额奖金和红利，失误则无须承担损失。对金融业高管的不当激励使不少金融机构行为短期化倾向严重，无视审慎性要求，盲目追求高收益。这种机制助长了他们的贪婪。二是金融机构风险管理实践中存在缺陷。对市场流动性、表外风险敞口及衍生产品风险等评估和管理不够严格，特别是美国实行的多元化的监管，不仅交叉扯皮，而且留有许多空白。同时，在险价值（Value at Risk）模式为基础的资产负债管理方法，事实上使得财务杠杆（负债与资本金的比率）内生化，与上述会计规则共同作用，放大了周期性外部冲击的影响。例如，在市场繁荣时期，金融机构普遍认为每单位金融资产上承担的贬值风险较低，从而可以不断提高财务杠杆。反之，在市场衰退时期，由于金融资产价值不断缩水，金融机构认为每单位金融资产上承担的贬值风险较高，从而不得不收缩财务杠杆。次贷危机爆发一年后，美国投资银行财务杠杆已收缩至20倍，目前仍处于不断收缩的过程中。而金融机构收缩财务杠杆的过程（也被称为去杠杆化）意味着该机构不得不通过抛售风险资产来偿还负债。如果所有机构都启动了去杠杆化过程，则将不断压低资产的市场价值，从而出现新的资产减值与账面亏损，进而又启动新一轮去杠杆化过程。这意味着启动了一个恶性循环。

五、金融危机爆发的宏观层面的制度根源

（一）流动性过剩与不足的失衡

自1973年美元与黄金脱钩后，国际货币体系成为美元本位，其实质上是信用本位，这为美元无限发行开了方便之门。全球流动性过剩成为一个基本态势，但是鉴于经济周期的影响，时而又出现流动性不足，这就导致货币当局时而放松流动性，时而采取紧缩。比如，2000年以来美国实行了宽松的货币政策。从2001年1月至2003年6月，美联储连续13次下调联邦基金利率，从6.5%降至1%的历史最低水平，直接促成了2001年至2005年美国房地产市场的繁荣。美联储实行低利率政策，让联邦基金利率在1%的水平上停留了一年之久，给美国社会提供了大量的廉价资金，推进了房地产泡沫持续膨胀。随着美国经济的反弹和通货膨胀压力增大，从2004年开始，美联储启动了加息周期，在一年半时间内17次加息，1年期国债收益率从1.25%上涨到5%。由于此前市场预期利率长期走低，借款人较偏好浮动贷款利率，加息后贷款利息负担大大加重。特别是次级贷款的借款人主要是抗风险能力弱的低收入人群，很多人在此情况下无力还款，房贷违约率上升。正是货币政策造成并刺破了美国房地产市场的泡沫。与此同时，美国国际收支经常项目逆差不断增加，高达GDP的5%以上。美国用信用美元换取了大量廉价的国外商品和劳务供美国消费，美国向全球输出流动性，又用各种美元金融资产换回美元。因此，国际货币体系的缺陷，流动性失衡是这场危机根源所在。

（二）创新与监管的失衡

一是金融创新是金融发展的动力，但是金融创新是把“双刃剑”。过度

创新、盲目创新，创新离开了监管，必然失去方向，带来危害。这场危机也暴露了美国监管体制改革滞后。《金融服务现代化法案》标志着美国金融业进入混业经营时代。但是美国仍然实行分业监管，金融监管机构多达七家。如果把带有某些监管职能的机构算进去，监管机构则更多。保险公司、商业银行、投资银行等分别属于不同的政府机构监管。次贷证券化过程中有众多的不同类型的机构参与，需要各监管机构高度协调配合。监管机构过于庞杂就会出现协调和配合问题，更容易出现监管漏洞。比如，美国国际集团（AIG）这样涉及多领域的公司，在相当长一段时间里处于根本无人监管的灰色地带，可以自由自在地进行金融创新。再如，次级抵押贷款本身由美联储监管，但在次级抵押贷款基础上衍生出来的 MBS 和 CDO，从理论上既属于美联储监管，也属于美国证券交易委员会监管。从整个金融体系的监管看，投资银行以外的金融机构在证券市场上的活动，几乎没有什么监管。二是对金融创新的监管不力，鼓励多，监管少，特别是场外（OTC）市场衍生产品发展过快，监管滞后。三是对中介机构的监管乏力。由于以上三点原因，监管与创新失衡，监管机构不能科学识别并正确处理创新过程产生并累积的风险。

（三）放任与干预的失衡

伴随着经济全球化的迅速发展，近三十年以撒切尔、里根为首鼓吹的私有化、民主和市场自我调节的新自由主义成为英美经济发展的主导思想，并成为经济政策的理论基础，也成为美国在全球推行金融自由化的工具的理论根源。新自由主义突出强调“最少的政府干预，最大化的市场竞争，金融自由化和贸易自由化”、“市场自我调节”。正是这种对市场过分信任的理念助长放任了市场微观主体的非理性行为，造成了市场的内部坍塌。美国等西方发达国家在应对这场危机采取的干预，以至收归国有等措施，包括美联储前主席格林斯潘的认错，对美国来说是一个极大的讽刺。

（四）虚拟经济与实体经济的失衡

虚拟经济是指市场经济中在信用制度和资本证券化基础上产生的虚拟资本的活动。实体经济是经济活动的基础，虚拟经济是在经济发展进入一定阶段在实体经济基础上产生的经济形式，其发展必须建立在实体经济的基础上并与实体经济发展相适应。美国作为世界最强的经济大国和资本大国就在于其虚拟经济和实体经济都很强大，形成了美国资本市场垄断地位和美元霸权地位。当虚拟经济发展与实体经济发展相适应时，虚拟经济发展会促进整个经济发展；但当虚拟经济严重脱离实体经济而过度膨胀时，则会产生经济泡沫，造成经济虚假繁荣，这必然会导致经济大起大落甚至危机。美国金融危机爆发的根源之一是虚拟经济严重脱离了实体经济，也正是上述失衡进一步造成虚拟经济的膨胀，造成房地产市场、抵押证券市场失去价值基础，导致全球金融危机并波及实体经济，使许多国家陷入经济危机。

（五）全球金融资产配置与价格的失衡

西方经济学的精髓在于合理配置资源，资源配置失衡往往是危机产生的根源之一。从历史上来看，鉴于各种原因引起的战争都与资源争夺有关。随着经济金融全球化进一步深化，国际经济贸易技术交流和往来日益加深，这种交流往来中所形成的债权债务关系必然通过双方认定的支付手段进行结算。目前，全球65%～70%的贸易通过美元计价结算。在全球外汇储备中，美元也占70%上下。全球流通支付手段过分集中于美元，一旦美国经济金融出问题，必然造成全球金融体系的不稳定。

需要进一步指出的是，当前全球外汇储备的总量为6万多亿美元。由于国际收支的不平衡，使得担当全球支付、计价、储备手段的美元在全球地区间、国家间、行业间配置失衡的状况越来越严重。在全球外汇储备的分布中亚洲地区就占一半以上。中国外汇储备已接近2万亿美元，其中70%以上持有的是美元面值的金融资产，主要是美国国债和两房债券。鉴于目前中美之间经济和贸易结构的特殊关系，一时尚难改变这种失衡局面。

从更广义的层面来看，由于美元金融衍生产品杠杆的无限放大，全球金融衍生产品余额高达数百万亿美元。这些金融资产主要集中在金融机构、资本市场、投资人手中，特别是那些几万亿美元的CDO，几十万亿美元的CDS，分布在全球。一个仅30多万人口的冰岛，三家银行所持有的金融衍生产品就高达上千亿美元，是冰岛全国GDP的6～7倍。金融资产配置的失衡反映了金融资产价格的失衡，这两者互为影响，互为拉动。从会计角度来看冰岛已经资不抵债，已经破产。正是因为这三家银行高息揽储，又把这些巨额存款大量购买美国的金融衍生产品。当这些产品价格不断飙升时，银行获取暴利，一旦价格狂跌时，必然就受损失。冰岛政府为了防止事态的扩大，把这三家商业银行收归国有。这一措施虽然阻止了危机的蔓延，却意味着整个冰岛国家的破产。

全球金融资产配置和价格的失衡，清楚地告诉人们，当今作为国际储备的美元失去了应有的价值基础。几十万亿美元金融衍生产品的价格完全脱离了价值基础，迟早要出问题。美国华尔街五大投资银行招致的破产倒闭被并购以及转型为普通商业银行也证明了它们被金融资产价格失衡所击垮。尤其是这五家投资银行的股票暴涨、暴跌，昨天还是煊赫一时的金融旗舰，今天已经沉入大海，也是这场危机爆发的原因。

（六）储蓄与消费的失衡

20 世纪美国新经济泡沫破裂后，自 2002 年以来，美国居民消费就具有显著的财富驱动色彩，即自有房地产价格的上涨推动美国消费者通过负储蓄来扩大消费，以致美国的储蓄率降至零，加之美国鼓励信用卡透支用以提前消费，因而美国 GDP 中的 70% 是由消费拉动的。然而当次贷危机爆发后，购房违约率的比例高达 20% 以上，加之信用卡透支违约无法偿还，涉及人数达 200 多万人，成为一个社会问题。次贷危机引发的金融危机通过负向财富效应大大抑制了居民消费，消费的大幅度下滑直接影响美国的实体经济，房地产、汽车行业首当其冲，美国经济已进入衰退。2008 年 11 月，美国失业率已上升到 6.8%，月失业率已创 30 年来的新高。美国新总统奥巴马表示，将在两年内增加 250 万人的就业机会。

美国居民消费的下滑极大地冲击了美国的经济，必然影响美国的进口，同时也影响了中国以及其他国家对美国的出口。近年来，我国靠出口外需特别是对美国的出口来拉动经济的增长，外贸出口对我国 GDP 的拉动占 20% 以上，而消费对 GDP 的拉动只占 40%，与占 70% 的美国差距很大。我国储蓄率虽高达 40%，但是消费却明显不足。这与我国传统消费习惯有关，但主要在于我国医疗、卫生、教育等社会保障制度的不健全，人们对消费留有余地。同时，我国的二元经济结构，农村与城市的差异，特别是广大农民收入少、购买力低，大大制约了消费对经济的拉动。

需要指出的是，由于美国消费下滑，经济陷入衰退，我国提供出口商品和劳务的有关行业已遭受严重打击。虽然我国通过重拳措施刺激国内消费，但短期内要把提供外需转变为内需消费困难重重。我国产能已经过剩，外需的减少使产能过剩问题更加凸显。我国政府到 2010 年总投入 4 万亿元，加之银行、地方投入的相关资金总额可达 16 万亿～18 万亿元，以扩大国内需求，加快民生工程、基础设施、生态环境建设和灾后重建，提高城乡居民特别是低收入人群的收入水平，促进经济平稳较快发展。但是令人担忧的是，如此大规模的投入，有可能会造成重复建设，以致产能过剩恶化，带来新一轮通货膨胀。

六、对我国的启示和应对策略

金融危机没有改变国际关系“依存、合作、竞争、发展”的基本特征。我国应该在立足自身发展的前提下，审时度势，趋利避害，沉着应对，深入研究金融危机的规律，为我国经济金融健康发展提供可资借鉴的经验启示与应对策略。

（一）推进国际金融体系的重建与国际失衡问题的解决

追根溯源，此次金融危机与当前国际经济失衡关系密切。全球经济失衡表现在：美国过度消费，美国之外的亚洲新兴市场经济国家、石油输出国家和某些欧洲国家过度储蓄。这种区域消费和储蓄的不对称必须依赖一个因素才能实现，即美元充当国际货币，成为支付、定价和储备货币的代表，储蓄过度的国家和居民将美元作为财富长期积累。因此，美国的长期贸易逆差和上述国家的长期贸易顺差可以通过美元的流动来平衡，美国长期用印刷货币取得的铸币税以及发行债券和衍生产品来平衡全球实体经济中的非均衡。因此，也可以将这次危机发生的前提条件首先归咎为国际货币体系的缺陷。随着全球化进程加深和全球经济力量对比的变化，国际货币体系难以适应。因此，全球迫切需要健全的国际经济金融秩序。一是推动建立多元化、公平公正、包容有序的国际货币体系，公正合理的国际贸易体系，公正有效的全球发展体系。二是国际金融组织中的代表性应予以调整，增加新兴国家的份额与话语权。三是加强对国际资金流动与交易的监管。四是控制资产证券化的杠杆倍数，加快统一全球会计准则和信用评估准则。五是以此次金融危机为契机，推动全球经济失衡状况的改变。

（二）正确认识处理市场与政府调控的关系、妥善处理市场经济自动调节与政府宏观调控的关系

市场主体分散决策且信息有限，微观主体的行为会聚到宏观层面，可能不符合发展方向、发展模式，因此，“救市”不能完全依靠市场手段。现代市场经济中的资源配置，既要充分发挥市场的作用又要充分发挥政府的作用。把二者内在地、有机地结合起来，应在充分发挥市场配置资源的基础性作用的同时，进行科学的政府宏观调控，防止财富的流失和损失，重

视财政政策的作用。与此同时，要注重货币政策操作的稳健与审慎。一是坚守货币政策的目标。各国政府为了争取民意、赢得选票，倾向于使货币政策为经济发展服务，除非通货膨胀达到难以容忍程度，一般都倾向于执行宽松的政策，这使得货币政策和货币当局的独立性难以得到保证。宽松的货币环境是资产泡沫的根本诱因，而资产泡沫对经济金融稳定是最严重的威胁，以制造泡沫推动虚假繁荣更是不可取的。二是把握货币政策的节奏。进一步研究货币政策的时滞，把握好货币政策的节奏，避免货币政策成为经济波动原因。

（三）妥善处理实体经济与虚拟经济的关系

应正确认识金融创新对经济的促进作用和带来的负面影响，因此必须妥善处理金融创新与监管的关系。监管过度会束缚金融企业的创造力，造成金融效率的损失以及运行成本的增加，监管不足会造成过度创新与风险累积。处理好金融创新与金融风险防范的关系，在推进金融创新的同时要预见金融风险发生的可能性，特别是对实体经济可能带来的危害。要加强和完善监管和预警系统的建设，建立起完善的监管和防范机制，防范危机的扩散和造成更严重的损失。

由于金融创新主要集中在资本市场上，特别是对虚拟经济的拉动作用比较突出。应客观评价虚拟经济的作用，既要认识到虚拟经济对提高金融机构的运作效率，提高各国金融市场间信息传递和价格反应能力，提高储蓄—投资转化效率的积极作用，也要认识到虚拟经济过度发展对金融稳定的负面影响。因此，要着力发展实体经济，并根据实体经济的发展状况积极发展虚拟经济，使二者相互适应、相互促进，而不能相互脱节。

（四）深化金融与打造一批现代化企业加快“走出去”步伐

不能因为金融危机而否定发展资本市场、开展金融创新、积极融入金融全球化的潜在收益。直接融资、金融资产扩张带来的财富效应对实体经济增长的贡献不容忽视。美国金融危机的发生促使我们进一步研究金融深化的步骤、时机与条件，但绝不是这种趋势的逆转。

经济金融健康的微观基础在于微观主体的质量。只有靠企业质量的不断提高才能经受经济周期波动的考验，为宏观经济的稳定、健康发展奠定基础。一是打造一批治理结构完善，创新能力、核心竞争力较强，具有知名品牌的现代企业，并加快“走出去”的步伐，参与国际竞争。二是进一步完善商业银行、投资银行等金融企业的治理结构、内控体系，提高风险识别、定价、管理能力。

（五）转变经济增长方式，提高综合实力，实现科学发展

一是坚持科学发展观，改变经济增长方式 ，从依靠投资出口拉动向消费、投资、出口协调拉动转变。扩大内需是经济发展的根本。二是加强宏观调控，调整结构，稳定物价，促进就业，采取综合措施改善国际收支失衡。增加能源、原材料、食品进口，扩大新产品、高科技的进口，改变出口的地区结构和商品结构。三是加强科教兴国，提高国民素质。综合实力的竞争说到底是人才的竞争，人才机制的竞争。因此，只有坚持科学发展观，提高我国的综合实力，才能抵御和减缓金融危机、经济危机给我国带来的冲击，增强我国宏观调控和微观主体自我调整的能力。

参考文献

［1］吴念鲁、郧会梅：《美国次贷抵押危机的警示与思考》，载《金融研究》，2007（12）。

［2］Adrian Blundell－Wignall：《次贷危机：规模，减少杠杆行为和一些政策选择》，载《西安金融》，2008（10）。

［3］张兴胜：《次贷危机：我们正经历的历史》，载《银行家》，2008（4）。

［4］吴培新：《次贷危机的形成机理及其对货币政策框架的含义》，载《国际金融研究》，2008（10）。

［5］杨敏：《次贷危机背景下债务抵押证券计量问题探讨》，载《财会月刊》，2008（6）。

［6］范俏燕：《当前国际性金融危机的生成和传导》，载《财经科学》，2008（7）。

［7］史健忠：《CDO 对美国次贷危机影响分析》，载《上海财经大学学报》，2008（6）。

［8］潘文波：《美国次级房贷危机的原因分析及启示》，载《金融时报》，2007（10）。

［9］周纪恩：《从次贷危机根源和实质看宏观金融风险监管》，载《新金融》，2008（6）。

［10］张红伟、贾男：《虚拟经济与金融危机》，载《四川大学学报》（哲学社会科学版），2004（3）。

［11］阳建勋：《美国对次贷危机干预的两难选择与启示》，载《财经科学》，2008（9）。

［12］李树生、祁敬宇：《从美国次贷危机看金融创新与金融监管之辩证关系》，载

《经济与管理研究》，2008（7）。

［13］杨明生：《雷曼危机的根源与警示》，载《中国金融》，2008（19）。

［14］张瑞：《次贷危机的传染与渗透》，载《中国证券期货》，2007（8）。

［15］杨文超：《次贷危机的形成机理及对我国的启示》，载《河北科技大学学报》，2008（6）。

［16］陈道富：《美国金融研究对我国的影响及应对措施》，载《内蒙古金融研究》，2008（11）。

［17］张明、张妍：《如何从金融层面反思次贷危机》，载《上海证券报》，2008－10－27。

［18］杨弘炜、郄永忠：《美国次贷危机的警示与机遇》，载《中国证券报》，2008－04－08。

［19］李明伟：《金融创新工具缺陷与风险控制缺失——美国次贷危机成因再透视》，载《北方经济》，2008（8）。

第八篇

金融问题应对篇

中国应对世界经济挑战的思考*

当前世界经济全球化正深入发展，与此同时，全球经济金融形势动荡不已。经济增长缓慢，油价、粮价飙升，通货膨胀凸显，美国次贷危机以及当前华尔街风暴，危及许多国家的金融业和房地产业，造成美国经济陷入衰退，拖累了全球经济。我国正从一个发展中经济大国迈向经济强国，面对这样的环境，我国如何审时度势，趋利避害，沉着应对世界经济的挑战，在发展自身的同时，进一步促进世界经济稳定发展，是一个必须认真对待的问题。对此，我把它归纳为“四个认清，六个应对”以供参考。

一、认清经济全球化是把“双刃剑”

经济全球化是当今世界经济发展的一个历史过程，一个不可逆转的发展趋势。其表现为：一方面，在世界范围内各国经济相互交织，相互影响，相互融合成统一整体，形成“全球统一市场”；另一方面，在世界范围内，正在建立统一规范经济行为和经济运行的“全球规则和机制”。经济全球化的发展极大地改变了世界经济环境和经济运行。

经济全球化涵盖了贸易自由化、生产国际化和金融全球化三方面的内容，三者相互依存，互为发展。贸易自由化和生产国际化是经济全球化的基础，贸易自由化的最终目标是参加世界贸易组织的成员国关税将降至零，这意味着跨国公司的产品和零部件，可以在成本最低的任何一个国家和地区生产，将国际分工推向极致，这就为生产国际化创造了条件。金融全球化是经济全球化的核心。金融全球化推动了生产国际化和全球贸易商品、技术的交流，促使各种生产要素的流动和配置更趋合理。

金融全球化与金融自由化、金融国际化和金融一体化紧密相关。金融自由化主要指利率汇率自由化、金融市场自由化、银行业务自由化；金融

---

* 本文原系2008年7月5日在凤凰卫视“世纪大讲堂”上的发言，经补充整理后，载于《当代财经》2008年第10期。

国际化主要指各国银行在海外设立分支机构，跨国银行加大扩张，国际金融中心发展和壮大；金融一体化主要指国内金融市场与国际金融市场相互贯通，通过信息网络和金融网络形成全球统一的，不受时间、地域限制的全球资金流动。特别是国际资本在全球范围的频繁、大量地自由流动，促进了全球经济的发展，同时也加剧了金融风险，潜伏着危机。

需要指出的是，经济全球化中所谓的统一市场，规范经济的全球规则乃至由此建立的运行机制，都是为发达国家服务的，更多地体现了它们的利益。虽然它在一定程度上促进了发展中国家经济贸易和金融的发展，但是，却极大地伤害了它们的利益和权益。因此，它是一把“双刃剑”。

二、认清当今世界经济发展的主要特征

“依存、合作、竞争、发展”这八个字是支配当今世界经济发展的主流。正由于世界经济全球化进一步发展，各国之间形成了既相互依存合作，同时又相互激烈竞争的格局。竞争是现代商品经济发展的基本规律，任何社会制度的国家都无法避开它。竞争虽然剧烈，从某个局部来看，甚至你死我活，但从总体来看，它推动着世界各国社会生产力的进步和发展。发展是人类的共同愿望，是保持社会进步、经济繁荣、持久和平、人类和谐的根本保证。作为时代的特征，则是和平与发展，这是时代发展的主流，虽然局部地区战争不断，恐怖主义有时猖獗，但是世界大战爆发的可能性很小。这就使我们能够集中精力加快社会主义建设和发展。在维护和平发展的同时，我们也能回击任何侵略者的挑衅。

三、认清美国次贷危机引发的金融风暴的影响和启示

（一）影响和危害

1. 危机是在经济金融全球化深化的背景下产生的，具有连带性、关联性、复杂性和传导性，并且发展迅速，一年之内席卷全球，动摇了全球金融体系。这可与1929年世界经济大危机相比，“这是五十年一遇，还可能是百年一遇的大事”。

2. 造成了全球主要股市的暴跌。2008年9月16日，美国道琼斯指数下跌500多点，创“9·11”事件以来单日最大跌幅。我国A股指数也跌破了2 000点，造成市场的不安和动荡。

3. 危机造成了美国“两房”、贝尔斯登、雷曼、美林、国际集团等大型

金融机构的被接管、被收购或破产。它们的倒闭和重组必然严重损害世界各国的投资者和债券持有人以及广大中小股票持有人的利益，甚至还将牵连更多的机构、投资人、债权人和股东的倒闭和破产，从而引发连锁反应。

4. 影响人们对金融市场的信心，特别是美国金融市场和金融机构的信心将受到严重影响。人们甚至会担心美国会利用这场危机进行转嫁危机，美国和其他发达国家垄断资本运用它们的特权进一步掠夺其他国家特别是新兴国家的财富，从而可能引发新一轮的并购战和财富争夺战。

5. 中国大型银行所持有的美国次债原有 100 多亿美元，经过减持和运作已经大大减少，估计损失可能在 20% ~30%。而中国金融机构所持有的“两房”债券为数巨大。据估计，截至 2008 年 6 月 30 日，其数额约为 3 400 亿美元，其中商业银行约为 200 亿美元。由于美国政府接管了“两房”，其公司债权人包括中资银行在内将受到一定的保护。据有关机构的估计，从“两房”的债券期限结构来看，估计可能损失在 150 亿美元左右。另外，“涉雷”（持有雷曼债券、股票、投资基金等业务）的中资银行有 9 家，它们所持金额不等，总数可能达到数亿美元，其损失的比例可能会更高。

从目前的发展情况来看，这场危机不会拖垮中国。我国金融机构所持有的相关问题资产占比并不是很高，虽然损失数额可观，但不会对它们的财务状况产生严重影响。因此，我相信在中国的资本项目尚未完全开放的情况下，提高内部需求对经济的拉动作用，中国经济不会被这次危机所拖垮。

（二）启示和教训

1. 随着危机的深化，美国政府直接干预和西方发达国家中央银行再度联手对金融市场进行上万亿美元巨额注资，这表明了事态的严重性。但也应看到，政府救市不是万能药，还需从经济金融制度结构乃至国际金融体制及监管上去找原因、找问题，进行认真、深刻的思考。我认为，虽然这场危机并没有结束，但是从美国政府的行动和各国中央银行采取的措施来看，都不希望这场危机进一步发展为全球的“灾难”，因此，这场危机不会完全像 1929 年那场危机一样演变成世界性危机。我认为，美国必须处理好其自身问题，各国也应从自身问题出发，打破各自为政的局面，共同应对这场席卷全球的危机。

2. 危机清楚地告诉人们，经济金融全球化和金融（制度、产品，特别是金融衍生产品等）创新是一把“双刃剑”。西方的金融体系和监管体系并不是那么完美无缺的。我国在融入国际社会的过程中，只有审时度势、趋利避害、独立自主，提高综合实力，增加国际经济金融游戏规则制定的话语权，才能避免和减少危机带来的冲击。

3. 加强监管和预警系统的建设，防范危机的扩大和造成更严重的损失。“救市”不能完全依靠市场手段，必要时一定要国家干预，防止财富的流失和损失。在危机的防范和救治过程中，货币政策和财政政策都可以有所作为，尤其是财政政策可能会有更明显的作用。

4. 在此次金融动荡中，金融资产价格、货币的汇率和利率都会出现较大的起伏。为此，不论是宏观调控部门还是金融机构自身都要加强对国际金融市场发展趋势的研究和分析，提高预测能力，提高国际金融风险防范的本领。

四、认清我国在世界经济中所处的地位和作用

1. 我国是一个13亿人口的发展中经济大国，正迈入经济强国。在迈入经济强国的过程中，资本市场必然崛起，金融业将进一步向深化发展，这就为逐步实现资本大国打下基础，最终实现经济强国和资本强国的目标。虽然，目前我国经济总量居世界第四位，外贸总额居第三位，钢铁、煤炭等产量为第一位，外汇储备也雄踞第一位，资本市场的股票市值为第四位，证券化率已接近GDP，但是，我国人均GDP刚过2 000美元，经济增长中的许多指标与发达国家还有很大差距。金融体制改革、资本市场的发展尚不完善，人民币自由兑换的条件尚不成熟，这就是目前的现实状况。

2. 在全球经济体中，我国在国际经济、贸易、金融组织中，不仅占有一席之地，而且发挥了积极作用，我国的经济已融入国际社会之中。在不断深化开放的同时，我国经济的发展在相当程度上受世界经济变化的正负两方面的影响。我国实施“自由贸易区战略”取得了积极成效；特别在区域经济中，我国已扮演了重要角色。在经济全球化和区域经济集团化发展中，我国正承担和发挥着一个经济大国和经济强国应尽的责任和作用。

五、应对策略的思考

（一）认真应对经济全球化，努力增加话语权

中国应对全球化的态度是，重视它、适应它、认真应对它，而不应抗拒它、忽视它、回避它。在构建“全球统一市场”和“全球游戏规则”中，

应为建立一个公平、公正、公开、透明的世界经济新秩序做不懈的努力和斗争，以减轻经济全球化带来的负面影响。当前必须给美国施以压力，特别在中美经济战略对话中，要督促其解决自身经济失衡的问题。我们应指明弱势美元、次贷危机对全球经济的危害，应公正对等开放各自金融市场。例如我们自去年以来，批准了包括美国大银行在内的 21 家外资银行在我国开设本土法人银行。但是，美国至今仍限制我国银行在美国开设机构，去年仅批准了招商银行一家在纽约设立分行。此外，美国不能公正对待我国出口贸易和主权基金在美国的销售和投资行为等。对此应加强和发达国家的对话，努力增加我国在世界范围的话语权。

（二）提高综合实力，练好内功

1. 坚持科学发展观，改变经济增长方式，实现从依靠投资出口拉动向消费、投资、出口协调拉动的转变。扩大内需是拉动经济发展之根本。美国 GDP 增长的 70% 是靠国内消费拉动，而我国 GDP 增长中，国内消费只占 30% 多。

2. 加强宏观调控，调整结构，稳定物价，促进就业，采取综合措施改善国际收支失衡。增加能源、原材料、食品进口，扩大高新产品和技术进口。改变出口的地区结构和商品结构。

3. 加强科教兴国提高国民素质。综合实力的竞争说到底是人才的竞争、人才机制的竞争。对一个单位来说，机制好、企业文化好，对职工就有吸引力，职工就有归宿感、荣誉感，就能实现自我价值，企业就有竞争力；机制不好，留不住人，也提高不了竞争力。

（三）加快完善资本市场

要深刻认识资本市场对经济强国的促进作用。也就是说，在经济全球化的形势下，金融资产的扩张是推动国民经济发展的重要一环，不能低估虚拟资本和财富效应的作用以及资本市场直接融资，合理配置资金资源的作用。虚拟经济与实体经济可以互相促进共同发展，对国民经济发展起到促进作用。对此，要有战略眼光。2005 年股票市值还只有 3 万多亿元，2007 年已达到 32 万亿元。如今，股市低迷，总值已降为 12 万亿元。如果不发展资本市场，我国的资产定价权、溢价权永远不能掌握在自己手里，财富将被外资轻易地侵占。事实上，资产价格重估是释放中国未被市场定价的财富的一个过程。要更好建立财富公平公正地分享体制，让更多的群众增加财产性收入。发展资本市场是一项重要的战略任务，对实现21世纪头20年国民经济翻两番的战略目标有重要意义。当前金融形势动荡，建议中投公司以较大资金在A股和H股市场购买优质股票，作为长线战略性投资，持股三年以促使股市的健康、持续发展。

此外，我认为，中央银行在适当时机还可以出台更加灵活的货币政策，如对国有大型银行也适当降低存款准备金率，同时也要正确评估宏观调控措施对经济金融所产生的正面和负面影响。

应进一步完善和优化资本市场的结构，增加债券特别是企业债券的比例。应坚持进一步落实上市公司分红制度，分红比例要逐步扩大，使广大投资者更多从企业得到好处，而不是从投机溢价中获得收益。要严格监管上市公司缺少现金流的情况。

可以设立一个稳定基金（或称完善资本市场基金），其资金来源可由以下几个方面组成：证券交易印花税（估计已有近3 000亿元），“大小非”解禁税（应有上百亿元），中投、社保基金可以从今后投资盈利中划出一定比例。该基金的金额可达5 000亿元以上。与此同时，适时推出股指期货，这对稳定我国资本市场运行和完善资本市场将起到积极作用。

（四）资本项目开放必须有序、渐进、安全地进行，开放要有时间表

要充分估计到在国内经济条件不成熟时，全面实行资本项目开放，容易受到来自国际资本流动的冲击和国际金融动荡的影响，打乱和干扰我国经济有序、稳定的发展。开放要有时间表。日本、英国、德国经常项目开放到资本项目开放，相隔时间分别为16年、18年、20年。1996年我国实现经常项目开放，如果相隔16～20年实行资本项目开放，开放的时间段应为2012—2016年。2007年我国GDP总量和贸易总额占全球的比重分别约为6%和13%，同期日本分别约为9%和8%。也就是说，从1996—2007年这11年来，我国GDP的总量比日本少3%，但贸易总量高出5%。

据国际货币基金组织根据时间序列的简单预测，鉴于我国经济和贸易增长速度快于日本，到2012年以后，我国GDP总量也将超过日本。届时，从经济实力来看，我国已经具备资本项目开放的条件。因此我们要认真分析其利弊得失，拿出几套方案和不同时间表，最好不要迟于2016年实现资本项目开放和人民币可兑换。

与此同时，应着力打造上海使其成为全球国际金融中心。如果人民币实现自由兑换，应促使其成为人民币全球的交易中心。这是我国从经济大

国迈向经济强国和人民币迈向国际化的必由之路、必由之举。

(五) 打造一批现代化企业，加快“走出去”的步伐

当前，西方跨国公司控制了世界生产的40%，国际贸易的50%，国际先进技术的60%～70%，国际直接投资的80%～90%，而我国企业进入世界500强的为数不多。

为此，必须推进国有、民营资本向具有实力的大公司、大企业集中、整合，形成80家到100家规模强大、技术先进、结构合理、机制灵活、拥有自主知识产权、自主创新和知名品牌的现代化、国际化跨国企业。

要以多元化的形式加快“走出去”的步伐，如通过投资、并购、相互持股、经销代理、建立开发区，以资本输出带动商品输出，到生产销售本土化，逐步缩小与“引进来”的差距，增加对外投资总额，提高对外投资效益，完善内外联动，做到“你中有我，我中有你”，实现互利共赢。

应重新审视我国企业特别是中资银行“走出去”的发展战略。这次危机为我国企业“走出去”提供了并购、参股的条件和时机。在选择地区和国家、行业、企业时，必须经过仔细认真权衡，全面了解当地的投资环境、法律法规，要实现出海的本土化，要与对外贸易和对外投资相结合，这样才能持续发展，获得双赢和多赢。

(六) 必须加强防范经济金融风险

我认为，当前和今后来自国际和国内危害经济金融安全的可能性随时存在。对此，应制定经济金融安全法律和法规，把它列入紧急预案中。凡重大金融政策的出台和国有金融资产以及其他领域国有资产乃至民营资产发生重大变化时，可经过人大听证，通过立法程序。因为只有决策程序的公正和透明，才能保证决策结果的正确性。这样才能保护国家、民族、百姓的利益不受侵害，保护国民经济秩序正常运行，防止危及国家经济金融安全的事件发生。我认为，涉及国计民生、国家经济命脉的企业，如果允许外资参股，无论其持有多少股份，绝不允许其拥有控股权。

看看发达国家的例子：为了防止国内重要企业被国外公司收购，法国政府出台了一项旨在保护国内“战略行业”的政令，以此阻止了美国百事可乐对法国达能的收购。又如，美国国会基于国家安全，否决了我国中海油以185亿美元购买优尼科石油公司部分股权的交易。为此，在我国经济对外开放和日常运行中，必须把防范经济金融风险放在重要的位置上，为建

立安全高效抵御风险的开放型经济体系打下基础。

最后，我十分赞同胡锦涛总书记在今年 7 月 9 日八国集团与中国、印度、巴西、南非、墨西哥会议上提出的关于应建立可持续发展的世界经济体系，包容有序的国际金融体系，公正合理的国际贸易体系，公正有效的全球发展体系的提议。当然，上述体系建立的过程也是中国经济与世界经济博弈的过程，我们期待该体系在全球经济的发展中能早日实现。

坚定信心
从容应对全球金融危机*

去年春天由美国的次贷危机引发的全球金融危机，危及很多国家的金融业和房地产业，造成全球的金融动荡，大批金融机构破产，投资者遭受了巨大的打击。危机发展影响到了实体经济，使很多的国家陷入了危机。这是百年一遇的危机，至今危机还没有到底。关于危机的趋势有四种说法，一种被称为 V 形，即认为危机在较短时间内就能触底回升；一种被称为 U 形，即认为危机要经过一段时间，再往上走；一种被称为 L 形，即认为经济将处于长期低迷状态；第四种是整个崩盘，重新洗牌的悲观观点。无论哪一种发展趋势，都离不开中美之间的政治经济关系的协调。因为我们是美国的最大的债权国，我们的外汇储备里有 1.2 万亿美国国债和其他债券。危机甚至可能出现第二次金融的浪潮，美国和其他国家，包括我们国家都出以重拳来应对这场罕见的危机。我认为这场危机的根源来自世界货币体系的缺陷，特别是美国金融体系的缺陷，以及金融创新和金融监管的失衡、储蓄和消费的失衡、虚拟经济和实体经济的失衡。在危机冲击下，如何探索危机的根源，如何坚定信心从容应对，现就这两个问题谈一些看法。

从三位大师学说反思危机的根源

在探索危机的根源时，我想到了三位大师的学说。

近 200 年来在自然科学和社会科学领域出现很多杰出人物，我认为有三位大师影响突出。第一位是英国的著名生物学家达尔文。达尔文的《物种起源》出版，确定了进化论，把上帝造人的唯神论批得体无完肤，“物竞天择、优胜劣汰、用进废退”这些著名思想，至今闪耀着光辉。但这 200 年间，人类进行了残酷的竞争，通过战争掠夺财富，人类招致伤害，给自然

---

* 本文原载《内蒙古金融研究》2009 年第 9 期。

界造成严重破坏。如今，应该反思如何保护自然、保护环境，努力营造一个健康、稳定的金融生态环境，促进人类生态文明与和谐社会可持续发展。

第二位是奥地利经济学家熊彼特，他首先提出，创新是推动经济发展的根本动力。他认为，创新是新的生产函数的建立，是企业家对生产要素进行新的组合。创新包括五个方面：第一，新产品的出现，特别是科技产品的出现；第二，新的生产方法和技术的应用；第三，新资源的发现和获取资源的新的渠道的发现；第四，新的管理方法的采用；第五，新的组织形式的推行。他认为创新不仅推动而且影响整个社会的持续进步和发展。在经济发展过程中，有的创新将被新的创新所取代。经济发展是由科技创新推动的，它必然导致经济结构的变化，而这一变化也要求金融结构发生相应变化。可以说，只要有重大科技创新，必然会引发金融创新。

在当前经济全球化发展的背景下，由于某种管制阻碍了国际金融的发展，特别是资金不能自由流动的时候，必然要求市场出现变革。一方面，这些变革主要通过金融创新实现和推动。没有金融创新，美国经济就不能在全球的经济发展中一直处于主导地位，这是美国作为资本大国、资本强国所固有的。另一方面，我们也应看到，每个世纪出现的金融创新也带来了负面作用和影响。我们要清楚认识到，创新是一把“双刃剑”。过度创新、盲目创新，使金融创新离开了监管，必然失去了方向，带来危害。因此政府除了修复存在弊端的金融体制外，主要通过政策引导、推动、影响技术革命。要一分为二看待金融衍生产品，它对我国来说发展滞后，还有很大的发展空间。同时也应看到金融科技的创新还有发展的空间和余地，包括技术的软件和硬件等，这正是这次国际金融展的宗旨，使得金融科技服务与创新通过这个平台，进一步在2009年得到发展和提升。

第三位是德国著名思想家马克思。马克思的《资本论》揭示了商品和资本的本质，反映了生产力和生产关系的内在关系，以及生产关系对生产力的反作用。马克思认为，资本主义生产过剩危机爆发的根源在于生产的社会化和生产资料私人占有的固有矛盾。如今这对矛盾，基本上没有发生质的改变。但是人类由于信息技术网络的出现，促使生产方式发生了很大的变化。生产不是社会化了，而趋于分散化、家庭化；有的人不要到办公室上班、车间上班，在家里就可以了；越来越多的人、越来越多的家庭持有了证券、股票。当然这不等于说生产关系发生了质的变化。这是因为随着生产力的发展，社会财富不断增加，也就是说面包做得越来越大了，但少数垄断集团仍然占有了主要的财富，分得了更多的面包，多数老百姓只持有少数财富和分得少量面包，它们的利益和广大的阶层仍然存在根本矛盾。因此如何研究这些新的变化，在经济发展中，既要保证经济增长和稳定发展，又要处理好适应新的生产关系的发展方式，限制垄断集团少数人的利益，维护广大生产者和消费者的利益和权益，这是当今西方经济学家和政治学家十分关注的问题。

这次由美国次贷危机引发全球危机的原因，除了制度根源以及金融资本家的贪婪外，仍然有很多是属于生产力和生产关系的问题。在前一段，在学术上有两种看法。有的学者认为，当前西方经济学即主流经济学派的声音太高了，影响力太大了，马克思政治经济学这方面的声音不够，因此引发争论。我认为，过去我们计划经济的时候不考虑资源配置，只是服从计划，不是面对市场。当我们从计划经济向市场经济转化的过程中，有很多问题的确属于西方经济学范畴，应重视和强调资源的配置。目前，我们在生产过程中，有很多问题实际上仍属于生产力和生产关系的范畴，比如三峡移民问题。为此，我认为马克思的政治经济学特别是生产力和生产关系的理论，至今没有过时，而且在此次次贷危机中，有很多属于生产力和生产关系、资本主义经济周期危机的问题。特别是在探索危机根源时，应该充分认识到这一点。

我认为，当前世界经济发展的特点，可以用八个字来概括——“依存、合作、竞争、发展”。当今世界发达国家和发达国家相互之间是依存的，发展中国家和发达国家、发展中国家和发展中国家也是相互依存的关系。有南南合作、南北对话，中国和美国谁也离不开谁，这是世界经济发展的基本态势。相互依存，就要相互合作，在经济、贸易甚至在其他领域，如科技、教育、文化等方面进行合作。在合作过程中，比较突出的就是要有一个规则，要定出游戏规则。现在所谓经济全球化是什么呢？无非就是全球形成了统一的市场，然后制定一个统一的游戏规则。因此在很多国际金融组织当中，为了促使更好地合作，定了很多规则。但这些规则主要是由发达国家制定的，更多的是为发达国家的利益和权益服务的，对发展中国家来说有一定好处，但同时也损害了它们的利益和权益，可以说，是把“双刃剑”。因此要更好地维护世界经济、政治的稳定和发展，我们要在合作当中增加话语权，而且应该发挥我们作为一个大国应尽的责任和义务。当然，在依存和合作的基础上，竞争是随时随地都有的，因为竞争是商品经济的规律。竞争虽然激烈，从某个局部来看甚至是你死我活，但总体来看是推动世界各国生产力的进步和发展的。发展是人类共同的愿望，是保持世界进步、经济繁荣、持久和平、人类和谐的一个根本保证。如果认清了“依存、合作、竞争、发展”态势的话，辩证地处理好它们之间的关系，我们就能够在危机当中更好地、更深入地调整经济政策、外交政策以及持续发展的战略。

至于时代特征，小平同志认为是和平与发展。也就是说，在当今的世界政治经济格局下，世界大战爆发可能性比较小，虽然局部战争不断，恐怖主义猖獗，总的来看，和平和发展仍是时代的主流，我们可以回击任何对我国的挑衅。在这种认识下，我们能够赢得时间，抓紧时间，在这 30 年改革开放当中，加快我国经济快速的发展，取得了世人瞩目的成绩。

满怀信心，应对危机的挑战

一、应对危机要有信心

由于许多国家经济陷入衰退，造成了世界市场的萎缩、国际贸易的下滑，对中国经济特别是对我们的外部需求造成了很大的冲击，东部沿海地区外向型的经济企业，劳动密集型的企业受到影响最大。2008 年下半年以来，我国经济增长速度放缓，房地产陷入了困境，国际收支顺差，贸易盈余以及外资净流入也受到影响，居民消费有所下降，就业形势十分严峻。应对危机要有信心。温总理说，信心比黄金和货币更重要。首先要坚定信心，只有信心才能产生勇气和力量，只有勇气和力量才能战胜困难。

信心来自中央的坚强领导。在经济金融全球化背景下，这是一场罕见的危机，我国不可能独善其身。党中央对危机及其发展作了充分的估计，对这场危机做到了情况明、决心大、措施对，遵循了以人为本的科学发展观，提出了处理严重危机的强有力的措施。去年 11 月，中央经济工作会议确立了“保增长、扩内需、调结构”的经济策略。为实现此目标，出重拳即动用 4 万亿元扩大内需，以及可能带动地方、银行 10 多万亿元，因此措施针对性强。温总理还说，为了应对这场金融危机，我们储备了充足的“弹药”。

信心来自全国人民。中国人民以火热赤诚的心来温暖中国的经济。中华民族是勤劳勇敢和智慧的民族。我们民族经历了无数的灾难和磨炼。特别是去年汶川大地震中，中华民族空前团结，充分展现了中国人民不屈不挠、自强不息的伟大民族精神，以及英勇、沉着应对困难的决心和勇气。我也认为，“2009 年金融展”突出了信心的主题。我相信这次会议一定会得到大家的支持和参与，会议一定能成功的。

信心来自我国的经济实力。改革开放30年来，我国经济取得了空前成就。我国虽然受到危机冲击，但经济基本面没有改变。去年我国GDP为30万亿元，对外贸易是2.6万亿美元，名列世界第二。我们的钢铁、煤炭、水泥、电解铝产量名列世界第一，高达2万亿美元的外汇储备雄踞首位。但是我们应该看到，我们的人均GDP现在还不到3 000美元，和发达国家比还有很大差距。我们经济总量占全球的6%，但是我们的能源消耗占全球的15%。因此危机对我们来讲是一个调整的机遇，考验我国今后能不能使经济又好、又快地发展。

危机对我国金融业的冲击来看，总体来说是有限的，中国金融体系经受了危机冲击的考验。2008年我国银行业的金融机构总资产是62.4万亿元，比上年增长18.6%；本、外币存款总额47.84万亿元，比上年增长了19.3%；不良贷款率从3.71%下降到2.45%；中国银行业利润是5 824亿元，比上年增长了32%，我们工行、建行、中行上市公司市值已经列全球前三名，而且工行市值是花旗银行的10倍，工行股票现在是四五元人民币，花旗银行的股票最高时候是57美元，最低跌到0.95美元，现在不到3美元，从57美元跌到0.95美元，跌掉了百分之九十几。在这种对比下可以看出，我们的金融业是健康的、稳定的。

二、应对挑战的思考

第一，应加快改革国际货币体系，改善国际经济失衡状况。首先，最近大家看到，4月1日到2日，将在伦敦召开的国际峰会把改革国际货币体系作为重要议程。另外重要的内容是改善和加强金融监管，比如说对资金交易、衍生产品怎么监管，对会计制度、评估标准怎样加强规范，这是一个根本性的问题。其次，在次贷危机之后，各国政府采取了很多应对危机的措施，产生了溢出效应，对很多国家以及有些企业带来了损失。如何对这些损失进行补偿？比如说冰岛国家破产了，因为冰岛4家银行吸收了很多英国居民的储蓄，然后又去买美国的CDO、CDS等衍生产品，当市场价格猛涨的时候获得暴利，但市场一跌就损失惨重。为了防止危机蔓延，冰岛政府就把银行收归国有，所吸收的上千亿美元存款形成了债务，相当于冰岛GDP的8倍。从会计角度来看，冰岛这个国家破产了，是不是要进行补偿，这是十分复杂的问题。温总理提出美国国债安全的问题，奥巴马说没问题。至于一个国家的措施影响了企业或者其他国家的企业，到底怎么判断和救济。再者，怎么改革国际货币机构，像国际货币基金组织的份额将从2 500亿美元增加到5 000亿美元，另外发展中国家应增加话语权、代表权。目前，我们中国的份额是3.8%，美国是17%，拥有一票否决权，因为国际货币基金组织的所有决议，一定要85%以上才能通过。我估计通过此会，我国的份额会大大提高，美国会减少。此外，确立什么货币作为本位货币，即用什么货币作为储备货币，最终取代美元，阻止信用美元的无限发行，这也是值得讨论的问题。

第二，怎么加快改变外贸依存度过大的问题。多年来，我们外贸总额占GDP的比例为60%～70%，2007年是68%。我们的出口占GDP的38%，而净出口对GDP拉动占了25%。这说明外需对我国影响非常大。因此有人认为，这么多年来，我们形成了中美经济的特殊关系。也就是说，中国向美国提供商品和劳务，美国支付信用美元给我们，我们又买了美国的国债，造成了我们外汇储备大量增加，就又迫使我们增加人民币基础货币的投放，也造成了通货膨胀、流动性过剩。外汇储备这么多，使得资金不能更好的应用。一旦这个生产消费链出现问题，肯定影响国民经济的顺利进行。美国国际收支失衡是靠外资流进求得平衡，现在不行了。因为其他国家也不行了，投资者遭受损失，到美国投资的个人、企业、机构越来越少了，促使美国经济下滑，其消费也跟着下滑，它必然影响到我们的出口。现在看来，对我们的影响是相当严重的。这个问题过去有很多人认为，这么多年的特殊关系，对我们经济发展是有利的，然而，如果不认识到它的负面影响、负面作用，所积累的风险会越来越大。

第三，应该加快改变我国出口商品的产品结构和出口商品的地区结构。以前出口的商品很多是附加值比较低的，本身没有技术含量，没有核心技术、没有知名品牌。另外出口的地区主要在美国、欧洲、日本，也包括我国香港，多元化不够。所以在这种情况下，我们就调整不过来，这个结构十分脆弱。在今年1月和2月，我们的外贸出口比上年同期下降了25%，我们的进口下降得还要大。进口下降的原因是，现在国际大宗商品，石油、铁矿石等价格下跌了，当然花钱少了。另外很多出口是以进带出，进口以后我们再出口，特别是来料加工，进口以后经加工后再出口。随着全球经济的衰退，因此我们出口量下降了。今年的外贸形势是很严峻的，不排除有个别月份出现贸易逆差，当然调整出口商品和出口地区结构的同时，我们也应该增加能源等大宗战略物资的进口，增加高科技产品进口，或者高新技术的进口，提升我们的科技水平。通过这次国际金融展这个平台，可以提升我们金融科技的水平。

第四，深化金融，完善和发展资本市场。我认为，不要因为金融危机否定资本市场。开展金融创新，积极融入经济全球化，重视直接融资，充分认识到金融资产的扩张是促使经济发展的重要一环。我一直讲，我们从经济大国迈向经济强国，最后要成为资本大国、资本强国，一定要发展资本市场。资本市场有一个资产价格发现、定价、溢价的功能。如果不发展资本市场的话，很多产品就不能通过市场发现它的真正价格。过去有一个“活力28”洗衣粉，就几十万元卖给宝洁，宝洁就把这个品牌“冷藏”了。如果有了资本市场的话，我们就可以知道它真正的价值。通过资本市场、资产证券化，就可以带动企业发展。另外资本市场带来的财富效应对实体经济的影响、贡献，我们也不能忽视。全球金融危机的发展促使我们进一步研究怎么深化金融，应该进一步研究它的条件、时机、步骤。因此我觉得，中国国际金融展有助于我们的金融深化。

第五，转变经济增长方式，提高综合实力，实现科学发展观。这个问题在十七大报告中已经有了深刻的阐述，从依靠投资出口拉动向消费投资出口协调拉动转变。扩大内需是发展经济的根本。美国的 GDP 70% 以上是靠消费拉动，我们消费占 GDP 的 40% 不到，因此空间很大。另外要加强科教兴国，提高国民素质。从现在来讲，世界各个国家综合实力的竞争主要是人才竞争、人才机制的竞争。如果机制好，能留住人，有凝聚力，人才有归属感，可以产生竞争力。所以我觉得中国国际金融展也是培养、提升金融人才素质的一个平台。

第六，加大对巨额投资的管理，防止负面影响。我们现在要投 4 万亿元，以后可能带动地方或者银行的 18 万亿元甚至 20 万亿元。有人担心，如此大规模的投入，要防止出现新一轮的大跃进、重复建设、资源浪费、产能过剩。而一旦外需、内需跟不上，消化不了，结果会造成什么？要么通货膨胀，要么通货紧缩，最后只能再次由银行埋单。现在每个项目——从中央项目到地方项目，都需经过认真评估，充分考虑风险、效率，对此，我是有信心的。拉动内需的根本应该是加快改变城市和农村的二元结构，当然我们要调整一产、二产、三产的结构，这也是很重要的。我们的钱对农村投入应更多一点，如农村民生工程、饮水、教育、医疗，还有新型小城镇建设等，最后落实到提高农民素质，提高农民的整体教育水平，使得农民能增加收入，我觉得这才是扩大内需的根本所在。

消费需求是拉动经济发展之根本*

当前，我国正从一个发展中经济大国迈向世界经济强国。在向经济强国的迈进中，靠什么来支撑庞大的中国经济体保持又好、又快的发展，对此，胡锦涛总书记在十七大报告中明确地勾画出中国经济从经济大国向经济强国转型的方向，尤其是对经济增长方式转变的阐述具有重要的理论意义和现实的作用。

十七大报告指出要“坚持扩大国内需求特别是消费需求的方针，促进经济增长由主要靠投资、出口拉动向依靠消费、投资、出口协调拉动转变”。

改革开放二十多年来，我国经济获得长足的发展。但正如十七大报告指出的，经济发展主要靠投资和出口拉动。正由于对投资和出口的过度依赖，经济发展进程中必然出现种种的弊端。

长期以来，我国的投资增长率居高不下，成为我国经济高速发展的主导力量。各级政府热衷于上项目、搞基建，突出 GDP 增长的政绩，在生产要素（土地、劳动力、资源等）价格长期扭曲的情况下，一味加大投入，形成高消耗、低产出。这种粗放型的经济增长，造成资源浪费、生态破坏、重复建设、产能过剩，而且容易导致经济过热，引发通货膨胀等一系列宏观经济失衡。

外贸依存度过高是我国经济增长中的另一个问题。2006 年我国外贸总额为 1.76 万亿美元，约占 GDP 的 68%；出口总额为9 690亿美元，约占 GDP 的 36%。两组数据都说明外贸和出口在国民经济中的占比过高。与此同时，我国的外贸顺差不断攀升，2006 年顺差为创纪录的 1 775 亿美元。这表明在进出口收支相抵后，我们把 1 775 亿美元的商品和劳务提供给其他国家消费，其中美国成了由我国提供消费品的大户。对我们而言，增加了我国的外汇储备，同时也加大了基础货币的投放。而这些外汇储备大多购买

* 本文原载《现代商业银行》2007 年第 11 期。

了美国国债等金融资产，脱离了国内扩大再生产的轨道。外汇储备积累太多，一定程度上加剧了国际经济失衡，从战略高度来看，也是对外汇资金的浪费。

我国是一个发展中的大国，经济增长主要应由国内的消费支撑，发展内需是我国经济增长动力的根本所在。然而，我国处于经济转型和社会转轨的特殊阶段。我国最终消费占 GDP 的比重从 20 世纪 80 年代的 62% 下降到 2005 年的 52.1%，居民消费也从 1991 年的 48.8% 下降到 2005 年的 38.29%，处于历年来的最低水平。虽然居民储蓄高达 16 万亿元，但是分配不平衡，20% 的人占有 80% 的储蓄。这种储蓄结构决定了居民消费倾向偏低，造成储蓄过度、消费不足。当国内经济无法吸收大量储蓄时，必然有一部分储蓄以外汇（外贸顺差）的形式表现出来。与此同时，由于某些制度性障碍（如对民营企业的歧视），国内投资一定程度上被具有优惠条件的外资所挤占。

要减少国民经济的波动，使经济持续又好、又快的发展，必须改变投资增长方式，必须降低对外需的过度依赖，与此同时必须扩大内需，逐步实现储蓄、投资和消费的良性循环。

正是由于上述经济增长中所带来的问题，胡锦涛总书记在十七大报告中提出了解决问题的指导方针，科学地、完整地把拉动我国经济的三大需求的顺序作了战略性的改变，把消费需求提升到第一位，以消费、投资、出口需求的协调发展推动我国经济又好、又快的增长。

扩大消费需求不仅符合经济可持续发展的要求，也符合中国社会和经济发展的长远目标。十七大报告首次提出 2020 年人均 GDP 比 2000 年翻两番的发展目标。“人均”概念的引入受到广泛瞩目。从经济总量看，我国经济已经居于世界前列，但以人均衡量，则仍处于发展中国家水平。十七大报告之所以强调“人均”，即不仅着眼于经济总量增长，更在于突出国民分享经济社会发展的成果。经济发展的目的是为了增强综合国力，改善物质文化生活条件，让百姓生活得更好。为此，增强全民消费能力，让百姓敢于消费、善于享受发展成果，是增进百姓福祉的重要体现。

但是，要实现上述目的，强调扩大消费对经济可持续发展重要作用时，我们必须看到，伴随我国经济高速增长，贫富差距在逐年扩大。因此，不能回避如何提高低收入人群消费能力的问题，这必然涉及改善收入分配机制的问题。十七大报告提出，要深化分配制度改革，尤其是强调着力提高低收入者收入，逐步提高扶贫标准和最低工资标准，建立企业职工工资正常增长机制和支付保障机制，更多关注低收入者和工薪阶层居民的收入。同时，加快建立覆盖城乡居民的社会保障体系，让所有人能够享受到基本的保障，分享到发展的成果。通过建立基本医疗卫生制度，提高居民健康水平。

十七大报告进一步强调，“初次分配和再分配都要处理好效率和公平的关系，再分配更加注重公平”。这就为扩大全民消费奠定了基础和创造了公平环境。十七大报告强调再分配更加注意公平，主要指财政的分配。由于区域性发展不均衡、城乡发展不均衡，财政分配应体现如何尽可能让每个公民公平拥有发展的机会。十七大报告还指出，要优先发展教育，使每个人获得起点的基本公平，因此教育经费的使用，其他财政提供的公共产品和服务都要体现公平的原则。报告还首次提出“提高劳动报酬在初次分配的比重”。因为低收入者往往只有靠自身的劳动力作为获取财富的来源，而富有者除了劳动力，还有资本。提高劳动报酬在初次分配的比重，将使那些只能凭劳动力获取收入的低收入者，有可能缩小和富有者的财富差距，更多分享经济发展的果实。

十七大报告还提出，“创造条件让更多群众拥有财产性收入”。财产性收入就是百姓用自己拥有的动产、不动产通过投资所获得的收益。目前，从全国的统计数据来看，财产性收入在居民支配收入当中占比并不高，仅占2%左右。为什么党和政府对这块不高的收入如此重视呢！据统计，2006年我国城镇居民人均财产收入为240多元，基数很小。但是从2005年以来，我国人均财产性收入增长的速度都超过20%，是人均收入中增长最快的部分。这两年，我国以股市、楼市为代表的资产价格迅速增长，居民财产性收入总额迅速膨胀。然而，这部分收入流向极不均衡，主要流入了拥有资产较多的中高收入阶层。为了避免迅速增长的财产性收入向一小部分人集中，进而扩大社会贫富差距，必须创造条件让更多的人拥有财产性收入。具体而言，“创造条件”就是政府要拓展渠道，提供更多的机会，让覆盖面更广的普通百姓拥有财产性收入。同时，要建立一个完善的法律保护体系，让老百姓安全、放心、明白地拥有财产和赚取财产性收入。比如，目前全国开户的股民已逾亿。随着股市的火暴，不少股民，特别是一些基民从中获取了财富的增值。这也意味着，过去主要是通过财政提供公共产品和服务享受国民经济的成果，现在可通过资本市场直接分享经济发展的成果。当然，群众进入资本市场是有风险的，为此，更要加强他们专业知识和风险承受意识与能力。同时，也必须完善与财产投资有关的市场秩序，让普通群众能够公平、公正、公开参与市场交易。

在我国迈向经济强国时，我国的资本市场必然崛起。我们必须深刻认识到资本市场对经济强国的促进作用。也就是说，在经济金融全球化的形势下，金融资产的扩张是推动国民经济发展的重要一环，不能低估财富效应的作用以及资本市场直接融资、合理配置资金资源的作用。

我国资本市场的快速发展和完善，特别是财富效应的扩大，必然有助于消费需求的扩大。我们看到，十七大报告把消费需求作为拉动经济发展的第一位要素，而且根据我国具体的实际，从减少贫富差距到改革收入分配、从完善社会保障到分享经济发展成果、从创造条件让更多的群众拥有财产性收入到发展完善资本市场，为了扩大和改善消费需求而采取了一系列具有基础性、开创性的改革。

我们相信，随着十七大报告的精神深入全党、深入全民，随着我国经济发展方式的逐步转变，随着扩大消费的各项措施的落实，中国整体消费能力必将不断提高和释放。当前，西方发达国家经济增长的动力主要靠国内消费需求，美国 GDP 的 80% 依赖于社会消费的拉动。可想而知，今后中国消费增长有多么巨大的潜力和空间！在十七大报告精神的指引下，中国向经济强国的迈进中，以消费、投资、出口需求协同拉动的“三驾马车”，必将又好、又快地驰骋在社会主义市场经济的大道上。

创新是经济可持续发展的根本*

在经济全球化的发展和运行中，现代科学技术和现代金融是两个不可缺少、起决定性的因素，而推动经济可持续发展的则是这两个因素的创新。

如果一个国家科学技术很发达，它可称得上科技强国。但是科技强国要成为经济强国，就必须有一个稳定、完善的现代化金融体系作支撑。只有现代科技加上现代金融，我国才能从一个发展中的经济大国迈向科技、经济强国，最终向资本大国和资本强国的目标迈进。

为此，只有深化对邓小平同志的“科学技术是第一生产力”和金融“是现代经济的核心”科学论断的认识，才有助于我们从经济发展的战略全局和高度，全面理解和认清科技与金融创新对经济增长的作用。

一、创新在经济增长中的作用

（一）创新的含义与作用

西方著名的奥地利经济学家熊彼特首先提出，创新是推动经济发展的根本动力。他认为，创新是新的生产函数的建立，是企业家对生产要素进行新的组合。创新包括以下五种情况：新产品的出现；新的生产方法和技术的采用；新资源的发现和获取资源的新的渠道的发现；新的管理方法的采用；新的组织形式的推行。

近年来，西方经济学家采用俄罗斯著名经济学家康德拉捷夫的长波理论来解释和分析人类200多年来经济发展周期和经济增长的关系。该理论认为，每50年左右形成一个经济增长的起伏周期。在每个周期中，基础创新是决定经济增长的关键。创新不仅推动而且影响整个社会经济的持续进步和发展。在此过程中，并不排除繁荣后会出现短期的衰退，有的创新将被

---

* 本文系2008年9月4日在西安“金融创新（西部）高层论坛”会上的演讲，原载《甘肃金融》2008年第10期。

新的创新所取代。总的来说，在每一个长波周期后，经济发展将上一个台阶。在每个经济周期中所出现的基础创新主要是指重大的科技创新，这些创新推动、促进生产力乃至生产关系的发展和变化。

（二）经济长波周期的划分和相关创新

从 18 世纪末至 21 世纪的 200 多年来，可分为 6 个周期：

第一个周期从 18 世纪末到 19 世纪中叶（1800—1850 年）。由于蒸汽机在工业领域广泛应用，促使工业特别是纺织业迅速发展，对生产力产生了划时代的推动作用。

第二个周期从 19 世纪中叶到 19 世纪末（1850—1890 年）。由于钢铁技术的进步和生产的增长以及铁路的修筑，1870—1875 年，经济快速增长，但 19 世纪末走下坡路。

第三个周期从 19 世纪末到 20 世纪中叶（1890—1940 年）。由于电子技术和化学在工业领域普遍应用，电器、塑料等产品的出现，工业生产迈向新台阶。

第四个周期从 20 世纪中叶到 20 世纪 80 年代（1940—1985 年）。此阶段石油化工与汽车繁荣联系在一起，它促进了西方世界对石油的需求和发展，使社会经济生活水平大大提高。这个繁荣从 20 世纪 50 年代持续到 70 年代，使工业社会有比较广阔的前景。

第五个周期从 20 世纪 80 年代到 21 世纪 30 年代（1985—2035 年）。由于信息技术的发展，它不仅包括计算机等信息技术的创新与应用，也包括社会劳动组织和内容的重大改变，人类从工业社会走向信息社会的时代。鉴于 2000 年出现的新经济泡沫的破灭，人们要问，信息技术和电信市场的繁荣能持续多久？总的来说，虽然仍有一定发展空间，但是其对经济增长能起的决定性作用将逐渐淡化。

第六个周期大致从 21 世纪 30～40 年代起到 70～80 年代（2035—2080 年）。这个 50 年左右的周期支撑经济增长的创新又是什么呢？哪些基础创新将决定周期的发展呢？人们尚无一致认识。因为要发现一个能够持续十年影响经济增长和社会方式变化的创新是相当困难的。

西方一些经济长波理论者提出的可能影响第六个长波周期的一些创新，可供人们思考。

1. 随着世界能源需求不断增长，传统能源资源将面临枯竭，在环保的情况下，利用各种形式新技术的能源转化（例如风能、太阳能、生物能、光电效应等）将被广泛应用，预料今后二十年在能源开发上会有激烈竞争。

2. 当前信息技术、信息产业迅猛发展，可以说信息无处不在。但是信息技术如何创新，并产生新的市场，仍有很大的空间。

3. 健康是人类拥有的最大财富。保健服务、病员服务、生理和心理服务需求将不断增加。增强老年人的健康、延长人类寿命就显得越发重要了。在今后数十年内，制药、生化、医疗会有革命性的变化，会有一系列的研究成果出现（例如生物、生化工程、基因工程、克隆技术、人工智能等），保健市场将有极大发展。保健市场的发展将进一步影响制药技术、药剂工业、环保、营养、旅游、休闲等相关行业的发展。

总之，从我国和发展中国家经济发展的历史进程来看，在各个经济长波期的发展都滞后于工业发达国家。如今，在经济全球化的浪潮下，发展中国家绝不能永远跟在别人后面，要充分认识“科学技术是第一生产力”的论断，牢牢树立科教兴国的理念，同时，也必须深刻认识金融“是现代经济的核心”，充分发挥金融在发展国家经济、推动经济增长的“第一推动力”的作用，不失时机地抓住机遇、审时度势、趋利避害、与时俱进，实现科技和经济的超越。

二、金融创新在经济增长中的作用

（一）金融创新产生的主要原因

经济发展是由科技创新推动的，它导致经济结构的变化，而这一变化也要求金融结构发生相适应的变化，可以说，只要有重大的科技创新必然会引发金融创新。虽然至今金融创新理论还不完善，但是金融创新推动、促进经济发展已是不争的事实。

金融创新是一种需求诱导、利益驱动的经济现象。其主要原因在于：（1）当经济结构发生变化时，金融市场的风险和不确定性因素增加；（2）金融业各种制度的约束，不利竞争；（3）有关法律的变化（如税收）、科技的发展（如计算机、通信技术进步）以及其他因素的综合作用。

从上述原因不难看出，管制、压抑、不稳定性是金融创新的动力，科技进步是创新的推动力，它贯穿创新的全过程。特别是当今电子技术和网络技术的出现和发展为金融创新开发应用提供了可能，为银行乃至金融业节约成本、提高效益起到重要作用。

（二）金融创新在美国的产生与发展

从 20 世纪 60 年代以来，金融创新在美国可分为五个阶段：

1. 1965—1972 年。此间，由于消费物价急剧上升，利率波动剧烈，加之严格的管制（如利率 Q 法），导致银行业收入锐减，甚至出现亏损倒闭。这时急需一种易变现、反映市场利率的债券形式来抵御通货膨胀和利率上涨所带来的风险。在此需求推动下，新的金融产品应运而生。纽约花旗银行率先推出可转让存单（CD），接着证券业推出货币市场共同基金（Money Market Mutual Funds），随后，保险业推出万能人寿保险（Universal Life Policy）和可变人寿保险（Variable Life Policy），与此同时，欧洲大陆伦敦欧洲美元市场和欧洲债券市场也得到了长足的发展。

2. 1973—1982 年。1973 年，以美元为中心的国际货币体制瓦解，石油价格飙升，美国出现战后最严重通货膨胀，迫使利率不断攀升，造成美国经济和股市陷入长达数年之久的停滞。美国当局不得不于 1982 年取消了利率管制，随之各种与存款相匹配的可调整利率抵押贷款、浮动利率票据相继问世。此外，电子信息技术的普及与应用，更为银行扩展现金管理业务、连通账户业务和自动取款业务开辟了广阔空间。

3. 1983—1990 年。此间，新的动力来自股市价格的剧烈波动和产业收购兼并浪潮。1983—1987 年，美国股市暴涨，促使证券业推出股指期货等新产品，以实现套期保值的目的。为推动并购，市场推出高收益高风险的债券——杠杆收购（LBO）和垃圾债券（Junk Bonds）作为主要融资工具。这些金融产品促进美国投资银行的发展和壮大。

4. 1991—1999 年。20 世纪 80 年代后期开始的信息技术革命进一步推动了金融衍生产品和资产证券化的发展。这些产品的推广和应用成为银行、市场、投资者之间互补、互盈的手段。创新产品对传统银行融资方式产生深刻的变化和影响，最终导致 1999 年美国《金融服务现代化法案》的出台，在全球主要经济体中，分业体系彻底寿终正寝，使美国成为全能的金融体系的国家。

5. 2000 年至今。“9·11” 事件后，特别从 2001 年到 2004 年，美国当局为缓解恐怖袭击和“新经济”泡沫破裂对经济带来的冲击，一直采取了宽松的货币政策，用次贷和次债等金融衍生产品促进了美国经济，特别是房地产的“繁荣”。另外，美国通过贸易逆差方式大量进口商品供国内消费，并以吸收国外资金流入的方式促使国际收支平衡。但是由于通货膨胀压力出现，美国利率升高，造成房贷者无法还贷。而由贷款打包抵押发行的债券大大缩水，造成许多银行亏损，大批裁员并波及美国乃至全球的金融业、房地产业，使美国经济陷入衰退。

美国金融创新的五个浪潮清楚地说明：一方面，在一定的经济发展的背景下，由于某种管制阻碍了经济金融的发展，特别是资金在自由流动时，必然要求市场出现变革，这些变革是通过金融创新来实现和推动的。没有金融创新，美国经济就不能在全球经济发展中一直处于主导地位。二战后，美国经济总量占全球的比例曾高达60%，从20世纪80年代以来，一直保持在25%~32%，而其他国家的比例变化很大，这是美国作为资本大国、资本强国不断进行金融创新的结果。另一方面，我们也应看到，每一个时期所出现的金融创新也会带来负面作用和影响。比如，欧洲美元、垃圾债券和衍生产品等。如果不能正确引导和运用，这些创新所产生的负面影响会很大，比如这场美国次贷危机就席卷、冲击了全球金融体系。这样的例子不胜枚举。这也充分表明，金融创新需要有效的金融监管，监管是为了维护市场的稳定，最终提高金融市场效率，为实现资源有效配置服务。

三、金融创新推动经济增长的思考

创新是一个民族发展不竭的动力，建立创新型国家是提高我国综合国力的关键。金融创新是中国金融业发展的动力，也是时代赋予的新课题、新挑战。为此，要营造一个创新型的金融环境，在体制、市场、机构、产品等方面进行深化改革创新，进一步发挥金融创新对经济可持续发展的促进作用。

（一）金融体制创新

分业必然走向混业，做好混业经营的准备。在金融业的运营上、监管上乃至宏观调控上都会出现新情况、新变化，要思考银行、证券、保险的机构、业务如何交叉、整合、互补，实现双赢、共赢。

（二）金融市场创新

资本市场必须加快完善，要深刻认识资本市场发展对经济强国的促进作用。也就是说，在经济全球化的形势下，金融资产的扩张是推动国民经济发展的重要一环，不能低估虚拟资本和财富效应的作用以及资本市场直接融资合理配置资金的作用。虚拟经济与实体经济可以互相促进、共同发展，对国民经济发展起促进作用。对此，要有战略眼光。2005年股市市值还只有3万多亿元人民币，2007年年底达32万亿元人民币，如今股市低迷也有16万亿元人民币。如果不发展资本市场，我国的资产定价权、溢价权永远不能掌握在自己手中，财富将轻易被外资所侵占。事实上，资产价格重估是释放中国未被市场定价财富的一个过程，要建立财富公平、公正的分享体制，让更多的群众增加财产性收入。我们应加快债券市场的发展，完善股指期货、期权等配套交易，使我国的资本市场成为一个功能完善的国际资本市场。与此同时，要加快资本项目和人民币可兑换的进程，开放必须有序、渐进、安全地进行，开放必须要有时间表，应备几套方案，权衡利弊得失，最迟不应迟于2016年。届时，应着力打造上海使其成为全球的国际金融中心、人民币全球外汇交易中心。

（三）金融机构创新

对外资金融机构的开放，特别是开放本土化机构要采取审慎准入、公平对等的原则，外资参股国有大型金融机构不得拥有控股权。推动“引进来、走出去”。2007年年底，在华外资银行总资产为1 715亿美元。与此同时，我国已在29个国家和地区设有60家分支机构，海外机构总资产约为2 675亿美元。

加快地方商业银行分支机构的开设，适当降低村镇银行准入门槛并给予适当的优惠政策，推动贷款公司的成立，改进中小企业融资难的问题。研究成立区域金融控股集团。该集团的成立有助于实现资产集约化经营，提高资金利用率，通过协同效应提高生产力，发挥联动效应，整合并加大金融支持经济发展的力度，有效防范风险，增强地方抵御经济波动的能力。集团成立应立足于地方经济战略和资本市场发展相结合，采取政府推动、市场运作、规范实施的原则和方针。

（四）金融产品创新

为了加强宏观调控，中央银行推出了相关的金融产品，对此应正确评估这些产品所起的作用及可能带来的潜在风险。应在过去产品的基础上进行更新，及时推出新的产品。目前，各家商业银行推出的存款理财产品，投融资产品对其业务发展有很大的促进作用，但是对如何控制和化解这些产品可能带来的风险，必须给予足够的重视。需要指出的是，一般来说，金融产品没有专利，多数产品容易被人仿造。但是每个金融企业所积淀的文化是不容易在短时间内学会的。为此，要推动金融产品的创新，必须更好地重视企业文化的建设。

我国银行业加入世贸组织后的应对策略*

加入世贸组织后，我国经济进入了一个对外开放的新阶段，国民经济从宏观监管到微观运营都面临新的挑战和考验，对我国金融业来说，机遇与挑战共存。

挑战来自中国金融市场走向全方位开放带来的冲击。依照有关协议，加入世贸组织两年后，外资银行可向国内企业办理人民币业务；5年后，可向国内居民办理人民币业务，银行间、银行与企业间、企业与企业间的竞争将渐次展开。机遇在于外资金融机构大举进入我国金融市场后，将在银行、证券和保险等领域带来先进的技术和管理经验，以及一定的资本投入，有利于我国银行业资本结构的改善。此外，加入世贸组织有利于加快我国金融体制改革的步伐，促进国有商业银行企业化及法人治理结构的建设，从而改变金融产品单一的局面，使金融市场更加完善，为我国金融乃至整个经济的发展注入新的活力。面对上述的挑战与机遇，我国银行业应如何应对？

在宏观上积极履行金融领域的承诺，制定落实各项承诺的措施，继续清理和完善金融法规，废止一批与世贸组织法规不一致的法规。按照世贸组织的规则和精神，做好现有规章的修订，制定新的法规，保证金融法规与世贸组织的基本法规及金融对外开放的承诺相一致；深化金融改革，努力创造一个良好的宏观环境，稳步推进利率市场化，加快建立规范的金融市场；实行和完善由市场供求决定的有管理的人民币浮动汇率制度，适当加大汇率的弹性区间。逐步以外汇监管取代外汇管制，从全面监管转向重点监管短期资本流动，保持国际收支的动态平衡，循序渐进地推进人民币资本项目可兑换的进程；切实加强对银行的监管，防范与化解风险，确保

---

* 本文应《金融时报》经济部策划的“加入世贸组织后的中国”专题而撰写，发表于2002年3月9日《金融时报》。

国家金融安全。实行审慎监管政策，把监管重点放在促进商业银行法人治理结构上，全面执行“巴塞尔协议”的监管原则，加强监管的透明度，建立和完善我国监管体系。加强国际金融合作，维护亚洲金融稳定。

在微观上要对中、外资银行有一个知己知彼的认识，应改变经营理念，加强竞争意识，加快推进金融电子化建设，增加业务品种，提高银行的服务质量与水平。

培养人才，提高员工素质是应对的关键。中、外资银行的竞争，说到底是人才的竞争，尤其是人才机制的竞争。应培养一大批懂得国际金融、善于经营管理的高级金融管理人才。与此同时，应重点通过不同形式的培训提高原有在职员工的素质，这是留住人才、提高人才素质的最佳方法。

商业银行应加快实现股份制改造。通过实现股份制，商业银行既可解决资本金不足的问题，同时也为建立良好的法人治理结构打下基础，实现和完善激励机制与约束机制。

坚持依法合规经营，这是维护金融秩序稳定的根本保证。加入世贸组织后，各家银行应加强整章建制，所有规章制度应向《中国人民银行法》、《商业银行法》等以及国际上有关金融的法规靠拢。特别是各级管理人员要学法、知法、熟悉和掌握重要的法规原则。各行应根据自身的情况，充分发挥自身的优势，制定发展战略。

办好银行业协会，提高协会的素质和职能作用。成立银行业协会是国际银行业加强行业自律与服务的普遍做法。我国的银行业协会应加强和完善行业自律机制，应与央行监管相结合，确保银行业的稳健运行。行业协会应反映和代表行业的要求、利益和愿望，充分发挥协调和调解职能。可逐步建立系统的行业标准和有关业务规则及公约。行业协会还应加强对国际、国内金融发展态势的分析与研究，充分发挥会员的作用和行业协会的整体优势。

城市商业银行面临的压力和挑战*

2004年末，我国银行业金融机构境内外本外币资产总额达31.50万亿元。其中城市商业银行共112家，资产总额为1.65万亿元，占银行业总资产的5.43%。对占银行业总资产53.71%的国有商业银行和占14.92%的股份制商业银行来说，城市商业银行所占的份额确实太小了。然而问题是，国有商业银行和股份制商业银行加快了股份制改革的进程，中国银行、建设银行通过国家注资、剥离不良资产、发行次级债等方式，使资本充足率大大提高，超过了8%的标准；与此同时，它们还进一步完善了法人治理结构，强化了激励和约束机制，大大提高了竞争力。股份制商业银行也都大力吸引国内外战略投资者，加快了上市的步伐。可以说，城市商业银行正面临着新的压力，处境十分严峻。当前，制约城市商业银行发展的主要因素有：

1. 股份制不完善。大多数城市商业银行是以城市信用合作社为基础合并而成。从所有制结构来看，它属于股份制银行，但很不完善。政府、国企、民企、个人都是城市商业银行的股东，个别银行还吸引了外资。但总体来看也不够规范，董事会、监事会、股东大会的职能和功能都没有正常发挥，董事会与管理层的委托代理关系也不明晰，不少银行依然按计划经济体制行事，管理层由地方政府任命，国有法人控股。这样的体制一定程度上制约了城市商业银行的定位和发展。

2. 资本严重不足。当前城市商业银行的资本充足率大多达不到8%，有的还不足一半。这有其历史原因，比如都有沉重的不良贷款包袱；加之近年来业务发展迅速，随着资产规模的扩大，新的不良贷款又有发生，新增资本不能跟上，必然制约新业务的发展，成为发展的“瓶颈”。

3. 竞争压力凸显。前些年，城市商业银行凭借其规模小，管理灵活，熟悉客户和市场，各方面的创新较国有商业银行易产生、易推广、阻力小，

---

* 本文原载《现代商业银行》2005年第4期。

以引人注目的速度发展。但是，在国有商业银行股份制改革加快的形势下，城市商业银行遇到了前所未有的压力。因为一旦国有商业银行摆脱了传统体制的弊端，将成为城市商业银行最有力的竞争对手，挤占城市商业银行的发展空间。

4. 国际化水平低下。21 世纪商业银行是国际化的银行。当前，城市商业银行在管理国际化与业务国际化方面进展缓慢，而且在海外没有机构和网点，虽然有的与国外银行有代理合作关系，但是与其他银行相比仍有较大距离。随着国有商业银行和股份制商业银行加快国际化发展的步伐，以及具有国际化外资银行的大批涌入，城市商业银行总体国际化水平将相对低下，在国际业务的拓展上，面临较多的劣势。特别是在我国加入世贸组织以及 2006 年底我国金融业全方位开放情况下，将更处于下风。

针对上述压力，城市商业银行应该正视现实，变压力为动力，迎接新形势下的挑战。

（1）找准市场定位，制定切合实际的发展战略。城市商业银行的定位应该以本地区为立足点和出发点。按照市场细分原则，城市商业银行应该深入分析研究，找准客户群和项目，将全行业务紧密与本地区经济文化教育发展相联系，并进一步推动本地区经济与海内外的交流合作，促进本地区经济与银行业务的共同发展。为了实现上述目标，应制定切合实际的发展战略。

（2）重在做强，不在做大。城市商业银行在定位明确后，志在做强，不在做大，即提高资产质量，做好自己的品牌，而不是盲目发展规模。

做强的关键在于完善治理结构，加强内控和风险管理，摆布调整好资产负债结构，提高人员素质，使每项业务具有创新力、竞争力。提高资本回报率、资产回报率和拨备率。因此，在做强的基础上，也就是说，在提高资产质量的前提下做大，而不是为了做大而做大。

（3）慎审选择国内外战略投资者，选择有利时机上市。城市商业银行应结合自身发展战略、市场定位等因素选择战略投资者。此时，不能单依据银行净资产来决定投资的定价，还应考虑拥有的品牌、客户、市场、分支机构，特别是地区政府的支持等因素，要防止对方恶意压价。在双方明确定价的原则下，应尽可能采取换股的方式进行长期战略合作，这比单方参股具有更大的互补性。

选择有利时机，公开上市。这不仅可以筹措到新的资本，而且作为上市公司，必然要对股东负责。这对完善法人治理、增强透明度和竞争力都有重要作用。

对我国金融稳定性的再认识*

一、金融稳定性的含义

（一）对金融稳定性含义的理解和认识

国际清算银行总经理 Andrew Crockett 指出："金融稳定性包括金融机构和金融市场的稳定"。稳定性是指：（1）金融体系中的关键机构能够保持稳定，公众对机构的信心度很高，这些机构在无外界援助或干预下就能履行合同义务；（2）金融市场上不存在一种使经济受到伤害的价格变动，市场参与者在某一价格水平上很有信心地进行交易，这一价格水平能够反映经济基础因素，当基础因素没有变化时价格水平在短期内也不会出现较大波动①。加拿大学者亚历山大·莱（2002）认为，金融稳定性是金融体系抵御金融风险或冲击的能力。

笔者认为，金融稳定性包括以下内容：（1）货币供求均衡从而币值（通货）稳定。（2）资金借贷均衡从而信用关系和秩序稳定。（3）金融体系中的关键机构稳定，在无外界援助或干预下就能履行合同义务。（4）金融市场稳定从而使金融资产价格稳定并能反映经济基础因素。当基础因素没有变化时价格水平在短期内不会出现较大波动。（5）国际收支平衡内外均衡从而汇率稳定。（6）金融体系内部不同系统之间结构协调，金融结构稳固合理并与经济和社会及其发展阶段有良好的适应性，不至于出现明显裂痕、内部相互冲突的局面，金融运行处于平和状态。

以上金融稳定性的六个方面并不是割裂的，而是相互影响、相互作用的。金融稳定的实质是金融体系的功能能够稳定、正常地发挥从而实现金

---

* 本文与郧会梅合写。原载《金融研究》2005 年第 2 期。

① Andrew Crockett, Why Is Financial Stability a Goal of Public Policy? "Maintaining Financial Stability in a Global Economy", held in Jackson Hole , Wyoming , August 28 – 30, 1997. Economic Review , Fourth Quarter, 1997.

融平稳增长，投资者的利益能得到保护，有助于经济和社会的有序发展，优化资源的配置；稳定是动态中的稳定，增长和发展中的稳定，不是停滞的静态的稳定；金融体系不稳定是绝对的、内生的，稳定则是相对的；企业和金融机构的微观的资本结构与宏观的经济结构，对金融体系的稳定性都有重要影响；金融稳定应强调金融与经济的协调发展。

（二）对金融稳定性相关概念的界定与分析

1. 金融稳定性的对立面是金融不稳定性。有些文献将金融脆弱性（Financial Fragility）和金融的不稳定性（Financial Instability）相混。实际上，金融脆弱性是金融不稳定性的前期状态，强调金融体系本身的特性。金融危机作为金融不稳定的最后和典型的外在表现，有四种较为权威的定义：（1）金融危机是社会的金融系统中爆发的危机，集中表现为全部或大部分金融指标急剧地、短暂地和超周期地恶化，这些恶化的金融指标包括短期利率、证券、房地产和土地等资产的价格、企业破产数和金融机构倒闭数①。（2）金融危机是指对金融市场潜在的严重破坏，它可以损害市场有效运作的能力，从而对实际经济产生较大的负面影响②。（3）米什金（F. Mishkin）认为，当金融市场中的逆向选择和道德风险问题累积得太严重以至于金融市场不能够有效地在储蓄者和有生产性投资机会的人们之间融通资金的程度时，金融危机就爆发了。③（4）金融危机是指金融体系和金融制度的混乱和动荡。主要表现在：强制清理旧债；商业信用剧减；银行资金呆滞，存款者大量提取现钞，部分金融机构倒闭；有价证券行市低落，发行锐减；货币饥荒严重，借贷资金缺乏，市场利率猛烈提高，金融市场动荡不宁；本币币值下跌。④

金融不稳定性是金融危机的前期状态，如果能够及时较好地解决出现的问题，防止金融不稳定性的进一步恶化，那么金融危机是可以避免的。如果金融不稳定性不能在短时期内得到有效控制，那么随着金融不稳定性程度的加深，最终会演变成金融危机。由金融不稳定性到金融危机有一个积累演化和蔓延过程。金融危机的爆发以金融不稳定性积累到一定程度为

---

① 《新帕尔格雷夫经济学大辞典》，中文版，第2卷，362页，北京，经济科学出版社，1996。

② 国际货币基金组织：《世界经济展望（5月）》，中文版，76页，北京，中国金融出版社，1998。

③ ［美］F. S. 米什金：《货币金融学》，中文版，196页，北京，中国人民大学出版社，1998。

④ 戴相龙、黄达主编：《中华金融辞库》，252页，北京，中国金融出版社，1998。

条件，金融不稳定性不一定必然导致金融危机，但是金融危机的发生必然是金融不稳定性遏制失败的极端结果。

2. 金融风险是指经济主体在金融活动中遭受损失的不确定性或可能性。在经济生活中，只要存在不确定性，就存在风险，从而对整个金融体系稳定造成威胁。金融稳定的威胁很大程度上来自金融风险的积累，因此，金融风险是普遍的、随时的。金融风险是造成金融不稳定的基本因素之一，防范和化解金融风险十分重要，而金融稳定则是对金融风险的一种抑制和否定。

二、金融稳定性的作用

（一）促使和保证金融功能得以发挥

金融功能可大体概括为：创造货币，向经济提供流动性；提供有效率的支付系统，进行支付清算服务；在不同的时间、地区、部门和个体之间转移经济资源；建立投资组合和分割所有权的机制，实现小额资金供给与巨额资金需求的结合；集合、分担、转移风险；提供信息，服务于经济决策；在信息不对称的背景下，最大限度地把可能参与资金交易行为的经济主体汇入经济周转之中。需要指出的是，金融体系的功能是建立在广大投资者对金融体系的稳定性信心基础之上的。一旦他们对其失去信心，金融功能将大大削弱。金融不稳定使金融机构陷入困境、金融市场陷入混乱从而削弱金融体系的功能。如果发生金融危机，金融机构本身首当其冲。危机无一例外地伴随着大量金融机构的破产或重组。20 世纪 30 年代大危机期间，全美约有 11 000 多家银行破产、合并，使银行总数由 25 000 家减至 14 000家。1985 年美国储贷协会危机发生后，1985—1990 年每年的银行倒闭数分别为 120 家、138 家、184 家、200 家、206 家、179 家，而 1980 年只有 10 家。1995 年日本金融风潮发生后，日本最大的信用社——木津信用社破产，接着是兵库银行倒闭和 7 家住专连锁破产。1997 年亚洲金融危机发生后，日产生命公司、三洋证券公司、北海道拓殖银行和山一证券公司接连宣告破产；泰国政府则一次关闭了 56 家金融机构。[①] 金融危机还使金融市场陷入混乱甚至摧毁长期形成的金融市场，使之在相当长的时间内难以发挥作用。在这种情形之下，金融体系功能正常发挥无从谈起。

① 黄达主编：《金融学》，796 ~ 797 页，北京，中国人民大学出版社，2003。

（二）促使和保证金融效率得以提高

R. I. 罗宾逊（Roland I. Robinson，1974）和 D. 怀特曼（Dwayne Wrightsman，1974）认为金融体系的效率分为两种形式，即操作效率（Operational Efficiency）与配置效率（Allocational Efficiency）。操作效率以金融过程发生的成本相对于效益来衡量；配置效率是引导储蓄资金流向生产性用途的有效性。一个能引导资金用于高效率生产用途的市场就是有效率的。A. D. 贝恩（A. D. Bain，1981）将金融体系的效率分为两类：微观经济效率和宏观经济效率。宏观经济效率包括可动员的储蓄与投资水平、市场稳定性（即通过金融体系调动的储蓄和投资规模的稳定性、资产价格和利率的稳定性）、结构稳定性（即金融体系本身具有较高抗风险能力，不会因为其失败而对宏观经济造成极大负面影响）、对宏观经济稳定性的贡献（即金融体系可以发挥经济调节作用，平衡储蓄与投资，促进物价稳定，缓和防止经济周期）；微观经济效率包括金融工具的范围、弹性与选择（有弹性的金融体系高效率地配置资源）、规模与风险、证券价格与利率、管制、税收和补贴、运行效率（中介成本的高低）、动态效率（金融体系创新和适应环境变化的能力）。从以上金融效率的解释来看，金融稳定与金融效率并不是非此即彼、相互对立的关系。按照 F. S. 米什金对金融危机的定义（即一种逆向选择和道德困境问题变得太严重以至于金融市场不能够有效地将资源导向那些拥有最高生产率的投资项目而导致的金融市场崩溃）[①]，我们更可以看到金融稳定与金融效率的一致性。在 A. D. 贝恩对金融效率的界定中，金融效率包含了金融稳定因素。在某种程度上，特别是从长期来看，金融稳定与金融效率互为条件，相互促进。只有金融稳定，从而使金融资产价格稳定并能反映经济基础因素，才能确保引导储蓄资金流向生产性用途的有效性。没有金融稳定作为基础，金融效率就不可能持续提高。如果人们对一国政府发行的货币和债券产生怀疑，中央银行通过公开市场业务调控汇率、利率、货币供应量的能力就会降低；如果金融机构不良资产的比重过高，其破产的可能性就增大，其竞争和创新能力会下降；如果出现金融动荡，恐慌的市场反应信息的能力会大大降低；金融危机会降低一国经济的货币化程度。同时，金融效率和金融稳定的目标具有一致性，都是为了金融发展和金融功能的充分发挥。

---

① ［美］F. S. 米什金：《货币金融学》，中文版，196 页，北京，中国人民大学出版社，1998。

（三）促使和保证经济与社会得以健康发展

金融稳定能创造和实现良好的金融环境，提高金融中介的效率和实现资源的最优配置，促进经济健康有序发展。纵观人类社会漫长的经济发展史，金融是经济发展的强大推动力量。由于金融的作用越来越强，极端的认识实际上是把一个经济体的命运视之为：成也金融，败也金融。金融不稳定性的正面效应在于对以往经济发展中不良问题的深刻揭示与纠正，促使有关国家政府对经济政策进行深刻反省，恢复经济与金融运行的正常秩序。但是，换取这种正面效应的代价是相当巨大和昂贵的，因为金融不稳定的危害涉及面非常广泛，不仅破坏储蓄者和投资者从事各项交易的环境，降低金融中介的效率和实际资源的最优配置，难以为宏观经济的正常运行提供良好的环境，而且拯救有问题的金融机构会造成大量的财政成本，而一旦金融不稳定性演变为货币危机或银行危机等形式的金融危机，还会引起该国实际 GDP 的损失，造成经济的倒退和社会的动荡。

近年来的研究已将金融不稳定带来的经济损害量化了。经济损害有多种形式，如银行倒闭、企业破产、职工失业、为处置银行坏账所负担的财政支出、外汇储备的损失、GDP 的下降等。无论是新兴市场国家，或是工业化国家，金融不稳定发生后，为保护存款者、投资者利益和挽救有问题的金融机构，往往需要政府付出财政成本来重建金融部门和恢复经济活力。政府财政支出包括：支付银行部门以前担保的款项；向银行部门提供流动性资金援助；帮助银行满足资本充足率的要求；购买银行的不良贷款。英格兰银行的最近一项研究（Glenn Hoggarth and Victoria Saporta，2001）发现，日本 1992—1998 年间和韩国 1997—2000 年间为挽救银行、处置银行坏账所负担的财政支出分别达到其年 GDP 的 21.5% 和 14.7%。智利 1983 年金融危机造成的损失超过其年 GDP 的 30%。在最近的金融危机中，印度尼西亚受到的损失更大，1997—2000 年间处置银行坏账以挽救银行的财政支出占其年 GDP 的 55%。① 同时，它们的 GDP 都出现了大幅度的倒退，特别是受害较深的印度尼西亚、泰国、马来西亚、韩国、香港特别行政区和日本都出现了大幅度负增长；通货膨胀率和失业率也出现了大幅度的上升。

---

① Glenn Hoggarth and Victoria Saporta, Costs of Banking System Instability: Some Empirical Evidence. Financial Stability Review, Bank of England, Issue 10, June 2001.

三、对我国金融稳定的再认识

（一）充分认识金融稳定对中国金融经济发展的作用

首先，金融稳定对我国经济实现可持续发展和社会稳定具有重要意义。任何形式的波动性的增加都会减少新技术和新产品的研究与开发，阻碍投资，而这正是经济长期增长和发展最重要的决定因素。从现实来看，近20年来的金融危机的震中基本都是新兴工业化国家，这就不能不引起发展中国家的深深反思。因为这不仅仅是一场经济危机和金融危机，更是一场发展危机，只不过这种发展危机是以金融危机的形式表现出来的而已。金融稳定是经济可持续发展的基础和前提。金融不稳定，经济可持续发展就无从谈起，只有稳定的发展才是可持续的发展。中国是世界上最大的发展中国家，只有稳定与发展的有机结合，做到以稳定促发展，以发展保稳定，确保稳定基础上的可持续发展，才能实现我国金融和经济发展的良性循环。金融稳定也是巩固我国改革和发展成果、维护社会稳定的需要。金融稳定是经济社会稳定的前提和基础，而金融危机将对金融、经济和社会各方面产生广泛而严重的影响。阻止金融危机必须从防范金融不稳定性、增强我国金融稳定性开始。作为发展中大国，我国金融的稳定发展对于全球金融和经济发展也具有重要的影响。

其次，金融稳定对维护我国金融和经济安全乃至国家安全具有战略意义。20世纪90年代初以来，从国际政治关系来看，随着苏联的解体和冷战的结束，和平与发展成了当代世界的两大主题，政治斗争、军备竞赛退居次要地位，经济发展成为国际关系的主基调，经济安全成为国家安全的重要组成部分和关键因素。金融是现代经济的核心与神经中枢，金融安全就成为经济安全的核心和关键，金融安全问题引起了全世界的广泛关注和高度重视。而金融不稳定不仅破坏金融安全，而且损害经济安全，甚至危及国家安全。金融危机带来的财富损失、经济衰退、外汇储备减少和财政赤字等，直接削弱了一国对外实行战略防御的经济实力，金融危机引起的社会和政局动荡直接威胁国家安全。

中国作为社会主义发展中大国，经济安全和国家安全问题至关重要。吸取历次金融危机受害国的教训，维护金融稳定，消除威胁经济安全和国家安全的不利因素，具有长远的战略意义。

最后，金融稳定对保护投资者利益具有重要意义。一般来说，金融机构是在一个相对虚弱的资本基础上，通过对社会公众的高负债来运营的。因此，金融机构的风险基本上等价于其投资者的风险，金融机构的倒闭与破产将直接给投资者带来损失。而且由于金融机构之间存在着密切而复杂的债权债务联系，不仅影响同破产机构有业务联系的其他金融机构，还会影响它的投资者。而在投资者利益得不到保护的情形下，就会出现投机盛行，进而影响金融稳定性，形成恶性循环。长期以来，我国金融的发展一直强调为企业尤其是国有企业解决资金困境，而对投资者利益及保护重视不够。投资者利益得不到保护的结果使金融市场注重短期交易和短期收益，金融市场投机风甚重，从而对金融稳定产生负面影响。金融稳定是关系到国内外投资者利益保护的问题，只有金融稳定，国内外投资者的利益才能得到保护。

（二）对我国金融稳定性的分析

金融对经济社会的影响不仅在于其在经济生活中的地位日益提升，而且在于金融不同于其他产业的一个特点，即其负外部性很大且日益增强。同时，随着金融的发展，资本的杠杆率被利用得越来越充分，金融的这种外部性在金融对经济的贡献日益提高时也越发明显。从历次金融危机中我们也可以感受到这种极强的负外部性。正如约瑟夫·斯蒂格利茨所言[①]："金融体系良好运作时，经济就能保持强劲增长；而一旦金融体系出了故障，就会爆发危机，延缓经济增长。金融危机一再发生着，近年来甚至有愈演愈烈的迹象。"据国际货币基金组织统计[②]，从1980年到1995年，该组织的181个成员国中就有131个国家发生过严重的金融问题。墨西哥金融危机爆发后，其国内生产总值增长率由1994年的4.4%下降到1995年的-6.2%。亚洲金融危机爆发后的1998年，印度尼西亚的经济增长率跌至-13.7%，马来西亚跌至-6.7%，韩国跌至-5.8%，泰国跌至-9.4%。1975—1994年间，没有发生银行危机的国家，经济一直在缓步增长，而发生银行危机的发展中国家在危机发生后的5年中经济增长率仅为1.3%。1997年亚洲金融危机规模之大、时间之长，为历次危机所罕见，对亚洲和

① 约瑟夫·斯蒂格利茨：《金融稳健与亚洲的可持续发展》，载《经济社会体制比较》，1998(3)。

② 国际货币基金组织：《银行稳健经营与宏观经济政策》，中文版，北京，中国金融出版社，1997。

世界产生了巨大的冲击和危害。另据统计和比较①，第一次世界大战中直接毁于战争的财富价值为360亿美元，直接和间接的全部损失为3 380亿美元；二战主要参与国的损失是40 000多亿美元。但美联储1998年2月公布的研究报告统计，亚洲金融危机仅在1997年给世界投资者造成的直接经济损失就高达7 000亿美元，是第一次世界大战经济损失的2倍多，其中亚洲共损失5 160亿美元。

改革开放二十多年来，我国金融改革和发展取得了很大成绩，与此同时，金融风险及不稳定因素的累积也令人担忧。尽管中国躲过了20世纪90年代多次地区和全球性金融危机的正面冲击，但这并不意味着中国的金融体系已具备了内在稳定性和较强的抗风险能力，相反，在我国金融体系存在着诸多潜在的不稳定性因素。比如，就总体而言，银行业不良贷款数额仍然很大且依靠其自身消化较难；资本充足率情况也不容乐观，信贷结构仍存在一些问题；在股票市场，一些证券公司、上市公司在内部控制、公司治理、信息披露等方面问题比较严重，股票市场规范性、稳定性有待提高；房地产业仍存在一些泡沫，通胀压力依然存在。事实上，中国金融体系至今尚能保持总体稳定的主要原因，一是迄今为止的渐进式金融改革与开放政策控制住了市场化和国际化的次序和节奏，避免了过度自由化和过早开放所带来的风险与冲击；二是在经济和金融总量的快速扩张中，现存的诸多风险与不稳定因素被稀释并掩盖了。如果说过去我们能够避免发生金融危机很大程度上归功于渐进式改革和开放带来的经济高速增长，能够抵挡国际金融危机的侵袭归因于资本市场的未开放和人民币的不可自由兑换。那么，随着改革的深入尤其是金融改革进入攻坚阶段，市场化改革和对外开放的步伐进一步加大，我国金融风险与不稳定因素将随之凸显，金融体系的稳定性会面临一系列前所未有的考验和挑战。

（三）货币金融政策的制定要兼顾金融稳定

首先，金融在现代经济中的核心地位是由其自身的特殊性质和作用所决定的。现代经济是市场经济，市场经济从本质上讲就是一种发达的货币信用经济或金融经济。金融运行正常有效，则货币资金的筹集、融通和使用充分有效，社会资源的配置也就合理，对国民经济走向良性循环所起的作用也就明显。金融是资金运动的“信用中介”，起到引导和配置其他资源

① 孙健：《金融危机与国家安全》，北京，经济科学出版社，1999。

的作用。它最基本的特征和作用就是把机关团体、企事业单位、居民个人手中零星、分散、闲置的资金集中起来，集少成多、积零为整、续短为长、变“死”为“活”，变成高效、稳定、长期的资金来源，通过借贷、投资等方式，按照信贷原则和产业、区域发展政策，投入到急需资金的部门。金融部门贷不贷款、贷给谁、贷多贷少，以及贷款利率水平高低和差别的资金分配行为，直接决定着生产要素在不同行业、部门和产业的分布。在资金运动速度加快和增值效益提高的同时，物随钱走，根据以货币形式提供的准确的社会需求信息，其他生产要素资源也随之从亏损行业或利润较低的部门向利润较高的部门转移，从产业政策限制发展行业向支持扩展的行业转移，从落后淘汰产业向新型外向型产业转移，从而实现社会资源的重新整合，优化资源配置。

其次，金融是现代经济中调节宏观经济的重要杠杆。宏观经济管理的要求是社会总供给与总需求保持基本平衡，并促进国民经济均衡增长。金融在建立和完善国家宏观调控体系中具有十分重要的地位。一般说来，货币供应总量可以调节社会总需求，货币供应总量和社会商品、劳务总供给保持基本平衡，就能使物价稳定。金融业与国民经济各部门有着密切的业务联系，能够比较深入、全面地反映成千上万个企事业单位的经济活动。金融是国民经济的信贷收支、外汇收支、现金收支和结算中心，是国民经济活动的资金枢纽和神经中枢；金融运行情况是国民经济活动的晴雨表，透过金融现象，可以反映国民经济运行中出现的新情况、新问题、新矛盾和新趋势。同时，利率、汇率、信贷、结算等金融手段又对微观经济主体有着直接影响。国家可以根据宏观经济政策的需要，通过中央银行运用调整法定存款准备金率、中央银行贷款、再贴现率、公开市场操作、中央银行外汇操作、贷款限额、中央银行存贷款利率等各种调控手段，适时松紧银根，调控货币供应的数量、结构和价格，从而调节经济发展的规模、速度和结构，在稳定物价的基础上，促进经济发展。

再次，在现代经济生活中，货币资金作为重要的经济资源和财富，成为沟通整个社会经济生活的命脉和媒介，现代一切经济活动都离不开货币资金运动。在现代经济生活中，任一经济活动的初始都首先表现为货币资金的投入，任一经济运作都以现金流不断为基本前提和保障条件，而经济结构、经济效率、经济增长和经济发展都与金融息息相关，因此可以说，没有金融就没有现代经济。从国内看，金融连接着各部门、各行业、各单位的生产经营，联系每个社会成员和千家万户，成为国家管理、监督和调控国民经济运行的重要杠杆和手段；从国际看，金融成为国际政治文化交往、国际贸易、引进外资、加强国际间经济技术合作的纽带。

最后，金融在现代经济中的核心地位还表现在：科技是第一生产力，而金融资金则是第一推动力。在21世纪的经济运行中，有两个基本特征将更加突出，这就是现代科学技术和现代金融在经济发展中的决定性作用。虽然在20世纪科学技术也是推动经济增长的一个重要因素，但是不像在21世纪这样重要和显著。21世纪的经济是以知识为本的经济，就是从这个意义上讲的。但是，如果只有发达的科学技术，就只能说这个国家是一个科技强国，而由科技强国变为经济强国，就必须有一个稳定强健的现代金融体系的支撑。从18世纪到20世纪，金融为整个经济发展提供血液，提供润滑，提供媒介，从而提高了整个经济的效率，但是，金融在21世纪中将会发挥更加明显、更加重要的作用。只有现代科学技术加上现代金融体系，我们才能说一个国家从科技强国变成了经济强国。离开功能强大的现代金融体系，科学技术的经济增长效应将严重缩水，其对产业的催化作用不会以乘数的效应呈现出来，科学技术的资源将会浪费。现代金融体系可以增强现代科学技术在产业中的扩散能力。当然，如果仅有一个发达的现代金融体系而没有强大的科学技术的支持，这种经济迟早会进入泡沫经济状态。在新世纪，一个国家的竞争力除表现为科学技术水平和产业竞争能力外，还表现为稳定强健的金融体系及能力。

在进入新世纪、加入世贸组织的新的历史条件下，深化对邓小平同志“金融是现代经济的核心”科学论断的认识，有利于我们从战略全局的高度认识金融的地位、作用，把金融工作放在更加突出的重要位置，也为我们重视金融稳定、防范金融不稳定提出了警示。金融这一“核心”的正常、稳定、高效运行，是整个国民经济发展和社会稳定的关键。

（四）货币金融政策的制定要以金融稳定为出发点和落脚点

金融体系的稳定对有效实行货币金融政策非常重要。例如，我国商业银行是执行货币政策的支点，不稳定的银行体系打乱了货币政策工具与货币政策目标之间正常的联系规律，货币乘数发生明显变化，货币供给量的利率弹性也有明显变化等。对在金融动荡期间出现的扰动，往往难以预计其摆动方向及摆动幅度，这无疑会给货币政策的制定和实施增加困难。资产价格的波动会影响到货币政策发挥作用进而影响实体经济的所有渠道，如利率渠道、财富渠道和汇率渠道等，资产价格波动剧烈时甚至会直接影响公众或经济体对当局货币政策的信心。

反过来，货币金融政策对金融稳定的影响也是很大的，而且是多方面和多层次的。由于货币金融政策的影响面宽，不当的货币金融政策实施常常会促成金融不稳定。可以说，不稳健的货币金融政策很可能带来不稳定的金融体系。货币金融政策是宏观经济政策或称稳定性经济政策（也称为反周期政策）的一个重要组成部分，其主要目的是减少整个宏观经济系统的波动，实现国民经济的稳步增长。从过去50年世界各国宏观经济管理的经验来看，稳定性经济政策并不总是十分成功的。这些经验说明，稳定性经济政策的制定和实施是一个十分复杂的过程，其制定和实施的好坏决定其效果。一个成功的稳定性经济政策对缓和整个经济的波动是大有好处的，但是一个不成功的稳定性经济政策则可能使经济波动变得更大、更加剧烈。在宏观经济政策中，货币政策和汇率政策对金融稳定会产生很大的影响。以对银行体系稳健性的影响为例，张性的货币政策有利于提高银行的盈利能力，银行内部的问题往往很容易被掩盖起来，但是随着通货膨胀的不断恶化，中央银行不得不采取反通货膨胀的货币政策，其结果往往是房地产和金融资产泡沫的破灭和大量不良贷款的出现，从而增加银行体系的不稳定性。例如，1979年美国紧缩性货币政策是导致80年代储蓄贷款协会危机的重要原因。通货膨胀必然导致利率的上升，导致银行筹资成本的上升，增加的筹资成本转嫁给企业就会导致银行资产风险的上升，因为随着银行贷款利率的上升，投资项目安全性高的企业就不再有贷款的需求，只有用于高风险投资项目的企业才愿意接受高的贷款利率；通货膨胀时期的高利率会加剧银行的道德风险，银行在高通货膨胀时期往往会放松对贷款对象的信用分析，降低安全边界的标准，承担过大的资产风险。从汇率政策的角度来看，本币币值长期高估会对出口企业带来不利影响，最终都会反映到银行的盈利能力和资产质量上，还会影响到银行持有的外币风险敞口；汇率的急剧波动常常伴随着实际利率的上升，因为投资者要求的风险溢价不断上升，而实际利率的急剧上升对企业和银行的经营都会产生不利影响；存款人对本币大幅度贬值的预期会引起资本外逃和银行挤兑，会将在本国银行的存款转移到国外或在本国的外资银行，而资本外逃和银行挤兑对银行制度稳定性会带来灾难性的打击。

因此，增强金融体系的稳定性，使我国的金融稳定运行和发展，是中国金融经济乃至社会稳定和发展中的一个关键性问题，货币金融政策作为实现经济发展的重要政策，必须要兼顾金融稳定。

几个值得深思的问题*

——亚洲金融危机十周年有感

1997年下半年，由泰铢贬值引发的亚洲金融危机波及了中国内地以外的几乎所有东亚国家和地区，给这一地区带来了数千亿美元的直接损失，危机还蔓延到其他国家和地区。这场危机程度之严重、影响范围之广和持续时间之长都是人们始料不及的。

为什么说这场危机中国内地未被直接波及呢？这是因为我国对资本流动实行严格管制，外债规模比较合适、结构较为合理，资本项目没有放开，故受国际金融动荡的冲击就较小。在东南亚国家货币纷纷贬值、外汇储备大量流失的情况下，我国郑重宣布，人民币不贬值，没有给这场危机造成新的压力，这一做法获得了国际社会的一致好评。总之，我国沉着冷静地应对了这场危机。但这并不等于说，我国经济金融体制就完美无缺，已具备了抵御危机的能力。笔者认为，我国距这种实力还相差甚远。

亚洲金融危机已过去10年。这十年来，在坚持改革开放的基本国策指引下，在经济金融全球化不断深入的形势下，我国成功地加入了世界贸易组织，同时我国经济实现了持续、快速、稳定的发展，我国正从一个发展中的经济大国向世界经济强国迈进。在步入经济强国的进程中，如何抵御国际性的金融风险和危机，如何吸取亚洲金融危机的教训？笔者认为，有几个问题值得深思。

一、必须认识到，资本项目可兑换是一个有序、渐进的过程

当前，我国宏观调控体系、市场体系和微观经济体系仍处于发展和转轨时期，并面临这样和那样的问题。在国内经济条件仍不够成熟时，全面实行资本项目可兑换，容易受到来自国际资本流动的冲击和国际金融市场动荡的影响，打乱和干扰我国经济有序的发展。

---

* 本文原载2007年4月25日《国际商报》。

二、提高综合国力是抵御风险的根本保证

1. 经济增长方式必须有根本的转变。近十年来，我国 GDP 以 8% ~ 10% 的速度增长，2006 年年底 GDP 突破 20 万亿元，居世界第五位。但为了高速增长，付出的代价太大。由于生产要素价格（如土地、劳动力和其他资源等）至今没有理顺，扭曲的要素价格体系鼓励粗放型经济扩张，形成高投入、高消耗的经济增长模式。这样的增长效率低、质量差。如果不尽快改变增长方式，就不能实现我国综合国力的提高。

2. 必须改变外贸依存度过高、储蓄率过高、内需不足的状况。2006 年，我国外贸总额为 1.76 万亿美元，约为 GDP 的 70%；出口总额为 9 670 亿美元，占 GDP 的 36%。这表明外贸和出口在我国国民经济中的占比太高，对外依存度过大。我国是一个发展中的大国，经济增长应主要由国内的消费支撑，发展内需是我国经济增长的根本动力所在。由于某些制度性障碍，国内投资一定程度上被具有优惠条件的外资所挤占。同时，由于社会保障体系不健全，城乡居民预防性储蓄过大，使他们不敢消费、不能消费。因此，为了减少国民经济的波动，必须降低对外需的过度依赖。要刺激内需，就应该不断完善包括医疗、教育、养老保险等社会保障体系的建设，加快建设社会主义新农村，促进农村经济的发展，努力缩小城乡差距，改变收入分配不公的现象，为扩大内需创造条件。

三、加快金融体制改革是抵御风险的有效手段

1. 健全金融体系和加强金融监管。其中，对商业性金融机构，必须完善股份制改革，不断提高资本充足率和完善法人治理结构；对于金融市场，进一步规范和完善货币市场和资本市场及金融工具的运作。与此同时，必须健全金融监管的法律、法规，保证对金融机构、金融市场的审慎监管。通过以上努力，形成一个高效、透明的资金运作体系。

2. 不要被国际收支双顺差，储备过万亿美元所迷惑。经常项目收支的稳定是保证实现中长期国际收支平衡的前提，但是贸易顺差过多也是一种不平衡。资本项目净流入过大，表明外商直接投资与我国对国外投资金额的极不匹配。因此，必须适当增加进口，进一步调整外贸结构，加大国内企业“走出去”的力度。同时，必须提高外汇储备的管理与经营水平，采取综合措施促进国际收支平衡。

3. 必须确立符合实际的汇率水平和汇率机制。一个符合实际的汇率水

平和有效的汇率形成机制，不仅对实现国内外经济均衡有重要作用，而且对把握资本项目可兑换的时机和效果同样重要。一般来说，固定汇率因为难以有效灵活调整汇率水平，在国际资本高速流动的条件下，有一定局限性。浮动汇率相对而言，可以较客观、真实地反映汇率合理水平，但容易给投机资本可乘之机。因此，人民币汇率改革必须走有管理浮动之路。当前，人民币面临升值压力，汇率制度改革必须坚持自主性、可控性和渐进性的原则，避免给国民经济造成不利的冲击和影响。

四、打造一批现代化企业，增强抵御国际风险的实力

当前，西方跨国公司控制了世界生产的40%，国际贸易的50%，国际技术的60%～70%，国际直接投资的80%～90%，在各个方面都处于垄断地位。而我国的企业规模较小，进入世界500强的寥寥无几。为此，必须推进国有资本、民营资本向具有实力的大公司、大企业集中，在中央企业形成80家至100家规模强大、技术先进、结构合理，机制灵活有效、具有国际竞争力的大公司、大企业，最终打造30家至50家拥有自主知识产权、自主创新和知名品牌的现代化、国际化的跨国企业。一个国家拥有多少个世界级的跨国公司、跨国银行和世界级的品牌，已成为衡量该国经济强弱的重要标志。

从亚洲金融危机到华尔街风暴的联想*

1997 年夏，由泰铢贬值引发的亚洲金融危机，造成日本、韩国，特别是东南亚国家的货币纷纷贬值，其外汇储备大量流失，股市、房市价格暴跌，使亚洲经济陷入衰退。时隔 11 年，2007 年春由美国次贷危机引发的华尔街风暴席卷了全球。其来势之猛，使美国经济陷入衰退并波及了全球，冲击和动摇了全球金融体系。

亚洲金融危机对我国基本上没有造成冲击和危害。相反，当时我国采取的人民币不贬值的措施，深受国际社会的肯定。受到冲击较大的是香港特别行政区。由于对冲基金和热钱的冲击，港元汇率下跌，股市急剧下挫，恒生指数从 14 000 点跌破 7 000 点。投机资金想在跌破 6 000 点时抄底，控股香港重点行业的上市公司，从而在经济上控制香港，并把矛头直指我国内地。在此紧迫形势下，香港特别行政区政府动用外汇基金，先用美元兑换成港元，阻止了港元汇率的下跌；同时用港元购买上市公司的股票，阻止股价的继续下滑。此后，由于国际热钱在俄罗斯、阿根廷等国家受挫，经过反复较量，香港的股市和汇市终于趋稳。当香港特别行政区政府采取上述干预措施时，遭到西方媒体、经济学界乃至国际社会的非议。它们认为，香港是自由港，是典型的市场经济体制，不应采取干预措施，而应该让市场进行自我调节。随着恒生指数的回升，香港特别行政区政府逐步卖出了股票，外汇基金不仅收回了外汇资金，而且还有盈余。后来香港特别行政区政府成立了专业公司经营获利的资金，目前香港的盈富基金的成立与此有关。事实证明，这种干预是正确的、及时的。

让我们看看这场尚未平息的华尔街金融风暴。美国和其他发达国家中央银行面对金融危机也没有按兵不动，相反，却不断地向市场注资。随着危机的恶化，美国政府不得不采取 7 000 亿美元的援救计划，欧洲许多政府也采取

---

* 本文原载《人民论坛》2008 年第 21 期，标题为《为何要学 1997 年香港救市》。

了救市方案，对濒于破产倒闭的金融机构进行接管、收购乃至收归国有，以防止危机的继续蔓延和扩大。我们也不希望这场危机进一步发展成全球的灾难，愿意共同应对这场席卷全球的危机。美国和其他发达国家采取的政策和措施，恰恰是他们指责的11年前香港特别行政区政府所采取的措施，这对他们来说是一个极大的讽刺。这也宣告盛行了近30年、源于撒切尔夫人—里根时期，过分鼓吹私有化、输出民主和市场自我调节理论和实践的破产。

一般来说，在一场经济金融危机爆发的过程中或结束时，必然会有企业倒闭破产。随之而至的是新一轮的并购和财富的争夺、转移和重组。有人说，亚洲经济金融危机是一场运用“金融杠杆掠夺财富的战争”。美国和欧洲等发达国家的跨国公司趁机并购了日本、韩国以及东南亚国家的企业，特别是对金融业的并购。十年前，我国面临很多机遇，但是我们只能让它一一过去。当时，我国经济实力还比较弱，在严格外汇管制的情况下，没有足够的“走出去”意识，只是更多地为“引进来”创造条件。当时我国的跨国公司寥寥无几，金融业不够强大，更没有主权财富基金，也就是说缺乏投资主体，更重要的是，缺乏国际金融特别是收购、兼并的人才。

十年后的今天，新一轮的并购战和财富争夺战已经打响，这是一场新的机遇与挑战。这次危机的源头在美国，涉及面十分广泛。目前，美国、欧洲跨国公司掀起并购重组的浪潮，日本、中东的跨国公司已经参与其中。今天，我国的经济实力已大大提升，成为第四大经济强国，外汇储备从1997年年底的1 400亿美元劲升至目前的1.9万亿美元。我国企业的实力和主权基金的实力也大大增强。我国经济已融入国际社会，我国已具备“走出去”的条件。

但是，我们要深刻认识到，这次危机是在经济金融全球化背景下产生的，具有连带性、关联性、传导性和复杂性。它已危及全球的实体经济，其严重程度可以与1929年世界经济大危机相提并论，这是百年一遇的大事。在这一轮并购中，人们担心美国等发达国家利用这场危机转嫁危机，运用其特权进一步掠夺其他国家特别是新兴国家的财富。因此，“走出去”必须审时度势。在选择地区、国家、行业、企业时，必须仔细认真权衡，全面了解当地的投资环境、法律、法规。“走出去”要实现出海本土化，要与对外贸易、对外投资相结合，同时必须选择好时机，否则，容易上当受骗。而今真正缺少的仍然是国际金融人才。笔者认为，在这场百年一遇的风暴中，我们不应只做观望者，也不能匆忙上阵，努力做到利者不傲，挫者不馁，及时总结经验教训，打有准备的战争，在实战中取得双赢和多赢。

关于打造中国国际金融中心的评析与思考*

在经济全球化不断深化的形势下，打造中国国际金融中心是中国从经济大国迈向经济强国、资本强国的必由之路、必由之举。

一、如何全面认识国际金融中心

（一）金融中心的含义、分类与功能

美国金融学家 Kinderberg（1974）从功能角度给出了金融中心的定义，他认为金融中心聚集着银行、证券发行者和交易商，是承担着资金交易中介和跨区域价值贮藏功能的中心区，它不仅要对个人和企业的储蓄及投资进行跨时结算，将资本从储蓄者手中转移至投资者手中，还会影响不同地区间的资金交付和转移。台湾学者李芝兰（1995）认为全球许多国际性金融机构、借款者及投资者齐聚某一城市或地区进行国际交易，这一城市或地区就是国际金融中心。香港学者饶余庆（1997）对国际金融中心给出的定义是，银行与其他金融机构高度集中，各类金融市场能自由生存和发展，金融活动与交易较任何其他地方更能有效率地进行的都市。薛万祥（2002）认为，金融中心是金融中介高度集中的地方，金融中心是一个综合性的有机体，以国家银行或中央银行为总枢纽，以商业银行、储蓄、投资、信托等银行或公司为躯体，证券交易所、货币市场、黄金市场和外汇市场为辅翼，金融中心是金融聚集的结果。笔者认为，金融中心是指基于低交易成本、高交易效率以及城市的强积聚能力，形成的金融人才、金融机构、金融信息、金融资本和金融交易集聚地。金融中心的业务覆盖面跨越国界就是国际金融中心。从地区角度划分，金融中心一般分为国内金融中心、区域性国际金融中心、全球性国际金融中心。国内金融中心是仅为国内某一

---

* 本文与杨海平合写，原载《金融研究》2008 年第 8 期。

地区的居民提供金融服务并承担国内资源配置功能的市场（如美国的旧金山）。区域性国际金融中心服务范围跨越至少两个以上司法区域，但未能覆盖全球；有很高程度的国际资金、机构与人才的参与，但市场规模稍逊或者种类没有那么齐全；具备一定金融创新及产品定价能力，但影响力主要局限于某一区域内，并非全球性的市场领导者。目前这类金融中心包括香港、东京、巴黎等。全球性国际金融中心属于最高层次的金融中心，这类金融中心的主要特征是服务范围覆盖全球，金融市场规模大，种类齐全，人才集中，是金融产品与服务的创新中心，定价中心，扮演主导金融全球市场发展的角色。市场普遍公认，目前只有伦敦和纽约属于全球性国际金融中心。金融中心是金融中介集中的地方，所以，集中地提供金融中介服务是金融中心的功能。概括起来，一个金融中心的主要功能就是：交易规则制定中心、资源配置中心、信息集散中心、金融产品定价中心、金融创新中心、风险管理中心。

（二）国际金融中心的形成机制与模式

从国际金融中心形成的机制来看，比较有说服力的理论是金融积聚论。该理论基于规模经济学与区位经济学理论，将聚集经济效应用于解释金融积聚。它强调了在影响国际金融中心形成的诸多因素当中，积聚所带来的巨大效益。金融积聚是指通过金融资源与地域条件协调、配置、组合的时空动态变化，进而在一定地域空间生成金融地域密集系统的变化过程，也可以看做是金融运动的地域选择和落实、金融效率的空间调整和提高的过程。国内学者也试图提出新的理论研究国际金融中心形成机制。比如冯德连、葛文静(2004)构建了轮式模型来解释国际金融中心成长机制。模型认为，国际金融中心成长的动力主要有两种拉力（科学技术、经济发展），三种推力（供给因素、历史因素和城市因素），以及地方政府公共政策的作用力。从国际金融中心形成模式看，有自然形成与政府推动两种模式。自然形成的国际金融中心是指在经济体内生的需求推动下，金融机构自发的产生或积聚于某一城市，形成活跃的金融交易、金融创新及制度变迁，最终形成国际金融中心，典型的有伦敦与香港。政府推动模式是指以政府作为主要推动力，实施制度变革，带动国内金融业的发展，进而促进经济各部门的发展，最终形成国际金融中心，典型的有东京与新加坡。

二、国际金融中心成立的条件

在马义德等人（Mark Yeandle，2008）最新发布的全球金融中心指数的报告中，金融中心的评价指标主要有5个，分别是：（1）人力资源，包括人才可得性、劳动力市场的灵活性、商业教育程度以及人力资本发展程度。（2）商业环境，包括管制水平、税率、腐败水平、经济自由度以及开展商业活动的难易程度。（3）市场准入，包括证券化水平、交易的股票和债券的数量和价值，以及众多金融机构的集聚效应等。（4）办公成本，主要是指办公场所的成本，也包括交通成本等。（5）总体竞争力，涵盖一般性的宏观因素，包括价格水平、经济灵活性、宜居程度等。换个角度看，国际金融中心的评价指标也就是国际金融中心的成立条件。既然国际金融中心是金融积聚的结果，则有利于金融积聚的优良金融生态的每一个元素和维度都应该是国际金融中心的条件。

1. 便利的交通与发达的基础设施，优越的地理与时区位置。首先，便利的交通和发达的基础设施保证了生活的便利程度，为金融积聚提供了最基本的外部条件，是跨国公司、金融机构选址要考虑的基本条件。比如，香港、新加坡、纽约、伦敦都是重要港口与商品集散地，为其成为金融中心提供了较好的条件。其次，优越的地理与时区位置可以保证世界金融市场24小时不间断地交易，从而使城市在全球金融中心竞争中处于有利地位。如香港与亚洲的一些城市恰好处于纽约与欧洲金融中心交易时间联系处，对国际金融中心形成的重要性显而易见。

2. 国内或区域内稳定的政治局面、发达的经济水平及广阔的市场前景。所在国或地区的政治稳定性将影响到人们对国际金融中心金融业务的安全性的判断，从而影响到其融资与贷款能力，影响金融积聚过程的连续性。高度发展的经济水平、广阔的市场前景是金融积聚的重要因素，当地经济的规模、增长速度以及潜力意味着不断增长的产品和资金的需求，意味着日益频繁的资本输出或输入，往往对外国金融机构的选址决定产生重大影响。

3. 货币的可兑换性。如果一个城市想要成为国际金融中心，那么该国的货币就必须能够进行自由兑换。否则，以该种货币计价的金融产品的交易、资本输出、结算等都将受到限制，以该种货币为中心的产品和业务创新也将受到制约。

4. 完善的市场结构，相对开放、自由的市场体系。首先，多层次的金融市场发展有利于发挥金融中心的规模经济与积聚效应，扩大金融中心的辐射深度与广度。多层次金融市场包括资本市场、货币市场、保险市场、票据市场、期货市场、外汇市场、黄金市场和衍生金融工具市场等。其次，开放、自由的市场体系对国外金融机构而言，意味着较低的进入成本，因而能够使国际资本在全球范围内充分流动与积聚，使金融中心更具吸引力。

5. 有利于创新又不失规范的监管体系。从国际金融中心发展历史看，一方面政府要进行严格的监管，防范金融风险；另一方面又提供相对宽松的金融环境。前者是保证国际金融中心持续发展的前提，后者是保证国际金融中心动态特征的基础。周昭雄、朱淑珍（2006）将被量化为数据的指标作为国际金融中心的静态特性，静态特性只能表明国际金融中心某一时点或是阶段的固定状态。将金融创新能力及创新活动作为国际金融中心的动态特征，表明该系统是具有活力和自我发展能力的，而不是仅仅由要素简单聚合而成的一个静止的结构框架。从这个角度讲，有利于创新的监管体系是国际金融中心的生命线。

6. 有活力的金融企业和良好的金融基础设施。首先，金融市场的主体是金融企业，它们的行为决定金融市场及金融中心的前景。大量治理结构完善、有核心竞争力的金融企业是保证市场健康发展，保证金融中心充满活力的微观基础。其次，金融业是管理风险的行业，与风险直接相关的是不确定性，与不确定性直接相关的是信息。金融中心需要能够大量实时、客观地反映关于市场、机构、工具和产品变化发展的信息。这就需要高质量的金融基础设施，比如征信系统、清算系统、高效率的会计师事务所、律师事务所、评估机构，等等。

7. 能够凝聚一流国际金融人才的吸引力和机制。金融行业特别依赖人的创造性的劳动，国际金融中心的活力和发展状况在一定程度上取决于人才特别是金融人才的数量和质量。人才作为一种生产要素，要流向边际产出最多的城市，人才机制直接影响着人才这一要素的成本与收益。因此，人才机制是影响人才流向的首要因素。

三、全球性国际金融中心与区域性国际金融中心

考察伦敦、纽约发展成为全球性国际金融中心的过程及东京、香港发展成为区域性国际金融中心的过程，不难发现：无论是全球性国际金融中心还是区域性国际金融中心，其成功得益于所在经济体的发展，更得益于一整套制度安排。一个城市积聚能力主要来自于制度安排。

（一）伦敦国际金融中心

近年来，伦敦在国际金融中心的评价中雄踞榜首，其业务的规模与覆盖范围，交易与创新的活跃程度，市场体系的开放程度都是首屈一指的。在国际债券交易、海外权益交易、外汇交易和跨国贷款方面，伦敦为世界第一；在银行方面，英国银行约半数的资产由外国银行持有；伦敦450家授权银行中2/3来自国外。伦敦是全世界最大的投资基金汇集地，世界上最大的黄金场外交易中心。在商品期货交易方面也处于世界领先地位。在伦敦成为国际金融中心的过程中有四个时间段是比较重要的：一是伴随着第一次工业革命，英国成为最发达的资本主义国家及资本主义世界的经济中心，伦敦成为英国的汇兑与清算中心，也是全球国际贸易的汇兑与清算中心。二是20世纪60年代，由于“冷战”等缘故，欧洲美元市场使伦敦获得迅速发展，伦敦成为全球最为重要的欧洲美元市场。三是80年代，英国为了增强伦敦国际金融中心的地位，实施了以放松管制为主要内容的所谓金融大爆炸式的改革，进一步夯实了伦敦作为全球性国际金融中心的制度基础。四是欧元推出后，伦敦采取了适当的策略，不仅没有使伦敦金融中心受到冲击，反而进一步加强了其国际金融中心的地位。

纵观伦敦国际金融中心形成与发展的历史，除了它所提供的生活的便利程度，它所形成的庞大的金融高级人才库之外，其先进的监管理念和开放的市场体系是伦敦成为全球性国际金融中心的根本原因。与规则监管形式不同，伦敦采取的是以风险环境为基础的监管模式，由相关的公司进行自身管理。当金融机构想要发展一项新业务时，监管机构要考察它是否计算过和这个新业务相关联的风险及如何管理风险。如果金融机构的回答让监管者满意，就可以做；如果监管者对阐明的风险管理不满意，就予以阻止。风险管理鼓励参与者竞争和创新，这一条正是伦敦排名高于纽约的原因。基于便利的生活条件、先进的监管理念、宽松与严格兼备的司法体系，伦敦城发育成为一个公正而开放的市场体系，这个市场体系对世界各地的机构和人才都有强大的吸引力。时至今日，伦敦国际金融中心依然保持着活力，业内人士对伦敦国际金融中心的前景保持乐观。

（二）纽约国际金融中心

纽约拥有世界上最大股票市场。2007年年末，纽约证券交易所（NYSE）市值占全球市值的25.8%，2007年全年融资额占全球的15.5%，全年成交额占全球的 29.1%；纽约外汇交易、黄金场外交易仅次于伦敦；在商品期货交易量方面，纽约与芝加哥、伦敦分列前三；纽约还是与伦敦并列的全球创新中心。纽约成为全球金融中心的过程从时间上可分为五个阶段[①]：一是 JP 摩根前及摩根时代，确定了纽约及华尔街在美国及美欧之间的金融中心地位；二是一战及二战时期对欧洲大陆及英国伦敦等旧金融中心的摧残，此消彼长的过程使纽约可能问鼎全球金融中心的宝座；三是布雷顿森林协定之后，美元成为雄踞世界首位的储备货币，既保证了纽约作为世界金融中心的稳定性，同时也造就了伦敦的欧洲美元市场；四是 20 世纪八九十年代的科技浪潮和经济全球化趋势，进一步巩固了纽约国际金融中心的地位；五是 21 世纪初，安然事件及萨奥法案的出台，保证了其制度上的优势性，但也可能对其中心地位产生负面影响。

纽约成为全球性国际金融中心的主要原因与伦敦既有一致性又有差别：首先，纽约成为国际金融中心依托世界上最庞大的经济体。一是美国在第一次世界大战结束后成为资本主义世界最大的资本输出国，纽约作为美国国内最大的金融中心，自然地承担起资本输出地的功能，同时，成为金融开放的重镇。二是二战结束后，美元成为最主要的国际清偿手段。美元在国际货币体系中的特殊地位，决定了美国必须向非居民提供一个可以用美元投资的金融市场，纽约金融市场恰好具备了这样的条件。其次，纽约同样注重制度建设。比如，纽约早在 1829 年创立了安全基金制度，1838 年创设了新型的银行管理制度自由银行制度，实现了公平的准入。加上在国家层面展开的监管制度创新，不断为金融业打开制度空间，特别是以问题爆发为契机，不断修补制度漏洞，使纽约成为全球最具吸引力的金融中心之一。

（三）东京国际金融中心

东京国际金融中心崛起于 20 世纪 70 年代，80 年代到 90 年代初达到高峰，此后逐步衰落。70 年代，随着日本经济的迅速成长和日元的逐步国际化，东京成为亚洲地区的金融中心之一，在股市、基金管理和外汇交易等方面居亚洲首位。进入 80 年代，由于实行了新的《外汇管理法》，东京外汇市场的规模进一步膨胀。1985 年《广场协议》的签订使日元兑美元汇率大幅度上升，同年日本的长期资本输出额由 1984 年的 800 多亿美元猛增至

---

① 吴晓求：《中国资本市场——从制度变革到战略转型》分论二：《中国未来成为全球金融中心的历史视角考察：金融中心漂移说》，北京，中国人民大学出版社，2007。

1 298 亿美元，成为世界上最大的债权国。1986 年，东京债券市场买卖成交额比 1985 年增加一倍，达 28 亿美元，超过美国成为世界上规模最大的债券市场，1988 年日籍银行对外资产余额占全世界的 38.2%，超过美、英、法和西德的总和。1990 年东京证券交易所交易额超过了纽约①，种种迹象表明东京正在逐步成为与伦敦、纽约并列的全球性国际金融中心。但是，这一期间日本政府使日元成为国际化的硬通货，以及大幅度地进行金融自由化改革，为今后经济发展埋下祸根。在国内繁华预期与日元升值的刺激下，大量的国内资本和国际资本参与投机，国内投机氛围浓重，导致金融泡沫和房地产泡沫急剧膨胀。此后，随着房地产价格、股票价格的下跌，泡沫破灭，引发了银行倒闭风潮，日本经济陷入了长达十年的萧条。日本银行放慢了国际化步伐，丧失了国际主导地位；许多跨国银行亚洲总部纷纷迁出东京；证券公司也陷入了极为困难的经营境地，东京证券交易所上市的外国企业开始萎缩，1991 年在东京证券交易所上市的外国企业曾达到 127 家，但到 2007 年 8 月仅剩 22 家。东京作为国际金融中心的吸引力大为削弱。在 2007 年 9 月伦敦发布的国际金融中心指数排名中东京下滑到第十名。目前，日本政府不断出台新措施，试图重振东京国际金融中心地位。依托国内庞大的经济规模，东京国际金融中心依然拥有不错的前景。

东京一度具备了成为全球性国际金融中心的条件，但未获成功。其主要原因有：一是未能合理调控国内经济，致使泡沫膨胀、破灭，导致国内经济形势逆转，以致诱发金融危机；二是未根据国内经济基础、产业基础及金融市场发育程度把握好金融对外开放的节奏；三是宏观经济政策的科学性有待提高，经济金融稳定的微观基础需要进一步加强；四是建设国际金融中心急功近利，未坚守国内经济健康发展的基本前提。

（四）香港国际金融中心

目前，多项国际性研究与评比显示，香港已跻身世界少数几个最主要的国际金融与商务中心行列。数据显示，香港已超过东京，成为全球三大国际银行中心之一。香港有成交额第六大的外汇市场，市值第六大股市，以及第四大黄金市场。以管理资产额计算，它是亚洲第二大基金管理中心。但从层次上看，香港仍然属于区域性而非全球性金融中心。20 世纪 70 年代是香港国际金融中心初步形成阶段，这一阶段，香港政府采取了一系列鼓

① 马少波、刘穷志：《雄风不再的东京国际金融中心》，载《现代日本经济》，1996（2）。

励外资流入的措施，直接推动了香港金融市场的国际化。这些措施包括：1973 年和 1974 年分别解除了外汇管制和黄金管制，1978 年放松对外国银行进入香港地区的限制。80 年代到香港回归祖国这段时间是香港国际金融地位巩固的阶段。回归祖国后，香港国际金融地位稳步提升。

香港国际金融中心取得今天的成绩，主要原因是：首先，香港拥有良好的制度基础，包括独立的司法体制，以及与此相联系的全球最自由的经济体（贸易自由、投资自由、经营自由、融资汇兑自由、低税）。香港的金融制度深受英国影响，是最接近英美模式体制的一个国际金融中心。香港的法律制度源于普通法系，具有法律上没说不能做的事情基本上可以做的特点（大陆法系正好相反）。这种市场环境有利于金融机构从事经营创新。其次，香港在基础设施、生活的便利性、工作效率、人才的吸引力、税收制度的完整性及低税率等方面不逊色于纽约及伦敦。最后，香港拥有相对宽松又不失规范且与经济发展相适应的金融监管体制。

四、香港与全球国际金融中心的差距

1. 香港与全球国际金融中心的差距。在众多的中国城市中，香港无疑是最具有国际影响力的金融中心。但香港距离成为伦敦、纽约那样的全球性国际金融中心还有一定的差距。从静态特征看，香港经济体积小，港元结算功能与投资功能弱，且香港主要集中在内地、台湾及东南亚华人地区拓展上市资源，香港金融市场规模小，辐射面较窄。从动态特征看，香港的金融创新功能与两大全球性国际金融中心不在一个层次。除股票产品由股票交易所主导外，在金融衍生产品开发与资产证券化业务的创新领域，香港主要担当亚太分销中心的角色。香港金融市场创新落后于伦敦与纽约的原因主要还是经济体太小，2007 年香港 GDP 为 2 050 亿美元，经济实力相对不足。

2. 香港成为全球金融中心的机遇。香港回归祖国十多年，通过 CEPA 等手段香港与内地经济金融往来障碍在逐步消除，经济融合进展快速，人民币业务取得长足进展，扮演中国国际金融中心角色的条件日趋成熟。香港作为服务全球第三大经济体的首要国际金融中心，金融体系具有超常规扩展的机会。

3. 深港合作，打造国际金融中心。如前文所述，香港在市场基础制度、监管理念、司法制度等方面都已经具备了成为全球性国际金融中心的条件，只是市场规模方面还与伦敦、纽约有比较大的差距。因此，香港的战略应该是依托内地发展，追赶伦敦与纽约，可行的战略是深港合作。一是由深圳负责附加值相对较低的后台服务，香港主攻附加值较高的前台服务，大幅度降低香港金融机构的经营成本。同时，以深圳作为香港金融业的基地，拓展内地业务，分享内地经济发展的成果，不断增强香港国际金融中心的辐射力和影响力。二是探索整合深港两地资本市场，推动资本市场加快发展及金融体系向市场主导型转型。香港有联交所，深圳有创业板市场，两地应重整上市架构，包括合并主板与创业板上市委员会、精简上市程序、加强资料披露监管等。联手吸引内地及海外企业来深港上市。三是依托香港自由经济制度及深圳特区政策，联手吸引内地及海外金融机构入驻。四是探索建立一个税收 POOL，解决两地税收分配问题。五是探索两地金融企业的联姻，两地金融市场间的合作，甚至可以探讨实现“同城效应”的可能性。

五、中国内地城市建设国际金融中心面临的共同的制约因素

1. 法律制度未与国际接轨。目前中国的法律制度未与国际接轨，在财务信息披露、债权保护、交易制度、公司法、金融犯罪等方面与国际通行的规定有较大差距，导致外国机构、人员进入中国城市存在壁垒，增加了其成本，减少了其便利程度，降低了中国城市的吸引力和积聚金融资源及金融人才的能力。

2. 金融市场的自由度和开放度还很低。首先，资本项目尚未完全开放。在中国资本项目没有完全开放的情况下，国内外的资金要自由流动、自由积聚根本就不可能，这从根本上制约着中国内地城市成为国际金融中心。其次，利率市场化尚未完成，汇率形成机制尚处于改革中，利率和汇率产品的定价无从谈起，则中国内地城市成为定价中心也就无从谈起。最后，从中国加入世界贸易组织的承诺看，中国的承诺是分阶段的，而且只有粗略的时间表，在国外机构看来，充满不确定性。现阶段所奉行的分城市开放，分国别发放牌照就令许多外资金融机构不满。开放程度不够是制约金融积聚的重要因素。随着中国经济实力的提升与资本市场的发展，资本项目开放与人民币可兑换将加快实现，为此，必须做好充分的准备。

3. 监管理念和监管体制落后。首先，中国的金融监管机构奉行合规性监管，这种监管理念不利于金融企业创新，而且监管边界不清晰，金融企业无所适从。其次，我国实行分业经营、分业监管体制。在此体制下，金融机构的业务种类受限，金融创新受到严重制约。随着监管体制改革的逐

步深化，制约因素会逐步减少。

4. 市场微观机制与金融基础设施不完善。首先，国内金融机构由于体制与机制的原因，没有建立起良好的法人治理结构特别是内部控制制度，缺乏足够的竞争力以及追求企业利润最大化的动力，而追求潜在利润正是金融创新的主要动因之一，主体对于金融创新的需求因此被大大降低。在此背景下，中国金融高层甚至不得不自上而下推动创新。其次，金融基础设施，包括会计与审计服务、法律服务、资产评估、资信评级、经纪公司、产品研发中心、投资咨询、保险精算师事务所、金融软件、数据处理、金融媒体、金融论坛、展览等金融辅助产业等都需要发展。市场微观机制与金融基础设施需要随着改革的不断深入，在政策引导下逐步加以完善。

5. 人才机制相对落后。中国内地城市人才机制包括引进、晋升、薪酬等方面比较僵化，不利于吸引高素质的金融人才。为此，必须在实施科教兴国战略，提高国民素质，大力培养高层次的金融人才的同时，注重人才机制改革。

6. 税务负担较重。据考察，内地城市若从香港引进金融高管人才，则这些高管在薪酬相同的情况下需要多缴一倍左右的所得税。此外，同等条件的中国内地金融企业也比国外及中国香港承担更多的纳税义务。

六、对北京成为具有国际影响力的金融中心的评析

近日，北京市委、市政府正式下发《关于促进首都金融业发展的意见》，明确提出首都金融业的定位和工作目标是将北京建设成为具有国际影响力的金融中心城市。虽然措辞比较谨慎，但北京的目标和上海实质上是一样的，即建设成为国际金融中心。

1. 北京建设具有国际影响力的金融中心的优势。一是首都已经形成一定程度的积聚。大型的国有银行和国有保险公司以及证券公司的总部一般都设在北京，一些结算性的金融服务机构（如中国证券登记结算中心和中央国债登记结算公司）也设在北京。因此，北京是天然的金融监督与管理中心和金融人才集聚中心。从这个意义上讲，北京已经是一个不可忽视的名副其实的国内金融中心。实际上，北京作为全国经济中心，本身已经涵盖了金融中心。二是北京有最重要的、最高端的信息。从信息的角度讲，国家的决策机构、监管机构和大财团是产生信息量最大的来源，中国的“一行三会”和大型金融机构是金融信息最集中的供给者，这为北京成为金融中心提供了一定的便利条件。

2. 北京与具有国际影响力的金融中心的差距。北京作为国内金融中心至今没有形成完整的金融市场体系，市场种类与层次单一。金融市场应该是一个相互联系、相互促进、功能互补的整体。目前，北京没有期货交易所（国内的三家期货交易所分别设在上海、郑州和大连），没有证券交易所（国内两家证券交易所分别设在上海和深圳），没有黄金交易所。这些金融市场的缺位说明，北京作为金融中心的市场体系是不完善的，功能尚不健全，要具有国际影响力，还有相当一段路要走。

3. 推动北京金融中心建设应采取的措施。一是提高行政审批效率，明确准入条件，继续丰富市场参与主体的数量和类型。二是促使中关村代办股份转让试点逐步成为统一监管下的全国性场外交易市场，提升北京产权交易所的市场地位，提升产权交易所中的黄金交易市场的活跃程度，以此完善市场结构。三是在宏观经济金融政策上争取到“先行先试”的资格，获得与上海浦东新区、深圳特区及天津滨海新区同等的政策空间和业务创新条件。四是探索京津合作，推动京津唐经济一体化，这是北京建设有国际影响力的金融中心不可缺少的条件。天津港是重要的商品集散中心，天津是环渤海经济区的龙头，国际贸易、国际金融有比较坚实的基础，目前天津致力于建设北方经济中心。京津合作对北京而言，拓展了政策空间，一些敏感的产品可以在天津滨海新区先行试点，同时增加了金融市场覆盖面。对天津而言，则取得了金融资源的配置权，因而是双赢的选择。

七、对上海成为国际金融中心的评析

1. 上海的条件与优势。一是长三角地区经济繁荣，上海及其周边地区现在已经是东亚仅次于日本东京的第二大城市群。近半数进入中国的海外直接投资都流向了这个地区。该地区已经成为中国资本最为密集、交易最为活跃的地区，为上海金融发展提供了强大的实业基础和有效需求。二是金融生态全国第一。中国社科院《2005 年中国金融生态研究报告》披露，上海金融生态环境良好，居全国第一。三是多层次金融市场基本形成。上海的金融业已形成以资本、货币、外汇、商品期货、金融期货、黄金等为主要内容的现代金融市场的体系。许多全国性金融机构的主要交易中心都在上海。四是金融机构快速集聚。五是上海拥有悠久的金融传统、金融文化和比较雄厚的人才基础。上海在 20 世纪 30 年代就是远东著名的国际金融中心，具有比较成熟的金融文化积淀和一支高素质的金融人才队伍，能够为上海国际金融中心建设提供智力支持。

2. 上海与国际金融中心的差距。一是在金融市场的广度深度方面，证券交易量交易品种少，辐射能力差，资源配置效果差。货币与外汇市场有待进一步改善。二是在金融国际化方面，外资金融机构数量比重虽然大，但外资金融机构资产比重和外国上市公司比重非常小。三是在金融风险防御方面，由于金融市场与机构透明度还不够高，同时缺乏足够的通晓国际市场的核心专业人才，金融业的市场风险防御能力急需提高。四是在金融效率方面，主要问题是资本回报率过低，银行服务水平与产品有限。先进技术在日常金融业务中的使用还不是非常普及。

3. 打造上海国际金融中心的措施。一是国家给予政策扶持，扩大“先行先试”的范围，借鉴成熟市场经济国家经验，进行金融基础制度、监管制度的改革试点。二是研究进行离岸金融市场试点，在货币市场上首先建立中国的欧洲货币市场；在资本市场上允许外国企业在中国发行的股票和中国发行的外资股票一起建立单独离岸证券交易市场。三是完善上海作为人民币产品交易中心的地位。目前，人民币可兑换已经开始提上议事日程。这为一个以人民币产品为中心的国际金融中心的出现提供了历史机遇。现在，上海已经成为境内各类金融市场最密集的地方，为人民币产品的创新、积聚提供了坚实的市场基础。四是继续提高行政效率，优化金融生态，进一步增加城市吸引力。

八、国际金融中心建设中从战略高度出发必须认清和确定的问题

根据我国人口和幅员及经济区域发展的特点，根据国际主要金融中心发展的经验，中国有多个国内金融中心是可能的，甚至区域性国际金融中心也可能有一个至两个，但全球性国际金融中心只能有一个。

1. 国际金融中心建设过程中政府的角色与边界。从成本—收益角度考察，成为金融中心必然可以为城市带来诸多的好处，一个城市成为国际性金融中心就在一定程度上控制了金融资源。这就是目前众多国内城市宣布建设国际金融中心的原因。从目前上海与北京的国际金融中心建设来看，都体现出政府干预、政府主导的特点。从国际金融中心的形成过程看，虽然有自然形成和政府推动两种模式，但每一个国际金融中心的形成都不可能完全离开政府的作用。问题是政府作用的边界在哪里。根据国外的经验，政府对市场的作用更多地体现在建立市场秩序上，而不是对市场微观主体的直接干预上。越过这一边界，政府作用的负面作用就会大于正面作用。就目前国内的金融市场来说，由于政府对金融市场的主导，自然整个市场

的信用要政府来担保。在政府对金融市场信用担保的情况下，不仅无法形成有效的金融市场定价机制，也起不到真正有效配置国内外金融资源的作用，无法确立金融市场公平、公正的交易平台。总之，在政府建立市场秩序的基础上，中国内地城市能否成为真正意义上的国际金融中心，取决于市场的发育程度及金融积聚程度。

2. 关于国际金融中心竞争与互补。目前，北京和上海、香港和上海的金融中心之争在媒体的报道后引人注目。实际上，国际金融中心不是自封的，也不是政府任命的。一个城市能否成为信息集散中心、风险管理中心、资源配置中心、金融产品定价中心、金融人才积聚中心最终是市场竞争的结果。对于目前的金融中心之争，首先，假如金融体制没有实质性的深化，资本项目没有完全开放，人民币未能实现可兑换，资本市场不能完全与国际接轨，讨论中国城市国际金融中心之争还为时过早。其次，在不同层次的金融中心之间，合作与借鉴多于竞争。金融中心在一定情况下不具有排他性，打造成功的金融中心应该在整个司法管辖地提供前台、后台、风险管理、监管等全面的一条龙服务，而不能只局限在某个城市。各个不同层级的金融中心共同构成了金融中心体系。一些金融中心的运转弥补了其他金融中心功能的不足，也为发展成为更高层次的国际金融中心打下基础，创造条件。最后，在人民币可兑换乃至国际化完成之前，中国内地城市之间为争做同一层次的金融中心，在市场覆盖区域重叠的情况下，存在竞争。人民币国际化过程完成后，可能在香港与上海或某个城市之间存在竞争。但这种竞争不应该是向中央要政策的恶性竞争，而应该是不断完善基础制度提高积聚能力的良性竞争。

3. 我国建设国际金融中心的国家战略。国际金融中心是一个国家金融发展的制高点和参与全球金融规则制定、资源分配的控制中心。因此，国家之间金融中心之争在很大程度上关系着国家长远利益。目前，各国或地区都把建设国际金融中心或保持既有国际金融中心的主导地位，作为一项重要的发展战略。因此，在中国经济崛起过程中，从战略高度出发，一定要推进区域性国际金融中心建设，尤其要占据全球性国际金融中心这一制高点。上海凭借良好的金融基础条件、完善的多层次金融市场体系和较大的国际影响力，是中国内地最有潜力成为国际金融中心的城市。上海竞争全球性国际金融中心更符合中国的长远利益，成本更低。国家应该在充分论证的基础上予以明确，并给予政策倾斜。其他城市的竞争要在服从这一战略安排的前提下展开。

加大改革开放的力度，为构建东北区域金融中心而努力*

我国加入世贸组织后，经济进入了一个对外开放的新阶段，国民经济从宏观到微观运营都面临着新的挑战和新的考验。愈来愈多的地区和行业都将逐步取消对外资的限制，愈来愈多的企业走向国际舞台，寻求发展，迎接挑战。东北地区也面临新的挑战与考验。

一、东北地区对外开放的现状

近几年来，随着我国改革开放的深入，外商直接投资和我国对外贸易的数额迅速增加。2002 年，我国成为外国直接投资最多的国家，全年高达 527.43 亿美元。但是，这一年东北三省实际利用的外商直接投资只有 40.11 亿美元，仅占全国的 7.6%；而这一年仅广东的外商直接投资就达 113.34 亿美元，占全国的 21.5%。2002 年，我国对外贸易进出口总额为 6 209 亿美元，同年东北三省进出口总额为 298 亿美元，只占全国的 4.8%。2003 年，我国进出口总额为 8 512 亿美元，上升到世界第四位，2004 年预计将接近或超过 1 万亿美元，超过日本上升到世界第三位，这是以每年 30% 以上的速度增长计算的。如果东北地区利用外资和进出口以 20% 以上的增长速度计算的话，吸引外商的直接投资也只能达到 50 多亿美元左右，进出口总额也只能达到 500 亿美元左右。这充分说明，东北地区开放的程度实在是太低了。

1979 年改革开放时，东北地区的 GDP 占全国 14.3%，但 2002 年却下降至 11.25%。这一年的重工业产值占全国的 16.7%，特别是原油产品和木材供应量占全国的一半；商品粮占全国的 1/3；汽车产品占全国 1/4；造船占全国 1/3；钢铁占全国 1/8。这表明，东北的国内总产值改革开放 20 多年

---

* 本文系作者参加 2004 年 4 月 24 ~ 25 日在大连举行的“振兴东北金融高层论坛”上的发言，部分内容刊登在 2004 年 4 月 25 日《大连日报》，标题为《大连如何建成区域金融中心》，全文发表在《银行家》2004 年第 5 期，标题为《振兴东北　金融先行》。

来虽然有明显下降，但是它的工农业产值在全国仍占有相当重要的地位，而这种优势和地位与引进外资和对外贸易发展的状况极不匹配，不符合经济的均衡发展。

东北是我国著名的老工业基地，自然资源丰富，科教优势明显，积累了工业化大生产的丰富经验，培养了大批训练有素的技术人员和产业工人。东北地区还集中了全国一流的科研机构，大连云集了20多所著名的高等学府，人才济济，成果累累。大连港早就是我国对外开放的门户，人们要问，为什么东北三省对外开放程度如此之低呢？为什么东北地区GDP在全国的占比也呈下降趋势呢？从深层次看，主要原因是：

1. 思想观念落后。在改革开放初期，从领导到群众思想观念转变不够，求改求变的改革开放思想不够，机遇抓得不够。

2. 国有企业包袱沉重，不良债务巨大，欠银行、欠政府、欠职工大量资金，使多数企业和地方政府陷入还债、减负的困扰之中，不能自拔。于是造成下岗增加等一系列问题，影响经济健康、稳定的发展。

3. 工业结构不合理。由于设备陈旧、技术老化，没有资金投入及时更新技术和设备；加之产品不对路，品种单一，质量不高，跟不上市场发展的需要。这使得企业只能维持简单的再生产。结构调整的成本太高，找不到合适的切入点。

4. 国企经营管理和体制上存在一系列问题，阻碍了经济市场化的进程和发展。

5. 对金融业在推动经济发展和经济结构调整中的作用和功能重视和培育不够。

二、要振兴东北经济，首先要振兴东北金融业

1. 必须解放思想，深化改革，从体制创新上来解决东北地区各行业，特别是金融业的健康、稳定、持续发展。

2. “科技是第一生产力”，东北工业有相当的基础，但是如果不及时进行技术改造，增加新设备，引进新科技，紧紧跟上科技前进的步伐，只能永远跟在别人背后爬行。因此，要充分认识“科技是第一生产力”的论断，牢牢树立科技兴国的思想。同时必须充分认识到“金融是现代经济的核心”，充分发挥金融推动经济增长“第一推动力”的作用，不失时机地抓住机遇，审时度势，趋利避害，与时俱进，实现科技和经济的超越。

3. 金融是振兴东北的关键，只有抓住金融这个龙头，才能因势利导地

打好振兴东北地区经济的基础，才能脚踏实地取得成效。像我国这样一个幅员辽阔、经济多样化的国家，应该有多个金融中心，大部分是区域性国内金融中心，由它辐射全区，由它加强与国内其他区域经济中心的联系以及与国际金融中心的联系。我认为，经过现实的努力，大连在今后5年内应建成一个成熟、发达、有相当实力的区域性金融中心，在此基础上，争取在10年的时间里建成一个功能齐备、多元化的东北亚重要的国际金融中心。为此，要制定一个具有超前意识，但又积极可行的大连（东北地区）金融中心发展战略规划。

三、如何把大连建成区域性金融中心的思路

1. 改革、整合东北的金融体系

（1）当务之急是解决东北地区银行的不良资产，加快股份制改造，落实治理结构，完善激励和约束机制，充分认识发挥金融机构在推动经济发展和调整经济结构中的关键作用。

（2）积极支持区域银行和地方民营银行的建立，大力吸引其他股份制银行与其他商业银行与非银行金融机构在大连设立机构，为振兴东北服务。

（3）积极营造中外资金融机构平等竞争的环境，降低引进外资、合资金融机构（银行、证券、保险）准入大连的门槛。

（4）深化大连期交所以及相关行业的改革，这里涉及组织架构改革、业务品种、经营范围和规模的创新，为加强国内外合作、引进外资迈向国际化做好技术和战略的准备。

（5）增大大连金融机构（商业银行、保险公司、证券公司）与非金融机构信托公司的资产规模在东北和全国的占比，以及本外币存款、贷款的占有率，采取有力措施提高大连地区商业银行、证券公司、保险公司及信托公司的资本实力和综合竞争力，进而优化大连城市乃至东北地区的经济结构，提高经济发展水平。

2. 以大连为龙头整合东北金融业，共同改造国有老企业，支持高新企业，为其组织和融通资金，进而加快大连乃至东北地区的经济结构调整和对外开放的速度。

从当今世界来看，要创建和维持现代化国民经济和工业体系，没有1亿人口以上的市场是不具备启动发展条件的，而东北拥有1.2亿人口，又有较强的工业基础，因此，应该振兴东北，使这个大市场向纵深发展。为此，应该建立实施全区协调的经济、财政、货币政策，以金融为纽带建立完善

区域性金融市场，进一步发挥市场经济竞争机制的作用。

（1）培育发展同业拆借市场、票据市场、证券交易市场，使大连货币市场和资本市场的容量和功能进一步完善，提高和加快资金的使用率。

（2）进一步加强和完善信用评估公司、会计师事务所、投资咨询等与金融有关的行业的发展。

（3）组织银团贷款，为国有大中型企业改造和发展融资服务。

（4）协助大型国有企业通过发行企业债券筹措资金等有关工作。

（5）积极支持大连和东北地区对外经济的发展，特别是外贸、运输、保险的发展。

（6）通过金融手段，积极扶持打造大连和东北地区企业的品牌。

（7）下大力气通过金融招商引资，使大连和区内企业与国外企业经济技术的合作、交流上一个新台阶。

（8）建立和完善各种行业公会，协调和规范区内各种行业经济的发展，使大连和全区的人力、财力、物力，即资源的配置趋于合理，获得根本改善，发挥整体优势，以此释放出经济增长和就业的潜力，共同促进东北地区的经济繁荣。

3. 为了早日落实中央“振兴东北老工业基地”和大连市委建设“大大连”的精神，为保证把大连建成区域金融中心，以发挥金融对经济的推动作用，笔者建议：

（1）中国人民银行给予长期科技贴息贷款等支持，此类资金由大连商业银行代为发放和管理。

（2）财政部给予东北特有“企业或产品”实施税收优惠或减免政策。

（3）建立创业基金，促使和启动对大连乃至东北全区的老工业和新兴工业的改造与发展。

（4）在加快建立和完善大连区域性金融中心的基础上，可借鉴国际经验，由国务院有关单位通过一些优惠的税收政策和其他便利条件，允许大连开展离岸业务，在我国资本账户尚未完全开放和人民币不能自由兑换的条件下，使大连逐步发展成为我国第一个离岸金融市场，这将大大加快大连和东北对外开放与振兴的步伐，实现全国经济的均衡、持续、稳定、健康的发展。

第九篇

银行经营心得篇

论现代商业银行的发展趋势*

经济全球化和金融贸易自由化及其伴随的各国放松管制，促进了世界经济贸易的较快发展。作为金融体系主体的西方商业银行也经历了种种变化，多数走上了业务经营综合化、资产证券化、创新多元化、工具电子化的进程。本文针对上述发展进程及趋势试作综合性阐述和分析。

一、业务经营综合化

在30年代由金融危机引起的世界性经济危机过后，以美国为首的西方国家吸取教训，普遍推行了极其严格的金融管制政策，明确划定商业银行与其他金融机构之间的界限，规定只有商业银行可以为客户开立可以使用支票的活期存款账户，商业银行一般只能做1年期以下的短期贷款。这种较为僵硬的管理制度一直持续了三四十年。但70年代以来，由于主要西方国家的金融业竞争激烈，金融工具不断创新，金融管理制度逐渐放宽，使商业银行逐渐突破了与其他金融机构之间分工的界限，走上了业务经营“全能化”的道路。目前，西方商业银行除发放短期贷款外，还经营其他多种金融服务，如中长期贷款、设备租赁贷款、不动产抵押贷款、消费贷款、农业贷款、私人住宅抵押贷款等。除此之外，商业银行还经营存款、汇款、信托咨询、证券买卖、外汇买卖、代理保险、保管箱、信用卡等业务。

七八十年代以来，西方商业银行不断推出新业务，从专业化逐步走向多样化、全能化，从分业走向合业，这是与西方经济、金融发展密切相关的。其主要原因如下：

1. 近一二十年以来，西方商业银行活期存款的比重逐步下降，定期储蓄存款的比重相应上升。这一结构性的变化为商业银行开拓中长期信贷业务和投资业务，提供了较为稳定的长期资金来源。

2. 70年代以来，西方金融业竞争激烈，银行盈利水平普遍下降，迫使

* 本文原载《国际金融研究》1998年第7期。

银行业开拓新的业务和品种。它们一直想方设法绕过法规的限制，致使有些法律条文形同虚设。金融管理当局顺应要求，取消了一些过时的法规，为商业银行开拓新业务提供了方便和支持。

3. 商业银行经营管理理论的发展，为西方商业银行业务不断走向全能化、综合化提供了理论基础和推动作用。随着各个历史时期经济金融环境的变化，西方商业银行的经营管理理论经历了从资产管理理论到负债管理理论再到资产负债综合管理的演变过程。这些理论的产生和发展，为商业银行的业务发展开辟了广阔的天地。最初强调资产管理，是因为当时商业银行资金来源比较狭窄，主要是活期存款，而工商企业的资金需求也较简单，加之金融市场也不太发达等等因素。到了 60 年代，产生了负债管理理论，强调商业银行要通过负债管理保持银行的流动性，不能单纯依靠吸收存款这种被动负债方式，而要主动从市场、银行同业来调剂资金余缺。70 年代末期出现了资产负债综合管理理论，这一理论是资产管理理论、负债管理理论在更高层次上的结合，它对商业银行全能化的发展起了很大的推动作用。

从我国的国情来看，我国金融业正处在社会主义市场经济的起步阶段，商业银行尚缺乏业务全能化、综合化的条件。这主要因为：我国的宏观调控体系尚在建立之中；证券市场和其他金融市场有待进一步成长发育；我国的货币信用制度和银行制度需要进一步建立和完善。我们可以看到，进入 90 年代以来，我国金融机构之间的业务交叉不断扩大，这在促进竞争、改善服务、促进金融机构发展的同时，也增加了银行以及其他金融机构的经营风险，助长了证券市场上的投机活动，影响了正常的金融秩序。例如在 1993 年和 1994 年，大量银行信贷资金通过直接或间接的渠道进入证券市场、信托机构和房地产市场，使银行资金的流动性和完全性受到很大影响，大大损害了银行的信誉和金融秩序的稳定。为此，从社会主义市场经济的基本取向出发，我国金融业现阶段必须实行分业管理，不能马上实行商业银行的全能化经营。这样做，可以加强对银行、证券及信托业的风险控制和监督，保证我国金融机构规范、稳健地经营，保证金融市场健康、有序地发展，保护存款人、投资者的利益，同时为中央银行货币政策的有效实施提供有利环境。

二、银行资产证券化

80 年代中期以来，西方商业银行业务经营出现了证券化的趋势。这表现在两个方面：第一，国际金融市场上筹资方式的证券化，即传统型的银行信贷越来越多地被各种各样的证券融资所取代，使得当年国际债券发行的总额已经赶上甚至超过了国际银行信贷的总额。第二，商业银行通过把资产（如偿还期较长的银团贷款、项目贷款、出口信贷等）转换为证券的方式，出售给投资者。也就是说，商业银行把某笔或某一组贷款汇集起来，以此作为抵押（underlying assets）发行证券，使其在市场上流通转让。这样做的好处是，银行可以很快收回贷款资金，加快资金的周转，并且可以把收回的资金投入到新的业务中去，以达到资产结构调整的目的。

（一）金融资产证券化的原因

第一，国际债务危机的影响。80 年代爆发的拉美国家债务危机使不少西方银行蒙受了巨大损失。鉴于银行贷款市场狭窄、流动性差、风险集中的特点，商业银行对国际银行贷款失去了兴趣。与此相比，国际债券有比较广阔的市场，流动性好，债权人分散，风险评估比较容易、客观，所以商业银行对国际债券的兴趣逐渐增大。

第二，一些资信较好的借款人更倾向于发债融资。国际上一些较大的跨国公司、主权政府和地方政府会发现通过国际金融市场直接融资好处更多。这种方式手续简便，方式灵活，成本较低，债权人分散，期限可长可短。例如，大公司可以发行期限仅几个月的商业票据，也可以发行期限长达 100 年的长期债券。1996 年底，美国 IBM 公司成功发行了几亿美元期限为 100 年的债券。这对商业银行贷款融资来讲，几乎是不可能的。

第三，西方国家尤其是国际金融中心所在地金融管理当局放宽了对债券发行的限制，并在税收政策上给予支持。例如，不少国家对非居民购买债券不征收收益所得税或利息预扣税（有些国家甚至对居民也给予同样待遇），这为国际债券的迅速发展提供了相对宽松的环境。

第四，国际金融市场对债券融资比较有利。进入 90 年代以来，世界经济保持中、低速发展势头，主要货币利率稳定在较低的水平上，这为债券发行提供了有利的市场环境。

（二）金融资产证券化的影响

金融资产证券化对商业银行的业务经营管理产生了较为深远的影响。从整体上讲，金融资产证券化使大量融资由银行贷款转为通过直接融资方式来实现，这对作为中介机构的商业银行来讲是一个很大的挑战。但与此同时，金融资产证券化也为商业银行的业务经营与管理提供了新的空间。

1. 金融资产证券化改变了商业银行在信贷业务中与客户之间的固定的债权债务关系。以银行为中介机构的间接融资转变成在金融市场上的直接融资，这使得商业银行面临着非中介化的考验。从资金需求者的角度出发，他们更倾向于通过发行有价证券、股票的方式，在证券市场上直接向公众筹资，其所付出的成本往往要比向银行借贷低一些。对证券投资者来讲，他们买进证券或股票以后，可以随时在二级市场上转让给其他投资者，收益性、流动性可能要比银行存款要好得多。从这个角度来看，金融资产证券化的趋势是不可扭转的。面对这种形势，商业银行转变观念，由被动到主动，及时根据客户的需要、市场的变化以及自身经营的情况，充当证券代理人、发行人、认购人、包销人等角色，开辟新的业务领域和盈利渠道。

2. 为商业银行调整资产负债结构提供了方便条件。西方商业银行为了实现资产负债综合管理，采取了许多措施来优化资产负债结构，其中广泛使用的一种做法是，压缩同业拆放和贷款在资产总额中所占的比例，相应增加证券所占的比例。这样做的依据是，由于证券市场的活跃和各种类别证券的存在，商业银行完全可以按照自己的经营目标来选择确定一个理想的证券组合。这个证券组合除了可以达到银行贷款的收益水平外，还具备灵活性和流动性，可随时根据市场环境的变化作出相应的调整。除此之外，商业银行还可以通过出售信贷资产，或以资产互换，或以贷款作抵押发行债券等方式来达到资产负债综合管理的目的。但是，我们要看到，所有上述手段都是以金融市场的充分发展为前提条件的。

总之，金融资产证券化，改变了商业银行资产负债管理方式，使商业银行在日趋激烈的金融竞争环境中面临挑战和机遇，同时也加快了国际金融市场一体化的进程。

三、金融创新及其影响

70年代，世界经济和国际金融环境发生了重大变化。这首先是在1974—1975年间西方经济出现了第二次世界大战以来最严重的经济危机，第一次出现了通货膨胀与经济萧条并存，即所谓“滞胀”现象。西方中央银行针对这种情况，对货币政策作了调整，即把货币政策的中介目标由利率转为货币供应量，致使美国短期利率在80年代初期达到20%以上。其次，1973年，西方国家正式放弃了布雷顿森林体系关于固定汇率的安排，使货币汇率自由浮动合法化。再次，西方主要国家相继取消外汇管制，并逐步开始了银行自由化改革。在这种情况下，国际金融领域出现了一股金融创新浪潮，为国际银行业的经营与管理带来了深刻的影响。

（一）金融创新

金融创新是指金融机构、金融市场、金融工具的创新。它是80年代以来国际金融领域的一场重大变革。我们从其发展历程中可以明确看出，商业银行一直是积极发起者、推动者和参与者。

1. 金融机构的创新。这除了泛指商业银行业务全能化外，还指随着金融工具创新而产生的大量新的金融机构。

我们在此举两个例子：（1）近20年来，各种各样的投资基金如雨后春笋般地成长和发展起来。有的基金是由专业人士管理的、独立的非银行金融机构，而另一些基金则是由商业银行控股的附属机构。这些基金，一般都在股票交易所上市，投资的方向多为债券、股票等。投资者购入一定股份时需向基金管理人交纳一定费用，赎回时即把股份卖给基金管理人便可。投资的风险由投资者承担。基金管理的主要优点是，小额投资者可以放手让经验丰富的专业人士为自己理财，风险较为分散，交易成本较低等。而对基金管理人来讲，这是一个极有市场潜力的收费性业务。现在，基金管理是一个巨大而且发展迅速的行业。例如，世界最大的基金管理公司——Fidelity，在全球管理的资产总额超过了6 000亿美元（1997年9月底的数字）。截至1995年底，作为世界第四大基金市场的卢森堡有1 329只投资基金，资产达3 587亿美元。在这些基金中，多数为商业银行设立和管理。德意志银行在卢森堡的附属行就管理着20多只基金。现在西方大银行无一例外地把基金管理、资产管理当做其主要业务之一。（2）大量的证券上市、交易，会不可避免地提出清算的要求。顺应这种需要，一些以办理证券清算、保管等为主的金融机构应运而生。这以总部设在卢森堡的CEDEL和设在比利时的EUROCLEAR最为著名。以CEDEL为例，这家在1970年成立的证券清算机构（1995年改为以银行注册），现在每天的证券清算量为350亿美元，还为全世界2 900家机构保管着价值达1万亿美元的金融资产。

2. 金融市场的创新。从历史的发展来讲，60年代出现的欧洲美元市场是一个重要的金融创新，它标志着国际金融市场的形成。但欧洲美元市场的发展有其特定的历史环境，与其并存的是西方各国还存在着不同程度的外汇管制和资本流动限制，因为当时西方各国国内金融市场之间的联系还相当松散。进入七八十年代以后，西方各国相继采取了一些自由化措施，使金融市场的创新达到了一个新的阶段。他们一方面允许外国资本、外国金融机构更自由地进入本国市场，同时也放宽本国金融机构进入外国市场的限制，从而加快了国际金融市场一体化的进程。比如，美国于1974年取消了对资本流出的限制。1975年5月率先分散对证券经纪费的限制，改以市场供求来决定费用高低。1981年允许国内商业银行开设离岸账户（IBFs），并免除这类账户的存款准备金要求，其目的在于把境外的欧洲美元吸引到境内。1984年取消了外国投资者购买美国政府债券的利息所得税，这等于向外国投资者开放了政府债券市场。再比如，日本于1984年4月允许居民自由发行欧洲日元债券，同年12月又允许资信良好的外国公司在日本发行欧洲日元债券。1985年4月，日本对非居民购买由国内居民发行的欧洲日元债券免收利息预扣税。同年6月，允许外国银行进入欧洲日元债券市场。1987年11月，日本允许非居民购买欧洲日元商业票据，同时开放国内商业票据市场。1989年5月，又解除了对居民提供欧洲日元贷款的限制。1986年12月，日本又设立了东京离岸金融市场。在这个市场上，商业银行可以吸收非居民存款，并可以不交纳存款准备金。上述举措，推动了日元国际化以及日本国内市场与国际金融市场连接的进程。90年代，日本进一步放松国内居民海外投资以及购买海外金融资产的限制，目的在于把长期积累下来的顺差美元回流到国际市场中去。1998年4月1日，日本开始实施修改后的《外汇及贸易法》《日本银行法》，使金融自由化、公开化、全球化的改革进一步深化。

3. 金融工具的创新。这主要是指西方商业银行为了避免汇率利率风险、降低成本、开拓新业务、追求新的获利机会而推出的各种新的业务品种，我们可以把它们称做金融衍生产品。这些新的金融衍生产品大体上可分三种：（1）为套期保值以减少或转移利率、汇率风险而设计的产品，如浮动利率债券、浮动利率贷款、利率上下限保险、远期利率合约、金融期货、期权、利率调期等；（2）为增加金融资产流动性而设计的衍生产品，如贷款权对换交易、股权贷款、资产转让合同等；（3）为扩大投资和进行产业投资机会而设计的衍生产品，如可转换为公司股票的贷款、债券等。

（二）金融创新对商业银行的影响

金融创新对商业银行来讲，既是机遇又是挑战。首先，金融创新使国际金融市场紧密地联系在一起，这为商业银行在全球范围内经营提供了广阔的天地；其次，金融创新为商业银行提供了大量的金融工具和市场，使它们可以根据自己的需要进行资产负债管理和风险管理；最后，金融创新为商业银行提供了许多新的业务领域和盈利渠道，商业银行可以通过向客户出售衍生产品或者通过市场交易活动而赚取利润。现在西方商业银行尤其是大银行，叙做金融衍生产品的数量呈急剧上升的势头。据统计，现在衍生产品的日交易量，如按票面价值（notional value）来计算，已达1万亿美元以上。

金融衍生产品像一把“双刃剑”，商业银行既可以把它当做风险管理工具，把商业银行所面临的利率、汇率等风险通过市场转移出去，也可以把它作为冒险的筹码，寄希望于赚取巨额利润。这方面既有成功的事例，又有失败的惨痛教训。以后者为例，最为著名的莫过于英国巴林银行的倒闭事件。1995年2月，该银行一位年轻的交易员因过分投机日本股票期货，造成14亿美元的损失，致使这家历史悠久的英国百年老店倒闭破产。

我们从发展历程来看，金融创新是一场伴随金融自由化、科技化的一场变革。它不是人为制造的一场运动，而是国际金融市场发展到一定阶段的必然产物。这场变革对商业银行来说既是机遇又是挑战，无法回避它，更不能把它作为一种冒险的工具来使用，正确的态度应是，认真研究它、了解它、掌握它，使它能够为商业银行的经营、管理和发展服务。

四、银行电子化

随着科学技术的飞速发展和银行之间的激烈竞争，商业银行对电脑的依赖程度越来越高，人们对电脑的期望值也越来越高。正因为电脑在各行业的日益普及，以及国际银行网络的发展，银行电脑化便有了坚实的社会基础。而银行要实现电脑化，其前提是银行业务的规范化。商业银行广泛使用电子计算机技术，大大推动了银行业务自动化、综合管理信息化和客户服务全面化，打破了过去传统的概念和运作方式，提高和推动了银行高层人员的宏观管理水平，从而大大增强了银行的竞争能力。

（一）业务处理自动化

业务处理自动化主要指银行业务处理手段的自动化。

以电脑取代手工和减少分行数目，电脑可以充当经办角色，办理银行业务。业务入机操作后，电脑即开始准确地记载着每一笔资金来源和资金运用的原始记录，提供每一笔业务的原始凭证和派生处理凭证，电脑提供了所有业务从产生到消亡全部周期的处理流程。

电脑加强了复核功能，能够通过授权等方式保证业务数据的真实性。

电脑更新了业务合法性的检验手段，如客户印鉴、金融客户密押、资金转账授权、操作者操作业务的权限等项审核。

电脑自动进行银行内部核算，即传统的总账、分户账、应收、应付信息、损益等核算。

电脑实现了银行业务的延伸，如ATM（自动提款机）、POS机（销售终端）、电话银行、家庭电脑等，可以及时准确地处理业务。

电脑更新了传统资金流通的处理方式。在客户与银行之间、银行与银行之间，电子货币和电子转账皆以数据形式，从一台计算机转向另一台计算机，自动转账，形成电子货币的流通。它缩短了转账周期，减少了在途资金。电脑同样以数据和计算机网络方式代替了银行之间的资金调拨、资金结算以及各种货币的清算。

电脑的磁卡或光卡实行了无现金交易和流通，业务交易和账户管理的数据存贮在介质上，如ATM卡、信用卡，等等。

电脑代替了手工的文书、文档管理，进行办公室自动化处理和邮寄，不仅可以贮存，还可以通过多媒体传输到另一个网络的远程工作站上。

电脑激光贮存代替了凭证、票据、报表、文件、印鉴、图像等传统的或胶片微缩保存方式，这种一次性光盘所复原的一切凭证具有法律效力，同时还节省了空间、时间和人力，以及方便查找。

总之，自动化使银行业务传统运作发生了深刻的变化，降低了成本，增加了盈利，节省了人力、物力，同时为开拓新业务创造了条件。

（二）综合管理信息化

银行电脑化能提供和促进综合管理信息化。银行高层管理人员为了提高和加强自身的管理水平，必须通过电脑拥有和运用大量信息。在大量信息的基础上，首先进行分类、统计、分析、发布、反馈、控制，然后在此基础上采用数学模型等先进手段，对信息进行综合分析、研究、预测，建立专家软件系统和决策软件系统。

在庞大的信息网里，有相对稳定的静态信息，也有每时每刻都在变化的动态信息。各家银行的总行可通过信息网络把新制定的方针政策及时传达到分行，分行可把本行的最新实况及时传送总行，总行在获取和汇总最新实况之后再反馈给分行，以便进行控制和管理。

总之，信息化使银行减少经营风险，提高了管理水平，加强了竞争力。

利用电脑迅速准确地搜集、贮存各类信息和各种业务数据，成为银行不可缺少、一时也离不开的工作手段。银行业务部门，特别是决策层，通过各种信息数据进行分析和监控，以便作出正确的决策。

（三）客户服务全面化

无论银行经营什么业务，它都离不开客户。要建立自己的客户群，并进一步巩固和发展它，除了增加和开拓业务品种、降低收费、提高存款利率外，最主要的还是提高服务质量，为客户提供全方位的服务。

银行电脑化的重要内容就是把客户服务全面化落在实处。主要表现在：客户随时可获得和查询银行发布和贮存的各种信息，如外汇行情、存放款利率、证券行情等；客户可查询交易情况，如各种信用卡的余额、ATM 卡的余额、明细账情况，另外，还可通过账页的打印和传真获取信息；客户不出门便可办理业务，如通过电话或电脑进行转账、存取、外汇和证券等项业务交易；客户可通过各种类型的磁卡进行各种支付活动，如电话、煤气、水电、购物等等，有些发达国家居民拥有 20 种以上的各种磁卡。

由于计算机网络的形成以及社会上逐渐普及 ATM、POS 机以及多媒体的出现，银行之间、银行与居民之间、银行与企业之间、企业与企业之间的各种交易和支付、转账更为准确、快捷。银行通过电脑化实现了为客户服务的全面化。

从银行业发展来看，今后地理位置的优越将不是银行业务兴衰的必要条件，资产、资本的多少也不一定是衡量银行的最主要的指标，分支机构也不是越多越好，而是看银行电子化程度和拥有的信息量，特别是如何运用这些信息量为客户提供全面服务，这才是至关重要的。

五、商业银行面临的挑战

从银行业的发展趋势来看，每一家银行都面临着严峻的挑战。能否在这些挑战中争取主动，取得竞争优势，是关系到所有银行兴衰存亡的一件大事。

（一）满足客户需求的挑战

对商业银行来讲，客户就是上帝。随着社会的发展、财富的积累、金融知识的普及、同业竞争的加剧，人们对银行的要求更高，选择的余地更大。由于银行业务发展离不开新业务、新市场的开拓，并且随着市场的发展，客户的需求也在不断的变化，银行要紧紧跟随市场形势和客户要求的变化而变化，不断适应，不断创新，使服务紧紧跟上。

（二）评估和控制风险的挑战

如何评估和控制在新的经营方式、业务品种、交易方法、地域市场、融资行业所产生的风险，对世界银行业来说是一场真正的挑战。银行业务存在着各种各样的风险，风险就是损失的可能性，由于银行不能失去客户，但又要考虑到必要的、合理的效益，因此要正确判断和评估风险，把它控制在最小的或可以承受的范围内。为此，不但要作静态分析，还要有动态分析及至国别风险分析。加强风险管理，这是确保业务稳健发展的重要前提。

（三）人力资源的挑战

银行电子化、专业化、金融创新以及客户要求和竞争风险的增加等，所有这些都意味着对高素质人力资源的挑战。电脑设备代替了原来的手工操作，减少了办事人员的需求量，因而在银行人员结构中，中高级职员的比例相对增加了。为此，通过各种培训工作借以提高原有职工的素质，被认为是最佳途径。这样做，不但能较好维持该银行的传统作风，而且能保持和原来客户的关系，达到鼓舞士气的效果，因此，搞好各种类型的教育培训，在智力投资上下力气花本钱，提高职工业务素质的整体水平，是应付挑战的一个有效途径。

（四）发展战略的挑战

制定一个富有远见卓识、适应潮流又符合实际的发展战略，是当今银行决策的首要任务。70 年代以来，西方银行大都实行全面铺开的发展战略，经过多年实践后，许多银行进行了重新评价，银行向超级综合体发展虽然能适应和抵御激烈的竞争，但就大多数银行来说，应该根据自己的实际情况，充分发挥自身的优势，这才是制定发展战略的出发点。因此，每家银行应在客户、业务、区域、市场等方面有所侧重，突出自己的专长，重视电子化建设和发展，积聚力量开拓新的领域，汇集尽可能多的信息，只有这样，才能立于不败之地。

在卢森堡与会计师打交道的经历与体会*

在国内银行工作三十多年，我从未与外部会计师打过交道。1992 年至 1997 年，我在卢森堡主持中国银行海外分行工作期间，经常主动、被动地与外部会计师打交道。我把与会计师打交道的体会以及更换会计师的经历简述如下：

一、卢森堡会计师审计基本流程和内容

卢森堡的会计年度是日历年度。外部会计师对银行审计的流程安排大致是：11 月初，会计师事务所的账务和税务专家来行，与我们共同讨论当年业务盘子，安排利润匡算、准备金提取等有关事宜。因为只有到此时才能估算出当年的资产、负债规模以及利润的大致情况。与此同时，他们派人对当年账务进行初查，为明年的全面稽核作准备。这一过程为期两周。第二年三四月份派人进行现场稽核，每次派出人数按商业银行大小而定。我行员工只有 30 多人，虽然资产规模达到 14 亿美元，但所设部门不多，因此对方派出三五人，进行为期两三周的业务部门现场稽核。现场稽核主要针对营业部、会计部、资金部、电脑部上一年的业务进行审计，重点审计会计部的账目、资金部的交易、电脑部的系统和程序，资金的安全性、流动性等，从审计的角度提出问题。业务部门根据金融当局的规定和银行领导层的要求，以及会计师的建议进行调账，并作出正式年账报告和分析报告。银行将根据会计师所提问题予以答复和整改。在年报交货币局后，分行就尽快地将税后利润划交总行。当然，其他时间银行高管层和业务部门主管经常与外部会计师探讨并向他们咨询有关问题。

现就我行就当年利润匡算，年终准备金的提存等情况介绍如下：

---

* 本文原载《银行家》2007 年第 5 期，标题为《在卢森堡与会计师打交道》。

（一）如何匡算税前利润

卢森堡财政状况在欧盟各国中是最好的，每年财政有大量盈余，因此财税当局对商业银行提取准备金的条件十分宽松。因为对卢森堡税务当局而言，你提得再多只不过是推迟交税而已，哪一天只要你想把利润拿出来，都得老老实实地交33%的所得税及其他税收。当然，你多提了准备，可以多吃一年的利息，也增加了抵御风险的能力。

1993年我行利润创历史新高，10月底的利润突破3亿卢郎（36卢郎合1美元），估计年底利润可达3.6亿卢郎（约合1 000万美元）。按当时卢森堡税法，所得税为33%，再加上其他各种税目约为40%。如果税前利润为1 000万美元，就意味着要交400万美元的税，这实在太多。因此，会计师说可以想办法，把税前利润降低。比如，我们想把利润安排为1.8亿卢郎（约合500万美元），那么事先就要提取1.8亿卢郎（约合500万美元）的各项准备金。

因此，如何匡算税前利润就显得十分重要，它决定我行应交纳的税款和应提取的准备金以及实现利润的多少。

截至1992年年底，我行已提准备金为7.5亿卢郎，按当时36卢郎合1美元，约合2 100万美元，是当时资本金2.5亿卢郎的300%。如果1993年还要提500万美元准备，那么提取的准备将达到2 600万美元。因此，需与会计师研究如何提取。

（二）如何提取准备增加拨备

1. 坏账准备。我行曾参与1986年德国德累斯顿银行对前苏联外贸银行的银团贷款，金额约合5亿卢郎。由于前苏联解体，这笔贷款不能按期偿还本息，形成呆账。按可100%提取准备的规定，我行提取了5亿卢郎作为准备金。这样做的好处是可不把这笔不良贷款冲销，这样仍可保持我行的资产规模。虽然由此所产生的利息属于应收未收款，但100%提取准备所产生的利息是实收款，两边账务平衡。可能哪一天，俄罗斯经济情况好转，这笔呆账可能局部复活。因此，我行没有真正冲销这笔呆账。这一类准备金属于坏账准备。

2. 国家风险准备。卢森堡当局有不成文的规定，即商业银行可以按照国家风险提取准备金。比如，当年规定印度与巴西的国家风险分别为50%和60%。一家商业银行在当年11月给印度或巴西的代理行拆放1 000万美元的资金，为期3个月或6个月。因为该笔资金要到次年1月或5月到期，而这两个国家都有国家风险，因此该行年终结账时，可提风险准备金。如提足的话，对印度的可提500万美元，对巴西的可提600万美元。

3. 对OECD以外的国家的贷款风险。当时《巴塞尔资本协议》规定，凡商业银行对OECD以外国家的融资，都按100%的风险提取准备。我行根据此项规定在以后各年对香港以及国内的项目或银团贷款都可提取20%～30%的准备。

4. 估值原则风险。商业银行应在财务年度结束之日对各资产负债科目进行价值评估。在西方国家比如卢森堡税务当局的估值原则是：对于没有真正实现的账面盈利不算做当年收益，而对于没有真正出现的账面亏损却必须提取相应的准备金。比如，银行投资的债券出现账面亏损，由于债券尚未到期，同时也未进行交易，因此，并未出现真正的亏损，但按规定仍需提取准备。

（三）银行社会责任的投入

在商业银行经营管理当中不可避免会涉及对公益等方面的捐赠，这也涉及银行利润账务处理等问题。银行高管人员必须牢记自己应尽的社会责任，应做好税前列支的对公益、慈善、环保、扶贫、卫生、救灾、教育、社区建设等项目捐赠计划，安排好部分税后利润对社会福利事业的支持和捐赠。尽责的会计师会给你提出适合当地法规的建议。

二、账都是做出来的

银行每年三四月份要将上年的资产负债、损益等状况，通过年报公布于众。而银行在年终结算后，完全可以按事先的意愿进行调账，可以用各种方式来确定税前利润。可以说账都是做出来的。

（一）税前利润可以做成零

由于卢森堡财税当局对在卢商业银行提供了十分宽松的提准备金的条件，会计师告诉我，只要你想把利润缩小，就可以把利润做到零甚至负数。比如，1995年，我行税前利润出现1 500万美元的历史新高。但是我们当年只提了500万美元的准备，这样税前利润为1 000万美元，这就必须给卢森堡当局交纳400万美元的税款。我行成为卢森堡外国企业里的纳税大户。对此，会计师极不理解。他们认为，还可多提一些，多吃一年利息。对一个中国银行海外分行的总经理来说，我可以这样做，但我不愿意也不能这样做。因为总行每年考核各分行的效益，主要是按各行税前利润排队的。如果我行提多了，税前利润减小了，我行绝对排在后面。由于西方各国提准备金的制度各不相同，虽然我们强调了卢森堡的特殊情况，以及账面利润与税前利润的差别，但总行不会考虑我行的特例，仍统一按税前利润排队。为推迟交税提取准备金后，我行利润仍名列前茅。如果只计提坏账准备，那我行税前利润将更大。尤其是，我行只有30多人，人均利润高达50万美元，更是名列第一。还有一个重要因素，我行的奖金要与每年税后利润增长的比例挂钩。因此，我们每年要把税前利润的增长保持在20%～30%，外派员工才能获得较高档次的奖金，故而不能把税前利润弄得忽高忽低。关于这方面情况，我不能对会计师细说。

（二）利润缩小的实例和方式

1996年，在一次卢森堡银行公会组织的活动上，我认识了某个东欧国家在卢森堡开设的一家银行的总经理。由于他访问过中国，为此，我们感情有所拉近。当他得知我行近两年利润每年在1 500万美元以上，人均利润50万美元，资本回报率为100%，资产回报率1.2%，不良贷款率1%，每年给卢森堡当局交纳四五百万美元税收时，大为吃惊。他告诉我，这两年，他们行的利润都做成零或负数，也就是说，他们一直处于亏损。这样做可以少交税、不交税。此后，我们还进行过交流和互访。

在与东欧银行和其他银行同人特别是在与会计师的交流中，提取利润准备的方法归纳起来除了上述方式外，尚有一些其他可供参考的方式：

1. 利率拆开，隐去部分利息收入。比如，某行参加某项5年期利率为Libor＋1.5%的一笔贷款。这时，你可以与对方另定一个协议把利率定为Libor＋0.5%，因为＋0.5%就意味你行有利可图，可获取利润，也就是说，你获取利润的33%的所得必须交付卢森堡当局，这就避免了抽逃利润之嫌。但是另外的1%，也即Libor＋1.5%与＋0.5%之差，则可以按双方所约，把这笔利差汇至在某个国家或地区开设的银行账户上。

2. 不良贷款方式转移利润。在给一家国外的企业一笔贷款时，该企业由于“经营不善”等原因，造成这笔贷款成为不良贷款和坏账，某种程度上等于把利润转移出去。当然，这样的转移是以不良资产为代价的，从理论上来说这笔亏损最终将从利润中冲回，但是在税收上或资金运用成本上可能会有些好处。由于东欧银行利润转移后，形成账面亏损，它可以从下几年盈利中冲回，这样好处会更大些。

再比如，在同业拆借、外汇交易、债券交易中都有许多转移利润的办法。特别是个别员工在上述交易中与对家串通，获取自身的好处。对此要特别留意，要加强员工的职业道德和敬业精神教育。

3. 税前列支。正常业务过程中所发生的各类利息支出、管理费用、工资和福利开支等都是可以在税前列支的。总行对分支机构所收取的管理经费等，只要能证明其合理性，也是可以税前列支的。即使该行当年利润很小，或根本没有利润，也照样可以列支。此外，对超限额捐款、部分交际费用、对兼职管理人员支付的酬金等也可以在税前列支。但是，各个国家的规定又有很大的差别。比如美国规定，商业银行交际费只能有50%是可以免税的，而卢森堡则规定交际费的100%可以在税前列支。至于固定资产折旧的计提也都对利润有一定影响。

（三）如何看待利润转移

作为中国银行卢森堡分行的总经理，我绝不去做转移利润之事，“依法合规”是我经营的准则。至1997年，卢森堡分行建行已经18年，其全部利润为38亿卢郎（约合1.2亿美元），其中57.6%的利润，共22亿卢郎（约合7 030万美元）是在我主持工作期间而获得。不良贷款率只有1%。为此，我没有必要去做上述违规活动。当然合理避税应该并值得分行高管层重视，但是，它必须与总行整体的经营战略结合在一起，由总行统一规划和通盘考虑。在不违法的前提下，必须慎之又慎。

当前，跨国银行的管理层经常利用世界各地税务制度的差别来降低银行的税务负担。银行降低纳税负担有逃税和避税两种不同的做法，前者是对税务当局采取隐瞒甚至是欺骗的手段来减少税负，后者则是利用税法所提供的便利、通过银行自身的业务调整、账表调整或者是在银行集团内部转移价格来降低税务负担。显而易见，前者是违法行为，后者则是在法律允许的范围内商业银行为保护自身利益所采取的理性行为。

三、必须充分认识聘请的外部会计师的职责是什么

在我多年与海外会计师打交道的过程中，我认识到，外部会计师的职责主要有两个方面：一方面，他代表金融监管当局对商业银行进行稽核监管，在卢森堡的商业银行聘请和更换外部会计师必须得到卢森堡货币当局的批准。也就是说，金融当局可通过会计师事务所的注册会计师运用稽核

审计的手段对商业银行法规遵循情况、业务经营状况进行监督。另一方面，会计师通过对商业银行的审计，发现问题并给出改进意见及措施。这些工作都需要给予报酬，也就是说，商业银行是要付钱的。可以说，外部会计师具有双重身份，他一定程度上代表监管当局对商业银行进行现场稽核；同时，他也为商业银行服务，受雇于商业银行。会计师做好服务的唯一标准，就是监督、督促商业银行“依法合规”，从而向当局负责，向商业银行负责，向社会公众负责。

我认为，会计师应根据领导层的意图以及定下的盘子调账。但是高管层为什么这样做，不需要原原本本地告诉会计师，会计师的职责和必须回答的只是这样安排是否妥当，是否依法合规。如果按领导层的意图做了，但不合法、不合规，责任应由会计师承担。绝不能让会计师帮你做假账。如果会计师主动给你出违法、违规的馊主意，而高管层不加以认真分析而接受，损失和倒霉的必然是银行和你自己。

四、撤换普华外部会计师的风波

有人说我在卢森堡工作期间干了几件大事，更换会计师也可算上一件。这件事在卢森堡银行界特别是在会计师行业引起了相当的轰动和关注。

（一）普华事务所没有认真对待我行审计工作

在我主持分行工作之后，我很快就约见了担任我行外部会计师的普华事务所的负责人。他告诉我，在卢森堡220家银行中，聘请普华担任会计师的有几十家，尤其是前十家大银行多数由它们审计，同时，它们还承担了不少知名企业的审计工作。中国银行卢森堡分行自1979年6月建行以来，一直聘请普华担任会计师，普华与几任总经理都建立了良好的关系，他也希望与我行建立良好关系，并承诺提供优质服务。我告诉他，我与我的前任陪同总行副行长一起拜会卢森堡货币局局长时，我向当局表态，并重复说了三句话，“在我主持卢森堡中国银行期间，一定做到‘依法合规、依法合规、依法合规’。”因此，也期望普华作为外部会计师帮助我们做到“依法合规”。但是后来发现，普华事务所对我行的服务并不像他所说的那样尽职尽责。

普华多年来派来我行进行审计人员多数是刚进所的大学生或实习生，没有工作经验，每年换新人，且不固定专人。他们来到我行各个业务部门，都要我行员工给他们讲业务，花时间教会他们，我行成了普华新人实习的场所。尤其是会计部门意见一直很大。我不反对每年有新会计师来工作，但是应该新老搭配，以老带新。然而他们没有做到。

普华审计的时间严重拖后。按规定应该每年 3 月份进行年审和调账，4 月初公布年报和业务分析报告，但他们没有做到。比如，到 1993 年 7 月 22 日，他们才完成我行 1992 年度的业务、账务审核调整工作；1993 年的审计工作，他们到了 1994 年 6 月 14 日才基本完毕。会计师每年正式的资产损益报告和财务分析报告，直等到次年 8 月中旬才提交出来，这不仅推迟了我行把年报正式呈交卢森堡货币当局和总行的时间，也影响我行把利润划拨给总行的时间。

普华可能认为我行是外资银行，在当地不是什么大银行，又很少出现业务违规做法，加上十多年来很少有人对他们的服务提出批评，且多年来获取高额服务费十分容易，因而对我行的审计工作不那么尽职尽责。对普华的审计作风，我行同事们长期感到不满。我接触他们以后，也感觉不满。当我多次把意见反馈给他们后，这种状况依然没有多少改观。

（二）关于售楼冲销所得税的失误

1992 年 7 月，在我刚主持工作不久，我国驻卢森堡的大使和侨领就向我反映，说中国银行的行址虽然在卢森堡市中心步行街，但是附近没有车位，较大的停车场离步行街较远，而我行的客户主要在周边国家，他们来办业务很不方便。有的侨领还反映，我行大厅柜台就在一楼，从外面橱窗就能看见在办业务，私密性和安全性方面欠佳。在详细调查后，我决定换一个办公楼。经过多方选择和价格谈判，1993 年 2 月，选定了一家德国银行的旧楼，因为其决定搬到市郊的新金融区。德国银行的楼对我行来说十分合适。该楼地上七层，地下两层半，有 20 个停车位。办业务的人可把车直接开进来，停车后从电梯上二楼办业务。经过装修后，1994 年我行搬进了新楼。购买该楼我们大约花了 3.4 亿卢郎，加上历年其他固定资产的购置，我行固定资产购置金额总共为 4.6 亿卢郎，占去当时 5 亿卢郎资本金的绝大部分。有了新址，我决定把旧楼卖掉。旧楼在 1979 年 5 月购得的金额是 5 000 万卢郎，虽然时隔十几年，但是由于地点在市中心，增值很多，估价可达 2 亿多卢郎。当时卢森堡的所得税为 33%，加上其他费用约合 40%，也就是说如果出售的话，要交近 1 亿卢郎的所得税。

这时会计师告诉我，因为你行买了楼，如果出售旧楼，卖楼所得税可以免交。于是他们用我的名义，代拟了一封信给卢森堡税务当局，阐明上述情况，望当局能同意不交税。这实际上是一个资本溢价与资本损失的问题。商业银行在经营过程中，不可避免要涉及购买房地产、公司参股等业务行为。同样在某种情况下，也可能会处理掉这些资产。当资产出售价格高于购买成本时产生资本溢价，反之则出现资本贬值即资本损失，这就涉及对资本溢价与资本损失的税务处理问题。一般情况下，不少国家把资本溢价和正常收入同等处理，即按相同税率征收所得税。有些国家规定资本溢价与资本损失可以在一个时期内相互冲抵。卢森堡税法规定：商业银行处理房地产和公司参股出现的资本溢价，可以暂不纳税，但前提是必须把该笔资金收益重新投到同类资产项目上。上述规定看起来很适用于我行的情况。但是，两周后，卢森堡税务当局在给我的回复中称，我行买新楼在前，卖旧楼在后，不在上述规定之列，也就是说，如果你用卖旧楼所产生的溢价在两年内再去购置房产，则可以不纳税。看到信后我明白了是怎么回事，也使我们大为失望，觉得会计师的业务水平实在太差，连当局的基本规定都没弄明白，就替我代拟给税务当局的申请函，出了个馊主意。好在当局能理解申请人是个外国人，对卢森堡当局的规定不熟悉。如果普华会计师事务所真是以它们的名义代为申请溢价冲抵，那可真是向当局显露出它们业务水平的低下。

（三）没有认真帮助我行解决资本充足率的问题

在我与普华会计师谈及我行资本金问题时，他们多次表示，我行是分行，卢森堡货币当局对分行有宽松的规定，不用担心达标的问题。然而，到 1994 年 7 月，普华会计师突然告知我行，称我行上一年资本与风险资产的比例不到 2%，没有达到当局规定的 8%，要求我行立即增资或调整资产结构。此事使我们大为吃惊，措手不及。我们问不是你们说的卢森堡当局对分行管理宽松，为什么又变了。他们对我们的答复极为冷淡，只是说这是卢森堡当局的规定。于是我们就直接与卢森堡货币局联系，他们的答复为：虽然我行是分行，年终与总行并表，而且每年都向卢森堡当局提交总行的资产负债表，但是远不能说明中国人民银行会要求中国的银行（包括中国银行）都遵守国际清算银行制定的《巴塞尔新资本协议》，据此展开业务。如果我行能提供这方面的证明，他们可作为特案处理。我就此事立即与总行海外行部、财会部领导通气，并正式行文希望他们尽快与中国人民银行总行条法司联系，请后者出具证明。

1994 年 10 月 12 日，我行收到中国人民银行致卢森堡货币局《关于中国银行海外分行资本充足率问题的说明》的公函。在此函中，中国人民银行认为，卢森堡分行作为中国银行的分支机构，其资产、负债是中国银行对外公布资产负债表中的组成部分，中国银行总行对其负有完全责任，鉴于此，不应单独考核它的资本充足率比率，而应把中国银行作为一个整体加以考核。也就是说，尽管卢森堡分行本身没有达到8%的要求，但作为分行，它可以分享中国银行总行公布的远高于8%的资本充足率。另外，人民银行在此函中还指出：作为中央银行，中国人民银行参照国际惯例制定了有关规定，以加强对各商业银行的资产负债管理，明确要求各银行（包括中国银行）的资本充足率不得低于8%。经人民银行稽核，中国银行完全符合以上要求。人民银行出具的公函，对我行向卢森堡货币局申请免受资本充足率的限制，起了很大的作用。

一个多月后，我行收到卢森堡货币局通函。该函正式通知我行，作为一家分行，我行可以免于接受有关资本充足率方面的限制，也就是说：我行自身的资本对风险资产比率可低于《巴塞尔协议》所规定的8%。这意味着我行在总行的支持下，通过向卢森堡货币局提供大量的、有说服力的证明材料以及经过多方面的努力，终于在这个问题上获得圆满成功。但是普华会计师在解决这一重大问题时，没有尽到他们的责任，没有积极帮助我们妥善地处理问题。

（四）我行在1995年更换了外部会计师事务所

鉴于普华会计师事务所的长期种种不妥做法和对特殊事件的不妥建议，我逐渐萌发更换会计师的想法。1994年年底，我向总行提出了以德勤会计师事务所更换普华会计师事务所的报告，报告中详细列举了更换会计师事务所的原因。同年3月，我行收到总行同意德勤为我行外部会计师的批文。

此后，我行就更换外部会计师事务所准备了致卢森堡货币局的函件，并拜会了卢森堡货币局。货币局详细询问我行更换著名会计师事务所的理由，我讲了上述三方面等有关问题。两个月后，我行收到卢森堡货币局的通函，告知我行申请更换会计师事务所的请求得到批准。当我把辞退普华会计师事务所的决定通知该所后，该所的德国合伙人与我长谈了一小时。他大为惊叹和后悔，希望我们继续聘用他们，他们一定认真改进自己的服务，并提出，可以不收取费用为我行服务一年，以观后效。我对他表示，我总行和卢森堡当局已批准我行改聘其他会计师事务所，此事已定，无法更改，感谢十多年来他们对我行的服务和帮助，今后我们仍可保持联系。

而后，此事不仅在卢森堡银行界和会计师界引起震动，而且对分布在世界各地的普华会计师事务所来说，不啻是一个“警告”：对中国银行海外各分行的审计工作必须给予高质量的服务，才能保持持续聘用的关系。

从 1995 年开始，我行聘请德勤会计师事务所为我行的外部会计师。它们，尤其是该所的合伙人注册会计师 Lam 先生对我行给予了高质量的服务，而且服务费用大为降低，使我行上下普遍感到满意。在这场更换会计师事务所的事件中，我只是就事论事，没有刻意褒贬哪一家会计师事务所。但得出一条经验，即业务水平不精，服务质量不好，哪怕是国际顶级会计师事务所也是可以更换的。

我所经历的“反洗钱”事件*

据国际货币基金组织统计，2002 年全球非法洗钱的数额约占世界各国 GDP 总和的 5%，且每年以 1 000 亿美元的速度递增。洗钱已成为国际银行界所遇到的最严重的问题之一，世界各国尤其是西方国家正采取严厉措施来制止这一态势的发展。它们制定了许多法规来防止商业银行体系被反洗钱活动所利用，商业银行也由此被赋予了沉重的法律责任。

1988 年，国际清算银行属下的银行监管委员会（巴塞尔委员会）通过了一个建议，正式确定了“了解你的客户”原则。也就是说，商业银行在为客户办理业务之前，必须把客户的身份、资金来源、最终受益人等背景情况了解清楚。为此，商业银行应遵循鉴别客户身份、与监管机构保持合作，妥善保持记录、坚持员工培训等基本行为规范。1991 年，欧共体也通过了类似的防范洗钱的银行指令，对商业银行提出了类似的法律要求。各成员国依据此指令，又相继通过了各自立法，从实务操作环节上明确了商业银行必须承担的防范洗钱的法律责任。

我国在 1997 年 3 月召开的第八届全国人大第五次会议上，通过了刑法修正案。新的刑法把洗钱和内部交易等行为纳入了刑事犯罪的范畴。2003 年 1 月，中国人民银行颁布了我国首部反洗钱法规——《金融机构反洗钱规定》，这意味着我国的商业银行也负有不可推卸的防范洗钱的责任。2006 年 10 月，全国人大常委会通过中国首部《反洗钱法》。这表明中国具备成为国际金融行动特别工作组（FATF）正式成员的资格，可与国际社会建立广泛的反洗钱合作，联手打击洗钱犯罪。

卢森堡是一个国际金融中心，由于该国制定有保密法以及不缴纳利息税等优惠政策，吸引了周边国家以及世界许多客户到卢森堡商业银行开户，把大量资金存入在卢森堡开设的各国商业银行里。卢森堡也成为洗钱者乐意光顾的地方。1996 年据媒体报道，全球犯罪分子通过银行体系洗黑钱的

* 本文原载《银行家》2007 年第 1 期，标题为《亲历“反洗钱”》。

金额已达1万亿美元以上，其中有一半发生在美国，卢森堡也是人们非常关注的地方之一。1992—1997年，我在卢森堡一家中资银行工作。下面是我在卢森堡工作期间，所涉及的具有代表性的反洗钱案例，以及我对反洗钱的认识和作为一个商业银行负责人如何处理好这项工作的心得和体会。

一、协助调查一起谋杀案

1993年5月18日，我行接到卢森堡中级法院的传令，要求我行协助调查不久前发生在法国的一起谋杀案，此案涉及我行的客户，法院要求提供有关客户情况。

我行收到传令后，立即抽专人对所涉及的客户资料进行整理。比如，该客户什么时间在我行开户，当时的有关年龄、身份等的记录，账户的金额有多少，以及存取、汇出、汇入等信息。但是如何将这些信息提供给中级法院？是全部提供还是部分提供？我们就此案征询了我行特约律师的意见。律师认为，我行的客户参与了谋杀案，属于从犯，既然是属于刑事犯罪，就有发生洗钱行为的可能。卢森堡的法令规定，对银行客户保密。在一般情况下，银行绝不允许透露客户的任何信息，但是对卢森堡法院就必须提供，但是，也要看客户在案件中所处的角色的情况予以提供。比如说，我行这个客户在我行存款金额不大，有一笔金额不大的钱汇给了他人。根据上述情况，就没有必要把涉及的第三者的信息予以提供。

1993年6月，为进一步协助法国有关当局调查涉及上述谋杀案的我行客户的情况，卢森堡国际刑警两次拜访我行。我向他们明确表示，我行将全力配合警方，按他们要求提供有关情况。他们对我行提供的有关资料出具了收据，并对我行的合作表示感谢和满意。

二、查询三位卡塔尔人士的洗钱活动

1996年6月5日，我行收到卢森堡司法机关转发的一份文告，文告要求我行查证是否与三位卡塔尔人有账户往来。若有，应立即冻结所有的往来账户。据文告介绍，三名卡塔尔人涉嫌挪用公款和其他犯罪，涉及金额累计达33.4亿美元。这笔巨额款项在1972—1995年通过各种渠道特别是通过瑞士、卢森堡、美国的银行转移到国外。卡塔尔政府已对上述三人提起公诉，并向卢森堡当局要求司法协助。卢森堡当局同意给予司法协助，并已查明有18家银行（大多是法、美、德、英等国大银行在卢森堡的分支机构）与上述三人有业务往来。于是，卢森堡司法机关向所有银行发出上述文告。

我行根据卢森堡司法机关要求，对客户档案信息进行了认真查核，结果当然是没有。我行的客户几乎完全是华人，虽然其中不少人加入了当地国籍但仍然是华裔。真正的外国人在我行开户的很少，我基本上都能背出他们的名字。因此，我可以断言，我行与卡塔尔的 3 名罪犯没有任何关系。

卢森堡国际刑警为此事两次来我行了解。第一次，我行主管营业部的助总和稽核部的经理接待了他们，并告知我行基本上没有外国人客户。他们坚持要我们认真用电脑排查，并声称，卢森堡已确定有 18 家银行参与此事，你行属于第二批查找的对象。他们的口气十分严厉，并说如果你行与这 3 名卡塔尔人毫无关系的话，需要出具你行总经理签字保证才行。此时，我行稽核部经理针对他们的态度说，你们凭什么来查我们。这时他们拿出了国际刑警的工作证并递交了名片，并告知明天下午来取总经理签名的查核结果。他们走后，我们立即与会计师联系。在报出来人的名字后，会计师告诉我们，这是卢森堡国际刑警以及中央法院的高级官员，我行应认真对待他们的要求。第二天下午，我亲自接见了他们，表示全力配合他们的调查。IT 部门现编写软件，经认真查找并打印出报表，证明我行确实与那三位卡塔尔人没有任何的业务关系。最后他们再三说明，由贵行总经理签名的核查结果，能起到保护贵行的作用。这表明贵行认真对待此事，而且也证明贵行与这笔洗钱案件确实毫无关系。

以上事件尽管与我行无关，但却值得我行深思。当前国际洗钱活动猖獗，犯罪分子无孔不入，我们必须时刻保持警惕。我们应继续保持较为谨慎的开户政策，尤其注意来自高风险地区的资金。同时要加强对职工的培训，特别是加强一线职工的岗位培训，提高他们防范洗钱的意识和技能。卢森堡司法当局不会仅仅听你口头保证，他们需要细致、切实、认真的核查程序和规范的管理手段。

三、婉拒了一位美籍华人开户的要求

1997 年 5 月的一天，有一个自称来自美国的美籍华人张女士来我行要求开户。营业部经理接见她后，她指名要见总经理，这样我就接见了她。她是一位大约四十出头的中年妇女，衣着打扮时尚。她向我说明在我行开户后，业务上可以深入合作的几点想法：她将先拿来近 1 000 万美元的现钞存入我行，而后向我行申请贷款并进行我行能提供给她的业务。以后，她还可以帮助我行拉一些大客户。

为了证明诚意和可信，她提供给我一套复印的资料，其中有她在北京某个区参加吸引外资座谈会上的发言，该区授予她经济顾问的邀请书，以及与北京市某副市长等领导人的合影，还有与美国克林顿总统的合影。尤其令人吃惊的是，她自称是文莱岛国的经济顾问，并在帮助该国理财。她拿出3张英格兰银行的大额存款单，每张金额为1亿英镑。这三张存单，看上去花花绿绿，后面有两三人的签字，好似原件，又好像是彩色影印件，或者根本就是假造的存单。我从来没有见过如此巨大金额的存款单，当时的感觉是，存单有假。但是从这位张女士的表情，以及她那样的谈笑风生中，还未看出多少破绽。我请她把复印的资料留下，第二天请她再来我行。

张女士走后，我立即与营业部经理商谈。营业部经理是新加坡华侨，1980年即已来行工作，而且一直负责柜台客户业务，我行的客户特别是高端客户，他都熟悉。逢年过节，都是他陪我去比利时、荷兰走访客户，参加当地华人举办的春节联欢会等活动。我们一起进一步对张女士的情况进行分析，认为她提供的她在国内的资料可能全部是真实的，提供的与美国总统的合影也有可能是真的也可能是假的，因为据了解可以花钱与美国总统合影，但也可以采用数码方法合成。但是我们一致认为巨额英镑存单有些蹊跷，特别是如此大金额的存单真实的可能性很小。对于张女士开户后要存入的千万美元现钞，从金融专业角度来看，存在着运输时的安全隐患，但她对此好像根本没作任何考虑。看来她的目的仅仅是为了开户，开户后，希望我们提供与她业务合作的种种便利，而且她坚持只用拉美国家的护照开户。

根据上面的分析，我决定婉拒她的开户要求。我把她留下的资料交给了营业部经理，让第二天转给她，提出若要开户，必须提供美国的身份证明，果然，她就知难而退，不再来了。

过了些日子，我见到我行聘请的会计师Lam先生，在谈及如何应对客户开户要求，如何选择客户时，他认为，只要能提供自己的相关资料尤其是身份资料，只要资料具有真实性，就可以给予开户。我们这样婉拒的做法，是否太谨慎了。因为我没有向Lam先生详告有关与张女士谈话内容和事后分析结果。我认为，还是谨慎些为好，毕竟存有疑点。防患于未然，总比事情发生后去弥补要好得多。

四、台湾王先生在经营“洗钱”吗

大约在1994年秋，王先生与王太太从荷兰阿姆斯特丹来我行开户。他们出生在台湾。王先生在美国受过大学教育，学的是计算机专业，毕业后可能在美国的IT公司工作过较短的时间，以后自己做生意开公司。他们在阿姆斯特丹开了一家电脑公司，就是以该公司的名义在我行开的户。我第一次见到王先生时，他已在我行开户3个月。他看上去三十多岁，身体结实，仪表端正，气质儒雅，给人的印象很好。他对大陆突飞猛进的经济建设和成就，十分敬佩，并表示愿意寻找商机，投资大陆。

也就是王先生开户三个月后，他与我行的业务发生了较大的变化。原先他每个月来我行一次，带来几万荷兰盾现钞，按当天荷兰盾与美元的牌价折换成美元，一半汇至香港，一半汇至美国。但是此后，他们几乎每周来行一次，而且每次金额在十几万荷兰盾，也是换成美元后，汇至香港和美国。在他开户的半年后，每周带来的荷兰盾现钞的数额更大。我行的两位出纳每次点钞要花一两个小时。我行对此客户的服务（兑换与汇款）一年的收入在10万美元以上。

王先生汇款的现钞金额出现变化后，我行总经理室对此做过专门研究。我们有几个问题弄不清楚。第一，王先生开的是电脑公司，每周能卖出多少台电脑，怎能带来如此大金额的现钞，无法解释。第二，王先生把钱换成美元，一半汇至香港，一半汇至美国，他为什么这样做，也无从得知。对此，我们决定，派人去荷兰查访该公司的情况，同时，请我行的香港分行和纽约分行，查询他们汇款至香港公司和纽约公司的有关情况。

我行派人去阿姆斯特丹访问了王先生的公司，王先生带他们参观了公司的库房。同事们的印象是，王先生开的的确是一家电脑公司，这一点不容置疑。我行香港分行的回复是，我行提供的香港公司与他们没有代理关系，其他方面也收集不到任何信息，纽约分行的回复大致相同。对于这样的结果，我们是不满意的。我百思不得其解的是，每周能卖出如此大的金额库房应有相当数量的电脑，可王先生的仓库中只堆放着电子零件，整装的电脑不多。于是把怀疑的目光扩大了，因为阿姆斯特丹有两个不好的特殊名声：一个是红灯区，一个是允许吸毒。于是，带着怀疑，请教了我行会计师Lam先生。

Lam先生对我们的怀疑以及调查持肯定态度。他认为，对这些调查一定要做好调查报告，并归入档案，这表明我行对反洗钱是认真的。他又说，如果得不出肯定的结论，最好把此情况上报卢森堡货币局。我是不同意把问题上交的。这样做，一方面说明我们没有判断的能力，另一方面表明我行客户中存在问题隐患。但是此时王先生公司的现钞每周不但不减少，还有增长的趋势。虽然我们与王先生的接触不多，但是我认为他们的公司不可能参与黄色淫秽和贩毒活动。尽管如此，还是必须果断作出决策。会计师 Lam 先生不愧经验丰富，老成干练。他建议，我们实在拿不准，又害怕洗钱的牵连，可以舍弃此客户。于是，我指示一位助总负责处理此事。

该助总向王先生表达，双方业务发展良好，王先生公司汇款金额也不断的扩大，但由于形势的变化和我行业务发展的要求，暂时将不与王先生公司进行往来，婉转地希望王先生销户。没想到王先生特别理解，销户后，他立即把账户开到离我行不算太远的美国花旗银行。王先生同意销户，是因为他把这问题与海峡两岸的紧张局势联系起来。在 1995 年，李登辉再次竞选“总统”而且多次发表挑衅性的言论，于是中央决定发射定向性导弹。他认为，在此紧张时期，台湾同胞作为大陆银行的客户将出现种种不便，同时也加大了他的资金风险，所以很快就同意了。

几个月后，当两岸形势缓和下来的某一天，王先生来我行与该助总进行了一个多小时的长谈。当询问王先生公司现钞为何如此之多时，终于解开了问题之谜。王先生的电脑公司主要从事芯片交易，对象重点是东欧国家。东欧国家的企业交易用的是现金（荷兰盾），以达到双方逃税的目的，这种贸易在一定程度上属于走私范畴。王先生把荷兰盾交到我行换成美元，一部分汇到香港，一部分汇往美国，为的是支付给台湾、韩国和美国公司供应的芯片款。因此，该公司的交易与洗钱毫无关系。王先生说，他的公司与花旗银行业务合作良好，并提出是否可以用他和他夫人在我行开的个人账户与我行恢复业务往来。经总经理室研究后，我们婉拒了他们的要求。

说实在的，作为卢森堡国际金融中心的一家中资银行，我们一定要高质量地为客户服务，获取利润，但是“依法合规”是根本原则。王先生公司的电脑交易决不是洗钱，但是上述交易一定程度上有逃税、走私的性质，这是防范洗钱面临的一个难题。如果在查处洗钱时，有关资金涉及避税、逃税，究竟如何看待这些钱的性质？如何界定它与洗钱的关系？像卢森堡、瑞士以及其他知名的国际避税中心的有关当局，他们对此究竟采取什么态度、什么政策？尤其是有关避税和洗钱的关系问题，我行的外部会计师 Lam 先生也不完全说得清楚。总之，王先生经营的不是“洗钱”，是 IT 业务。

当年卢森堡货币局为防范洗钱，规定凡超过 50 万卢郎（或等值其他货币，相当于 1 万欧元）的汇款，银行必须按下列手续办理：经办人员首先要询问客户的资金来源和实际受益人，并做好记录和签字。对没有开户的客户要留存身份证件影印件，已开户的客户如果是汇现钞也要记录账号。

汇款人必须填写汇款用途等。这样看来，我的谨慎处理是正确的。

五、如何防范洗钱的一些体会

在卢森堡从事经营管理工作的五年中，在业务中发生过许多不同类型事件。在与卢森堡当局、会计师、律师、客户、同行打交道的过程中，在学习卢森堡银行公会编印的有关反洗钱规定中，我对反洗钱有更深入的认识和体会。我认为，作为一个商业银行的管理者应牢牢地记住并做到以下几点：

1. 认真"了解你的客户"，这是防范洗钱的核心所在。问题是不能把它当成一句口号，而是要予以落实。具体而言就是"做好开户记录、做好交易记录"。当一个年轻人来银行开户，存款、汇款，必须出示相应的身份证件。企业开户更应具备相应证件，并应把企业性质、领导人背景情况，有权签字人情况彻底了解，确保其合法性。因此开户记录十分重要。因为一个年轻人开户时，一切手续完备，但是过一两年，他可能参与抢劫、参与贩毒。同样，一个企业开户后也可能经营违法业务。谁都不能保证不出现上述情况，因此，一定要"做好开户记录"把好开户关。为什么说要"做好交易记录"呢？这也相当重要。银行把客户（个人与企业）的交易记录在案，一旦出事，可做到有案可查。在可能的范围内，还应定期或不定期访问客户，主要目的是为业务的发展，拉近与客户的距离，这些访问也必须作出文字记录。这是落实"了解你的客户"的手段和方式。如果客户中出现有洗钱或其他刑事犯罪的嫌疑时，就能掌握较充分的信息，这不但有利于对案件的查处，也能分清银行应承担的责任，更重要的是可以保护银行员工。

2. 所有规章制度，特别是反洗钱制度向当局的规定靠拢。每家银行的各部门都制定有严格的规章制度。在制定规章制度时特别是营业部门在制定各项规章制度时，必须把有关当局反洗钱规定的精神和原则纳入银行的规章之中。这样做不仅能使每个员工认真对待反洗钱工作，掌握防范洗钱的知识和手段，同时，也是保护银行以及员工。因为西方国家的法院在判案时，特别重视各项证据，以及事件发生的客观与主观原因。如果一家银行的客户参与洗钱事件时，经调查该事件虽与该银行以及经办员工没有直接责任。但是该行的规章制度中，如果竟然没有有关反洗钱的规定，这表明，这家银行对防范洗钱的工作做得很差，就这一点来看，就存在不可推卸的间接责任。因此，为了保护银行职工、保护银行，银行的有关规章、制度必须向当局反洗钱的精神和规定靠拢。

3. 从严掌握开户，特别关注无法控制的账户。对于客户以邮件方式开户，不邮寄对账单的账户、代第三者开户，由于其洗钱风险要大些，银行应根据有关法律、法规从严控制。对休眠户要给予特别的重视，在这方面，银行必须实行充分的查核和监控。

4. 对银行员工加强有关反洗钱规定的学习和培训。银行员工只有首先在思想上重视反洗钱，熟知有关防范洗钱的法律规定，并掌握有关的业务技巧和技能，才能在开展业务时，防范有关洗钱活动。如果发现可疑现象应即时向上级反映，银行的管理层应指定专人负责此项工作。

5. 认真对待卢森堡法院、国际刑警反洗钱的各项行动，按有关要求提供应该提供的有关信息。在配合反洗钱工作时，一定要做好工作记录和保存好有关信息。提供的原始资料应为复印件，撰写或填写的报告以及情况说明等材料必须复印留底，并让接收方一一开出收据，然后一并归档。据卢森堡保密法的规定，只有卢森堡法院才有权要求在卢森堡开设的金融机构提供有关信息。卢森堡其他行政机构，特别是其他国家的司法机构都无查询的权利，在卢森堡的商业银行有权拒绝向他们提供客户的任何信息。

6. 随时与会计师、律师保持联系。我们必须清楚地认识到，会计师的主要职责是在开展各项业务时，帮助银行“依法合规”进行。律师则是发生事件时，如何从法律角度判断事件的性质以及如何处理这些事件。因此，银行碰到与洗钱相关的事件时，不能草率行事，而是要保护好所有资料和相关信息，并应该立即咨询会计师、律师，以便获得他们的帮助，并在他们的建议下进行处理，同时做好咨询记录。

商业银行应承担社会责任*

第三次全国金融工作会议指出，我国金融改革发展处在一个重要转折期和发展期，金融业应增强紧迫感和责任感，为深化改革，促进金融业持续、健康、安全发展，为实现国民经济又好又快发展和构建社会主义和谐社会作出贡献。为落实全国金融工作会议的精神，笔者认为，金融业特别是商业银行在加强经营管理的同时，必须承担应有的社会责任。只有这样，才能为构建社会主义和谐社会作出积极的努力和贡献。

社会经济学家认为，企业经营发展的第一目标是保证自身的生存与发展。为实现这一点，它们必须承担社会责任以及由此产生的社会成本，而实现利润最大化则是它们的第二目标。这些企业生产、销售的产品以及生产销售的过程必须不污染环境、保证产品质量、提供相关服务、不做欺骗虚假广告，它们必须融入自己所在的社区，并资助慈善事业。在改善社会福利中扮演积极的角色，承担自己应承担的社会责任。这样的企业，其产品和品牌必然为广大消费者了解和熟悉，为客户接受和认可。这些企业的品牌就意味着“信誉”、“质量”、“服务”、“安全”、“效率”等，从中也体现出该企业所尽到的社会责任。

近十年来，有关企业社会责任（CSR）受到大企业和经济学界的普遍重视。在《财富》杂志所列1 000家大企业中，超过半数的企业每年会发布其有关企业社会责任报告。越来越多的企业在承认、采纳和实施CSR方面作出了很大的努力，越来越多的股东、分析师、监管者、环保主义者、工会、员工、社区组织、新闻媒体开始关注和重视企业的社会责任，企业在实施其社会责任上也感到来自媒体和社会公众的压力。

商业银行特别是我国的商业银行作为一种特殊的企业，它们的产品和品牌以及提供的金融服务同样受到市场、客户的检验，社会公众的认可。只不过商业银行与一般工商企业、金融企业有所不同。首先，商业银行具

---

* 本文原载《中国金融》2007年第6期，标题为《商业银行应牢记自身的社会责任》。

有一般工商企业的基本特征：以利润为最终目标，按商品经济的经营原则从事经营活动，但商业银行的经营对象与一般工商企业截然不同。工商企业经营的对象是具有一定使用价值的商品和服务，从事商品的生产和流通，而商业银行是以金融资产和金融负债为经营对象，经营的是特殊商品——货币和货币资本，经营的内容包括货币的收付、借贷以及各种与货币运动相关联的金融服务。其次，商业银行作为金融企业，与专业银行和其他金融机构都是金融媒介，它们在经济生活中同样发挥信用中介作用。但商业银行的业务更综合、功能更全面，它经营一切零售和批发业务，为客户提供全面的金融服务，其放款业务具有信用创造的功能，以及它在国民经济中的作用，这是其他金融机构所无法比拟的。最后，商业银行特别是我国的商业银行是金融体系的主体。正因为商业银行具有综合性、多功能的作用，它才能成为国民经济中融资的主体，即通过金融中介成为间接融资的主体。另一方面，我国商业银行执行中央银行宏观调控的政策、措施，调整自身的运作和经营，间接发挥了宏观调控的作用，同时也保证了中央银行的货币政策的实施，促使国民经济保持健康、稳定发展，从而客观上履行了其特殊的社会责任。

我们不能否认商业银行，特别是我国的国有商业银行在执行国家宏观调控中，客观上成为中央银行宏观调控的主要环节。虽然商业银行自身没有义务参与直接宏观调控，但是在以市场机制为基础的货币需求和投放的环境下，中央银行在运作其宏观调控手段（即存款准备金、再贴现政策和公开市场业务）时，商业银行成为直接的调控对象和调控信号的最主要传递环节。商业银行对中央银行的调控手段反应最灵敏。为此，商业银行在调整自身运营中，客观上履行了其特殊的社会责任。在经济金融全球化不断深化、商业银行经营发展所面临越来越剧烈的竞争中，随着我国商业银行股份制改革的深入，国有商业银行中的建设银行、中国银行、工商银行都引进了海外战略投资者，先后成功在香港和上海上市，改革取得很大的成绩。商业银行上市后，必然受到市场的约束和影响。也就是说，商业银行的高管层在制定其经营发展战略时，更多的是考虑和研究自身的发展，应对市场和股东的压力，在其经营目标上，把如何实现利润最大化、股东价值最大化放在首位。如果高管层持有这样的经营观点，虽然无可厚非，但是可能会走向误区。

大家知道，从资本结构即资金总体来源来看，大多数商业银行的全部股东的资本只占总资本的10%（尤其是我国的国有商业银行的股本中，国家持股占绝大多数），其余绝大多数资金来自社会个人和企业。如果过分强调利润最大化和股东价值最大化，将不符合资本结构的收益与风险平衡，必然会产生短期行为和加大隐性和潜在风险。

从另一个视角来看，近年来，我国商业银行特别是国有商业银行为什么取得如此良好的业绩，得到广大股民的认可和追捧？这是因为党中央、国务院一直高度重视国有商业银行的改革与发展。早在 1997 年亚洲金融危机后，国家对四家国有商业银行采取了包括注资 2 700 亿元补充资本金，成立四家资产管理公司剥离近 1.4 万亿元的不良资产等措施。2003 年开始的股份制改革，确定了国家注资、处置不良资产、设立股份制公司、引进战略投资者、择机上市的改革步骤和总体方案，使国有商业银行真正走上健康发展的轨道。股份制改革使商业银行无论在资产规模上，还是在资本回报率、资产回报率、税前利润、人均利润等方面获得了新中国成立以来最好的业绩，真正跻身于国际跨国银行的行列。为此，商业银行的高管层在取得成绩时，在制定战略发展时，应该理清在自身经营发展中应体现和承担的社会责任，把应承担的社会责任放在重要的位置上。

首先，商业银行要正确认识到自身在国家宏观经济调控中有义不容辞的社会责任。不要因压缩了自身的信贷对国家政策不满，或者不是百分之百地服从宏观调控大局而调整自身的运营。因为只有建立了良好的金融环境和金融秩序，才能保证商业银行的安全运营。其次，商业银行也应清楚认识到自身在国民经济中的地位和作用，尤其是推动和促进国民经济健康、稳定发展的作用。商业银行经营的好坏，必然体现间接、直接的社会责任，对其自身的发展和对国民经济的发展有直接的影响。再次，商业银行应把承担的社会责任意识与实现股东价值最大化和树立良好形象、打造品牌、提高知名度、为客户所认同等目标紧密结合起来。最后，商业银行应把承担的社会责任当成经营发展中的一种激励机制。这里，不是要求把商业银行办成政策性银行，而是要把商业银行承担的社会责任融入其经营发展的战略中去，这反过来又将促使商业银行更健康、更稳定、更持续地发展，实现商业银行经营发展与承担社会责任的双赢。

为了深入研究商业银行社会责任的作用和意义，我们可以把它提到增强商业银行核心竞争力的高度加以认识。

1. 商业银行加大社会责任的投入，有助于打造和培养品牌，提高品牌的知名度。因为构造科学的品牌战略是提高商业银行竞争力的必由之路。正由于加大了社会责任的投入，商业银行可以以积极的姿态主动承担起对社会、环境、员工等相关利益者的责任。这不仅提升了员工遵守规章制度、恪守职业道德的责任感，也使得良好的企业文化有进一步发展的空间，这是树立良好品牌形象的核心所在。这种建立以为社会、为公众服务，提高社会福利建设为宗旨的投入，必然会进一步激发全体员工的凝聚力和责任感。它是一种重要的软性竞争力，是造就、扩大、培养优秀员工和优质客户的原动力。比如，中国银行与奥运会结为北京2008年合作伙伴，一定程度上起到提高品牌发展战略的作用。又如，民生银行与中国扶贫基金合作捐助3 100万元，设立“民生教育扶贫基金”，用于支持6 000名贫困大学生，在全国修建50所民生学校，这不仅提高了品牌知名度，而且对我国教育事业的发展作出了贡献。

2. 商业银行的社会责任的投入与产出具有相关性。只有充分认识自己的社会责任，有计划、有目标、增大社会责任的投入，产生公众效应，促进社会福利的增加、健全和发展，才有可能降低潜在的风险和成本。与此同时，由于提高了产品、品牌的知名度，在良好的社会环境，特别是良好的金融生态环境下，才能获得“社会稳定溢价”，从而保证融资的回归，它不但有利于增加企业的利润，还能提高股票的市值。

3. 商业银行社会责任的投入，应把握好有效性以及约束条件。不应盲目地投入，而应该有选择、有条件地投入，同时体现商业银行管理层队伍的经营理念。社会责任的投入反映了企业形象的价值取向。商业银行的品牌和形象的提高，在反映商业银行管理层队伍社会形象的同时，也有助于管理层形象的提高和价值的提升。而管理层特别是高管层理念和形象的转换和提升，是加强和提高商业银行竞争力的核心所在。

4. 商业银行社会责任的投入不完全表现在金额的多少，而是形成一种激励机制融入到经营发展的各个方面，它是与商业银行整体发展战略相一致的。这是一项系统规划和工程，并且要根据每个商业银行的自身业务发展的特点以及国家、地方经济金融发展环境和社会需要而制定安排。可考虑的有：(1) 杜绝对有公害的项目提供融资。(2) 积极支持有助于改善环境、提高科技水平、加强教育、改善医疗卫生、文教体育、公交事业、公共设施等项目的融资。(3) 做好税前可列支的对慈善、医疗卫生、教育、救灾、扶贫、社区建设等项目捐赠的计划与安排。(4) 安排好部分税后利润对社会福利建设的支持与捐赠。

商业银行如何应对经营环境的挑战*

近期国际金融市场出现一些回暖迹象，全球金融危机最恶劣的时期似已过去，但各国商业银行仍面临严峻的挑战。本文着重就如何应对经营环境进行较深入的探讨。商业银行管理层只有透彻地了解和掌握了商业银行所处的各种环境，才能准确判断出制约、影响商业银行经营管理的各种因素，从而保证其经营管理有效的顺畅进行。

面对国内外经济金融形势的挑战

一、充分认识经济金融形势分析预测的重要性

商业银行的经营管理离不开国际国内经济金融领域这一大环境，因此，对商业银行管理者来说，正确看待、分析、把握当前经济金融发展状况及其中长期走势十分重要。国际国内经济金融发展状况变化多端，影响因素错综复杂，关键在于抓住本质进行深入透彻的分析，特别要重点分析研究一国的宏观经济政策，其主要指财政政策和货币政策。

财政是社会生产力发展到一定历史阶段的产物，剩余产品的出现是其产生的物质前提。为了维护国家的存在，必须依靠政治权力，强制地占有和支配一部分社会产品，以保证国家机器的正常运行和社会的持续发展。财政正是在参与社会产品分配的过程中形成的，并作用于国计民生的主要方面，反映了以国家为主体的分配关系，财政政策的“松”、“紧”反映了这种分配关系的状态，它会直接影响到经济的发展。一般而言，经济决定财政，财政来源于经济，但是在现代社会中，财政政策对经济发展作用直接，影响极大，在财政政策的作用下，政府可以绕过市场直接分配资金，

* 本文原载《内蒙古金融研究》2009 年第 7 期。

影响宏观经济的走势。货币政策则是金融政策的主体，它是一个国家间接调控宏观经济的主要手段。中央银行作为国家金融体系的核心，其主要职能就是通过市场调控宏观经济，从而达到稳定货币币值和推动经济发展的目的。

因此，密切关注一国宏观经济政策，充分了解商业银行是在何种宏观经济政策环境下运行至关重要。比如为了刺激经济，政府会采取“双松”的政策，即同时实施宽松的财政政策和宽松的货币政策；而为了抑制通货膨胀，政府往往会采取“双紧”的政策，即同时实行紧缩的财政政策和紧缩的货币政策，或者是实行“一松一紧”的政策，即实行宽松的财政政策和紧缩的货币政策，或者是实行宽松的货币政策与紧缩的财政政策。在商业银行经营管理的过程中，研究分析宏观经济政策变化的目的是为了更透彻地判断资金供求状况。财政政策和货币政策的变化必然引起资金供求的变化，而资金供求的变化必然会表现为国内外金融市场上利率和汇率的变化，因此，作为经营特殊商品——货币的商业银行管理者，通过研究跟踪宏观经济政策变化，可以随时把握利率、汇率的走向，从而可以保证经营决策方向的正确性。

二、如何判断宏观经济运行状况

宏观经济运行状况可以通过一些宏观经济指标进行描述，包括国内生产总值（GDP）增长率、工业生产增加值增长率、固定资产投资增长率、社会消费品零售总额增长率、居民收入水平、物价水平、就业水平、对外贸易等，其中通过上述指标判断 GDP 增长趋势尤为重要，对 GDP 增长趋势一般采用支出法进行研究，即以消费需求、投资需求、净出口的发展变化为基础，结合其他指标进行研究。

在我国，衡量消费需求的主要指标是社会消费品零售总额，通过对这一指标的研究可以大致判断年度最终消费额的增长趋势。影响社会消费品零售总额的因素包括储蓄率、居民可支配收入增长率、失业率及政府为降低失业率而采取的措施（包括政府补贴、通过转移支付实现收入的再分配以及政府出资创造就业机会等）、消费者的信心（国内现有的指标主要是中国经济景气监测中心发布的消费者信心指数）。

衡量投资的主要指标是全社会固定资产投资总额，通过对这一指标的分析可以大致判断全年资本形成总额的规模。影响全社会固定资产投资总额的因素包括利率水平、投资主体的投资意愿、政府的财政政策和产业政策、中央银行的货币政策等。

净出口的衡量指标是货物和服务净出口，影响净出口的因素包括一国的汇率水平、企业的产品竞争力、全球经济形势等。

通过对上述 GDP 构成三因素变动状况的分析可以大致判断出宏观经济运行的趋势。

三、如何分析利率走势

只有充分认识到影响一国利率水平的诸因素，才能比较准确地判断利率的走势。对商业银行管理者来说，每时每刻都要关注利率的变化，因为商业银行的利润来源主要是利差收入，所有重要资产的价格都与利率密切相关，因此把握好了利率走势，有助于对资产负债结构进行合理调整，有利于规避风险，进而可以获取较好的盈利。影响利率走势的因素有：

1. 资金供求状况。衡量资金供求状况的主要指标包括：货币供应量、信贷总额、外资流出入量、证券市场资金总量、各商业银行资产总量的变化等。

2. 物价总水平。衡量物价水平的指标有：居民消费价格指数、商品零售价格指数、原材料购进价格指数、工业品出厂价格指数、固定资产投资价格指数、全国土地交易价格指数、全国房屋销售价格指数、全国房屋租赁价格指数。根据各种物价指数可以在一定程度上判断宏观经济运行的基本状况，并据此来研究当期资金供求状况，进而可以分析其对利率水平的影响。

3. 市场利润率。包括商业银行在内的所有企业经营的目的就是获得盈利，同时经营是有成本、要付出代价的，因此，马克思认为，资金的价格——利率不会低于平均利润率。

4. 国际利率水平。在世界范围内，越来越多的国家取消了外汇管制，货币实行自由兑换，即使是未实现货币自由兑换的国家，其参与国际经济交流的程度也在日益加深，国际资本的跨国流动日益频繁，从而使一国国内利率的变动受国际利率变动的影响日益加大。

5. 国内宏观经济政策。这里主要是指财政政策和货币政策的“松”、“紧”变化对利率总水平的影响。

6. 银行经营成本。由于银行是经营货币的特殊企业，银行的利润主要来源于利差。在利率市场化改革席卷全球的今天，西方各个商业银行存贷利率并不是统一的，而主要根据自身经营状况和需要自行决定，但是，整个银行业的平均经营成本会对市场利率总水平产生一定的影响。

四、如何分析汇率走势

分析预测汇率走势是一个十分困难的问题，中国台湾原中华经济研究院董事长费景汉教授曾说过，使美国男青年发疯的有三件事，一是去参军，二是失恋，三是预测汇率。因为汇率是一国货币的对外价格，其影响因素太多，除了国内因素，还要考虑国际因素。在我国国有商业银行的资产中，外币资产占了相当的比例，对国有商业银行而言，汇率变化必然会影响到外币资产的价格，进而会影响到银行的盈亏。

（一）标志汇率走势的基本经济指标

由于美元在国际货币体系中占据了主导地位，汇率分析预测的主要对象是各种不同货币对美元的汇率，因此在分析影响汇率走势的基本因素时，主要应注意美国公布的经济指标，包括：领先指标、产出指数、需求指数、信心指数、价格指数、房屋市场指数、贸易指数、货币供应指数。

其他国家和地区比较有影响的经济指标还包括：领先指标——OECD 欧元区领先指标、德国中央银行欧元区领先指标、日本领先指标；利率指标——美国联邦基金利率、欧元区回购利率、日本隔夜拆借利率、英国基准利率；等等。

（二）影响汇率变动的主要因素

1973 年以后，西方各国普遍实行了浮动汇率制，影响汇率变动的因素更为复杂。尽管如此，各国货币的汇率仍是在一定的范围内波动，它依然受着一种内在的、基本的因素——即各国货币所代表的实际价值量的制约。但是也受制于外汇供求，而影响外汇供求的因素相当复杂，在诸因素中国际收支的状况是重要因素，但是其他非经济因素也不容忽视。具体来说，影响市场汇率变动的重要因素有：

1. 国际收支。对国际收支来说，当收大于支时，出现顺差，表明别国对顺差国的货币需求增多，该国货币求大于供，汇率就会上升；反之，发生逆差时，该国货币供大于求，汇率就将下降。但是，资本项目中的短期资本流动会对供求产生很大影响，因为这些资金带有较大的投机性，因此对汇率的升降影响很大。

2. 通货膨胀。通货膨胀是指货币供应量超过商品流通所需货币量而引起的货币贬值、物价上涨的现象。一个国家内部出现通货膨胀时，其商品成本加大，出口商品以外币表示的价格必然上涨，该商品在国际市场的竞争力就会削弱。与其他国家相比，如果其物价上涨率超过其他国家，这时，该国政府不调整汇率就难以维持正常出口，因而通货膨胀最终必然导致货币对外贬值，引起汇率的波动。

需要注意的是，通货膨胀率影响汇率往往不是直接表现出来，除影响出口和进口外，还会影响国内外实际利率的差异，进而影响国际收支的资本项目，通货膨胀率过高，必然引起资本外流，还会影响到市场对今后物价和汇率的预期，这些表现又都会对汇率变动产生影响。

3. 利率。各国利率水平的高低差异，可直接影响国际间短期资本的流动，对汇率的变动有一定调节作用。当一国提高利率，能促使外资的流入，造成对该国货币需求的增加，汇率就会上升；反之，利率调低，导致资金流出，汇率可能下跌。需要注意的是，利率的差异主要是看各国实际利率的差异，西方国家计算实际利率通常是指长期政府债券利率减去通货膨胀率的差额。

4. 市场预期心理。市场预期心理因素对汇率的变动起相当大的作用，由于人们对某个国家的收支状况、通货膨胀、利率前景的看好，就会引起该国货币大量被买进，造成汇率上升；反之看淡，则汇率就会下跌。这种心理预期又伴随着各种投机因素，甚至某种谣言、某领导人的讲话，都会引起投机活动掀起外汇市场的轩然大波，造成汇率的大起大落。

5. 各国的宏观经济政策。各国的宏观经济政策，特别是财政金融政策对汇率的影响较大。比如，当某国实行“双紧”的货币财政政策时，其货币对外汇率基本呈上升趋势，当某国实行“双松”的财政金融政策时，将影响货币汇率的下跌。

6. 货币当局的干预。西方各国中央银行为了维护经济稳定，避免因汇率变动给国内经济带来的不良影响，往往会对市场进行干预，通过买卖外汇使汇率变动有利于本国经济。20 世纪 80 年代以来，西方各国为协调它们的宏观经济政策，有时采取联合干预的措施，共同影响汇率走势，以达到稳定市场的目的。需要指出的是，在外汇市场出现剧烈频繁波动时，中央银行的干预往往很难达到预期的效果。

面对经营环境的挑战

与商业银行日常经营管理活动直接相关的经营环境包括商业银行的经营条件、金融业的竞争状况和有关当局对银行业的监管，只有充分认识到商业银行的具体环境及其变化与发展，并以正确的态度直面挑战，才能更好地把握好经营与运行。

一、商业银行的经营条件

商业银行的经营条件是指商业银行开展经营管理活动所具备的一系列经营要素，包括银行资本、金融人才、组织机构、内部管理制度等。

1. 银行资本。资本是商业银行存在与开展业务活动的基本物质条件，商业银行在开展经营活动时，首先必须拥有一定的资本金。如果没有一定的资本金，商业银行就无从申请、登记、注册、开业，就不能购置或租赁营业场所和相应的设施设备，也没法招聘员工，当然也就无法从事任何经营活动。如果商业银行开设分行，总行将拨出一部分资金给分行，这部分资金称为营运资金，对总行来说，其资本金总额不变。如果在海外开设分支机构，而当地只批准设立子公司（subsidies），那么总行就得拨出一部分资本金作为该子公司的资本，如果由总行全额拨付，那么该子公司是总行的全资附属机构；如果总行拨付的资本比重超过该子公司总资本的51%，则其为总行的控股子公司；如果总行拨付的资本比重超过25%，该子公司的资产可以并入总行或控股集团；若低于25%，则只能作为总行的一般参股企业。

2. 金融人才。现代商业银行的业务管理和创新离不开出类拔萃的高素质金融人才，因为银行的一切经营管理活动是通过银行员工来具体展开的，现代商业银行业的竞争归根到底是人才素质的较量，因此高素质的金融人才对商业银行来说至关重要。

3. 组织机构。商业银行的组织机构既是实现银行经营管理的基本物质条件，也是实施银行决策的执行系统。组织机构系统包括机构的种类和构成、机构之间的相互关系以及机构内部的领导体制与组织架构形式等内容，它是银行形态结构、权利关系和指导系统“三位一体”的反映。

4. 内部管理制度。商业银行要实现稳健的运营，必须建立和完善一套既适应市场经济发展，又符合现代化金融企业特征的内部管理制度，以协调和规范商业银行整体运作，其中，会计核算体系与内部控制体系尤为重要。商业银行内部管理制度的健全程度依赖于市场经济以及与此相适应的金融制度的发达与健全程度，这关系到银行的个体安全与效率。需要指出的是，先进的银行电子化建设是银行经营管理有序进行的根本保证。

二、金融业的竞争态势

20 世纪 80 年代以来，随着各国金融管理体制的放松，国际资本开始大规模、无障碍地迅速在全球范围内流动，这推动了金融自由化的进一步发展。同时，由于信息技术的发展日新月异，金融一体化和经济全球化的进程进一步加快，这也相应地推动了以利率自由化、金融市场自由化和金融业务自由化为核心的金融自由化的深入发展。与此同时，金融业的竞争也日益激烈，风险也与日俱增。

（一）利率自由化

利率自由化即利率市场化。我国利率市场化的主要目标是：金融交易主体享有利率决定权；利率的数量结构、期限结构及风险结构应由市场自发地选择；同业拆借或者国债回购利率将成为市场基准利率的基本指标；政府或中央银行拥有间接影响金融资产利率的权力；金融机构对存贷款的定价权是利率市场化的核心。

利率自由化的发展表明国际资本的价格越来越按照市场供求来决定，从全球范围来看，近十年来越来越多国家的居民可以参与国际金融市场活动，这也意味着国内消费者可以购买国外金融机构提供的产品和服务，本国机构也可以为外国消费者提供产品和服务，而资本将进一步向高回报的地区和行业流动。利率变化的特点是：（1）美元、欧元、日元的利率变动将影响世界利率的水平；（2）区域性集团内的利率将向趋同化方向发展；（3）国际资本市场利率与各国国内市场利率相互影响加深，两者的差距也将逐步缩小。

（二）金融市场自由化

金融市场自由化的发展表现为：（1）随着各国外汇管制的放宽和货币的可兑换以及金融服务的开放，将出现更多的开放型的金融市场；（2）国际与国内金融市场的关系将更为密切；（3）货币市场与资本市场的界限和功能越来越模糊；（4）市场交易结算体系将更趋完善和快捷，将集中在几个大的结算系统和大公司进行；（5）国际证券市场在竞争中将进一步整合，全球各大金融中心的证券交易所也将进行重组；（6）有形金融市场将更趋减少，随着网上交易、电子商务的扩大，新概念的无形市场将逐步发展和完善。

（三）银行业务自由化

在银行业务自由化方面，可以预见的是：（1）世界大商业银行将成为名副其实的金融百货公司，传统银行业务和功能将发生质的变化。混业经营已不可逆转，其经营的范围、业务品种越来越多、越来越大、越来越广，除了服务于企业集团外，将把无所不包、无所不至的新功能，逐步深入到居民饮食起居、生老病死、休闲娱乐、投资理财、教育文化等方面。当然，除了全球“巨无霸”的大银行外，一些十分专业化的小银行，凭借其良好优质服务仍有生存的空间。（2）金融工具创新将层出不穷，满足各个阶层、各个行业对融资、投资、消费、交易、结算，以及避免利率、汇率风险等方面的需要。（3）投资业务将超过信贷业务，表外金融业务额超过表内金融业务额，各种基金等收费业务迅猛发展。（4）网上银行的功能和规模进一步扩大。（5）融资证券化和资产证券化以及金融资产的扩张成为推动国民经济持续发展的重要一环。（6）国际资本流动的全球化，促使全球金融业的竞争，其结果是，一方面推动风险报酬趋向平均水平，另一方面通过对金融资产价格的不断调整来保持市场均衡与稳定。（7）资本流动和银行业务自由化的发展，迫使银行必须更好地进行内控和风险管理，扩大金融资产投资转让的范围，提供优质的金融服务。

三、商业银行面对的监管

在各国金融体系中，商业银行要向社会公众提供贷款、接受存款和提供其他金融业务，与经济生活存在着紧密的联系，因此各国银行的经营均受到政府和有关当局全面的监管。国际上现行的金融监管模式主要有四种：（1）中央银行既负责货币政策，又对银行、证券、保险进行监管。当前发展中国家大多采用这种大一统的监管模式，比如韩国。我国在证监会、保监会未成立之前也曾采取过此种模式。（2）将银行、证券、保险等金融机构统一置于非中央银行的金融监管机构下专门进行监管，采用此种模式的有英国、日本、瑞典、澳大利亚等国。（3）多元化的美国模式，即美联储作为伞形监管者负责监管混业经营的金融控股公司，银行、证券、保险分别由其他监管部门监管。（4）将银行、证券、保险的监管从中央银行分离出来，分别由不同的监管机构监管，中央银行不再承担对金融机构的监管职责，比如欧洲中央银行成立后，法国等多数欧元区国家都采取了此种模式，目前我国也采取了这种模式。

西方商业银行成本、利润及纳税管理综述*

实现股东利润最大化是西方商业银行经营的目标。因此，如何加强商业银行成本、利润及纳税管理是商业银行高管层必须认真对待的问题。本文简要概述西方商业银行如何进行成本和利润管理，特别是如何处理利润和纳税的关系。这些做法和经验对我国金融从业人员，特别是管理层人员具有重要的借鉴和参考价值。

一、商业银行成本管理

商业银行实施科学的成本管理，有效地控制和降低成本是提高商业银行经营管理水平的关键，是商业银行财务管理的重要内容。成本管理对于增强商业银行在市场中的竞争能力，提高经营效益，具有重要意义。

（一）影响商业银行成本的因素

由于商业银行的业务种类较多，因而其成本构成也比较复杂。商业银行的成本大体上包括以下部分：存款与借款利息支出、银行员工工资、经营管理费用、营业性支出与非营业性支出等。商业银行成本管理的核心在于针对各类成本的不同特点，采取科学的方法，努力降低成本。

（二）商业银行成本管理的程序

一是成本预测，以银行在计划期内经营的总目标以及成本控制目标为依据，在占有充分资料的基础上，运用合理的方法，进行成本预测。

二是制订成本计划。在成本预测的基础上，制订成本计划。这个阶段的主要工作是，确定目标成本，制订成本计划，规定成本限额，建立健全成本责任制，实现成本的归口分级管理。

---

* 本文原载《内蒙古金融研究》2008 年第 7 期。

三是成本控制。主要工作是执行成本计划和限额，控制费用，以保证实现成本目标。

四是成本核算及考核与评价。商业银行的成本核算是指根据不同的成本种类或成本计算方法，将商业银行的各种费用开支进行分类、汇总、比较、评估的过程。银行成本核算一般有三种类型：平均成本核算、分部门成本核算与分类成本核算。

商业银行考核和评价的主要工作是根据计划执行情况，分析研究成本变化的原因，确定责任归属，找出解决途径；评定、考核经营业绩，修订成本计划和限额。

（三）商业银行成本管理的主要方法

一是计划管理。充分考虑主客观因素，本着客观准确、切实可行的原则，制订成本计划，并在执行过程中认真进行考核和监督，检查成本控制的目标是否科学合理以及指标的执行情况，对控制比较好的给予奖励，反之则应给予相应的惩罚。

二是定额控制，即对业务经营过程中的各类耗费规定一定的开支标准，按标准控制。凡能制定定额的都要有定额。可根据不同的类型分别采用定率制，即以费用水平（费用率）作为计划定额，或采取定额制，即以费用额作为计划定额。一旦客观条件变化，使用的原有定额与实际情况产生较大差距时，应及时修改。

三是制度控制，即通过完善制度控制成本。如对各种物料的购买、验收、保管和领用等制定严格制度，并认真执行。

四是指标分解控制，即把计划指标分成若干小指标，通过对小指标的控制，保证整个成本计划指标的完成。成本计划指标可按部门、柜台和个人分解，也可按业务服务项目分解。

二、商业银行收入或利润的管理

商业银行经营管理的重要目标是获取尽可能多的盈利，而利润就是收入减去成本的差额，因此商业银行的收入或利润管理是财务管理的重要内容。商业银行的收入主要包括各类信贷资产和投资收入，以及服务费收入。近年来商业银行各类服务收入的比重在不断提高。商业银行收入或利润管理应注意以下方面：

1. 及时、详细地了解经济金融变动情况，如行业发展趋势、利率和汇率变动等方面的情况，根据科学的预测采取行动。

2. 努力改善资产结构，不断提高资金使用效率，将有限的资金尽可能地用在高收益的领域中。

3. 增加服务费收入。商业银行拥有庞大的业务网络，高水平的专业人才，以及先进的设备，在目前商业银行传统业务收入日益相对缩小的情况下，增加服务费收入是银行利润增长的重要途径。

4. 对收入或利润中心进行指标管理。按银行收入或利润的来源渠道，将商业银行的部门划分为若干个利润或收入中心，如贷款中心、投资中心等。对商业银行的主要收入或利润中心制定相应的指标，要求各中心完成指标计划，以保证完成银行的总体收入或利润计划。当然利润计划的实现，还依赖于银行能否对成本进行有效的控制。

5. 运用新的方法进行收入或利润管理。在一般情况下，银行在收入或利润管理中，普遍是将绝对盈利量作为考核和评价的主要依据。但是每种业务在获得等量盈利的同时，承担的风险相差很大，单纯以盈利量作为评价和考核标准容易使银行在面临很大风险的情况下开拓业务。为此要求银行在考核绝对利润量的基础上，采取新的方法将风险因素也考虑在内。近年来，商业银行开始采用一种较为常用的方式来衡量风险调整的资本收益，即 RORAC（Return on Risk Adjusted Capital），为进行有效的收入或利润的管理提供了新方法。使用这种方法的银行在对资金使用进行决策时，不是以盈利的绝对水平作为评判基础，而是以资金风险基础上的盈利贴现值作为依据。这种方法代表现代商业银行风险回报模式的发展趋向。目前该方法不仅在美国使用，而且正逐步被欧洲其他许多国家认可。

实际上，在巴林银行破产、大和银行风波和百富勤倒闭等事件中，都是由于对某个从业人员前期业绩评价的不合理而进一步重用所致，没有考虑到他在获得大量盈利的同时使银行承担了很大的风险。若将 RORAC 方法用于业绩评估，可以较真实地反映银行的经营业绩，并对其过度投机行为进行限制，可以使银行在风险较小的情况下获取一定收益。

三、商业银行利润与纳税

（一）商业银行的纳税义务

从根本上讲，商业银行所必须承担的纳税义务和其他工商企业是没有任何差别的。如果商业银行是当地居民，它将以其在全球范围内的全部收入作为纳税基础；如果它是非居民，它仅仅以在当地的收入作为纳税的基础。“居民”、“非居民”在此是从法律角度定义的。如果商业银行在当地注册，或者主要经营决策和管理活动发生在当地，该商业银行便认为是居民，否则认为是非居民。

为保证正常、及时纳税，商业银行一般应在每一个财务年度结束后的4～5个月内把税务报表填制好并报送给税务局。如果商业银行意识到因特殊原因无法在规定的时间内完成，它应提前向税务当局申请延长报送时间。否则，不能在规定的时间内递交税务报表可能会受到税务当局的处罚。

报送税务当局的文件除了上面提到的税务报表外，还应包括：商业银行财务报表（资产负债表和损益表等），外部审计师报告，商业银行财务报表和税务报表核对说明书，股东大会批准的商业银行财务报表及利润分配方案的决议文本等。

税务局在收到税务报表后，一般会在一段时间内把他们的评审意见通知该银行。如果商业银行对税务局的决定持有异议，它可以在评审意见作出之日起的3个月内提出上诉。

商业银行一般应每季度预交一次税款，所交金额由税务当局依照往年该银行的纳税情况确定。如果税务当局在最终评审以后发现有差错，该银行应尽快补交；如果出现盈余，税务局将尽快退还给银行。

（二）商业银行所得税

1. 西方国家的所得税税率。收入所得税是商业银行所承担的主要赋税，它是税率和税基（即应纳税收益）两者的乘积。在西方国家，所得税税率一般在30%～40%。这主要是指对中央政府所缴纳的所得税税率。如果向地方政府所缴纳的所得税考虑在内，其税率要相应高些，一般在40%～45%。近几年西欧国家的所得税税率有下降的趋势。

在西方国家，依据是否对所有公司适用同一税率可把征税模式分成两种，一种是对所有公司，不论盈利多少，均采用相同的税率，比如奥地利、澳大利亚、丹麦、芬兰、法国等；另一种是除了有一个标准税率外，对收入较少的小企业，采用较为优惠的税率，如加拿大、英国、日本、美国、比利时、卢森堡等。

2. 应纳税收益的确定。所有国家的所得税税率都是法定的，它在一个时期内是相对稳定的，它将平等地适用于所有的企业。但是，应纳税收益即税务基础的确定却具有相当的灵活性。应纳税收益是商业银行毛收入减去各项支出、固定资产折旧、风险准备等项以后的差额。即便我们假设商业银行的毛收入是一个定数，但在它的各项开支中，哪些是可以税前列支的？哪些是不可以税前列支的？哪些是可以算做固定资产，而哪些又不能算做固定资产？固定资产的折旧又怎样提取？风险准备金提取多少才是合理的？如此等等。对这些问题，不同的国家会有不同的规定，而彼此之间又存在着很大的差别。因此，尽管我们可以从税率水平在很大程度上看出一个国家商业银行所承担的税务负担的轻重，但这决不是唯一的指标，我们还必须进一步了解该国有关资产估值的原则、税前列支开支项目的规定、风险准备金的政策等直接影响应纳税收益的因素。

商业银行在确定应纳税收益的时候，至少要涉及以下三个方面的因素：

（1）估值原则。商业银行应在财务年度结束之日对各资产负债科目进行价值评估。在西方国家，税务当局通常能够接受的估值原则是：对于没有真正实现的账面盈利不算做当年收益，而对于没有真正出现的账面亏损却必须提取相应的准备金；资产项目应按历史成本减去累计折旧计价；对库存类项目广泛采用“先进先出法”。

（2）关于可以税前列支项目的规定。这涉及一般性的开支和固定资产折旧两类项目。对于一般性的开支项目，从原则上讲，在正常业务过程中所发生的各类利息开支、管理费用、工资和福利开支等都是可以在税前列支的；总行对分支机构所收取的管理经费等，只要能证明其合理性，也是可以税前列支的。但是，不少国家的税法规定：超限额捐款、部分交际费用、对兼职管理人员支付的酬金等是不可以在税前列支的。在这些方面，各个国家的规定又有很大的差别。比如美国规定，商业银行交际费只能有50%是可以免税的，而卢森堡则规定交际费的100%可以在税前列支。对于固定资产折旧，首先要划分低值易耗品和固定资产。对于使用期限超过1年、费用开支在一定数额以上（如我国财政部规定是2 000元人民币；卢森堡规定是3.5万卢郎，相当于1 000美元）的商品购买应算做固定资产，否则算做低值易耗品。低值易耗品可以在当年全部列支，而固定资产（土地除外）则应在整个使用期内分摊，即每年计提折旧。直线折旧法是为各国税务当局所广泛接受的一种方法，即商业银行根据固定资产使用期限的长短每年等量地提取折旧。如我国《金融保险企业财务制度》规定商业银行营业用房、电子计算机等折旧年限分别为30～40年、3～10年，这意味着商业银行每年可以在税前列支的折旧费用分别为固定资产原值的2.5%～3.3%、10%～33.3%。

（3）准备金的提取原则。当银行管理层意识到实实在在的风险或者是资产质量出现恶化迹象的时候，他们可以决定提取准备金。但是，对风险和资产状况的评价及相应提取准备金的数量是依照管理层的主观判断来决定的，这些判断能否为税务当局所接受，将直接影响到银行应承担的税负。税务当局在接受银行在税前提取大量准备金之前，将要求银行提供充足的理由来证明其合理性。关于这个问题，我们应注意两点：一是准备金的提取及提取数量的大小，是一个相当主观的问题。一个国家对此所掌握的松紧程度可以部分反映出该国家财税制度的宽严情况。二是银行提取准备金可以达到在当年少交税收的目的，但并不意味着它就此彻底免除了税务负担，在一般情况下，这仅仅是推迟交税。如果将来的资产状况并没有当初估计的那么严重，银行就必须把准备金充做来年盈利，从而多交税。

（三）资本溢价的税务处理

商业银行在经营过程中，不可避免地要涉及购买房地产、公司参股等业务行为；同样由于业务发展的需要，在一个时期以后可能会处理掉这些资产。这些买卖行为在资产的出售价格高于购买成本价格时产生资本溢价（Capital Gains），或者在相反的情况下出现资本的贬值即资本损失（Capital Losses）。这就涉及对资本溢价和资本损失的税务处理问题。在这个问题上，各国的税务实践是有很大差别的。在一种情况下，不少国家把资本溢价和其他正常收入同等处理，即按相同税率征收所得税。在另一种情况下，有些国家规定资本溢价与资本损失可以在一个时期内相互冲抵：银行在获得资本溢价时并不立即计入当年收益，而是放在特殊准备科目里，用来冲抵过去出现的或将来可能发生的资本损失，或者用于在将来购买同类资产项目。例如美国税法规定：商业银行（其他企业也一样）如果出现了资本损失，可以用前3年实现的资本溢价来冲抵；如果还有差额，可以结转到以后5年。再例如卢森堡税法规定：商业银行在处理房地产和公司参股出现资本溢价时，可以暂时不纳税，但前提是必须在两年内把该笔收益重新投资到同类资产项目上。

（四）国际税务协定

商业银行国际化经营已是当今国际银行业发展的一个突出特征。一家跨国银行可能在世界许多国家设立分支机构，也可能会购买外国公司的股票、参股、投资等。这些业务活动自然会涉及国际税务问题，诸如分支机构盈利的缴纳、股息红利的返还、利息的收付等。对此，国家与国家之间所签订的税务协定提供了一个有利的法律框架。例如，根据中美两国所签署的双边税务协定，两国对对方银行及企业在本国领土上所获得的红利、利息、版权收入等在汇出之前分别课征 10% 的税收。如果双方没有税务协定，中国将对上述收入课征 20% 的税收，而美国将对上述收入课征 30% 的税收。目前，我国已与几十个国家签署了类似协定。

商业银行在海外设立营业机构通常可采取两种形式：分行和在当地注册的附属公司。这两种形式所享受的税收待遇总体上来讲是相似的，主要不同之处即涉及双边税务协定。对分行来讲，由于不是当地注册机构，它无法享受到所在国与其他国家签署的税务协定带来的优惠，但在向总行缴纳税后利润时，它不再需要缴纳红利税；而对附属机构来讲，有权利享受所在国与其他国家签署的税收协定带来的优惠，但当它向总行缴纳税后利润时，就必须缴纳红利税。

国外分支机构把税后利润上缴总行后，根据避免双重征税的原则，总行原则上不需要对这部分收益再行纳税。但如果两国所得税税率存在着差别，总行则需要按本国税率对差额部分补交税款。具体做法是：总行在缴纳整个集团的税款时，首先按照本国税率和该银行在全球范围内的应纳税收益计算出该银行应缴纳税收的总额，然后减去已在国外缴纳的税收，最后补上应缴纳的差额。

除了上面所提到的以外，跨国银行的管理层还要注意到利用世界各地税务制度的差别来降低银行的税务负担。银行降低纳税负担有逃税和避税两种不同的做法：前者是对税务当局采取隐瞒甚至是欺骗的手段来减少税负，后者则是利用税法所提供的便利、通过银行自身的业务调整、账表调整或者是在银行集团内部采用转移价格的手段来降低税务负担。显而易见，前者是违法行为，后者则是在法律允许的范围内商业银行为保护自身利益所采取的理性行为。为达到合理、合法避税的目的，商业银行应认真研究世界各地的税务制度和国际税务协定，找出它们的差别，努力使整个银行集团的经营收益从高税率的国家向低税率国家和地区转移。此外，商业银行还应注意到世界各地税务制度在诸如准备金的提取、固定资产折旧、税前列支项目等方面的规定，找出它们之间的差别，尽量利用其有利的一面，避免或减少其不利的一面，从而达到最大限度降低税务负担的目的。商业银行还应注意到，由于各地税务制度的千差万别，并且在一些情况下对有些业务做法的界定很难得出是逃税还是避税的明确结论，所以在任何时候都要充分利用外部会计师这一行业的咨询功能，使银行的利益能得到充分的保护。

（五）经营亏损的税务处理

当商业银行在某一财务年度出现经营亏损时，自然免除了当年的税务负担。但几乎所有发达国家都规定：这一亏损额可以用来冲抵以后5年、7年甚至更长时期的经营利润。在个别国家，当年的经营亏损甚至用来和前3年的盈利相冲抵。这些规定，对新建银行来讲更有实际意义，是新建银行寻求降低税务负担的一种途径。

（六）其他商业银行税收

1. 地方税。地方税是由地方政府征收、使用的一种税收。它一般根据商业银行应纳税收益、资本净增等按照一定比率收取。在实现联邦制政治体制的国家，地方税在商业银行赋税中占有相当大的比重。比如，1995年，瑞士中央政府所征收的所得税税率为3.63%～9.8%（累进税率），而州政府所征收的所得税税率却达6%～33%（州与州之间所征收的税率差别很大，最低为6%，最高达33%）。

2. 资本税。商业银行缴纳资本税有两种形式：一种是建立机构股东认缴资本金的时候，或者是在扩充资本金的时候，商业银行按照资本金的大小一次性缴纳资本税，税率为1%左右。另一种是每年按照商业银行资本净值的大小来缴纳净值税。净值是所有资产减去相应的负债以及准备金项目所得出的数值，税率一般在0.5%左右。

3. 增值税。商业银行和其他企业、个人一样，在业务经营过程中所消费的一切商品和劳务都要缴纳增值税，如购置固定资产、办公用品，支付会计师费用、交际费用，等等。但银行的主要收入如利息、手续费、承诺费等则免收增值税。在欧洲，增值税税率平均在15%～25%。但由于各国税率水平及商品、服务性质的不同，不同商品和服务的增值税税率是有很大差异的。

此外，商业银行还会涉及营业税、印花税、不动产转手税、预提税等，在此不作详细介绍。

由此，我们可以清楚地知道，商业银行实际所获得的利润与税收有多么密切的关系。

商业银行监管的目的和内容*

银行监管当局对商业银行监管的目的是为了保护公众的利益，保障金融体系的安全稳定，保障金融业的公平竞争，提高金融业的效率。

一、银行监管的目的

现在世界各国广泛采用的现代金融监督管理制度建于20世纪30年代的经济金融大危机之后，目的是保护公众利益，保证金融业的安全稳定和效率。银行监管的目的可以由各国的银行法加以规定，例如：2003年4月28日成立的中国银行业监督管理委员会（以下简称银监会）明确宣布，其工作有四个目的：（1）通过审慎有效的监管，保护广大存款人和金融消费者的利益；（2）通过审慎有效的监管，增进市场信心；（3）通过金融、相关金融知识的宣传教育工作和相关信息披露，增进公众对现代金融的了解；（4）努力减少金融犯罪，维护金融稳定。英格兰银行法规定，“英格兰银行作为金融业的监督机构……，负责建立资本充足率、银行流动性的原则，并负责监测银行的风险。”1981年美国货币监理署确定其自身使命时说：“国家利益要求有一个安全与稳定的金融体系，该体系在竞争的市场上为公众提供尽可能多样化的金融服务。监理署为此利益而努力的手段是使下列关系保持适当的平衡：促进与保证全国金融系统的银行业各成员的安全与健全，并要求他们高度遵守法律；促进金融服务、市场的竞争、效率、一体化与稳定。”

综上所述，银行监管的主要目的可以归纳为以下三点：

（1）保护公众利益。保护公众利益是实行银行监管的基本起因，也是银行监管的根本目的。银行监管当局依法对商业银行进行监管，限制商业银行承担过多风险和从事不良经营活动，从而保护银行存款户的资金安全，

---

* 本文选自吴念鲁编著的《商业银行经营管理（第二版）》（高等教育出版社，2009）第五章商业银行外部监管的部分内容，成家军参与本文的写作。

保证银行业务的正常进行，保障银行活动不损害国民经济和公众利益。同时，通过实行银行监管来保护公众利益，这也是维护公众对银行业的信心以避免银行倒闭的重要条件。

（2）保障金融体系的安全稳定。一家银行因经营管理不善而倒闭时，往往引起其他银行的倒闭，甚至危及整个银行体系的安全。其反应机制有两个：一是引起与其交易银行的资金周转困难，甚至倒闭，随后又会波及其他银行，甚至整个银行体系；二是影响公众信心，导致银行挤兑和金融恐慌，使原本业务相当健全的银行受到影响。当然，保障金融体系的安全稳定，并不意味着不让任何一家银行倒闭，而是防止因某家银行的倒闭而影响整个银行体系的安全。这就需要银行监管当局采取有效措施，防止银行倒闭，在倒闭银行与健康银行之间建造“隔离墙”，以维持公众信心，保障金融体系的安全稳定。

（3）保障金融业的公平竞争，提高金融业的效率。通过对金融活动的监管，创造一个平等的竞争环境，防止垄断，鼓励商业银行在合理竞争的基础上提供高效率、多样化的金融服务。

二、银行监管的理论

为什么对银行进行监管？其必要性理论可大致概括为以下五个方面：

（一）公共性质论

对于整个经济而言，银行及其提供的金融服务和产品具有很强的公共性质，这是因为：第一，经济的各个部门和行业都离不开银行，都需要它提供金融服务和产品，尤其是在支付和结算体系中银行发挥了巨大的作用，它还是许多借款人唯一的资金来源。第二，银行对整个经济具有广泛而深刻的影响，银行体系的稳定和有效率与否，相当大程度上决定了经济的稳定和有效率与否，即当银行体系运行状况良好时，经济都会受益；而当银行体系运行状况恶化时，正常的金融交易和服务不能延续，资产价格发生扭曲，市场出现恐慌和混乱，整个信用、支付和交易体系陷于瘫痪，国民经济就会受到损害。第三，银行体系在通过经营获取自身发展的同时，有助于交易成本的下降和促进社会信用的发展，从而有助于整个社会福利的增加，因此，具有很强的“正外部性”（positive externality），这也同时说明了银行体系具有很强的公共性质。在这种情况下，具有公共性质的银行及整个银行体系就需要有作为公共权力机构的政府或其授权机构来进行监管。

（二）利益保护论

经济学的一般原理告诉我们，当某一经济主体的经济活动存在着外部效应时，其自我运行追求的利益目标就有可能与社会利益目标发生冲突，就需要代表社会利益的国家来对其活动进行必要的干预，以引导或强制其行为尽量与社会利益保持一致。银行就是这样的经济主体，其行为往往具有一定的“负外部性”（negative externality）。例如，在其他条件不变的情况下，一家银行可以通过其资产的扩大来增加盈利，这当然会使风险增大。但由此所带来的全部风险成本并不由该银行一家，最后还要由整个银行体系乃至整个社会体系来承担。因此，必须对这样银行的行为进行必要的干预和监管，以保护社会公众利益不受损害。而社会公众利益的高度分散性，决定了必须有一个国家授权的专业机构来履行这一职责，同时，这也保证了监管的规模效益。此外，消费者在金融消费过程中，出于对自身利益的保护，如期望交易成本降低、服务水平提高以及由于信息缺乏，希望银行合规、合法经营等等，对银行监管有着强烈的自然需求。最后，作为银行本身，出于对既得市场地位的保护，也希望通过监管限制潜在的竞争者进入。因此，从保护各方利益，尤其是保护社会公众利益的角度出发，监管是十分必要的。

（三）消费者信心论

消费者的信心对于一个市场的发展或者崩溃起着至关重要的作用。无论是对产品还是对服务失去信心，造成消费者退出市场，都是社会福利的损失。在银行，尤其是零售银行中，存在着许多对消费者信心产生影响的因素：一是市场的不完善或者市场失效。如委托—代理问题、消费者对银行产品的复杂性没有能力进行评估、无法以较低的成本衡量银行的好坏等。市场的不完善或者失效会使消费者由于害怕买到坏产品，不得不连买好产品的机会也放弃了，从而使得消费者由于对产品丧失信心而对银行丧失信心。二是信息不对称。消费者在与银行的交易过程中，由于无法获得足够的信息，始终处于信息的弱势。这种信息的不对称使得银行存在通过这一优势将风险转嫁给消费者的利益驱动。但一旦这种行为被消费者发现，就会成为消费者所能掌握少数信息中的最主要信息，为其作出“该银行不可信赖”的判断提供依据，而消费者的从众心理又将加剧这一问题的严重性。三是道德风险和逆向选择。所有的银行都知道自己的行为应与消费者保持一致。但当一个银行看到其他银行的恶意行为在短期内并不会被消费者发现或者对其他银行是否能坚持有利于消费者的原则失去信心时，它就会也采取这一恶意行为，而银行的从众效应会使得更多的银行加入，从而使得所有的银行，不论好的还是坏的银行都会这么做。逆向选择的存在则会使好的银行被驱逐，而坏的银行保留下来，因为银行提供某种产品或服务必然存在着相应的成本，当消费者因为种种原因只能依靠价格作出判断时，好银行提供的价格贵的较好的产品就竞争不过坏银行提供的便宜的较差的产品，最后市场充满的是不好的银行和不好的产品。道德风险和逆向选择最终损害的是消费者对整个银行体系的信心。这使得必须通过监管来消除市场的不完善或者失效，减少信息的不对称以及遏制道德风险和逆向选择，增加消费者对银行体系的信心。

（四）银行风险论

首先，银行业是一个高风险的行业。与一般的行业不同，银行业高负债的特点，决定了它的风险主要来源于外部。银行自身的资本很少，大量的资金来源于吸收的存款，为保证付息和获取支撑银行生存和发展的盈利，银行将大量资金运用到经济中的各个行业和部门，加上利率、汇率等市场价格的变化，银行不仅面临着各个行业和部门风险的影响，还面临着利率风险、汇率风险、流动性风险等风险，成为风险积聚的中心。其次，银行业危机具有极强的传染性。由于银行是各种信用的中介和集中，大量债务债权关系在此交织，一家银行的破产可能引起社会公众对这家银行信心的丧失迅速传染到其他银行，失去对所有银行的信任，导致大面积的挤提，从而引发整个银行体系的危机，威胁到整个银行体系的生存。这就是人们常说的“多米诺效应”（Domino effect）。银行业风险的内生性和极强的传染性使得银行体系先天具有脆弱性，必须借助于政府或政府授权的机构的权威来防范和化解金融风险。也就是说，要借助于国家这只“看得见的手”来尽可能地维持银行体系的稳定，或在该体系中的某些部分已陷于危机的情况下防止其向整个金融和社会经济体系传染，以尽可能地免除或减轻其“多米诺效应”的危害性。正如美国金融专家鲁萨基斯（Emmanual N. Roussakis）所总结的，银行监管的发展“与其说是导因于政府对银行健康发展的期望，倒不如说是主要导因于金融危机而致。”

（五）适度竞争论

银行业先天存在垄断与竞争的悖论。一方面，由于银行具有规模经济的特点，如果放任其自由发展将导致高度的集中垄断，而垄断又容易降低资金的配置效率，导致服务质量低下，对社会经济产生负面影响，从而造成社会福利的损失和对社会政治的不利影响。另一方面，由于银行业对经济、社会的广泛影响，过度竞争将导致资源的浪费和市场秩序的混乱，同样会造成社会福利的损失。垄断和过度竞争都不利于银行业的稳健高效运行，但由于存在着高负债、规模经济等特点，银行具有内在的垄断和过度竞争的利益驱动，难以依靠市场调节自动达到适度竞争的均衡状态，因此，为了一方面促进竞争的程度，另一方面使得市场的竞争更加有效，需要国家进行适当的干预，如要求强制性的信息披露、市场准入管理等，对银行业进行监管。

三、银行监管的内容

各国银行监管当局对商业银行监管的内容多种多样，但归纳起来不外乎两类：一类是预防性管理措施；另一类是保护性管理措施。

（一）预防性管理

预防性管理包括行政管理和预警制度。行政管理以市场准入管理为核心，包括银行（及分支机构）设立、变更、合并、停业、复业或破产，以及银行组织、名称、资本、所有权、管理人员、业务范围等方面的管理，其目的在于维护金融业的安全与稳定。预警制度包括各种业务活动限制和资产负债结构控制，目的在于限制商业银行接受风险的程度。

1. 市场准入管理

市场准入管理包括两方面的内容：（1）进入市场所需的资格条件，例如资本金的最低限度、管理人员应具备的条件等；（2）进入市场的程度，即规定业务范围。例如，中国香港规定领有执照的当地银行实缴资本不得少于1亿港元，外地银行在香港地区设立分支机构，其总行至少应有100亿美元的总资产；新加坡规定当地银行实缴资本不得少于600万新加坡元，外国银行在新加坡设立分支机构必须拥有不少于600万新加坡元的集团资本；德国规定新建银行的经理人员必须是在德国一家中等以上规模的银行中工作3年以上，并且银行经理人员中至少有两人负责该行的全面工作，对该行较重大事项由两人共同负责，以便相互监督。关于业务范围，各国银行监管当局在核发银行执照时，均予以具体限定。

我国规定，设立商业银行的最低资本金不得少于10亿元人民币，设立城市商业银行资本金不得少于1亿元人民币，设立农村合作商业银行资本金不得少于5 000万元人民币，外商独资、合资银行资本金不得少于3亿元人民币等值的外汇，对其设立分行拨付的营运资金不得少于1亿元人民币的等值外汇。银监会按照审慎监管原则，对银行业金融机构的准入，重点审查是否符合国家金融产业布局和金融市场发展需要，是否符合现代公司治理结构、内部控制和风险管理以及资本充足要求，是否具备合格的高管人员，是否具备稳健经营的场所安全要求等。对业务的准入，重点审查是否满足金融机构的市场定位，是否符合市场需求，是否具备业务风险管控的专业人员和能力，是否建立审慎的业务管理制度和操作规程等。对高级管理人员的准入，重点审查其是否具备与担任职务相适应的政策水平、专业能力（学识、学历、经验、管理能力）以及良好的从业记录。银监会严格按照行政许可时限要求，对银行业机构的设立，凡自收到完整申请文件之日起，必须在6个月内作出书面审查决定。对银行业金融机构的变更、终止，以及业务范围和增加业务范围内的业务品种，必须在3个月内作出书面审查决定。对银行业董事和高级管理人员的任职资格，必须在30日内作出书面审查决定。对于其他申请事项，根据缓急程度相应制定了明确的行政回复时限。

2. 利率限制

利率限制是一种价格限制，主要指存款利率限制，旨在防止银行同业竞争风险。目前，各发达国家银行监管当局对贷款利率限制较少，通常通过“反高利贷法”保护借款人的利益。

3. 资产流动性管理

各国银行监管当局都明确规定商业银行持有的具有一定程度流动性的资产必须要在其总资产中占有相当的比例，通常称之为“流动性资产比率”，旨在防止商业银行资金周转不灵而出现危机。例如，中国香港规定，商业银行都必须持有占总资产25%以上的流动性较强的资产，这种资产可以在7天之内变现，其中还应包括15%的可以随时变现的高度流动性资产。高度流动性资产包括现金、黄金、可流通票据以及在其他银行的活期存款等。日本大藏省则规定，普通银行保持的流动性资产不得低于其总存款额的30%，银行1年以上的中长期贷款的40%必须由该行1年以上的中长期存款或其他负债作为保证。英格兰银行规定对每一个金融机构确定一个到期资产负债不匹配比例，资产负债不匹配比例 =（到期负债 - 到期资产）÷总资产。对不同期限到期的资产负债规定不同的不匹配比例上限。例如，1 个月期限之内到期的资产负债不匹配比例不得超过 10%，7 天之内期限的资产负债不匹配比例不得超过 5% 等。

4. 资本充足性管理

银行资本除具有营业职能（购置固定资产等）和保护职能（在银行停业清理时用来偿还存款及其他债务）外，还具有管制的职能，即通过资本与银行的资产或负债保持一定的比例来限制银行的业务规模。许多国家规定商业银行资本对资产的比率要大于 5%。《巴塞尔协议》要求签约国银行的资本对其经加权计算的风险资产的比率不小于 8%。有些国家（地区）为加强资本充足性，实行强制性增加储备金的办法。例如，中国香港规定，在香港注册的商业银行每年应将其收益的 1/3 以上金额拨入储备，直到已缴资本和公布的储备合计达到 2 亿港元为止。新加坡则规定，当地商业银行都必须保持充足的储备金，当银行的储备少于实缴资本的 50% 时，要求这些银行至少把每年纯利润的 50% 转移到储备金内；如果储备金已经占实缴资本的 50% ~100%，那么就只要求转移净利润的 25% 到储备金内；如果储备金超过了实缴资本，那么只要求净利润的 5% 转移到储备金内。

5. 贷款管理

贷款管理的目的主要是为了防范银行面临的信用风险。贷款管理的内容包括：（1）集中贷款限制，指限制一家银行向某一行业、单一客户或某一地区的贷款规模。例如，新加坡银行法规定，商业银行对单一客户的贷款，合计不得超过其银行本身资本的 60%。（2）内部人关联贷款限制，指限制银行向关联企业、银行董事、经理和职员等各种“内部人”的贷款。（3）呆账准备金和一般准备金的提取。银行监管当局一般要求商业银行对有问题贷款提取呆账准备金，并对准备金的充足率予以经常检查。针对商业银行的规模和业务结构，银行监管当局还要求其提取一定的一般准备金，作为风险补偿手段。

6. 其他业务活动限制

其他业务活动限制主要包括：（1）对证券投资、房地产投资、股权投资的限制，以防范投资风险；（2）对国际贷款规模的限制，以防范国家风险；（3）对外汇交易业务的限制，以防范利率、汇率、市场价格、信用等各种有关风险。各国银行监管当局一般根据每家商业银行的经营规模和清偿能力规定其持有外汇隔夜敞口头寸金额。有些国家还规定每家商业银行每笔外汇交易的金额最多不得超过其资本金的一定比例。

（二）保护性管理

保护性管理包括中央银行最后贷款人制度和存款保险制度。

1. 最后贷款人制度

即使银行完全按照银行监管当局制定的预防措施的规定进行经营管理，商业银行在其经营过程中仍会遇到临时性资金周转困难。在这种情况下，商业银行可以通过同业拆借、出售证券，或以票据向中央银行进行票据再贴现等方式筹措款项，以缓解资金临时周转困难。但当商业银行清偿力发生较大问题，且临时筹集资金出现困难，存款人或其他债权人要求付款，资金收付出现较大缺口时，就面临破产清理的危险。此时，一国的银行监管当局有责任向银行提供紧急资金援助，帮助其渡过危机，并且使整个金融业避免受到连锁反应。在英国，英格兰银行作为最后贷款人向商业银行提供的资金紧急援助的方式有：（1）提供紧急贷款；（2）与各大清算银行联合提供贷款；（3）向发生困难的银行提供借款担保；（4）必要时接管发生问题的银行。在德国，联邦银行和国内银行业联合建立了清算合作银行，联邦银行认购其中30%的股份。这个机构的唯一职能就是对那些遇到暂时清偿有困难，但在其他方面还很健全的银行给予援助。在新加坡，新加坡货币管理局通过向商业银行提供贴现来执行其最后贷款人的职能。

2. 存款保险制度

尽管各国银行监管当局都对商业银行制定了许多有助于银行谨慎经营的限制性措施，并不断对银行进行检查监督，在商业银行发生严重困难时还提供必要的紧急资金援助，但仍不能保证商业银行不发生倒闭。为了在商业银行倒闭时保护存款人利益，许多国家（地区）都建立有存款保险制度。美国是由中央政府出面建立存款保险制度最早的国家。美国联邦存款保险公司成立于20世纪30年代，凡参加这一存款保险体系的商业银行，在其倒闭清理时，每一私人存款账户可从联邦存款保险公司得到一定金额的偿付，其最高偿付额目前为10万美元。英国采用强制性存款保险制度，但仅限于1万英镑以内的存款，存款人可获75%的补偿。但银行同业存款、外汇存款、存款单、担保存款和5年以上到期的存款不在保险范围之内。有些国家（地区）没有法定的存款保险制度，但银行业自发地建立了存款保险基金，例如德国、法国。还有一些国家（地区）没有设立存款保险制度，例如新加坡、中国香港等。

完善我国商业银行内部控制制度的思考*

2008 年 9 月 15 日美国雷曼投资银行倒闭引发了全球金融危机，至今已两年多了。两年多来，人们在探索这场危机爆发根源时，除了从国际货币体系和美国金融体系的痼疾找原因外，还重新审视商业银行内部控制制度方面的问题。总的看来制度是人定的，问题在于如何管理执行，如果为了利润而忽视内控风险，最终必然导致失误亏损，甚至破产倒闭。本文着重简介西方和我国商业银行内控制度的内容，以及提出完善我国商业银行内控管理的思考。

一、商业银行内部控制制度的目的和内容

内部控制制度是银行最高管理层为保证实现经营目标而制定并实施的，对内部各部门与人员相互制约和协调的一系列制度、措施、程序和方法。目的在于确保一家银行的业务能根据银行管理层制定的政策以谨慎的方式经营，只有经过适当的授权方可进行交易，从而使商业银行资产得到保护、负债受到控制，会计及其他记录能提供全面、准确和及时的信息，管理层能及时发现和评估业务风险。

根据《有效银行监管的核心原则》，内部控制主要包括三个方面的内容：组织结构（职责的界定、贷款审批权限的分离和决策程序）；会计规则（对账、控制单、定期试算等）；“双人原则”（不同职责的分离、交叉核对、资产双重控制和双人签字等）。上述内容概括地描述了商业银行内部控制制度的要点，具体内容可概括为七个方面：

（一）建立组织结构和各种规章制度

一家银行要想有序、有效地开展业务，必须有一个合理的组织结构和

---

* 本文原载《金融教育研究》2011 年第 1 期。

一套完善的规章制度来保证。所有的员工，不论其职位级别高低，都能清楚地了解自己的权限和职责，并对银行的业务政策有比较清晰的了解。所有的银行业务部门，不论是直接面对客户或其他直接创造收益的前线部门，还是提供各种支持功能的后线部门及其他保障部门，都清楚地知道自己的职责以及彼此之间的关系。只有这样，整个银行才能成为一个有机的整体。

银行组织结构和规章制度所涉及的控制环节有以下内容：（1）制定明确的银行经营目标；（2）对每一个工作人员给予明确的授权；（3）建立合理的组织架构，把整个银行的所有业务部门按照其业务范围、在上下级关系中的位置、彼此之间的联系、与管理层的关系等组成一个有机的整体，这个整体可以通过组织架构图明确地勾画出来；（4）建立畅通的报告渠道，使基层信息能够及时传递上去；（5）对全体员工提出职业道德准则要求；（6）为各项业务制定标准化的操作流程；（7）对会议记录、往来函件、签字样本等予以妥善保管；（8）为一些重大事项的处理，诸如计划、授权、开拓新业务、购买或处理重要资产等制定出一套标准的操作程序。

（二）必要的监控环节

管理层制定一个合理的组织结构和一套完整的规章制度以后，并不意味着万事大吉。相反，管理层要对每天业务的发生情况、规章制度的执行情况、银行的经营情况等给予经常性的监督与控制，确信各项银行业务正在按照既定方针，有计划、有秩序地进行。管理层要经常查看下列报表和报告：（1）各类资金头寸报告，观察是否有超越额度的现象发生，如果有，需马上查明原因，并采取相应措施；（2）财务报表，如损益表、资产负债表等，注意各类计划的完成情况；（3）流动性报告，确保银行有充足的对外支付能力；（4）贷款作业程序报告，注意贷款的发放和管理是否是在遵循着既定的程序，严防反程序操作；（5）存款报告，注意观察存款余额、来源、期限结构、成本等是否有大的变化；（6）依法、合规经营报告，注意银行的各类业务、法定财务比率是否符合有关金融监管当局的规定，以及各项业务操作有无超权、越权的现象发生等。

（三）职责分离原则（“四只眼”原则）

在设计组织架构及明确工作权限时，银行要根据职责分离（segregation of duties）的原则来进行。根据此原则，在分配任务和明确职责时，要避免让某位工作人员承担一些不可兼容的职责。这样做的目的是通过相互牵制的方式，防止单个人办理业务（“一手清”）时出现差错或舞弊行为，万一有此类事件发生，也能够及时察觉。一个简单的例子是，任何一项业务（比如贷款）的审批（authorization）、具体执行（execution）和会计记录（accounting recording）三个环节应由不同的人员或部门来完成，这样会大大降低银行所承受的风险。

（四）授权有限原则

授权是指银行董事会向管理层及其下级机构和工作人员赋予的、一种能够代表银行从事一项业务或某些业务的权利。在银行内部，董事会是最高权力机构，它授权管理层主持银行的日常工作，管理层再依次向所属部门和分支机构授权。从理论上讲，一家银行的法人代表只有一个，那就是董事长（行长），其他部门、分支机构及工作人员只能在他的授权范围内从事经营活动。

从形式上来看，授权有两种：一般意义上的授权和特定的授权。一般意义上的授权是指任何业务只要满足特定的标准和条件，都在授权之列。比如说，总行规定分行有权审批2 000万元以下的信用贷款，那就意味着只要贷款金额在2 000万元以下，分行就可以独自决定向一个项目提供贷款，而不必再向总行请示。而如果一个借款人申请贷款金额在2 000万元以上，分行便无权批准，只能报总行审批。特定的授权往往是在特定情况下所给予的明确授权，这时，金额、交易对象、期限等交易事项往往会在授权书上给予明确的界定。

授权从本质上讲应该是有限度的，因为上级机构只会授予下级机构有关人员与其特定业务、特定经营环境、管理人员的能力等相关联、相匹配的权利，而不能允许他们想做什么便做什么。一家银行是一个整体，总行最终要为所有分支机构的经营活动承担责任，它自然会要求下属机构和人员在授权的范围内从事经营活动。

授权关系是商业银行内部管理机制中最重要的手段之一。所有商业银行都应科学、明确地把各种授权关系从上到下确定下来，并建立一套机制（如内部稽核），来保证所有经营活动都在有效授权的范围内进行。商业银行要采取有效措施，尽量避免越权、没经授权进行交易等行为的发生。鉴于授权在银行内部管理中所处的重要地位，授权关系应以书面形式确定下来。

（五）完整的银行档案

银行档案包括会计档案、业务档案等，是商业银行内部控制的基础工作之一。根据有关银行监管规定，商业银行应把经营活动过程中所有能够对资产、负债、收入、支出等科目产生影响的交易事项准确、及时地记录在案，并加以妥善保存。交易记录要力求完整，把一笔业务的全部过程（从批准、承诺到实施）所发生的实质性交易细节、账务处理、相关的文件凭证等都记录保存。会计人员应定期通过销账、试算、使用控制账户等手段，来检查会计报表的准确性。为保证银行档案的准确、完整，商业银行应制定适当的操作程序，把有关的规定和要求明确下来。

（六）有效安全保卫措施

商业银行应建立一套安全保卫措施和作业程序，对银行的资产、器具、重要空白凭证、业务秘密等给予充分的保护。例如，银行应明确规定，除少数经过授权的员工以外，其他人一律不准进入储存现金、不记名票据、尚未使用的存单、支票簿等物品的库房；在业务过程中，重要空白凭证的使用要建立领取及销号制度；尤其是电子计算机和网络，以及电讯设备的使用，更应制定严格的安全保密管理措施。

（七）严格的会计销账制度

商业银行要经常进行账户的核对、核销工作，保证所有账户都能与控制账户、联行、代理行寄发的对账单相符。如果发现问题，要及时查询。当需要调账时，经办人员要取得明确的授权。管理层要意识到，欺诈行为和未经授权的交易往往藏匿在联行账、过渡性账户或暂记账户里，所以这类账户的核销要特别注意。会计销账是特别重要的控制手段，管理层应让经办人员明白其工作的重要意义，并通过培训使其掌握必要的技能。管理人员要经常检查指导销账工作，并能够不定期地亲自参与此项工作。

二、商业银行内部控制制度失控的实例分析

商业银行内部控制体系的建立取决于银行的规模、经营特色、业务品种、外部环境等多种因素，彼此之间有很大的差异，侧重点也有所不同。比如说，一家大型跨国银行总行和一家规模较小的银行，或者一家银行分行和附属机构，双方内部控制体系的内容和侧重点将会大不一样，前者会

把政策的制定、业务协调、经济效益考核等作为重点，而后者将会把保证业务的正常发展作为重点。下面通过实例加以说明。

德意志银行是一家规模巨大的跨国银行，1995 年，它的分支机构多达 2 494个，遍及 50 个国家和地区，业务范围涉及商业银行、投资银行等各类金融业务，资产规模达 7 200 亿马克。对于这样一个巨型“金融百货公司”，其总行实施内部控制的核心手段有以下几个：（1）建立高度集中、资源共享的信息中心，为达到这一目的，在全集团范围内推行标准化的数据结构。（2）财务会计与管理会计并重，在全集团范围内推行单位经济效益考核（divisional profitability calculation），这实质上和我们经常提到的分部门核算是相似的。（3）在全集团内推行标准、统一的风险评估、衡量、控制手段和政策。从这几个手段来看，德意志银行总行把内部控制的重点放在了集中、协调、作业和行为规则标准化等方面。

德意志银行在伦敦有一个全资附属的商人银行机构——Deutsche Morgan Grenfell（DMG），主要负责全集团的投资银行业务，诸如债券、股票等金融产品的承销、投资基金管理、企业合并、兼并咨询等。DMG 作为德意志银行的附属机构，自然要贯彻、执行总行关于风险控制和内部管理的方针、政策，但是，它又必须考虑自己的业务特点，因为投资银行是高收益、高风险行业，其内部控制的重点之一是必须把市场风险控制在自己能够承受的范围之内，所采用的主要手段之一是使用复杂的数学模型来评估银行所承受的潜在风险，据此控制敞口头寸（既包括整个银行的全部头寸，也包括每个交易员的头寸）。

德意志银行是享有 AAA 信用等级的少数几家银行之一，由此可以推测出其内部控制应是相当严密的。但是在 1996 年，该行在伦敦的商人银行机构 DMG 却出了漏洞，造成了 7.1 亿美元的潜在亏损，使其信誉受到了极大损害。为什么这么一家信誉卓著的银行还会出现如此严重的问题？在此作简要介绍。该行在伦敦的附属机构（DMG）管理着许多投资基金，其中两只基金由彼得·杨负责。按照英国的有关规定，这两只基金投资于未上市公司股票的份额不得超过 10%，但他为了获得更大的利润，偷偷地购买了大量的北欧中、小企业的未上市股票，明显地超过了这个标准，彼得·杨为躲避检查，便在卢森堡建立了好几个子公司，然后通过子公司来购买那些未上市公司的股票。未上市公司股票的流动性差、风险高，当投资者发觉彼得·杨违反了规定时，纷纷向 DMG 提出赎回要求，导致两只投资基金的价格一时间急剧下降。德意志银行为了维护信誉，不得不注资营救，把那些未上市股票从基金手中买过来，造成潜在经济损失 7.1 亿美元。大量的分析表明，内部控制薄弱是导致上述巨额损失的主要原因之一，其薄弱环节表现在：（1）授权不当。作为基金管理人彼得·杨权力太大，而他的同事和上司对他的违规行为采取了姑息态度。（2）牵制不够。按照内部规定，基金经理在购买未上市公司股票时，应报上司批准，但上司却听信了他的一面之词签了字。（3）德意志银行整个集团的基金业务的管理方式没有理顺，总行对伦敦附属机构控制失当。（4）当事人有意钻法律的空子。

三、我国商业银行内部控制制度的目标和原则

为保证商业银行建立健全内部风险控制制度，实施稳健经营，积极有效地防范风险，中国人民银行于 1997 年 5 月 6 日发布了《加强金融机构内部控制的指导原则》，其中对内部控制制度的目标、原则、要素及内容、基本要求、管理与监督等都作出了详细全面的规定。上述措施对商业银行的内部控制制度建设起了很大的推动作用。为促进商业银行建立和健全内部控制，防范金融风险，保障银行体系安全稳健运行，依据《中华人民共和国银行业监督管理法》、《中华人民共和国商业银行法》等法律规定和银行审慎监管要求，2007 年中国银监会重新制定发布了《商业银行内部控制指引》。该指引明确，我国商业银行内部控制的目标是：确保国家法律规定和商业银行内部规章制度的贯彻执行；确保商业银行发展战略和经营目标的全面实施和充分实现；确保风险管理体系的有效性；确保业务记录、财务信息和其他管理信息的及时、真实和完整。

对于我国商业银行来说，商业银行内部控制必须贯彻全面、审慎、有效、独立的原则，包括：（1）内部控制必须渗透商业银行的各项业务过程和各个操作环节，覆盖所有的部门和岗位，并由全体人员参与，任何决策或操作均必须有案可查。（2）内部控制必须以防范风险、审慎经营为出发点，商业银行的经营管理，尤其是设立新的机构或开办新的业务，均必须体现“内控优先”的要求。（3）内部控制必须具有高度的权威性，任何人不得拥有不受内部控制约束的权力，内部控制存在的问题必须能够得到及时反馈和纠正。（4）内部控制的监督、审计、评价部门必须独立于内部控制的建设、执行部门，并有直接向董事会、监事会和高级管理层报告的渠道。

四、完善我国商业银行内部控制的要求与思考

（一）完善公司治理机制和激励约束机制

1. 商业银行必须建立良好的公司治理以及分工合理、职责明确、相互制衡、报告关系清晰的组织结构，为内部控制的有效性提供必要的前提条件。商业银行股东大会、董事会、监事会和高级管理层必须充分认识自身对内部控制所承担的责任。董事会负责保证商业银行建立并实施充分而有效的内部控制体系；负责审批整体经营战略和重大政策并定期检查、评价执行情况；负责确保商业银行在法律和政策的框架内审慎经营，明确设定可接受的风险程度，确保高级管理层采取必要措施识别、计量、监测并控制风险；负责审批组织机构；负责保证高级管理层对内部控制体系的充分性与有效性进行监测和评估。监事会负责监督董事会、高级管理层完善内部控制体系；负责监督董事会及董事、高级管理层及高级管理人员履行内部控制职责；负责要求董事、董事长及高级管理人员纠正其损害商业银行利益的行为并监督执行。高级管理层负责制定内部控制政策，对内部控制体系的充分性与有效性进行监测和评估；负责执行董事会决策；负责建立识别、计量、监测并控制风险的程序和措施；负责建立和完善内部组织机构，保证内部控制的各项职责得到有效履行。

当前，上市的国有大型银行、股份制商业银行和地方商业银行在完善公司治理结构上有很大的进步，但是如何更好地厘清和妥善处理好党委与董事会的关系，董事会与高管层的代理关系还存在不少问题和矛盾，这在一定程度上影响商业银行长远的经营与发展。

2. 商业银行必须建立科学、有效的激励约束机制，培育良好的企业精神和内部控制文化，从而创造全体员工均充分了解且能履行职责的环境。商业银行必须明确关键岗位及其控制要求，关键岗位必须实行定期或不定期的人员轮换、培训和强制休假制度。商业银行必须根据各分支机构和业务部门的经营管理水平、风险管理能力、地区经济和业务发展需要，建立相应的授权体系，实行统一法人管理和法人授权。授权应适当、明确，并采取书面形式。需要指出的是，当前在薪酬制度上如何体现合理的岗位激励和约束机制还存在许多不合理的问题，有待于进一步改进。

（二）完善全面风险管理体系

商业银行必须设立履行风险管理职能的专门部门，负责具体制定并实施识别、计量、监测和控制风险的制度、程序和方法，以确保风险管理和经营目标的实现。商业银行必须建立涵盖各项业务、全行范围的风险管理系统，开发和运用风险量化评估的方法和模型，对信用风险、市场风险、流动性风险、操作风险等各类风险进行持续的监控。商业银行必须对各项业务制定全面、系统、成文的政策、制度和程序，在全行范围内保持统一的业务标准和操作要求，并保证其连续性和稳定性。商业银行设立新的机构或开办新的业务，必须事先制定有关的政策、制度和程序，对潜在的风险进行计量和评估，并提出风险防范措施。

当前，必须清楚地认识到全面风险管理是全员参与的管理，不是一个独立的管理活动，它是对所有风险进行预防与控制的管理，是风险的组合管理，是追求风险与收益的均衡管理，商业银行管理层需要更加重视经济资本与经济资本管理，把它作为落实全面风险管理的重要依据，但是至今为止，许多商业银行在全面落实风险管理上参差不一进展缓慢，与西方先进的商业银行存在较大差距。

（三）完善会计管理体系和核算原则

商业银行必须建立有效的核对、监控制度，对各种账证、报表定期进行核对，对现金、有价证券等有形资产及时进行盘点，对柜台办理的业务实行复核或事后监督把关，对重要业务实行双签有效的制度，对授权、授信的执行情况进行监控。商业银行必须按照规定进行会计核算和业务记录，建立完整的会计、统计和业务档案，妥善保管，确保原始记录、合同契约和各种资料的真实、完整。

商业银行必须建立健全会计核算管理体系，必须遵守会计制度的六大原则，即真实性、一致性、权责发生制、审慎性、重要性、充分披露性原则。需要指出的是，至今仍有一些商业银行在执行审慎性和充分披露性原则方面存在较多问题。

（四）实施专业的内部审计和内部评价制度

1. 商业银行的内部审计部门必须有权获得商业银行的所有经营信息和管理信息，并对各个部门、岗位和各项业务实施全面的监督和评价。商业银行的内部审计必须具有充分的独立性，实行全行系统垂直管理。下级机构内部审计负责人的聘任和解聘必须由上一级内部审计部门负责，总行内部审计负责人的聘任和解聘必须由董事会负责。商业银行必须配备充足的、具备相应的专业从业资格的内部审计人员，并建立专业培训制度，每人每年确保一定的离岗或脱产培训时间。商业银行必须建立有效的内部控制报告和纠正机制，业务部门、内部审计部门和其他人员发现的内部控制的问题，均必须有畅通的报告渠道和有效的纠正措施。

2. 商业银行必须建立内部控制的评价制度，对内部控制的制度建设、执行情况定期进行回顾和检讨，并根据国家法律规定、银行组织结构、经营状况、市场环境的变化进行修订和完善。商业银行必须明确划分相关部门之间、岗位之间、上下级机构之间的职责，建立职责分离、横向与纵向相互监督制约的机制。涉及资产、负债、财务和人员等重要事项变动均不得由一个人独自决定。商业银行必须根据不同的工作岗位及其性质，赋予其相应的职责和权限，各个岗位必须有正式、成文的岗位职责说明和清晰的报告关系。

当前，仍有一些商业银行的内部审计和内部评价制度存在不规范和非常态的情况，特别是一些城市商业银行和村镇银行与规定要求有很大的差距。

（五）完善现代化的科技手段和及时的信息反馈机制

1. 商业银行必须利用计算机程序监控等现代化手段，锁定分支机构的业务权限，对分支机构实施有效的管理和监控。商业银行必须实现业务操作和管理的电子化，促进各项业务的电子数据处理系统的整合，做到业务数据的集中处理。商业银行必须实现经营管理的信息化，建立贯穿各级机构、覆盖各个业务领域的数据库和管理信息系统，做到及时、准确提供经营管理所需要的各种数据，并及时、真实、准确地向中国银监会及其派出机构报送监管报表资料和对外披露信息。

2. 商业银行必须建立有效的信息交流和反馈机制，确保董事会、监事会、高级管理层及时了解本行的经营和风险状况，确保每一项信息均能够传递给相关的员工，各个部门和员工的有关信息均能够顺畅反馈。商业银行的业务部门必须对各项业务经营状况进行经常性检查，及时发现内部控制存在的问题，并迅速予以纠正。

3. 商业银行必须建立有效的应急预案，并定期进行测试。在意外事件或紧急情况发生时，应按照应急预案及时作出应急处置，以预防或减少可能造成的损失，确保业务持续开展。

当前，现代化的信息科技手段已成为实现和提升商业银行核心竞争力的根本保障，但至今有的商业银行在信息管理上还有很多欠缺，尤其是风险控制和应急措施方面仍有很大差距。

此外，根据业务发展需要，商业银行也应设立独立的法律事务部门或岗位，统一管理各类授权、授信的法律事务，制定和审查法律文本，对新业务的推出进行法律论证，确保各项业务的合法和有效。当前，这一工作虽已得到各类商业银行的重视和认同，但至今建立法律事务部门的并不多，仍有不少商业银行未设立这一岗位。

总之，商业银行的内部控制是一个比较复杂的系统工程，其有效性依赖于每一项要素的完善。这些要素之间是紧密联系的，任何一项要素执行得不好，都可能危及整个系统的有效运作，使金融机构面临困境。因此，商业银行既要从总体上把握宏观经济运行与商业银行发展战略的协调，以及内部控制体系的有效性，又不能放松每一个具体环节；既要依靠发挥每位员工的积极性，又要依靠完善的制度约束，同时还要有坚强的信息科技手段支持，才能确保和发挥内控制度的有效作用。

中国银行业海外发展战略的思考*

当前，我国四大国有商业银行股份制改革正在进一步深化。除农业银行外，建设银行、中国银行、工商银行都成功地引进了境外战略投资者，深化完善法人治理结构，建设银行、中国银行成功地在香港上市，中国银行又成功地在上海上市，工商银行上市也指日可待。从我国国有商业银行的资本、资产、盈利规模来看，有的已跻身于国际大银行二十强之列，一些股份制商业银行国际业务也有长足的发展。但从国际化程度看，无论从业务品种、跨境服务，海外直接投资（海外设置分支机构、投资海外企业）以及集团的管理水平，都大大落后于世界级的跨国银行，有的还处在起步阶段。

在新形势下，如何审时度势，科学地、积极稳妥地制定自身的海外发展战略，是摆在我国有关当局特别是银行高管层面前十分紧迫、亟待解决的课题。笔者对此谈一些看法。

一、中国银行业海外发展的动因与概况分析

（一）基本动因

一般来讲，中国商业银行海外设立机构主要原因是：（1）海外华侨、华人的需要。（2）对外贸易和投资发展的需要。（3）全球资金头寸调拨的需要。（4）低成本设置支付处理中心的需要。（5）适应经济金融全球化发展的需要。

上述动因受不同时期的政治经济环境变化而变化，而且侧重点也有所不同。例如：新中国成立前期，商业银行海外设立机构主要是为当地华侨、华人服务，给他们办理存款、汇款以及小额贷款，如中国银行的伦敦分行。新中国成立后一直到 1978 年改革开放前，由于某些发展中国家国有化改革

* 本文原载《金融研究》2006 年第 10 期。

等原因，中国银行的海外机构处在收缩时期，中国银行、交通银行关闭、撤回了一些海外机构。然而，在这个时期随着我国对外贸易的不断发展，中国银行海外分行一定程度上促进了贸易的发展和对外经济的往来。1979年改革开放后，我国金融体制进行了改革，中国银行、建设银行、农业银行、工商银行先后分设和恢复，各自都能承办国际结算等业务。此间，中国银行开始加快了设立海外机构的步伐，如在卢森堡、纽约、东京、巴黎、法兰克福、悉尼等国际金融中心开设了分行。这一时期，中国银行不仅服务于华侨、华人，而且也推动了我国对外贸易的发展，同时也建立了全球资金的统一调拨体系和处置中心。1994 年人民币汇率并轨后，我国国际收支经常项目和资本项目持续呈现双顺差，对外开放的环境进一步改善。在此期间，建设银行、工商银行乃至农业银行加大了设立海外机构的步伐，一方面为拓展业务国际化、多元化的需要，另一方面可绕开国内分业监管的限制，开展保险、证券、投资等业务。2001 年 11 月，我国成功加入世界贸易组织，外资银行也大举在国内大城市设立机构。从此，我国商业银行在国际业务和跨境贸易服务方面，形成新的竞争格局。

（二）海外机构的界定

对海外机构的界定有不同的理解：一是仅指港澳地区机构，二是指国外或地区的机构，三是涵盖香港、澳门，以及国外或地区所有的分支机构。这需要有一个清楚的界定。笔者认为，从经营管理方式来看，海外机构是泛指在我国香港、澳门和国外或地区所有的分支机构的整体概念。只有界定清晰了，才能制定整体的海外发展战略。

20 世纪 90 年代特别是 90 年代中期，中国银行的海外机构被称为半壁江山。具体来讲，就是指中国银行在香港中银集团的 13 家机构，以及在亚洲、欧洲、北美、大洋洲等地的分行和子公司的资产、利润占整个中国银行的一半。必须指出的是，当时这个一半中，香港要占其中的 90% 以上，也就是说，除港澳以外地区的国外分支机构的资产规模和利润最多只占 6% ~7%。2001 年香港中银集团重组后，中银香港（控股）有限公司作为独立法人在香港上市。2004 年 8 月，中国银行成立股份有限公司后，其占比状况有所变化。2004 年中国银行的年报显示，中国银行的资产和利润的分布分别为，中国内地为 78.06%、74.62%，港澳地区为 24.47%、23.79%，其他境外地区为 5.5%、1.59%。上述数据表明，虽然中国银行在港澳以外的国家和地区已具有数十家海外机构，但是在整个中国银行的资产和利润的占比较小，总体业务量都比较小。这种状况如不及时改变，将不利于中国银行国际化、集团化的发展。

工商银行、建设银行在香港都有控股的金融机构，同时在其他国家和地区也开设了分行和子公司，但是与中国银行一样，其资产和利润规模都较小。

（三）对当前状况的分析

1. 从中银香港上市公司近几年的运营来看，取得了一定的成绩，股票价格从8港元上升到目前的15港元。但是其存款市场的占有率与税前利润均未达到上市前的最高占比。究其原因有诸多因素，但是从股价的走势，特别是今年5月中国银行股份有限公司在香港的成功上市，IPO市值高达2.95港元，以及近期股价保持在3港元以上的水平来看，表明广大股民认可中国银行这个百年老店的品牌，对我国经济发展前景以及中国银行整体发展前景抱有信心。交通银行、建设银行在香港上市，无论从IPO和股价的走势来看，也都反映了国际资本市场看好中国概念股。

工商银行、建设银行、交通银行、招商银行等中资银行在香港的机构都有长足的发展，业务的涉及面也比较广，充分发挥了海外机构资金全球调拨、扩大投融资以及信息收集与反馈的作用。

2. 近年来，中国银行国外各机构的发展情况，虽然在不同的政治经济环境下各有所异，但是仍然呈现出一些普遍的现象：（1）存款增长缓慢，个别行有下降的趋势。虽然中国银行在海外的机构多数有几十年的历史，但是存款来源主要是当地华侨、华人与中资机构。多年来华人的后代虽然对中国银行有认同感，但是他们有的已融入当地社会，逐步减少与中国银行的往来，而改为当地外资银行。虽然，近几年也有不少新移民成为新客户，但是他们的财富积累有限。目前，海外中资机构有分散化趋势，具有大业务量和大实力的机构不多。此外，上述客户还受到境外中资银行、外资银行之间竞争的影响。投资渠道的增多，也分流了一些存款。（2）融资贷款业务长期以来是中资银行业务发展的瓶颈，鉴于当地华人企业以及中资机构资金需求量小，加上客户资信与授信等因素的限制，业务量一直就很小，中国银行伦敦分行、纽约分行、东京分行对当地客户的贷款总额都未超出资产规模的10%。（3）本土化发展进度异常缓慢。所谓本土化主要表现在两个方面，一是员工结构的本土化，二是客户和业务的本土化。中国银行海外机构几十年来，高层管理、部门管理、会计、后勤等人员都由总行委派，一般职工多数为华裔。内部交流语言主要是汉语。虽然，近年来有所改善，巴黎分行、法兰克福等分行的总经理已由有当地国籍、资深的、拥有法学经济学博士的银行职业经理人担任，但是其他人员组成变化不大。员工结构和管理模式不能逐步实现本土化，必然制约客户的本土化。客户本土化一直是困扰中资银行发展的老问题。当然，中资银行将华侨、华人必须作为基本客户对待，必须为他们做好服务，同时做好对中资机构的服务。但是，如何打破这个界限，吸收当地居民、当地企业作为客户，如何对他们提供相关业务这是一个必须认真对待的问题。这就必须彻底改变银行的传统业务，增加业务品种，向当地银行靠拢和看齐。（4）近年来，中国银行境外各机构在银团贷款方面有长足的进展，参加西方大银行牵头的项目，特别是卢森堡分行参加了对西方跨公司的数笔金额上亿美元的融资，但是作为牵头银行的仍然不多。与西方大银行相比，在投资银行业务与消费信用、理财业务方面存在相当大的差距。（5）由于业务量小和品种少，IT 的基础建设随之进展缓慢，与港澳地区机构相比差距很大。直至 20 世纪 90 年代，仍停留在主要以会计统计处理的层面上，而后，才逐渐开发和完善了前台客户服务等层面。目前，网络银行等远程客户服务层面和管理信息层面都十分欠缺。其战略规划跟不上形势的发展，一定程度上随着人员的流动而变化，成为制约业务发展的因素之一。

二、海外发展战略的对策思考

（一）充分认清当前国内外经济金融形势

今年是我国加入世界贸易组织过渡期的最后一年，金融对外开放的各项承诺和措施将渐次落实，外资银行将享受同等国民待遇，我国金融市场将全方位地开放，中国金融业将面临更加复杂的外部挑战。

当前，中国银行业正处在一个新的历史转折期。随着股份制改革的深入，外资银行的参股，公开在海内外上市，建设银行、中国银行、工商银行基本实现了由国有商业银行向国有股份制商业银行的过渡。改革将向综合化方向发展，它们将逐步成为跻身于国际的金融控股集团。

国有商业银行应该认清自身金融控股集团的性质，认清自己是一个综合性的国际跨国公司，明确自己在我国改革开放中所处的地位和应发挥的作用，而上述地位和作用又与我国经济实力的增长及所处的国际地位密切相关，这是重新制定一个符合实际、积极进取的海外发展战略的出发点。

当然，其他股份制商业银行、城市商业银行应根据自身特点，参考国有商业银行的海外发展模式，制定自身的海外发展战略。

（二）海外机构和业务必须重新整合

1. 就当前跨国银行经营的一般准则而言，主要有地区导向型和产品导向型两种模式。第一种模式，即海外机构的设置侧重于按地理分布进行，每一个海外机构根据所在地的特点开展业务，并有自己的侧重点。第二种模式是把各类业务当做产品，把银行的全球网络和经营当做“生产流水线”来看待。在这种模式下，海外机构的设置和发展遵守产品导向原则，哪家机构适合开展哪些业务，总行就全力支持它办理哪些业务，其他海外机构也在这方面给予全力协作，从而保证它能充分发挥优势。比如，伦敦是从事商业银行、批发业务的中心，许多跨国银行在伦敦设机构都着眼于办理投资银行业务。像德意志银行集团都把投资银行业务全部集中在伦敦，而把大部分私人银行业务集中在卢森堡。

中国银行业海外机构设置基本上是按地区设置的。中国银行的海外机构设置在主要的国际金融中心。这样的设置有优点，各机构可根据自身的业务环境，发挥自身的积极性与主动性，但缺点是缺乏协作。从我国的情况来看，应该参照产品导向型海外发展模式的基本思路，在现有框架内重新整合，突出地区业务产品。当前可根据每一家机构所在金融中心的特点，在业务政策上给予适当倾斜，不仅要保证各机构能最大限度地发挥其潜能，同时通过协调机制，鼓励其他海外机构对某一个拥有特别优势的分行或子公司提供必要的支持。这可使两种模式有机地结合起来。

2. 关于设立分行和子公司的选择。多年以来，几家国有商业银行以及一些股份制商业银行在海外设置机构，把开设分行作为首选，因为这不需要总行提供资本金，只需提供营运资金，在资产规模上往往不受资本充足率的限制，在监管上主要以母国监管为主。中国银行伦敦、卢森堡、纽约等机构由于开设的时间较早，被当地的金融当局批准为分行。但是，近十多年来，主要发达国家金融当局都不批准中资银行开设分行，只同意开设子公司，理由是中国当前金融监管机构可信度不够，而子公司以东道国监管为主，同时可带来实实在在的资金。对此，有不少中资银行由于上述原因，没有在英、美等国设立子公司，而只设立了代表处。笔者认为：不应拘泥一种思路，认为只有设立分行才划算，设立子公司业务做不大，对资本是一种浪费，业务做大了又需要不断补充资本金的看法是很狭隘的。对此，只有从业务全球发展战略来看，才能突破选择思路的局限。

3. 以子公司作为海外机构发展的基础。从当今国际银行业监管的发展趋势来看，东道国对外资银行的监管逐步实行子公司化，也就是说无论是分行还是子公司，一律按子公司要求监管。因此，分行不受资本充足率限制的优势将不复存在。子公司正由于主要受东道国监管，因此在业务的发展上较分行具有更大的灵活性和本土化。尤其是欧盟当局规定，只要在欧盟某一国家设立了子公司，该子公司就可以到任何一个欧盟国家开设分行，手续简便易行。目前，西方跨国银行在海外设置机构，主要是开设子公司，而且加大子公司的资本金，并以子公司为母行再到别的国家开设分行。在其他国家分行的业务可能做得很大，但因为与子公司并表，因此不受当地资本充足率的限制。

笔者认为，中国银行在欧盟主要国际金融中心都设有隶属总行的分行，在卢森堡不仅设立了分行，还设立了欧洲唯一的子公司。是否可以把这些欧洲分行的营运资金都放入卢森堡子公司，并大大追加其资本金，使其成为总行的控股公司，同时把这些分行都改为隶属卢森堡子公司的分行。一旦条件成熟，中国银行卢森堡子公司甚至可以在海外单独上市。当然，实质性的管理机构究竟是设置在卢森堡、伦敦，或者其他欧洲城市可视业务发展等因素来作出抉择。这样做，无论在管理上，还是在发扬海外机构的整体优势、推动海外机构协同作战上，将是一个战略性的调整。这种方式和思路对中国银行、其他商业银行，乃至整体银行业海外机构的设置也具有重要参考意义。如中银香港可统筹亚洲、大洋洲的分行，改变上述分行的隶属关系。同样，欧洲、北美等地区也可成立类似香港当地注册的子公司，改该地区的分行为子公司的分行。中国银行总行可直接控股不同地区、不同业务类型的子公司，子公司下设分行。这样的架构体系，不但能发挥整体优势，而且能发挥区域性整体的积极性和主动性。

4. 明确科技信息化的战略发展目标，提高科技人员的地位和待遇，系统制定约束和激励机制。加强战略规划和研发机构、数据处理中心、数据备份中心等机构的基础建设，加强应用软件系统在业务处理、客户服务和信息管理等方面的基础建设，尤其要研发远程客户服务渠道和管理层信息统计、分析、预测等广泛的服务渠道，因为它直接影响商业银行的竞争力。

西方跨国银行非常重视信息技术的基础建设，它们集中人力、财力和物力，建设统一的研发中心和数据处理中心，在全球形成了强大的网络，为客户提供全面、畅通、快捷的服务。为此，我国商业银行在海外至少要做到信息技术区域化，然后逐步向全球中心过渡。

5. 可以制定未来一个时期海外机构、业务、人员的总体发展规划。如机构的分布与数量、资产、负债以及利润占整个集团的比例，港澳与其他境外机构分别占多少比例，以及业务年递增比例。

（三）逐步实现海外机构发展的本土化是海外发展战略的核心所在

目前中国银行、工商银行、建设银行以及其他中资银行，在其他境外机构的员工、业务、客户本土化程度仍然极低。在我国的外资银行已经逐步实现其海外机构本土化的战略，外国投资银行收购、参股我国企业的案例不胜枚举。如果中国银行业不能从根本改变上述情况，其业务的发展必然会受到制约。这涉及海外发展战略指导思想，必须有一个彻底的改变。

1. 当前在港澳的中资机构基本实现了本土化。由于内地和港澳处在同一文化背景之下，因此没有文化冲突的矛盾。但是在经营管理上、在一些外派干部中，计划经济的思维和工作作风还相当严重。在香港国际金融中心不断发展壮大中，如何加强和完善港澳机构的本土化，充分发挥其海外业务主力军的作用，制定一个既符合当地又与总行整体一致的战略规划，是港澳地区发展战略的重中之重。

2. 当前，特别是商业银行在香港上市后，在外汇资本加大的情况下，应该有目的、有计划伺机收购兼并、参股当地银行，这是实现本土化的最佳途径。这样不仅可解决机构网络、客户、业务、员工的本土化，而且可以借以扩大当地市场业务的占比，以及加强与其他海外机构、国内外系统的协作和联系。

3. 应有目的、有计划、有针对性地伺机对跨国公司以及当地有关企业进行投资参股，这也是从另一个层面实现本土化的策略。这样做，可以把这些企业纳入海外机构的稳定客户中，有利于业务的做大做强。

4. 有目的、有规划地与发达国家或发展中国家的大银行，以及具有专业性业务的银行相互参股，相互持股，形成“你中有我，我中有你”，这样做具有互补性，尤其是在非洲和拉丁美洲，应积极地有目的地选择这样的伙伴。这不仅对两行而且对两国经济、贸易、金融持续地发展具有积极深远的作用。

（四）高素质的人力资源是落实海外发展战略的根本保证

当今世界是以经济和科技为基础的综合国力的较量，说到底，是人才的竞争、人才机制的竞争。从我国商业银行海外机构发展状况来看，高素质人才，特别是具有高素质、国际化水平的经营管理人才严重不足，这是制约海外机构发展的重要环节。加快高素质、国际化人才的选拔和培养可选择的途径有：

1. 从国内银行的全行职工中，通过考试挑选高素质的人员，加以集中培训后，派往海外工作。在上述人员的基础上，逐步建立一支比较固定的具有国际化水平的海外机构高管队伍，可称为“海外兵团”，并可在海外机构之间，每隔 3～5 年进行一次轮换。这样做，使得这些干部能安心工作，更好地安排自身的发展和家庭事务。当然，也不排除与国内职工轮换，但应以海外机构之间轮换为主。鉴于今后国内高管人员的工资水平与海外人员的差距逐步缩小，因此，完全具备建立海外兵团的条件。

2. 可以从全球招聘海外机构高管人员，无论是海内外，只要是有高素质、国际化的银行专业人才都可以吸纳。逐步选择优秀突出的职业经理人作为海外分行高管人选的一个来源，尤其是要重点培养和招聘熟悉海外机构收购兼并业务的专门人才。

3. 充分利用我国商业银行的投资参股行和代理行的员工培训资源，定期派出员工到上述外国银行进行实习和培训。

4. 加强国内外培训中心的建设。在国内，有目的、有针对性地培养国际化的高素质的银行员工，与此同时，也可充分利用海外机构地处国际金融中心的优势，加强提高和完善其培训基地的建设，有重点地建立一两个与国际接轨的员工培训基地，为高素质的人才培养作出积极的贡献。

参考文献

[1] 中国银行 2004 年年报。

[2] 吴念鲁：《国际金融纵横谈——对策研究》，北京，中国金融出版社，1998。

[3] 吴念鲁：《中国银行业应逐步实现海外机构发展的本土化》，载《金融时报》，2006－07－10。

[4] 易华：《外资银行分行与子公司的监管》，载《金融时报》，2006－08－17。

经济全球化与中国银行业的品牌发展战略*

一、经济全球化的含义

经济全球化是当今世界经济发展的一个历史过程、一个不可逆转的发展趋势。其表现为：一方面，在世界范围内各国经济相互交织，相互影响，相互融合成统一整体，形成全球统一市场；另一方面，在世界范围内建立规范经济行为的全球规则，并以此为基础建立经济运行的全球机制。经济全球化的发展极大地改变了世界经济环境和经济的运行。

需要指出的是，经济全球化中所谓的统一市场、规范经济行为的全球规则，乃至由此建立的运行机制，都是为发达国家服务的，更多地体现了它们的利益。虽然这在一定程度上也促进了发展中国家的经济贸易和金融的发展，但是，却极大地伤害了它们的利益和权益。因此，它是一把“双刃剑”。发展中国家对它的态度应是重视它、适应它，而不应抗拒它、回避它，在构建全球统一市场和全球游戏规则中，应为公平、公正、公开、透明的经济新秩序建立作不懈的努力和斗争。

经济全球化涵盖了贸易自由化、生产国际化和金融全球化三方面的内容，三者相互依存，互为发展。贸易自由化和生产国际化是经济全球化的基础，金融全球化是经济全球化的核心。金融全球化推动了生产国际化和全球商品技术的交流，促进了科学技术的进步和发展，促使各种生产要素的流动和配置更趋合理。特别是国际资本在全球范围频繁大量自由地流动，促进了全球经济的发展，同时也加剧了金融风险。

金融全球化与金融自由化、金融国际化和金融一体化紧密相关。金融自由化主要指利率自由化、金融市场自由化、银行业务自由化；金融国际化主要指各国银行在海外设立分支机构，跨国银行加大扩张以及国际金融

---

* 本文原载《上海企业》2006 年第 10 期。

中心发展和壮大；金融一体化主要指国内金融市场与国际金融市场相互贯通，通过信息网络和金融网络形成全球统一、不受时间和地域限制的全球金融市场。

二、经济金融全球化与品牌

在金融全球化的浪潮下，国际银行业得到空前迅速的发展，尤其是跨国银行不断掀起全球性的并购整合浪潮，有的并购整合动辄涉及几千、上万亿美元，其金额相当于几个中等发展中国家的国内生产总值。从跨国银行的发展趋势来看，在它们并购整合的同时，也面临来自内部治理和管理机制改革与外部竞争压力的挑战。挑战的核心是，能否在未来竞争中获得优势，这关系到跨国银行未来的发展和兴衰存亡。

当前，中国银行业的改革正向纵深发展，它也面临来自内、外部的压力和挑战。股份制改革是改革的关键，各家银行通过建立和完善法人治理结构、激励和约束机制，引进国内外战略投资者，创造条件在国内外资本市场上市等一系列改革措施，从而达到充实资本金、提高竞争力、增强业务能力和盈利水平以及防范风险的目的。在中国银行业股份制改革的进程中，我们必须充分认识到，打造和培养品牌，提高品牌的知名度、竞争力是改革的重要一环，它关系到银行的信誉和长期持续发展。

在经济金融全球化的今天，市场经济在某种意义上讲也是“品牌经济”。消费者往往并不注意产品由哪个国家生产，而只在意它的品牌。一个国家拥有多少世界级的跨国公司、跨国银行和世界级的品牌已经在某种程度上成为经济强弱的重要标志。比如，目前，全球跨国公司控制了世界生产的40%，国际贸易的50%～60%，国际技术交易的60%～70%，国际投资的80%～90%。

金融业作为一种为社会提供金融产品的服务行业，品牌竞争优势也越来越受到业内人士的重视。因为好品牌的最终目的是向购买者（客户）表示它能保证提供一种长期特定属性的优质产品和服务，它的产品和服务必须是正面的，能激发购买者（客户）的欲望，并能保持对品牌的信任。

金融企业品牌是金融企业在长期的经营中，让消费者了解、熟悉企业的价值特征，注重价值的传播与沟通，强调产品和服务以外的感情和心理认同。在企业品牌的统御下，其推出的各色产品在标志上、内涵上有显著特色，逐渐被市场所熟悉、认同，随着产品的出台，能提供有特色的优质服务，使之成为名牌产品，为客户乐意接受。可见，金融企业的品牌就意味着信誉、质量、服务、安全、效率等。

总之，经济全球化越是深入发展，全球生产、消费、流通、分配的各个过程中，就会涌现出更多的品牌产品，一些老品牌由于其质量和服务不断提高，越来越深入人心；一些新品牌被消费者接受并认可而站住了脚，取得了一定的市场份额。当然，也有一些老品牌、新品牌以及它们名下的老产品、新产品，由于生产经营理念等等问题，不能与时俱进，最终被市场所淘汰。

三、中国银行业如何制定品牌发展战略

面对经济金融全球化深化发展，中国银行业将如何迎接挑战呢？只有加快中国银行业改革的步伐，也即通过深化股份制改革来提高整体的竞争力，而整体竞争力的提高是在每家银行竞争力提高的基础上实现的。中国银行业应充分认识到，构建科学的品牌战略是提高竞争力的必由之路。为此，应该从如下几方面加以考虑：

1. 充分认清品牌的价值。品牌是有价值的无形资产，它的价值是无穷的、无法比拟的。对这个无形资产必须精心打造和维护，这种打造和维护必须是银行全体员工齐心合力，上下一心。在业务发展中，在与客户的沟通中，在增大盈利的同时，也增大了品牌的价值和与客户的感情，从而实现多赢。

2. 努力树立品牌形象。各银行应构建各具特色的企业文化，充分发挥企业传统的文化底蕴，使员工对自己的品牌产生荣誉感、归属感，使员工实现自我价值与企业价值的取向相一致。

3. 充分运用品牌形象。金融产品没有专利，一般推出几个月，同行就可以模仿，但是，金融企业的形象和文化却不能简单复制。因此，金融企业只有在企业品牌的统御下，有计划地推出新产品，并不断地更新和完善，发挥自己的优势，确立品牌的定位，长期提供具有竞争力的特殊化服务，拉近与客户的距离，品牌效应才能持久。

4. 不断提高品牌质量。银行在加强经营管理、提高员工素质、苦练内功的同时，应加强科技信息化建设，扩大信息资源的采集，不断改进为客户提供服务的先进手段。这是品牌长盛不衰的根本所在。

5. 制定品牌发展战略。品牌发展战略必须与各银行自身的发展战略相一致，并成为其不可分割的一部分。在制定品牌发展战略时，有如下几种情况可供思考：

（1）通过对其他金融机构并购整合等方式来扩大资产规模，增加机构网点、业务品种、客户数量、市场份额，从而达到增强品牌形象和品牌价值的目的。

（2）与国内外其他金融机构或非银行金融机构进行业务合作，共同打造各自的品牌或联合打造品牌，有计划地精心设计并推出有特色的产品品牌。

（3）通过吸引国内外战略投资者，打造一种新的品牌，这种品牌既能表现原品牌的含义，也能表现投资者品牌的含义，使各种互补、互利因素通过新品牌表现出来。

（4）不应轻易修改品牌的称谓以及有关品牌的标识、形象、口号、传统产品等，需要改变时，必须对利弊进行充分论证，做到慎之又慎。

加入世贸组织三年外资银行运营的启示*

今年12月11日是我国加入世贸组织整三年。三年来，外资银行在我国有一个长足快速的发展。截至2004年10月底，外资银行在我国设立了204家营业性机构和223个代表处。我国向外资银行开放人民币的城市已达13个，被批准经营人民币业务的外资银行达105家，其中有61家已获准经营中资企业人民币业务，其经营品种已超过100个。外资银行资产总额已达668亿美元，其中人民币资产总额为911亿元。

随着我国加入世贸组织过渡期逐步结束，到2006年底，我国金融业将全方位开放，外资银行将享受同样的国民待遇。届时，外资银行在数量上、资产负债规模上、盈利水平上，特别是在经营管理上都会迈上新的台阶，对我国金融业形成新的竞争压力和挑战。

综观加入世贸组织三年，从在我国设立的外资银行的运营状况来看，大部分始终保持了稳健的发展态势和良好的业绩。对此，笔者归纳分析了如下一些因素，这些因素对我国金融业，特别是金融机构的管理层将有所启示。

一、牢固树立“依法合规”的经营理念

经营的合规性是外资银行在我国从事运营放置首位的理念。外资银行的管理层深知，只有依法合规才能建立良好的形象和社会声誉，才能确保稳健的发展。正是由于合规性经营，外资银行才得以健康发展，同时，也有利于监管部门对其进行合规性监管。依法合规主要遵循的原则是，严格按当地监管当局以及外资银行母国监管当局的规定运营。上述金融监管当局的管理规定大致有：

1. 市场准入管理：（1）遵守进入市场所需的资格条件，如最低资本金，

---

* 本文原载《银行家》2004年第12期。

管理人员应具备的条件等；(2) 进入市场的程度，即规定的业务范围。

2. 利率限制管理：利率限制是一种价格限制，主要指存款利率限制，特别是在我国还未完全实行利率市场化的今天，旨在防止银行同业过度竞争的风险。

3. 资产流动性管理：商业银行必须保证其流动性资产在总资产中占有相当比例，旨在防止因资金周转不灵而出现的风险。

4. 资本充足性管理：按《巴塞尔协议》的规定，商业银行资本与风险资产的比例不应低于 8%。

5. 贷款管理：(1) 集中贷款限制，我国《商业银行法》规定最大客户贷款余额不得超过资本金的 10%，最大 10 家客户余额不得超过资本金的 50%；(2) 贷存比例限制，贷款不得超过存款的 75%；(3) 内部贷款限制，旨在限制银行向关联企业、银行董事、经理、职员等各种"内部人士"的贷款；(4) 呆账准备金和一般准备金的提取，商业银行必须按规定及时提取。

6. 其他限制。由于我国实行的是分业管理，因此对证券、房地产、股权投资以及其他业务有所限制。

外资银行管理层牢牢树立依法合规的理念，掌握金融监管当局所规定的原则，这是外资银行三年来健康运营、取得良好绩效的根本所在。

我国商业银行还在进行深化改革，无论各家商业银行的综合改革进行到什么程度，管理层都必须把依法合规的经营理念放在首位。

二、摆布调整好资产负债结构

摆布调整好资产负债结构是商业银行运营的永恒主题。

1. 外资银行管理层深知，负债业务是商业银行筹措资金、形成资金来源的业务，要获取低成本的资金来源，必须重视摆布调整负债结构。他们主要关注的是：(1) 充足的资本金。充足的资本金既是商业银行维护业务运行、满足金融监管当局要求的资金基础，同时也是公众判断银行可信、可靠的依据，可以使债权人及社会公众加强对银行的信任感。在我国设立的外商独资、合资银行资本金不得少于 3 亿元人民币等值的外汇，对其设立的分行拨付的营运资金不得少于 1 亿元人民币的等值外汇。在我国设立的外资银行的分行，其总行绝大多数是世界 100 强的大银行，有雄厚的资本金实力。(2) 吸收各类存款，加强成本管理。外资银行加强了对本、外币的吸存工作，为加强成本管理，2004 年 4 月，花旗银行上海浦西支行宣布：由于提供个人理财服务，5 000 美元以下的活期存款每月须缴纳 6 美元或 50 元人民币的服务费，这一举措引起极大反响。（3）重视非存款业务的开展。同业拆借、回购协议、向中央银行或国际金融市场借款、发行金融债券等业务都属于非存款业务，外资银行利用自身在国际金融市场上的优势，能获取稳定的资金来源。

2. 资产结构的摆布和调整要比负债结构的调整更为重要，因为资产业务是商业银行的资金运用业务，它既是商业银行最主要、最基本的盈利来源，又是信誉高低的重要标志。（1）严格遵循贷款的规定程序办理贷款。（2）严格按贷款的质量（或风险程度）即五级分类法分类。（3）加强同业拆放业务。（4）证券投资业务既是银行获取利润的来源，也是银行保持流动性的重要手段。当今西方商业银行尤其重视资产结构的摆布与调整，它们根据国内外经济金融形势的变化，以及银行自身的状况，随时调整资金运用的投向。并把各种资金运用按不同比例进行整合，比如贷款、同业拆放、证券投资等占总资产的比例；在贷款之中，信用放款、抵押放款所占比例；债券投资中，国家债券、企业债券、固定利率债券、浮动利率债券所占比例等。这样调整结构就能做到资金来源与运用相匹配，降低和分散风险，保持资产的流动性，获取盈利的最优化。

我国商业银行的管理层应该学习外资银行从审视资产结构的角度分析判断运营中的风险大小和盈利水平。

三、把中间（表外）业务视为重点

根据国际商业银行通行惯例，商业银行表外业务是指不列入资产负债表、不影响资产负债总额，但能改变当期损益的业务。上述业务主要是服务性业务。

外资银行之所以重视此项业务，是因为该类业务风险小，而且有良好的服务手段，比如，国际结算业务。据有关统计，外资银行在上海、深圳、广州、青岛、大连、天津等口岸城市的国际结算业务在商业银行的占比中已占相当比重，有的已超过 10% 的份额。外资银行因其在海外分支机构多、熟悉国际大客户等优势，该项业务已成为其盈利的主要来源。

此外，银行卡业务、个人理财业务乃至衍生工具业务都将成为外资银行服务的重点。由于中间服务性业务风险性较小，收益却相对稳定，当前，西方大商业银行都把上述业务作为主要的盈利来源。从当今传统商业银行的盈利构成来看，70% 的盈利来自利差，30% 的盈利来自服务收益。但是我国商业银行来自服务收益的盈利只占10%，因此，我国商业银行应大大加强中间业务的力度，提高中间业务的盈利水平。

四、切实可行的战略规划

业务绩效走在前列的外资银行都有一个明确的战略规划，它们制定了2006年以后在我国的发展战略。因为规划是实现运营目标的保证。

（一）网点、业务、科技、人员的发展规划

外资银行，特别是进入全球百强的国际商业银行，都规划了在我国大城市的网点布局。在业务上，详细制定了各项人民币业务的发展规划，银行卡、消费信贷、个人理财等业务的短、中、长期规划，并根据混业经营的发展趋势，研究制定了有关货币市场、资本市场有关业务的发展规划，以及全面推进批发和零售各项业务的发展规则。它们把目标集中在本国外商投资企业和中资企业的人民币业务上。以优质的服务和新产品夯实基础客户，并扩大客户群，注重与客户建立长期稳定的关系。加大科技投入，加强信息网络建设。对在职员工加大培训的力度，从市场上吸收优秀人才，加快实行本土化，制定良好的人才激励和约束机制，以利竞争。

（二）开展与中资银行的合作与竞争

外资银行深知，中资银行整体的优势比它们大得多，因此，希望与中资银行合作，实现共同发展，并将此纳入它们的战略发展规划。（1）国际知名的大商业银行都在积极对我国股份制商业银行和国有股份制银行进行参股，比如，汇丰银行就参股交通银行19.9%的股份；香港恒生银行持有兴业银行15.98%的股份等，预计这样的参股活动还将持续。（2）外资银行与中资银行进行业务合作，比如，共同组建银团贷款、交流信息、咨询等。外资银行在中间业务、消费信贷、个人理财、产品创新等方面，将与中资银行开展激烈的竞争，但不等于说外资与中资在上述业务中没有合作的空间。

总之，外资银行依法合规的经营理念、稳健的运营原则以及切实可行的战略规划，体现了合规性、稳健性、合理性、科学性的管理方式，其结果必然能抵御风险并取得良好的业绩。这些都值得我国商业银行管理层学习和反思。

为中国企业“走出去”提供的各种金融服务*

很高兴参加这次会议。我在中国银行干了40年，其中30多年搞研究，5年多的实践经验，我还在卢森堡主持过一个分行的工作。80年代，我在德国的商业银行实习了半年。现在我离开了具体行政岗位，在几个院校当老师。

今天讲的题目是《为中国企业“走出去”提供的各种金融服务》。

第一，为什么要积极推进和努力实现中国企业“走出去”的战略。

1. 我国企业在海外投资与外商企业在我国的投资极不相配。我们可以拿今年1~7月份的数字来说，新增的外商投资企业有22 245家，比同期增长了19%。虽然有“非典”的影响，但是增加得还是很快。合同金额是591.71亿美元，比同期增长了33.96%。实际使用的外资金额是330.5亿美元，比同期增长了26.6%。截至今年7月，全国累计外商投资446 411家，合同金额8 872.35亿美元，实际使用金额是4 813.2亿美元。但是我国对海外投资只有200亿美元，与外商企业在我国投资的4 000多亿美元极不相配，按照我们国家的统计，我们在国外的外商企业只有6 900多家，而且多数是外贸延伸，就几个人，小打小闹。①

2. 我国跨国公司与西方跨国公司的实力无法相比。目前，跨国公司控制了世界生产的40%，国际贸易的50%~60%，国际技术的60%~70%，国际直接投资的80%~90%。而我国有实力的跨国公司寥寥无几。1999年

---

* 本文系作者参加2003年9月26~27日在北京召开的首届参考消息先驱论坛，中国企业“走出去”战略研讨会上的发言，该文由会议现场速记整理，收集在该论坛出版的专辑上，核心内容发表于2003年9月29日《参考消息》。

① 据商务部统计，2000年1月至12月，新批设立外商投资企业4 366家，合同金额1 534.79亿美元，实际利用外资603.3亿美元。截至2004年底，全国累计批准设立外商投资企业508 941家，合同外资金额10 966.08亿美元，实际使用外资金额5 621.01亿美元（资料来源：2005年1月15日《金融时报》）。

我去了深圳，当时深圳的一个副市长请我吃饭。在聊天时，我问深圳受亚洲金融危机影响怎么样？他说有影响。因为深圳出口约占我国整个出口的1/7，当时是200多亿美元。为什么呢？因为深圳主要是原料加工。所以当时500强的企业在深圳落户的不多，因此他深深感到，要加快引进500强。后来深圳就提出来把高新技术放在国民经济发展的一个主要方面，以后引进了大量的500强企业。

3. 世界著名品牌的畅销已经遍布全球。什么是经济全球化？就是这个牌子不是中国制造，而是耐克、西门子、大众，是作为品牌供给全球。实际上是生产的全球化，生产的国际化。近几年来，大连改善生态和环保意识，空气新鲜、城市美化，很多城市都在学习。但青岛除了学习环保以外，在品牌上下了工夫。青岛有海尔、青岛啤酒、澳柯玛等，培养品牌政府是要花大力气的。培养品牌有什么问题呢？如果这个品牌非常有名的话，它的财政收入就会快速增加，能够使整个国民经济有序发展，而且在结构上得到更好发展。

4. 2002年，我国全球外贸总值是6 207.9亿美元，出口3 255.57亿美元。需要指出的是，我们的外贸出口一半以上是外商投资企业实现的，关键的技术仍然掌握在国外企业的手里。因此，我们要大力推动和加大我国企业“走出去”的发展战略。逐步做到你中有我，我中有你，促进国际经济相互依存、相互合作、相互竞争、共同发展。因为当今世界发展的态势是一个相互依存的关系，发达国家之间、发展中国家之间、发达国家和发展中国家之间相互依存，所以“南南合作”、“南北对话”等，无疑是在依存当中进行合作。这种合作是各个方面的合作，包括贸易、经济、文化、技术等方面，而且这种合作是一种无歧视、公平的、建立国际经济新秩序的合作，但是一定要清醒地认识到依存、合作里面的竞争问题。竞争是商品经济发展的一个根本规律，从局部来看，竞争是你死我活；从全局来看，竞争是推动社会经济发展的。和平、发展是世界的主流，因此，我们一定要走出去，要使企业融入国际社会，使得企业你中有我，我中有你，才能保持世界持续、稳定、共同的发展。我们的外贸顺差这几年很大，我们的国外投资也很大，因此促使我们的外汇储备也迅速增加，现在外汇储备达到3 600多亿美元。在这种情况下，需要考虑对外汇储备如何更好地加强管理，更好地加以运用。我过去提出过，我们的外贸顺差所形成的外汇储备实际上是我们拿商品的出口、劳务的出口换来的，我们拿到手的不过是美国给我们的一张白纸。因此，应该充分利用我们的外汇储备。前一段时间，我们内需不足，能不能拿一些外汇通过进口拉动内需，进口一些高科技产品，使高科技上一个台阶，反过来促使我们的企业“走出去”，促使我们的外贸增长。因此，这里面有很多文章可以做。而且我们国家不仅仅限于买美国的国库券，我们应该深入到美国的跨国公司，这方面是非常重要的，这是一个长期的发展战略。

5. 我国告别了短缺经济，现在实现了供大于求。我们从计划经济到市场经济转轨，主要的一个“拦路虎”是什么？是价格。因为我们过去所有的生产是面对计划，而不是面对市场。像过去火柴涨到2毛钱一包，大家就排队。结果我们把物价真正放开了，先实行物价的双轨制，后彻底放开，结果东西不是少了，而是多了。实际上在90年代的上半期，我们已经实现了供大于求，当然结构不是很平衡。在这种情况下，从经济学发展的规律来看，就应该加快企业“走出去”的力度。为什么？因为国内市场已经不能够完全满足或者完全适应商品生产的发展。因此，应该以资本输出带动商品输出，进一步融入国际社会，进一步融入世界。

6. 经济全球化是一把“双刃剑”，是不可抗拒的历史潮流，只能适应它，不能抗拒它。经济全球化是一个历史的过程，一方面，从世界范围内，经济相互交织、相互影响、相互融合，成为一个整体，形成一个全球统一的市场。另一方面，要建立规范的经济运行全球规则。经济全球化涵盖贸易自由化、生产国际化、金融全球化，这三者是相互依存、互为发展的。生产的国际化与贸易的自由化是经济全球化的基础，也是世贸组织的要求，其发展的进程和跨国公司的发展密切相关。当今这个世界正是通过生产、贸易与资本的紧密结合，以经济全球化推动全球贸易、技术的发展，促进科学技术进一步发展，使各种生产要素的流动和配置更趋合理。为此，我国企业必须加快生产国际化的步伐，实施“走出去”的战略，使越来越多的企业走向国际，寻求发展，迎接挑战。

第二，我国金融业如何为企业“走出去”提供服务。

科技是经济发展的第一生产力，金融则是经济发展的第一推动力。邓小平同志所说的金融是现代经济的核心，其意义就在于此。企业要发展，要有资金，要有技术，要有人才，要有市场，四者缺一不可。我国企业“走出去”，金融服务大概有以下几方面：

1. 凡是要走出去的，当然是有比较优势的企业，首先要对国际金融形势有一个比较清醒的认识。第一，我们对货币汇率要有一个概念，要有一个认识。你要走出去，必然要接受国际结算，因此你要拿人民币换成其他货币或者把其他货币换成人民币，这里面就有汇率风险的问题。比如江西，有个企业借了外汇贷款，换成人民币用了，当时借外汇时，人民币和美元比是5块多钱，结果要还时，人民币一下子贬成8块多钱，这样该企业要还很多人民币，这样就受到很大的损失。再一个，利率问题。我们讲利率问题，如果时机选择不好，我们在高利率时借了一笔债，这样你的资金成本就很高，对你的业务经营都会有影响的。所以对汇率利率问题一定要清楚，要有充分的认识。对整个的游戏规则、规章制度，每个国家金融方面的制度，贸易方面的制度，甚至营销方面以及其他方面的制度要有一个比较清楚的认识，否则容易受骗上当。

2. 国际支付结算方面的问题。国际支付结算过去一般是现金买卖，后来出现了非现金支付，非现金支付出现有什么问题呢？就出现了汇票的问题。有了汇票问题，在支付方式方面就出现托收的方式。在出口问题上，都可以通过贸易融资。比如我要出口了，我就可以先向银行取得贷款，或者是取得流动资金的贷款，取得外贸方面的贷款。在进口方面，通过开证可以进行融资，承兑也可以进行融资，还可以通过其他方面的业务取得融资。在出口规模比较大、时间比较长、项目金额比较大的情况下，我们可以利用出口信贷保险的方法。出口信贷保险过去是通过进出口银行、中国人民保险公司办理，2001年专门成立了中国出口金融保险公司。像这样的情况都应该有所了解。取得金融保险公司的保险以后，在进口方面或者出口方面，可以申请卖方信贷或者买方信贷，这样对支付结算是很有利的。如果要进口，我们也可以取得对方国家的出口信用保险。再有就是中长期资金的需求，企业可以通过中长期贷款解决。

另外，还可以进行项目贷款。项目贷款是一种比较特殊的为经济体安排融资的一种方式。参与贷款人基本上是用该经济体生产销售所得逐步偿还。项目贷款要考虑什么问题呢？就是考虑这个项目是否能按期建成，像我们有些“走出去”的企业，在智利搞了一个矿藏，可以用项目贷款，可以把生产的产品运到国内来，然后逐步还贷款，所以首先要考虑是否按期建成的风险；第二要考虑产品储量本身有没有风险；第三要考虑经营方面有没有什么风险；第四要考虑市场方面有没有什么风险；第五要考虑政治上有没有什么风险；第六要考虑法律有没有风险，比如高速公路靠收费来偿还，但是现在海南已经不收费了，它打到油价里面，这就变成一种政策风险。在这种情况下，财政多收了，通过财政拿一部分钱进行偿还。银团贷款就是由一家银行牵头，有多家银行为这家企业贷款。这种时候就要考虑到借款人是什么情况，担保人是什么情况，金额有多大，使用哪种货币，使用期限是多少。我在卢森堡工作期间，我们银行参与了 40 多个银团贷款项目，这些贷款基本上都用于国内企业。另外还有承担费。就是在你该用的时候你没有用，你还要付给银行承担的费用。关于税务问题，关于法律依据问题，还有手续费用问题，管理费用问题等，就是你要找一家比较好的牵头行，牵头行找好以后，它就发出一个邀请书，谁家能参加，这样很快就可以把你需要的钱拿到手。

3. 可以发行公司债券。我们的股票市场是不完善的。在美国比较完善的证券市场，公司债占很大的比例。美国直接融资超过了间接融资，就是通过发行债券以及通过上市发行股票超过了向银行贷款。我觉得应该大大加快公司债的步伐。这里面有普通债券、可转换的债券、中期票据、垃圾债券等。债券到底怎么发行？在国内发行或者在国外发行？到国外发行有一个评级的问题。比如建设银行第一次发行欧洲债券，我给它出了一个点子，因为在欧洲发债，特别是在卢森堡发债，它就不用评级。因此，它在卢森堡注册，但上市是在伦敦和香港。

4. 企业上市问题。一个比较好的企业上市和不上市本身是要权衡的，在西方很多非常好的企业也不一定上市，上市不一定绝对就是好的。因为上市以后，你本身要控制这个企业就差一些，可能会被恶意收购。像美国一个很大的保险公司，它本身就不是一个上市公司。我们国内有 A 股、B 股、香港 H 股，还有 M 股或者是纳斯达克股。我们在纽约上市的也有不少了，中国移动、中国联通、中海油等。纳斯达克就 3 家：搜狐、网通、新浪。成熟的可以上市，一方面可以充实资本金，另一方面有一个公开的透明度。

5. 海外注册，企业收购、兼并重组。在海外注册一个企业很简单，在香港，万把港元就可以注册一个公司。在卢森堡，2 万美元可以注册一个公司。卢森堡有一个证券交易所，有上万只股票，所以国内企业到那儿发行股票很简单，找一个会计师，一个礼拜就可以发股票了，关键的问题是能不能卖出去。

6. 咨询顾问。在这种情况下，我们要找一个可靠的有实力的咨询公司，可以找银行或者是找一些咨询公司，对市场环境、投资环境、产供销渠道、融资方式、风险规避、资产证券化、资产置换重组等，我们都可以获取一些知识。在海外离不开会计师和律师。

第三，深化金融体制改革，为促进企业“走出去”服务。

1. 实现银行混业经营，为建立和完善我国的跨国银行和跨国企业创造条件。

2. 逐步有效地开放资本项目，促进资金的国内外流动，积极支持企业对外投资。

3. 进行人民币汇率机制改革，建立和完善社会主义市场经济，要有序实现人民币自由兑换。

企业在证券市场上的融资方式及其工具*

一、证券市场与企业融资的关系和方式

融资是企业管理的重要组成部分，是企业生存、发展、壮大的必要途径和手段。一个企业要不断地发展，必须有一个良好的融资关系、健康的资本结构。为此，企业必须要安排好短期、中长期资金需要，处理好筹措外部资金和增加自有资金的关系。一般来说，自有资金由企业的资本和准备金构成，它承担企业风险和一部分流动资金的需要；外部资金是指企业通过信贷和债券市场筹资的形式借入中长期和短期资金，满足其日常经营活动和扩大再生产的资金需要。因此，如何处理好内部资金与外部资金的关系，达到一个最佳的比例，这是企业经营管理的艺术。这需要充分考虑到成本、利润和风险，选择好筹资工具。本文拟通过对高度发达的瑞士资本市场筹资及其工具的介绍，简要阐明目前西方企业与资本市场之间的融资关系和适宜采取的方式，并扼要介绍各种新型的融资工具，以期启迪和拓展现代企业融资的思路。

一般来说，增加自有资金主要通过发行股票，增加外部资金主要通过发行债券，此外，把增加外部资金与自有资金相结合的筹资技术，则可采取发行可换股权或附有认股权等和股票相联系的债券的方法。

（一）增加自有资金与发行股票

企业创始时发行股票是为了筹集股本，以后发行新股票则是为了扩大资本额，增加自有资金，进一步拓展业务。

企业股票一般分为普通股和优先股，普通股的股息不是固定的，股息

---

* 本文与李瑞呈合写，原载《国际金融研究》1990 年第 12 期，标题为《企业在证券市场的融资关系及其工具》。

的多少根据企业盈利状况而定。优先股是相对普通股而言的，即在红利的分配和取得公司资产方面优先于普通股。优先股的股息是固定的，不管企业经营结果如何；但是优先股的股东无权过问公司事务。

瑞士企业发行的股票与其他西方国家有所不同，它有三种：

（1）记名股票。股东除拥有上述普通股权利外，在同等金额股票时，比普通股有更多的投票权。该股票不能自由买卖，经企业同意方可转让。瑞士法律规定，外国人无权购买记名股票。在瑞士，记名股票占股票总额的85%以上。

（2）普通股股票。和其他国家的企业普通股股票相同。

（3）无投票权的参股票。这种股票与普通股一样有获得红利、股息的权利，但没有投票权，可以自由买卖。

瑞士企业要增加自有资金发行新股时，必须召开股东大会作出决议，同时决定增资金额，发行哪种股票，票面价格、票面价格与投票权的比例，以及旧股票购买新股票的权利和比例，等等。

（二）增加外部资金与发行债券

企业为了拓展业务，但又不想影响其自有资金的结构和原股东的权益，一般可采取发行债券的方法来解决长期资金的需要。公司债券是股份公司对外举债筹资并承诺在一定期限还本付息的信用凭证。

债券形式的筹资对投资者来说按期可收回本金和获取利息，债券的收益率也随市场利率的变化而变化，并可随时出售或转让。此外，投资者、债券持有人与发债企业只存在债权债务关系，债权人不能介入和控制企业的经营活动；又因为发行债券可直接筹资，省去了中间环节，成本较低；再者股票股息由公司收益中支出，在分配前要上交所得税，而债券的利息支出可列入生产成本，不但免交所得税，还可以转嫁给消费者。

（三）增加外部资金和自有资金与发行和股票相联系债券

可换股权债券与普通债券的不同点在于，债券持有人有权在一定时期内，通常是在债券到期时，不收回本金，而按原规定的条件换取发行企业的股票。在债券期限内，企业有义务定期还本付息，但当持券人把债券换成股票时，债权债务关系结束，企业不再偿还本金，这部分资金转变为内部资金。

这种外部资金与内部资金相结合的筹资方式，近十年来发展很快，主要原因是：由于持有债券的人有获得购买企业股票的权利，这就有可能获得股票溢价的好处。因此一般来说这种债券的利率较低。例如，购买某企业500瑞士法郎5年期可换股权债券，年利率为5%，到期可换面值500瑞士法郎的该企业股票，但这时该企业股票市场价格可能已升至800瑞士法郎。采用这种方式增加资本，企业能较早地得到一笔低利长期资金，而且通过债权转换成股权而增加了自有资金，无须还本。

近年来，在瑞士资本市场上可换股权债券的发行者主要是一些日本的大企业，这和日元汇价升值、日本股票市场的开放发达是分不开的。

二、各种新型融资工具的特点、性质和运作计算

瑞士资本市场上的融资工具传统上主要有股票发行、债券（公募债券和私募债券）、银行贷款等三大类。传统的股票和债券或票据已经论述很多了，不再赘述，以下着重谈一谈创新手段。

（一）可换股债券和票据（convertible bonds/notes）

指债券或票据持有人有权（换股权）在一定的时间内（换股期），按一定的价格（换股价）用债券或票据换取一定数量的发行人的股票。换股权是与债券或票据结合在一起的，交易时不能分开进行。当债券持有人换得股票后，就由债权人变为股东，发行人筹集到的外部资金即转变为无须偿还本金的内部资金。没有转换股票的债券或票据将继续作为普通债券或票据存在，到期按票面上列明的条件偿还全部本息。

可换股债券的利息率和期限取决于市场接受情况、发行者的信誉及知名度、股票收益率、溢价和兑换比例等。

可换股债券的债息一般低于普通债券，因为发行者已经有股票在市场上流通。这个利息差在瑞士国内企业发行的债券上大约为2%，外国债券最高的（如日本的公司）债券可达4%，可见发行可换股债券比普通债券要便宜得多。

换股期一般与债券期限相同，换股期越长，对投资者的吸引力越大，选择换股的机会越多，持有人可以等待一个价格有利的时间转换股票。

换股价格是根据换股率而定的，换股债券转换股票的价格，计算公式为：

$$换股价格=\frac{可换股债券票面值+/-追加费用}{换股率（每一换股债券可换股票数）}$$

投资者决定是否将债券转换为股票，或什么时候转换，取决于他对换股平价和转换溢价率的计算结果。

所谓换股平价是指在债券市场价格情况下通过换股方式购入债券，然后转换成股票的价格，计算公式是：

$$换股平价=\frac{债券面值\times 债券价格+/-追加费用}{换股率}$$

通过比较换股平价和股票市场价格，就可以比较出债券转换成股票是否比从股票市场上直接购买更便宜，这个比较也可以用百分比来表示，计算公式为：

$$转换溢价率=\left(\frac{换股平价}{股票价格}-1\right)\times 100\%$$

例1，A公司发行年利率5%的8年期债券，每张1 300瑞士法郎的债券可换一股A公司股票，A公司债券市场价格为116%，股票价格为1 425瑞士法郎，那么计算下来，换股平价等于1 508瑞士法郎，转换溢价率为5.8%。因此，这时换股债券转换成股票比从市场上直接购入股票贵5.8%，结果债券将被投资者继续持有，直到股票或债券价格发生变化，或者一直保持到债券到期为止。

例2，B公司年利率3%、10年期债券，每张面值1 600瑞士法郎的债券追加97.20瑞士法郎可转换1.21份B公司股票，债券的市场价格为265%，B公司股票价格3 600瑞士法郎。这时，换股平价等于3 584瑞士法郎，转换溢价率为－0.4%，债券转换为股票比从市场上直接购入便宜0.4%。

涉及两种货币的债券转换股票的计算略为复杂一些。

例3，日本某公司年利率2%、8年期可换股瑞士法郎债券，换股价格为每股股票449日元，发行时汇率固定为103.44日元/瑞士法郎，债券的市场价格为104%，股票的市场价格为360日元，目前汇率为93.26日元/瑞士法郎。尽管没有换股率，但确定了换股价格就可以计算。

将

$$换股率=\frac{债券面值\times 固定汇率}{换股价格}$$

代入换股平价公式，得出：

$$换股平价 = \frac{换股价格 \times 债券价格}{固定汇率} \times 目前汇率$$

结果，换股平价等于421日元，转换溢价率16.9%。

（二）附有认股权债券或票据（bonds/notes with warrants）

投资者认购该种债券的同时得到购买发行者股票的权利证书，凭权利证书可在一定期限内（认股期），按一定的价格（认股价格）购买发行者的股票；这种债券附带的权利证书并不只局限于股票，有的债券和黄金、石油或其他债券等资产相联系。这个认股权证可以和债券相分离并在证券市场上单独进行交易；因此，证券市场对此类债券有三种行市：（1）债券和认股权证在一起的价格；（2）债券与认股权证分离以后的价格；（3）认股权证的价格。

认股权证的价格取决于股票价格和固定的认股价格之间的差异、认股率、认股期、股票市场行情和借款者股票的变化等因素。如果股票市场价格低于认股价格，认股权证本身没有价值，投资者可以直接从市场购入股票。

附有认股权债券的发行条件和普通债券类似，只是因为其附有购买股票的权证，因此利率一般低于普通债券。另外，与认股权分离后的债券交易价格和普通债券一样，而当其与认股权证在一起或认股权证单独交易时，价格主要取决于股票行市。在这里的计算中，认股溢价率是一个非常重要的参数，和可换股债券一样，这个参数显示着使用认股权证购买股票是否比从股票市场直接购买便宜。要计算认股溢价率首先要计算认股平价（使用认股权购买股票的成本），计算公式如下：

$$认股平价 = \frac{认股权证目前价格}{认股率} + 认购价格$$

$$认股溢价率 = \left(\frac{认股平价}{股票市场价格} - 1\right) \times 100\%$$

例如，瑞士银行发行的利率3.75%、8年期附有认股权证的债券，规定每认股权证可按425.0瑞士法郎的价格买进1股瑞士银行的股票，到某日，瑞士银行股票市场价格为510瑞士法郎，认股权证价格为137.50瑞士法郎，那么，认股平价等于562.50瑞士法郎，认股溢价率等于10.3%，表明用认股权证购买股票的成本为562.50瑞士法郎，比从股票市场直接购买贵 10.3%。

（三）双重货币债券或票据（dual currency bonds/notes）

双重货币债券是用一种货币发行付息，用另一种货币还本的债券。双重货币债券首次进入瑞士资本市场是 1981 年，目前，在瑞士大部分的双重货币债券发行者为北美的借款人，发行和支付利息用瑞士法郎，偿还用美元或加元。双重货币债券发行的目的是避免外汇风险。

双重货币债券利率，一般说来，高于本币债券，低于外国债券。对投资者而言，投资这种债券可获得高于本币债券的收益率，同时还可能获得汇率上的好处，并且利息收入没有汇率风险。对发行者来说，比发行外国债券便宜，而且偿还时没有汇率风险。

例如，A 公司发行了利率为 7.5%，1983—1993 年的双重货币债券，每份面值 5 000 瑞士法郎，利息支付用瑞士法郎，每年 375 瑞士法郎。如果投资者持有该债券直到 1993 年，每份债券可得3 250美元，1991 年提前偿还 2 975美元。1985 年 8 月 26 日，A 公司债券交易价格为 78%，那么在这一天，投资者对其债券需付出每份 2 535 美元，在汇率为 1 美元兑 2.26 瑞士法郎时，每份债券实际付出 5 729.10 瑞士法郎，期终收益率为 9.95%，1991 年偿还时的收益率为 10.19%。

双重货币债券的价格受收益率的影响，在上面的例子中取决于瑞士法郎的利息支付；另一方面，市场价格也受汇率变化的影响，但是只限于利息支付部分，在收益率不变的情况下，美元汇率上升，债券市场价格下跌。

从投资者的角度来评价双重货币债券，一个重要的标准是“美元平价”，这就是终期美元是否确切地等于购买时的汇率，如果相等，债券收益率等于利率。

仍用上例，发行时美元平价为 1.54 瑞士法郎/美元，如果 1993 年到期偿还时，美元汇率仍为 1.54 瑞士法郎，那么债券收益率等于 7.5%。但在 1983 年时，其他一般普通债券利率只有5.75%，因此认购这种债券多得收益 1.75%。如果债券到期时，美元汇率上升，高于这个平价，投资者将获得额外的好处，如果美元汇率趋于下跌，低于这个平价，投资者将在汇率上蒙受一些损失，损失的大小取决于盈亏平衡汇率。

因此，另一个评估汇率风险的标准是盈亏平衡汇率，即在债券期限内使投资者获取相同的收益率的汇率，例如上例的盈亏平衡汇率是 1.41 瑞士法郎/美元，意即如果债券到期时，达到这个汇率，那么投资者在双重货币债券和其他债券上将获得同样的收益。

（四）浮动利率债券或票据（floating rate bonds/notes）

浮动利率债券目前在西方债券市场上占有重要的地位，在瑞士资本市场也不例外。浮动利率债券是相对于固定利率债券而言的，一般来说，除第一次付息的利率是发行时确定的外，以后每次付息的利率是在息票到期前两天确定下一次付息时的利率。如果某种债券每半年付息一次，付息日为6月29日和12月30日，那么，除第一次付息时是根据发行时确定的利率外，以后每半年要根据国际金融市场利率情况重新确定，即6月29日前两天确定12月30日付息的利率。

这里，以什么利率为债券利率浮动的基础，即基础利率的确定是关键的因素。瑞士法郎浮动利率债券的基础利率一般为联邦债券利率或瑞士大商业银行一年期的定期存款利率，在此基础上，加上一定的加息确定为浮动利率债券的利率。外国筹资者在瑞士发行的浮动利率债券多数用伦敦银行间同业拆放利率（LIBOR）作为基础利率。加息的多少要根据市场情况、筹资者的资信等条件确定。

有些浮动利率债券还规定一些特殊的条款，如规定最低利率，这是为了照顾投资者的权益和有助于债券的销售，如果市场利率下降到最低利率以下，则按最低利率付息。有的债券还规定最高基础利率，这是为了适当照顾筹资者的利益，如果市场利率高于最高利率，则按最高基础利率付息。

（五）零息债券（zero coupon bonds）

零息债券是一种在发行期不支付利息，发行价格是票面金额的一定折扣，到期按票面金额一次偿还的债券，这种债券发行期限越长，市场利率水平越高，发行价格就越低。

例如，1986年3月欧洲某公司发行一笔15年的瑞士法郎债券，当时市场利率约在5.25%，发行价格为面值的46.50%，即5 000瑞士法郎一张的债券，投资者只需付出2 325瑞士法郎，但每年不付利息，15年后一次偿还5 000瑞士法郎。

第一笔零息债券的发行是1981年在美国资本市场上发行的为期8年、发行价格为33%的债券。

零息债券与其他形式债券的不同点在于：由于该债券不付利息，因此可以不付利息预扣税；对投资者来说，最初投资的金额较小，到期按票面额得到偿还，其间基本上是按复利计算利息。但是，发行者在发行零息债券时务必要考虑其在处理资金头寸上和发行其他形式的债券，特别是固定利率债券的不同。当发行零息债券时，筹集到的金额可能远低于票面价值，而到期偿还时，全部费用（本息）一次清偿，负担较重。

如何衡量一国的利率水平*

一、注重利率问题的研究

利率问题是当前金融体制改革中一个重要的、敏感的和普遍关心的问题。随着物价改革进一步深化，商品价格将进一步完全放开，物价总水平呈上涨趋势。人们不禁要问，作为衡量资金价格的利率究竟怎样改呢？

我认为，在进行利率改革前，首先应准确测定和衡量当前我国的利率总水平，按照各种资金构成的不同利率标准，测算出各种存放款平均利率总水平以及它们的差额，与消费物价上涨率相比较，做到心中有数。这样，在调整利率时，有一个准确的比较：是简单的调整存贷利率呢？还是根据不同性质的存贷款分别作不同的调整呢？还是考虑利率总水平的高低呢？利率调整以后对整个资金来源和运用将产生什么影响？是否有助于加强中央银行的宏观调控和管理？

一个国家的利率水平，主要是根据银行存贷款利率以及证券收益率的高低来确定的。单个利率的确定是受该国国内经济结构、经济政策、储蓄状况、资金需求以及国际金融市场上国外利率的变化的影响。当然，利率的变化还受国内经济增长情况，货币与物价增长状况以及国际收支状况，特别是国际资本移动，币值稳定状况的影响。

二、确定利率水平的两个例子

早在1970年，瑞士联合银行就世界主要工业国利率水平作了深入的分析研究和有益的尝试，他们的分析方法值得我们借鉴。本文仅简介他们分析瑞士（见表1、表2）和美国1969年利率总水平的状况，从而对如何测算我国利率总水平提供参考。

---

* 本文原载《中国金融》1988年第8期。

表 1

瑞士银行贷款利率水平表（1969 年 9 月底）				瑞士银行存款利率水平表（1969 年 9 月底）			
资　　产	所占加权比重（%）	利率与收益率（%）	所占利率值（%）	负　　债	所占加权比重（%）	利率与收益率（%）	所占利率值（%）
票　　据	8	4.75	0.3800	活期存款	22	1.00	0.2200
透　　支	30	6.50	1.9500	定期存款	20	5.00	1.0000
定期放款	13	6.00	0.7800	储蓄存款	26	3.71	0.9640
抵押放款	42	4.96	2.0832	存　　款	8	3.00	0.2400
证　　券	7	5.65	0.3955	银行证券	18	5.13	0.9234
				抵押证券	6	5.58	0.3348
银行贷款利率总水平			5.59	银行存款利率总水平			3.68

表 2

瑞士资产业务利率总水平				瑞士负债业务利率总水平			
资　　产	所占加权比重（%）	利率与收益率（%）	所占利率值（%）	负　　债	所占加权比重（%）	利率与收益率（%）	所占利率值（%）
银行资产	74	5.59	4.1366	银行负债	75	3.68	2.7600
私人证券公司与非银行金融机构	26	5.65	1.4690	私人证券公司与非银行金融机构	25	5.65	1.4125
资产利率总水平			5.61	负债利率总水平			4.17

以上两表是按不同的各种存贷款所占银行资产负债的加权比例乘以该项利率求出在整个业务中的利率值，然后将各项利率值相加，则得出平均利率总水平。1969 年 9 月底瑞士各银行的贷款利率总水平为 5.59%，存款为 3.68%，存贷差为 1.91%。值得指出的是，上述利率并不是整个瑞士金融市场的利率水平，因为未包括私人证券公司和非银行金融机构的资金来源和运用。利率水平，只是把这一块算进去，才能得出总体利率水平。

从以上两表求出，瑞士金融市场资产利率总水平为 5.61%，负债利率总水平为 4.17%，两者差为 1.44%。瑞士全国利率总水平为 4.89% 即（5.61% +4.17%） ÷2，高于同期 3.2% 的通货膨胀率。

表 3

美　国　利　率　总　水　平			
	所占加权比重（%）	利率与收益率（%）	利率值（%）
资产			
银行资产	50	7.66	3.8300
私人证券公司与非银行金融机构	50	6.64	3.3200
资产利率总水平			7.15
负债			
银行负债	45	3.60	1.6200
私人证券公司与非银行金融机构	55	6.64	3.6520
负债利率总水平			5.27
整个利率总水平			6.21

美国的利率状况（见表3）说明了以下几个特点：

1. 按不同加权比例所测算的美国银行贷款利率 1969 年为 7.66%，存款利率为 3.60%，利差高达 4.06%。这是由于当时美国活期存款不给利率和限制最高定期存款利率所致。进入 80 年代，美国取消了最高存款利率限制，加之新的金融工具的出现，活期存款的比例下降，定期存款比例有所上升。

2. 美国私人证券公司和非银行金融机构占整个资金来源与运用的比例一半以上，这表明美国金融市场证券交易比重很大。因此，这就大大影响了美国整体经济活动中的利率总水平，同时也使存贷利差相对缩小为 1.88%。

3. 美国（1969 年中）利率总水平为 6.21%，同期通货膨胀率为 5.4%。

三、对我国利率总水平的测算及意见

根据瑞士联合银行的测算方法，测算一下当前我国的利率水平为多少呢？首先我们应按加权比例计算出各专业银行的各项存贷利率的水平，然后再测算其他金融机构和非金融机构的利率，最后求得总的利率水平。由于手头资料有限，现把人民银行总行公布的 1987 年 12 月底国家信贷收支状况表作一粗略的估算（见表4）。

表 4

我国利率总水平（1987 年 12 月底）			
	所占加权比重（%）	利率（%）	利率值（%）
存款			
企业存款	47.56	2.0	0.951
财政存款	4.67	0	0.000
机关团体存款	6.84	1.8	0.1231
城镇储蓄存款	31.41	7.2	2.2615
农村存款	9.53	7.2	0.6892
			4.0218
贷款			
工业生产企业贷款	22.6	7.92	1.7899
工业供销企业及物资部门贷款	5.46	7.92	0.4324
商业贷款	38.80	7.92	3.0729
建筑企业贷款	5.16	7.92	0.4087
固定资产贷款	14.24	8.64	1.23033
城镇集体及个体工商贷款	6.08	7.92	0.4815
农业贷款	7.6	7.92	0.6019
			8.0167
利率总水平			6.019

以上数字和情况表明：

1. 我国利率总水平为6.019%，低于同期官方公布的7.3%的消费物价上涨率，出现负利率。

2. 我国存贷利率差，也略高于西方国家，当然，各专业银行的情况不一样，其他一些非银行金融机构有高来高去的情况，未予统计。

3. 在存款利率中，城镇储蓄约占存款总额的1/3，因此该利率的变化对整个存款利率的影响变动最大。

4. 在放款中，商业贷款和企业贷款超过整个放款的一半，高达60%以上，因此，这两项利率的变动对放款利率总水平影响最大。

为此，在物价上涨的状况下，作如下不成熟的建议：应调整利率总水平，要注意不能长期出现负利率，特别是负利率的值不能不断扩大。在存款中，首先应较大幅度提高城镇储蓄利率，适当提高企业、财政、机关团体的存款利率水平，今后对公、对私的利率水平应趋于一致。贷款利率也应提高，重点应较大幅度提高商业、工业企业贷款利率，应按其期限长短，分开档次进行调整，信用放款和抵押放款有所区别，使整个利率制度趋于合理。

第十篇

银行股改上市篇

积极推进国有独资商业银行股份制改造*

中共十六届三中全会通过了《中共中央关于完善社会主义市场经济体制若干问题的决定》，对深化金融改革提出了基本要求。决定明确指出，必须深化金融企业改革：要求各类金融企业建成现代金融企业，选择有条件的国有商业银行实行股份制改造，加快处置不良资产、充实资本金、创造上市条件。笔者就深入推进国有商业银行改革谈一些看法。

一、股份制改造是国有独资商业银行改革的核心

早在2001年3月，九届全国人大四次会议通过的“十五”计划纲要就指出，按照现代化银行制度对国有独资商业银行进行综合改革。2002年2月，全国金融工作会议明确提出，推进国有独资商业银行的综合改革是整个金融改革的重点，具备条件的国有独资银行可以改组为国家控股的股份制商业银行，条件成熟可以上市。十六届三中全会的决定再次强调推进国有商业银行股份制改造。上述精神充分表明，按照现代化银行制度对国有独资商业银行进行综合改革，实质是通过规范的公司化改造，建立有效的法人治理结构，明晰产权，健全机制，全面提升银行的竞争力。

我们清楚地知道，当前影响我国金融机构发展和提升竞争力的因素很多，但从理论上说，关键问题只有两个，而且是相辅相成的。一个是增加资本金，因为银行业务要扩大、要发展，资本金不增加，就达不到《巴塞尔协议》规定的资本充足率的标准，就没法拓展业务，产生的风险就无法承受；另一个是促进法人治理结构的建立，在产权明晰的基础上，建立和完善公开、公正、透明的激励和约束机制，才是增强竞争力的根本出路。因此，一个金融机构在发展进程中，如能不断保持资本充足率，同时又有良好的公司治理结构，它将在未来的竞争中立于不败之地。为此，国有独

---

* 本文原载2003年12月29日《金融时报》。

资商业银行只有实行了股份制改造，并公开在资本市场招股上市，才能较好地解决这两个关键问题。

我认为，国有独资商业银行股份制改造可以分四步走。第一步，改造的重点应放在机构设置、组织架构、内控体系的再造上，其目的是强化激励机制和约束机制的作用，这也是具体落实和完善公司治理结构。第二步，应实现股权主体多元化。股权多元化可以吸收一些大企业，包括国内外知名的大企业、民营企业和一些机构投资者参股（如国内外保险基金、养老基金、投资基金等），借以增加资本金。在此基础上，可用几年的时间，建成一个现代化、多元化的国有金融控股集团。这个集团可以一方面做投资银行业务，一方面做商业银行业务，同时兼做零售业务乃至保险业务，不同的业务可以由下面不同的子公司来进行。第三步，可以先发行银行金融债券，通过发行债券来筹集资本金。这种债券可以公开发行，并在二级市场流通。先在国内市场发行，而后也可到海外发行。第四步，是公开上市。这时需要两个条件，一个是商业银行自身已具备成熟的上市条件，另一个是外部条件，即我国资本市场已很发达和完善，整个金融业基本实现了混业经营，金融监管具备高水平，金融市场基本实行了全方位的对外开放。

二、国有独资商业银行如何建立金融控股集团

当前，我国金融业实行的是分业经营，商业银行不能从事投资与保险业务。因此，四大国有独资商业银行要建成金融控股集团，一定程度上与金融监管政策是相悖的。但中央的精神是，凡具备条件的国有商业银行即可以改组为控股集团公司。因此，近年来它们都采取了迂回的方式。比如，中国银行在海外建立了中行控股的中银国际（总部在香港），专门从事投行业务。该公司除在国外设分公司外，又在内地设立分公司，并参股内地证券公司。中国银行在国外的分行由于所在国家实行混业经营，因此这些机构既从事银行业务又从事证券投资、保险等多元化业务。2001 年中国银行重组香港中银集团，合并 10 家成员银行，成立了中国银行（香港）有限公司。该银行属于中国银行的控股公司，以独立法人身份于 2002 年在香港公开上市。工商银行也不断加大在海外开设分支机构的力度，在纽约、伦敦、法兰克福、卢森堡、新加坡等国际金融中心建立了代表处和分行。2001 年以来，工商银行在香港成功收购了友联银行，改组为中国工商银行（亚洲）；并与香港东亚银行合作，收购了香港西敏寺投资银行，成立了工商银行东亚金融控股公司。建设银行和农业银行在海外也有与中国银行和工商

银行同样的举措。但是，由于种种原因，这四家银行在国内的步子仍然迈不开。

与此同时，我们看到中国国际信托公司和光大投资有限公司加快了向多元化大型金融控股公司组建的步伐。2002 年底，中信正式成立了《中信金融控股公司》，该公司不仅包括中信实业银行，在香港上市的中信嘉华银行和今年 1 月刚刚在上海 A 股上市的中信证券公司，还包括中信信托投资公司和保险公司。这些公司过去作为中信集团的分公司独立经营，现在由金融集团公司控股，既保持了独立性，也实现了一体化。中国光大集团也将建立规范化的金融控股集团。该集团称，目前光大集团金融资产的比重已占到97%，该集团除实施主体业务的光大银行外，还包括申银万国证券公司和光大永明人寿保险公司等。

为什么中信和光大集团能如此快速地组建金融控股集团呢？主要是因为这两个集团是较早具有股份制性质的金融综合集团，其股份制的架构组建早，法人治理结构也有相当基础。特别需要指出的是，它们的不良资产比例较小。中信集团与光大集团的发展道路也是中国股份制商业银行和国有独资商业银行的发展道路。在我国加入世贸组织后，金融市场特别是资本市场，金融业务特别是人民币业务将在五年内全面放开，我们面临的是国际化的跨国银行的竞争，而这些银行绝大多数是股权主体多元化的金融控股集团。为此，我们也应组建大型的现代化的金融控股集团，充分发挥集团优势与之竞争。我认为，当前股份制商业银行具备了组建为金融控股集团的优势，它们应优先于国有独资商业银行成立股权主体多元化的金融控股集团。

可以说，我国商业银行在条件具备的情况下成立金融控股集团是发展方向。国有独资商业银行如何在国内迈开步伐，还需作进一步的探讨。

三、国有独资商业银行如何公开上市

国有独资商业银行条件成熟可以上市。然而条件成熟的具体标准是什么？在什么情况下、什么时间上市？关于如何具备上市的成熟条件，还需要进行认真深入的探讨。

四大国有商业银行中，有几家表示争取在 2005 年公开上市。当然它们没有透露上市有哪些步骤，有哪些措施，应该创造和具备哪些条件。如果按照当前上市的要求，这几家银行还有相当差距，特别是不良贷款率很高。根据中国人民银行的统计，2001 年底四家国有商业银行不良贷款率为

25.37%；2003 年 6 月以来为 22.19%，不良贷款余额为 2 万亿元。根据路透社今年 8 月 26 日的消息，中国建设银行目前不良贷款率已降至 12.3%，比年初下降 3.67%，力争年底不良率达到 12% 以下；该社报道，建设银行有意于明年中或第三季度在内地和香港上市，现在重组工作正在全速进行。其他三家国有商业银行不良贷款率也有大幅度下降，但与上市的要求仍有一定的距离。此外，国有独资商业银行股份制改造的透明度也不够。比如，如何使这几家银行实现产权主体多元化，如何使委托—代理关系明晰起来，如何完善法人治理结构，如何建立、健全激励机制和约束机制，是否组建金融控股集团等尚未明晰。

针对当前的现状，必须正视如下几个问题：（1）如何最终处置国有独资银行的不良资产。近年通过各家资产管理公司剥离的 1.4 万亿元人民币的不良资产已取得阶段性的成果，但最后究竟能收回多少、最后亏损财政统一负担多少等至今尚不明确。新增的不良资产又如何解决？这对国有商业银行股份制改造造成了很大难度和障碍。（2）对于今后三五年我国是否实行混业经营，并没有一个明确说法。如果四大国有商业银行纷纷成立金融控股集团，公司总部如何整体规划运营，监管部门如何监管都将面临新的问题，比如是对口监管，还是交叉监管？最终可能导致金融分业经营名存实亡。（3）国有独资商业银行是整体实现股份制改造，还是按照控股集团模式改造，整体上市还是分拆上市都不明确。整体改造是否意味着不走控股集团的道路？整体上市即不论采取哪种模式的改造都是母体整体上市，而不是单个分公司分别上市。整体上市的好处是，能形成整体优势，这有助于降低内部管理成本，提高收益水平，增强竞争力；由于整体的资本金和资产规模大，抵抗风险的能力也相对增强。整体上市是一个法人，在一般情况下，最好还是整体上市。如果国有独资商业银行已组建成了金融控股集团，那么当被控股的分公司上市条件相当成熟时，也不完全排除个别分公司单独上市。（4）最重要的一点是，笔者认为二三年后国有独资商业银行不可能具备成熟的上市条件，如果贸然公开上市，必然会引起一系列的负面影响。我们知道四大国有独资商业银行的资本金都在 1 000 亿 ~2 000 亿元人民币，资产总值每家都有几万亿元，四家的总值超过我国一年的国内生产总值。比如中国银行资本金就约达 1 500 亿元人民币，如果仅以 10% 的比例上市也有 150 亿元人民币；如果按 8 倍溢价计算，资金将达 1 200 亿元人民币，这样大的盘子，资本市场可能很难吸纳，但对中国银行而言，10% 流通股的比例远远不够。如果其他三家国有商业银行也上市，它们希望通过上市筹资7 000 亿～10 000 亿元，但国内资本市场最多只能吸收 5 000 亿～6 000 亿元人民币，这样大的股市航母，我国的资本市场根本容纳不了。还需指出的是，当前四大国有商业银行的业务大多数都雷同，尤其是一些基层网点，业务完全一样，这明显是一种资源浪费。因此，我国商业银行的体系还需进行适当的重组、并购、调整，以增强与国际大银行竞争的能力。另一方面还需进一步淡化四大国有独资商业银行垄断的地位，增加股份制商业银行（民营和地方银行）的设置，使金融业，特别是商业银行的竞争更充分、更彻底、更公平、更公正，从而进一步提高金融业的服务质量和经营水平。

最后笔者再次强调，只有当我国资本市场相当发达和完善时，国有独资商业银行才具备成熟的外部上市条件，绝不要为上市而上市。如果国有独资商业银行内部自身股份制改造进行顺利，二三年后陆续组建了大型金融控股集团，不排除个别条件成熟的分公司单独分拆上市。即使是这样的上市，也必须谨慎从事。

对我国国有商业银行股份制改造的探讨*

中共十六届三中全会对深化金融改革提出了基本要求，要求各类金融企业建成资本充足、内控严密、运营安全、服务和效益良好的现代化金融企业，选择有条件的国有商业银行实行股份制改造，加快处理不良资产、充实资本金、创造上市条件。笔者就我国国有商业银行如何实现股份制改造，谈一些个人看法。

一、股份制改造是国有商业银行改革的关键

当前，国有商业银行实行的是综合改革，这是整个金融改革的重点，而股份制改造又是综合改革的关键，也是国有商业银行改革的关键。我们可从以下几方面来分析。

（一）改变国有商业银行经营中的低效率

2003 年末，国有商业银行资产总额为 15.19 万亿元，约占全国 GDP 的 150%，占银行业总资产的 55%，占存贷款市场的份额分别为 60% 和 58%。这表明它在我国国民经济中占有重要地位，对国民经济的发展作出了重要贡献。但是多年来，国有商业银行经营效率低下、不良资产包袱沉重、抵御金融风险能力差以及银行业结构不完善等问题大大影响了金融业本身的发展和推动经济发展的能力。首先，四大国有商业银行的资本回报率、资产回报率与欧美大银行相比一般有数倍之差，人均利润指标差距更大，有十几倍甚至几十倍之差。其次，从不良资产包袱看，几年前，四大国有商业银行剥离了 1.4 万亿元，但到 2002 年底，四家国有商业银行不良贷款率仍达 26.21%，2003 年下降至 20.36%，大大高于国际上公认的 10% 左右的警戒线水平，余额在 2 万亿元以上。再次，从抵御金融风险的能力看，我国

---

* 本文原载《中国流通经济》2004 年第 8 期。

金融机构的资本充足率和资本实力明显不足。截至2000年，四大国有商业银行中除中国银行外，其余三家资本充足率均未达到《巴塞尔协议》规定的8%的要求。财政部于1998年8月发行2 700亿元特别国债用于改善四大国有商业银行资本金后，但很快又处于下降的趋势。最后，虽然四大国有商业银行在市场占有率上处于垄断地位，分支机构遍设，业务品种却基本雷同，人员冗繁，造成资源的极大浪费。四大国有商业银行各自没有明确的定位和特色金融服务，客户结构也高度重合，不正当价格行为和恶性竞争时有发生，这种过度竞争是银行经营业绩效率低下的主要原因，并威胁着我国银行业整体的稳健发展。因此，国有商业银行只有通过股份制改造来解决上述问题。

（二）提高国有商业银行竞争力的根本途径

我们清楚地知道，当前影响我国金融机构竞争力的因素很多。从理论上说，关键问题只有两个，而且是相辅相成的。一个是增加资本金，因为银行业务要扩大、要发展，资本金不增加，达不到《巴塞尔协议》规定的资本充足率标准，就没法拓展业务，产生的风险就无法承受；另一个是促进法人治理结构的建立，在产权明晰的基础上，建立和完善公开、公正、透明的激励和约束机制，才是增强竞争力的根本出路。因此，一个金融机构在发展进程中，如能不断保持资本充足率，同时又有良好的公司治理结构，将在未来的竞争中立于不败之地。为此，国有商业银行只有实行了股份制改造，条件成熟后公开在资本市场招股上市，才能较好地解决这两个关键问题。

我认为，国有商业银行股份制改造可以分四步走：第一步，改造重点应放在机构设置、组织架构、内控体系的再造上，其目的是强化激励机制和约束机制的作用，这也是具体落实和完善公司治理结构；第二步，应实现股权主体多元化。股权多元化可以吸收一些大企业，包括国内外知名的大企业、民营企业和一些机构投资者参股（如国内外保险基金、养老基金等），借以增加资本金。在此基础上，可用几年的时间，建成一个现代化、多元化的国有金融控股集团。这个集团可以一方面做投资银行业务，一方面做商业银行业务，同时兼做零售业务乃至保险业务，不同的业务可以由下面不同的子公司来进行。第三步，可以先发行银行金融债券，通过发行债券来充实资本金。这种债券可以公开发行，并在二级市场流通。先在国内市场发行，而后也可到海外发行。第四步，是公开上市。这需要以两个条件为基础，一个是商业银行自身已具备成熟的上市条件，另一个是外部条件，即我国资本市场已很发达和完善，整个金融业基本实现了混业，金融监管具备高水平，我国金融市场基本实行了全方位的对外开放。

二、国有商业银行如何吸引国内外战略投资者

准备上市或已上市的国有商业银行和股份制银行的法人投资者一般包括战略投资者和机构投资者两类。拟上市的国有商业银行更重视战略投资者，这是因为战略投资者是指那些与发行企业建立了紧密合作关系，或与其重要业务拓展有密切联系，社会形象好，规模较大，并愿意大比例、大额长期持有发行企业股票的企业法人①。而与发行企业无紧密联系的法人则称为机构投资者。

1. 国有商业银行引进境内外战略投资者，可以帮助改善股东结构，打破国有独资的局面，有助于法人治理结构的建立和完善，也可借助于战略投资者的管理经验和影响以及其拥有的战略资源，使现代企业更快地成长和成熟起来。因此，国有商业银行在选择战略投资者时，要审慎从事，要制定标准和条件。比如，其持有的股票自上市日起必须锁定 12 ~ 18 个月，最低申购量不得低于多少万股。同时，也应当清楚地认识到，战略投资者的目的在于增值和盈利，一旦上市后出现较大的盈利空间，其持有的股票的锁定日解冻便急于获利，这样的例子不胜枚举。因此，在选择战略投资者时还应结合自身的发展战略、市场定位等因素综合考虑。

在与战略投资者进行谈判时，双方都需进行深入了解，关键必将集中在投资的定价问题上，因为双方不搞清楚如何定价，就无法进行投资，而定价的标准，主要取决于净资产的大小。我认为，在双方明确定价原则的条件下，尽可能采取换股方式进行长期的战略合作。为此，对国有商业银行来说，要解决好两个问题，一是必须实行规范的股份制改造，二是要有透明度。

2. 如果不实行规范的股份制，就不能真正实现机制的转换，就不能建立起现代企业制度。一般来说，规范的法人治理结构要求充分发挥股东代表大会的作用，发挥董事会、监事会的作用，做好委托代理关系。过去国有商业银行脱胎于计划体制下政府主导型的银行体制，带有浓厚的行政色彩，虽然随着银行体制的改革，建立了一系列管理制度和办法，但缺少一

---

① 温彬：《大型国有企业重组上市的操作和经验》，载《中银调研》，2004（18）。

套现代化企业的管理体制，普遍缺乏完善的内控和风险防范体系，对银行经营管理中可能遭到的众多风险既缺乏预警，也缺少化解能力。此外，由于职工的竞争意识不强，商业银行没有真正建立和健全激励与约束机制。当今企业的竞争，说到底是人才的竞争、人才机制的竞争，只有造就、留住、培养大批优秀人才，商业银行在未来的竞争中才能立于不败之地。

3. 战略投资者和一般投资者最关心准备上市的国有商业银行的数据的透明度。人们关注的焦点是中国银行、建设银行上市前不良资产到底有多少，如何进行处置；资本金、净资产有多少；450 亿美元注资前有多少，注资后有多少。

中行和建行将在 6 月底前，分别向东方资产管理公司和信达资产管理公司转移价值人民币 1 400 亿元和 569 亿元的损失类贷款。央行还将发行票据，半价置换中、建两行的可疑类贷款。这两大举动被看做是继 450 亿美元注资后，政府向两家银行伸出的第二次援手。

目前，中国银行的不良贷款率已下降到 14.26%，建设银行为 8.77%，两家银行表示，经过上述方案的实施，两家银行的不良贷款率在年内将分别降至 6% 和 5%。

需要指出的是，人们关心的是不良贷款余额和不良贷款率的双下降，而且要明确在具体的时点上。此外，上市前与上市后，东方资产公司和信达资产管理公司与中国银行和建设银行之间的关系必须全面理顺。

2002 年的统计资料显示，工商银行、农业银行、中国银行、建设银行的资本金和净资产分别为 1 600 亿元、1 778 亿元；1 270 亿元、1 360 亿元；1 421 亿元、2 196 亿元和 850 亿元、1 072 亿元。这四家国有商业银行的实际情况是，如按规定冲销坏账后，中行、建行的净资产基本为零；工行和农行资本金已耗尽，净资产为负数。但是 2002 年，中行、建行公布的资本充足率分别为 8.15% 和 6.91%。又据新华社 2004 年 6 月 7 日报道，银监会负责人称，四大国有商业银行 2003 年底资本充足率平均为 4.61%；国家对中行和建行注资 450 亿美元后，该两行的资本充足率分别增加至 16.5% 和 14.14%。既然注资后，中行、建行的资本充足率达到如此高的标准，就无必要急忙准备公开上市以及用发行次级债的方式来充实附属资本。同样，这两家银行在注资前净资产几乎为零也不好解释。

对于上述问题和数据，究竟从何而来、是按什么标准和口径统计出来的，一定要有透明度，要有一个切实可信的说法。据了解，这两家银行都请了国际上知名的会计公司为其公开上市帮助清理查询有关账务，并对组织架构、业务流程等问题进行咨询。既然要上市，就要对公众、股民、投资者负责，一定要有清晰的透明度，把家底说清楚，不要留有尾巴，不要发生像中国人寿保险公司在美国上市因数据不清等原因引起麻烦和负面影响的事情。

三、国有商业银行如何走金融控股集团的道路

控股集团的道路是股权主体多元化的问题，现在中行和建行都基本上朝着控股集团的模式在进行。中国银行应该说已经是一个控股集团。现在中国银行在香港有中银国际，专门从事投资银行业务；还有中银保险，从事保险业务；中国银行（香港）有限公司原系香港中银集团，合并10家成员后，以独立法人身份在香港上市。中国银行在海外的分行或当地注册的子公司可从事与当地银行同样的业务。其他几家国有商业银行也在海外设有不同类型的相关机构。

金融控股集团经营是多元化的，可以从事金融、保险、证券以及与金融有关的业务。但是，我国目前金融业仍属分业经营，银行不得从事保险、证券业务。因此，几家国有商业银行都采取了迂回策略，通过其属下在香港或国外分行或子公司从事混业经营。这个问题必须引起监管当局的重视，因为我国加入世贸组织的宽限期马上要结束了，届时国内金融市场就要全方位开放，外资银行将享受同等的国民待遇，而外资银行本身是从事混业经营的，在这种形势下，我国商业银行的竞争力在某种程度上就会被削弱。国有商业银行建立金融控股集团必将出现种种问题，首先就存在监管不适应的问题，如果国有商业银行要走控股集团的道路，势必要和我国的监管体制发生冲突。比外，对准备上市的建行和中行来说，建立金融控股集团还有一个如何上市以及集团公司与子公司的关系问题。

1. 集团改制上市。我国大型国有企业股份制改造基本采取的是“先境外，后境内；先分拆，后整体”的上市路径。比如，中国石油化工集团公司通过“业务、资产、债权债务、机构人员”等方面的整体重组政制，以独家发起方式于2000年2月28日设立了股份制企业——中国石油化工股份有限公司，该公司于同年10月18日和19日分别在香港、纽约、伦敦三地交易所上市；2001年7月16日在上海证交所上市。目前，中石化总股本为867.02亿股，其中国有法人股为477.43亿股（占总股本的55.06%），流通股28亿股，上市首日市值为122.08亿元，2004年4月28日流通市值为

140.56 亿元[①]。该集团公司与上市公司人员机构分离，从事主营业务的人员进入上市公司，从事非主营业务的人员留在集团公司存续下属企业。从上市公司的董事和高级管理人员看，除董事长和一名副董事长分别担任中国石油化工集团公司总经理、副总经理外，不存在上市公司董事、监事及高管人员在控股的法人单位任职，也不存在上述人员除独立董事、独立监事外在同业其他法人单位任职的情况。

中国建设银行将以分立的形式设立中国建设银行股份有限公司和中国建设银行集团有限公司。建设银行分立重组后，中国建设银行股份公司将继续经营现建行的商业银行主营业务，属中国建设银行集团，有限公司将不对社会经办具体的商业银行业务。

中国建设银行集团有限公司将承继建行 2000 年 10 月 20 日之前形成的对公委托贷款业务（不包括住房金融委托贷款业务）及相应的权利义务，承继并继续处理政府部门委托的原中国农业发展信托投资公司等金融机构的有关事宜及相应的权利义务。对于有争议资产，此次分立时没有放入股份公司。经过这样的分立，一定程度上将提升建行的资产质量，有助于建行海外上市。这样的方案与中石化上市的方案有类同之处。

2. 整体改制上市。建设银行或中国银行也可能采取整体改制上市的方案。据报道，此方案不将两行分立成集团公司和准备上市的股份有限公司，不把一些后继问题和遗留业务放入集团公司，而是经过其他的方式，如把不良贷款剥离给信达和东方资产管理公司等。采取整体上市，就意味着中行的上市公司仍持有原中国银行在海外分行以及海外子公司的控股权。这样的方案增加了准备工作上的难度和复杂性，但是上市后，在经营管理与运作上将避免与集团公司可能产生的不便。从另一个角度来看，整体改制上市的股份公司本身就具备金融控股集团的性质。

3. 部分分行分拆上市。据报道，建行可能将优质的东南沿海五个省市——上海、浙江、宁波、江苏、苏州五家分行的资产和业务单独分拆上市，再将余下部分分块重组改制，逐步注入上市公司。这样的做法看似简单，操作起来难度很大。因为这五家分行的营运资金如何确定，净资产如何确定，上市后与建行是一种什么关系，如果建行控股又将是怎样的控股方式等都是需要解决的问题。当然，五家分行合在一起分拆上市，由于“盘子”相对较小，可以尽快在国内上市。

---

① 温彬：《大型国有企业重组上市的操作和经验》，载《中银调研》，2004（18）。

四、国有商业银行如何上市与存在的问题

1. 在国内资本市场上市需考虑的问题。我们知道，四大国有商业银行的资本金都在一两千亿元，资产总值都在几万亿元。拿中行与建行来说，国家对每家银行注资的225亿美元，如折合成人民币也接近1 800亿元。如果仅以10%的比例上市，也有180亿元，如按溢价5～8倍发行，那将从市场吸收900亿～1 440亿元。这样大的盘子入市，资本市场肯定要“崩盘”，但对中行和建行来说，10%的流通股比例远远不够。此外，有的观点认为，国有商业银行如果在国内上市，将不利于已上市的1 000多家公司全流通的改革。

2. 在海外资本市场上市需考虑的问题。由于海外资本市场发达，资金的容量大，因此不会出现“崩盘”的现象。有人主张，中行、建行可到纽约、欧洲或香港上市，甚至同时在几个国际金融中心上市，但这里同样有几个问题需要解决。第一，仍然是要确定上市的盘子有多大，也就是说占资本金的比例为多少。第二，是在一个地方上市还是在两个或两个以上地方上市。第三，用什么货币上市，这里也包含单位股票的面值，因为不同国家或地区货币之间有一个汇率折算问题。第四，也是问题的关键，即如何定价、如何发行。这不仅仅是个技术、地点、时机问题，还涉及许许多多错综复杂的经济关系和经济利益问题。第五，如何考虑国内投资者购买的问题等。

3. 总之，我国国有商业银行股份制改造是金融体制改革的关键，它是一场攻坚战，只能成功，不许失败。但是，我们一定要清醒地认识到，国有商业银行上市并不是股份制改造的最终目标和终结。党的十六届三中全会的决议和精神清楚表明，条件成熟了的国有商业银行可以在境内外上市，但绝不要为上市而上市。

笔者认为，当前国有商业银行股份制改造首先是改制，而不是上市。各家国有商业银行股份制改造必须按照国务院关于加快金融改革的总体部署来进行，即完善公司治理结构、引进境内外战略投资者、明确发展战略、制定总体规划、建立科学高效的管理和组织架构、深化劳动用工人事制度改革、建立有效的激励约束机制、逐步与国际会计准则接轨、加强信息科技建设、落实金融人才战略、建立规范的审计监管制度。

国有商业银行管理层如果认真贯彻和落实上述十条精神的话，我相信，国有商业银行的股份制改造必获成功，我国商业银行的竞争力必将空前提高，极大地推进我国经济持续、健康、稳定的发展。这才是国有商业银行股份制改造的本质所在。

国有独资商业银行上市策略之我见*

随着我国经济金融体制改革的深化和加入世贸组织后金融市场的进一步放开，我国金融机构面临的形势越来越严峻，特别是来自国内外同行的竞争压力。为了减缓压力和增强自身的竞争力，我国金融机构，特别是股份制商业银行正紧锣密鼓地制定上市策略。而几家国有独资商业银行也已组成班子，研究上市对策。

当前，影响我国金融机构发展的因素诸多，但是关键的问题只有两个，而且是相辅相成的。一个是增加资本金，银行业务要扩大，资本金不增加就达不到《巴塞尔协议》规定的资本充足率标准，就没法拓展业务，产生的风险就无法承受；另一个是促进法人治理结构的完善，在产权明晰的基础上，建立公开、公正、透明的激励和约束机制才是增强竞争力的根本出路。因此，一个金融机构在发展的进程中，如能保持资本充足率，同时又有良好的公司法人治理，它将在未来竞争中立于不败之地。

金融机构只有实现了股份制和上市，才能有助于或同时解决两个关键问题。现在的问题是，我国国有独资商业银行股份制如何改造？是否到境外分拆上市？实现了股份制后，是否立即上市？在什么条件下上市？如何上市？对此，笔者想谈一些个人看法。

一、境外分拆上市是否明智之举

当前是否把境外分拆上市作为国有独资商业银行政策目标，境外上市是否是明智之举都值得认真思考。（1）首先我们要问，境外投资者购买银行股票时，在不十分熟悉和了解的情况下，为什么要买中国的银行上市股票呢？比如说，香港居民虽然对中国银行有所了解，但他们购买银行类股票时，首先考虑的是汇丰银行、渣打银行，因为这两家银行的业绩、透明

---

* 本文原载2002年2月11日《金融时报》。

度都比中国银行好。(2) 国有独资商业银行在境外分拆上市，主要的想法是把海外分行改组为当地注册的子公司，这意味着这家银行在成立时就得从总行划出一块资金充做资本金，如果能顺利上市，总行是否能用得上上市的筹资都是个疑问，何况还不是总行上市的增资，其资金的性质也是不一样的。再者上市后，是否有人踊跃购买，很难预测。(3) 如果为了上市而上市，势必以低价发行，既得不到溢价发行的好处，还会导致国有资产流失。(4) 在海外注册上市，是以当地独立法人子公司的形式出现的。这就意味着原分行离开了母体，从法律角度来看，母体也就是总行对其上市的子公司不负全权责任，因此其可信度将受一定影响，这是分行与子公司性质不同的关键所在。(5) 国有独资商业银行在境外分拆上市，不可避免会对母体在国内上市产生冲击和带来负面影响，中石化在香港发行 H 股的影响就是一面镜子。

二、国内上市应具备的条件

我不赞成我国国有独资商业银行到海外分拆上市，我也不主张短期内在国内上市。由于几家国有独资商业银行的资本金都高达一两千亿元人民币，资产规模都在几万亿元，几家银行的资产总值之和几乎相当于我国一年的国内生产总值。可见，这几家银行上市对国民经济将产生多么重大的影响，如果每家银行仅以部分股本上市（5%），例如 100 亿元人民币，都会对当前的证券市场产生很大的影响。

我认为，解决银行资本金、实现企业化和完善法人治理结构的理想方案是，应该逐步实行股份制改造，可实现股权主体多元化，先吸收大企业集团的增资入股。与此同时，还可通过资本市场以不同形式的债券方式筹资，如滚动式债券，即到期后，再发行新债券偿还旧债券，把国有独资商业银行改组为国家控股的商业银行。这样做，不但可以增资，而且也可为完善公司法人治理结构打好基础。

在股份制改造后，国有独资商业银行的努力方向是，争取在五年或更长的时间内把国有独资商业银行办成在国际上具有一定竞争力的现代化大型商业银行——跨国银行。可以预料，在这一段时间里，我国经济金融体制改革将进一步深化，国企改革、经济结构调整、金融市场都将进一步发展，我国经济金融将与国际全面接轨，进一步融入国际社会。在我国国民经济综合实力大大增强，金融监管达到相当水平，逐步实现资本项目的开放，人民币实行可兑换后，国有独资商业银行才具备上市的外部条件。在今后五年或更长的时间内，国有独资商业银行在向国际大银行迈进时，也要为今后的上市创造良好的内部条件。

三、一个可供借鉴的银行股东结构模式

德国商业银行是一个有百年历史的银行，经过无数次的并购和重组，成为德国著名的三大商业银行之一，是一个实力雄厚的国际大银行。该行股东构成及投资参股的情况，对我们准备上市的银行有一定的参考价值。

1996 年底，该行股东共为 22.5 万个，如按股本所占比例划分，其中 51% 的股份为机构投资者持有；其余 49% 的股份为个人持有，其中 27% 为该行职工和退休职工持有；12% 为其他私人投资者持有；10% 为独立投资者持有。需要指出的是，在全部股份中，国外投资者持股占 40%。

上述情况表明，（1）该行股份的一半（51%）为企业投资者（含外国企业）持有，表明了德国金融与企业的密切关系；（2）股份中的另一半（49%）为私人持有，其中一半多（27%），为该行职工和退休职工持有，这表明该行业绩和股市行情与该行员工的利益休戚相关（当年全行职工人数为 29 334 人）；（3）股份的 40% 为外国人（企业和个人）持有，说明外国投资者看好该行股票，也充分表明该行业务的跨国性，是一家国际大银行；（4）独立投资者占 10%，表明了个人资产的垄断程度；（5）其他私人投资者虽然只占 12%，但并不反映股票交易的状况，因为其他私人和企业持股者随时都可以在股市出售和购入股票。当然在一般情况下，各方持股者对市场交易的影响有各自的特点。

投资参股该行的都是德国著名的上市大企业，比如卡尔斯塔特是德国著名的大百货公司，蒂森是国际知名的钢铁机械集团，这从另一个侧面反映了德国金融资本与大企业的融合关系；上述企业经营业绩和股市的变化都将直接影响该行的股市和收益；企业的资金，乃至经营方向都与该行关系密切。

德国商业银行的状况，大体反映了西方市场经济深入发展条件下德国上市商业银行的状况：（1）德国的商业银行是全能银行，可以经营一切业务，包含投资、证券、保险等多种综合型业务。（2）德国金融机购，特别是商业银行与企业相互参股、相互渗透、相互融合，反映了银企之间互利、互助、互补、共同发展的特殊关系。（3）随着经济全球化、金融自由化的发展，德国的大银行、大企业必然走向综合化、集团化、跨国化，特别体现在市场、资本、人才的全球化上。近几年德国境内大银行的并购不断发

生，前年德国最大的商业银行德意志银行并购美国信孚投资银行，成为引人瞩目的跨国性银行并购。（4）目前德国不少大银行员工持有的股份占全行资本的1/5～1/4，当然，这些银行都有几十年、上百年的历史，员工持股的比例也是逐步发展和变化的，有的银行规定对职工购买本行股票给予优惠等，无形中对员工形成较大的凝聚力。

四、上市前后应考虑的问题

德国商业银行股东构成和投资参股状况与模式，是在经济金融完全开放、银行实行混业经营情况下实现的。如果5～10年以后，我国国有独资商业银行完全具备了上市条件，应考虑的问题有：（1）如何体现国家控股？国有企业（含银行本身）持股是否是国家控股的一种表现形式？国家控股是否要超过股本的51%？（2）当我国资本市场完全放开，人民币实现自由兑换后，就不可避免地让外国投资者购买国内上市企业（包含银行）的股票，因此应考虑如何掌握外国机构投资者、个人投资者的持股比例。（3）国有独资商业银行在迈向国际化大银行和准备上市的进程中，为了避免资源的浪费，应作适当整合与并购（包括一般商业银行和国有独资商业银行的机构、人员、业务等方面）。（4）准备上市前，可发行可兑换债券，这样可提前获得稳定的资本金，也可保证上市的溢价好处。（5）上市前，特别要重视投资参股企业的选择，因为这些企业的状况和其股票行情都会直接影响银行的上市。（6）评估、审计、监管工作一定要紧紧跟上，要预计到如此巨大的企业——并购后的国有独资商业银行一旦上市，如同航母进入股市，客观上有可能造成不可避免的垄断。要切实防止垄断造成的危害，必须实行公平、公正、透明的竞争政策，减少上市后对国民经济、资本市场等方面带来的冲击和负面影响。

重新考量银行业改革*

随着中国银行、建设银行和工商银行“海选”海外金融机构（境外战略投资者）接近尾声，中国银行业也进入全新格局。然而，在国有商业银行改革进程中，如何实现国家利益和商业银行利益最大化，同时也要给境外战略投资者获取好处而实现双赢是件难事。

首先是双方如何定价。在去年交通银行获得 86% 的净资产溢价后，今年建设银行股权转让获得 17% 的净资产溢价，中国银行获得 10% 的溢价，工商银行的股权转让也可望获得 15% 的溢价。笔者认为，净资产可以作为双方定价的基础，但还应考虑品牌、机构、市场、产品、客户、职工，特别是国家支持等因素。在寻求战略投资者时，应联合起来共同商定一个不低于交通银行的底价。

其次是利益冲突如何衡量。从三家国有商业银行引进的境外战略投资者整体来看，基本上没有形成根本的利益冲突。但是汇丰入股交通银行，从整体看可能出现利益冲突。目前，汇丰在华业务居外资银行首位，它在我国有 12 家分支机构。汇丰已向交通银行派出几名高管协助管理，今后还可能派出一些技术人员，这对交通银行提高管理水平和产品技术更新定有帮助，但它们由此可能获取交通银行更多的信息。汇丰和交通银行在业务发展上存在着利益冲突。因为交通银行获利 1 元，汇丰只能得 0.2 元，而汇丰在华机构获利则百分之百属于汇丰。为此，要特别防止交通银行客户向汇丰转移。

再者是防止套利变现、恶意收购。战略投资者的一般标准是：业务上有共同的战略方向与合作目标；有足够的资金购买相当数量的股权；投资后，其股权冻结期在一年半以上。上述不成文的规定，并不等于说，战略投资者保证永远不出售或转让其持有的股权。因为任何战略投资者的目的都是为了盈利，当股票价格上涨、溢价达到相当高的水平时，出于其集团

* 本文原载 2005 年 10 月 3 日《经济观察报》。本文被当时西方媒体称为“贱卖论”的代表作。

利益的整体考虑，盈利变现的例子不胜枚举。

国有商业银行引进的战略投资者的合作期初步定为3年，因此，在思想上要做好对方撤资套现的准备。例如，今后交通银行的股价上涨到3.72元，汇丰只需把入股交通银行的19.9%的股权脱手9.9%，就可以拿回本金，从而不花分文持股交通银行10%的股份。除非交通银行与汇丰订有长期持股协议，汇丰才不会出售或转让。

还有就是鼓励相互持股、换股。相互持股、换股，这是近年来跨国银行进行整合的重要方式之一，在引进战略投资者时，也不失为一种好的办法。我们的目标不一定要紧盯世界50家大银行。其实具有专业特长、效益稳定发展的中等银行也可以考虑作为战略伙伴。双方可确定各自股份的价格，按市场价格相互换股。也即双方不花一分钱，各自得到良好的投资伙伴。这样做的好处是：你中有我，我中有你，互补性会更强。当前，西方不同国家的大银行，在业务上，特别在某些专门性的业务上联合经营，结成伙伴的例子也不少见。

最后是境内战略投资者的引进。从我国大企业的实力来看，完全具备投资条件，而且通过对银行持股，有利于其资金有效运用，也有助于国有商业银行壮大资本实力。如果可以相互持股，这就意味着银行可以投资参股，这要求加快实现混业经营的步伐。应鼓励商业银行并购整合，允许商业银行引进境内战略投资者。

接下来，中国银行、建设银行即将在海外资本市场上市。对于商业银行上市，笔者提出以下三点建议：

首先是关于境内上市的问题。以往的一般看法是，国有商业银行上市，由于盘子大，溢价倍数高，加之国内证券市场容量小，可能出现崩盘，于是基本否定了在境内上市，主张在中国香港、美国或欧洲上市。但从交通银行在香港上市看，其定价并不高，均价为2.5港元，共筹资146.5亿港元。2005年10月底，建设银行也准备在香港上市，按照IPO定价区间1.05~1.35倍计算，招股价下限为1.52港元，集资最多为80亿美元（约为624亿港元）。为此，国内证券市场如果筹资300亿~400亿元是毫无问题的。国有商业银行是蓝筹股，本应在国内上市。目前，西方国家证券市场上，金融股所占比重一般都在50%以上，因此行情比较稳定。而在我国市场上，金融股只占5%。为此，要大力增加金融股上市，使股市具有发展的稳定性。笔者紧急呼吁，作为蓝筹股的国有商业银行应在境内上市，特别是工商银行、中国银行可分批在境内上市，以改变国内上市公司的结构。

如果工商银行在境内上市，将如同在香港上市的汇丰银行的股票一样，作为龙头股，作为股市的“定海神针”将对市场产生稳定的作用。在境内上市，不仅能吸引国内机构投资者和广大股民购买，也能吸引外国投资者购买。

其次是关于中资投资银行做保荐人问题。据估计，建设银行、中国银行上市的费用一般为1.5亿~2亿美元，约十几亿元人民币。这是一笔可观的费用，而这些费用大都被外国投资银行赚去。我国可从事投资银行业务的证券公司，它们缺的不是人才，也不是业务，而是管理层的经营理念、风险意识。笔者企望我国有更具竞争力的投资银行出现。应放开手脚，让它们与国外投资银行进行竞争。而准备上市的企业也不必迷信外国公司，非把业务交给它们。最近世界知名的普华永道涉及做假账被我国财政部门处罚，德勤会计师事务所对科龙电器的审计报告也存在失职之嫌，均引起社会的普遍关注。

最后是评定商业银行上市成功与否的主要指标。上市成功与否，只能从其具体营运中考察。可以从以下四个方面来考察：看其在存款市场上的占有率是升高了还是降低了；税前利润是上升了还是下降了；不良贷款率是下降了还是上升了；职工的凝聚力是增强了还是减少了。

对商业银行引进境外战略投资者及上市的评析*

中共十六届三中全会对深化金融改革提出了基本要求："要求各类金融企业建成资本充足、内控严密、运营安全、服务和效益良好的现代金融企业，选择有条件的国有商业银行实行股份制改造，加快处理不良资产，充实资本金，创造条件上市。"

今年来，随着中国银行、建设银行和工商银行引进境外战略投资者工作接近尾声，中国银行业也进入全新格局。然而，在国有商业银行改革进程中，如何引进境外投资者，成功进行 IPO，实现国家利益和商业银行利益最大化，同时也要给境外战略投资者获取好处而实现双赢是件难事。笔者就商业银行引进战略投资者以及呼吁工商银行在境内上市等问题，谈一些个人的看法。

一、引进境外战略投资者的好处和问题

（一）引进境外战略投资者的好处

首先，引进真正的战略伙伴，除增加资本外，能带来一个很好的合作效益和合力效益，这个合力效益就是能够更好地推动中国银行业的改革，更好地提升中国银行业的国际竞争能力。其次，改善公司治理结构，特别是引进公司治理完善、管理经验丰富、经营业绩良好的国际一流金融集团，可以帮助加快完善治理结构，获取更大进步。再次，能提供产品和技术方面的有效帮助。最后，对 IPO（首次上市）的成功增加重要砝码，能提升国际资本市场对上市商业银行的信心。

---

* 本文原载《广东金融学院学报》2006 年第 2 期，标题为《重新考量国有商业银行改革——对引进境外战略投资者及上市的评析》。

（二）引进境外战略投资者的主要问题和值得探讨之处

首先是双方如何定价。在去年交通银行获得 86% 的净资产溢价后，今年建设银行股权转让获得 17% 的净资产溢价；中国银行获得 10% 的溢价；工商银行的股权转让也可望获得 15% 的溢价。也就是说，交通银行的股票每股值 1.86 元，中国银行的股票每股只值 1.10 元。笔者认为，净资产可以作为双方定价的基础，但还应考虑品牌、机构、市场、产品、客户、职工，特别是国家支持等因素。海尔的品牌价值为 550 亿元，而目前中国银行、建设银行、工商银行资产负债、利润等指标大大超过海尔，其品牌价值应远在海尔之上。同时这些国有商业银行拥有至少上千万个甚至上亿个的客户资源，而且在国家的支持下，不良资产大部分已剥离。综合考虑，在寻求战略投资者时，应联合起来共同商定一个不低于交通银行的底价。

其次是利益冲突如何衡量。在引进境外战略投资者时，不宜选择潜在的国际竞争对手。从 3 家国有商业银行引进的境外战略投资者整体来看，基本上没有形成根本的利益冲突。但是汇丰入股交通银行，从整体看可能出现利益冲突。目前，汇丰在华业务居外资银行首位，它在我国有 12 家分支机构。汇丰已向交通银行派出几名高管协助管理，今后还可能派出一些技术人员，这对交通银行提高管理水平和产品技术更新定有帮助，但它们由此可能获取交通银行更多的信息。汇丰和交通银行在业务发展上存在着利益冲突，因为交通银行获利 1 元，汇丰只能得 0.2 元，而汇丰在华机构获利则百分之百属于汇丰。为此，要特别防止交通银行的高端客户向汇丰转移。

再次是防止套利变现、恶意收购。战略投资者的一般标准是：业务上有共同的战略方向与合作目标；有足够的资金购买相当数量的股权；投资后，其股权冻结期在一年半以上。上述不成文的规定，并不等于说战略投资者保证永远不出售或转让其持有的股权。因为任何战略投资者的目的都是为了盈利，当股票价格上涨、溢价达到相当高的水平时，出于其集团利益的整体考虑，获利变现的例子不胜枚举。

国有商业银行引进的战略投资者的合作期初步定为 3 年，因此在思想上要做好对方撤资套现的准备。例如，假如今后交通银行的股价上涨到 3.72 元，汇丰只需把入股交通银行的 19.9% 的股权脱手 9.9%，就可以拿回本金，从而不花分文持股交通银行 10% 的股份。除非交通银行与汇丰订有长期持股协议，才不会出售或转让。

还有就是鼓励相互持股、换股。相互持股、换股，这是近年来跨国银行进行整合的重要方式之一，在引进战略投资者时，也不失为一种好的办法。我们的目标不一定要紧盯世界50家大银行，其实具有专业特长、效益稳定发展的中等银行也可以考虑作为战略伙伴。双方可确定各自股份的价格，按市场价格相互换股。也即双方不花一分钱，各自得到良好的投资伙伴。这样做的好处是：你中有我，我中有你，互补性会更强。当前，西方不同国家的大银行，在业务上，特别是在某些专门性的业务上联合经营，结成伙伴的例子也不少见。

最后是境内战略投资者的引进。从我国大企业的实力来看，完全具备投资条件，而且通过对银行持股，有利于资金的有效运用，也有助于国有商业银行壮大资本实力。如果可以相互持股，这就意味着银行可以投资参股，这要求加快实现混业经营的步伐。应鼓励商业银行并购整合，允许商业银行引进境内战略投资者。当然，这其中还有诸多问题，比如，如何防止关联交易，如何解决透明度以及如何加强监管等。

二、如何进行IPO，呼吁工商银行在境内上市

当前，等待国有商业银行的重头戏是如何进行IPO，首次公开上市成功与否将成为对国有商业银行的严峻考验。

近两个月来，建设银行在香港和全球的路演成功，大大提高了IPO的发行区间。今年6月交通银行在香港IPO的定价区间为1.05~1.36倍，每股均价为2.5港元；今年10月27日，建设银行则提高到1.66~2.00倍，每股价达2.35港元，这也意味着境外战略投资者以每股1.17元参股，现已获得1倍多的好处。这次IPO预计发行264.86亿股，占其扩大后股本的12%，IPO筹资额为636亿港元，包括超额配售，约达716亿港元，成为今年全球最大的IPO。据悉，中国银行也在紧锣密鼓加快上市的步伐。这些行动都有助于香港及海外国际金融中心的发展和壮大。

建设银行、中国银行、工商银行、农业银行是国有商业银行，它们的资本金为2 000亿~3 000亿元，利润近年为200亿~700多亿元，它们的资产规模是我国GDP总量的1.5倍。这样的大企业是名副其实的蓝筹股。我国的蓝筹股本应在国内上市，如今纷纷去境外上市，的确是一种悲哀和无奈。

关于国有商业银行境内上市的问题，以往的一般看法是，由于盘子大，溢价倍数高，而国内资本市场容量小，可能出现崩盘，加之目前正实行股权分置改革，市场低迷，国内上市发行可能招致失败，于是基本否定了在境内上市，主张在香港、美国或欧洲上市。但是，从交通银行和建设银行

在香港的IPO溢价来看只有1.36～2.00倍，溢价倍数并不高，国内市场低迷只是暂时现象。笔者紧急呼吁，工商银行应在境内上市。对工商银行来说，境内上市比之境外上市必将利大于弊。这是因为：

1. 如果工商银行明年六七月或晚些时候在境内上市，届时股权分置成果渐显，负面影响将会减少，建设银行、中国银行已经上市，对国内股价和资金的压力也将减缓。

2. 目前，西方国家证券市场上，金融股所占比重一般都在50%以上，因此行情比较稳定。而在我国市场上，金融股只占5%。为此，要大力增加金融股上市，使股市具有发展的稳定性。作为蓝筹股的国有商业银行在境内上市，特别是工商银行在境内上市，将改变国内上市公司的结构。如果工商银行在境内上市，将如同在香港上市的汇丰银行的股票一样，作为龙头股，作为股市的“定海神针”将对市场产生稳定的作用。在境内上市，不仅能吸引国内机构投资者和广大股民购买，也能吸引外国投资者购买。这一举措，有可能使低迷的股市呈现稳定趋好的转机。

3. 工商银行在国内是家喻户晓，国内投资者对工商银行有较高的认知度。工商银行的资本立足于国内，它的盈利与国内股民分享。在我国如此高的储蓄率的情况下，资金来源是不成问题的。这样做，不仅使我国庞大的储蓄资金有一个比较可靠的投资渠道，而且这些资金将发挥更大的作用和效益。随着资本账户的逐步开放，工商银行绩效的提升，人们在全球各大金融中心都能买卖工商银行的股票，工商银行股票将在全球流通。

4. 工商银行在上海上市，在政治上也将产生重大深远的影响。它向国际社会表明，我国最大国有商业银行立足国内，面向世界，它不仅为上海成为国际金融中心增添了筹码，而且对推进我国资本市场健康发展、国有金融企业股份制改造的深化也会起到重要作用。

5. 2005年6月底，香港股市市值为6.89万亿港元，汇丰银行市值为1.17万亿港元，占整个市值17%。汇丰银行是名副其实的龙头股，它对香港的股市起着举足轻重的作用和影响。美国花旗银行、美洲银行在纽约股票市场也占有突出的地位。反之，作为我国最大的商业银行若去香港或纽约上市与汇丰、花旗相比，将大为逊色。因为汇丰股票每股值100多港元，而工商银行去香港上市估计每股仅约2港元多。

6. 工商银行如果在境内的上市额为扩大股本后的10%（约300亿元）的话，在准备工作充分和时机抓得好的情况下，预计每股溢价可超过建设银行在香港IPO1.66～2.00倍，达到2～2.5倍，即可筹资700亿元以上，极有可能出现超配，将成为我国最大的上市公司。如果发行顺利，将成为明年全球最大的 IPO。

7. 工商银行在境内上市，其费用肯定比在境外上市要低，而且大大减少高管层海外上市准备工作和路演的精力，它们可以把更多的精力用于国内上市准备，使国内机构投资者和广大股民更知晓工商银行的发展战略和上市后的举措。这里并不排除去境外作招股宣传。

总之，决策层可换个视角思考，从国内经济和资本市场的长远发展以及从战略发展的眼光来看待 IPO 问题。工商银行如果确定在国内上市，应做好细致的准备工作，排除负面影响和各种干扰。笔者深信，中国股民欢迎工商银行在国内上市，广大投资者将把工商银行的股票作为一种长期投资，这对工商银行今后在资本市场陆续增股或发行可兑换债券都将打下良好基础。

如果工商银行在上海上市，可能违背境外战略投资者期望海外上市的愿望。因此，很可能在 IPO 时不再追购，也可能退股，这就将产生重新选择和吸引新的境外战略投资者的问题。对此，笔者认为，工商银行也可以考虑在境内和境外同时上市。特别需要指出的是，从西方大银行、大企业上市的情况来看，股票主要发行地都在其所在国。因此，工商银行的股票主要发行地应该在境内。即使工商银行考虑 IPO 在上海和香港采取 A + H 同时发行，或在上海和纽约同时发行，或在上海和欧洲同时发行，也一定要把大部分的份额放在境内，这样做也比较容易实现异地发行同股同价的问题。

三、关于中资投资银行做保荐人的问题

据有关报道，中国银行（香港）在港上市，花去十几亿港元费用。有人估计，建设银行、中国银行上市的费用一般为 1.5 亿 ~2 亿美元，约为十几亿元人民币。这是一笔可观的费用，而这些费用都被外国投资银行赚去。而在这些外国投资银行中，具体干事的人都是中国人。这说明，我国不是缺乏做投资银行业务的人才。

然而，看一看我国的国家证券公司的经营状况。从 114 家的统计数来看，截至 2004 年年底，总资产为 3 293.7 亿元，净资产 669.08 亿元，净资本为 453.41 亿元，营业收入 169.44 亿元，但利润为负 103.64 亿元，亏损 150 亿元。特别是几大证券公司由于经营不善，正面临国家拯救和重组的局面，这就是我国可以从事投资银行业务机构的现状。它们缺的不是人才，也不是业务，而是管理层的经营理念，风险意识。笔者盼望我国有真正的投资银行出现。同时，也应放开手脚，让它们与国外投资银行进行竞争。

而准备上市的企业也不必迷信外国公司，非把此业务交给它们。最近世界知名会计师事务所普华永道涉及做假账被我国财政部处罚，德勤会计师事务所对科龙电器的审计报告也存在失职之嫌，引发社会的普遍关注。

四、评定商业银行上市成功与否的主要指标

不能为上市而引进战略投资者，更不能为上市而上市，股改上市成功与否，只能从具体营运中考察。

1. 看其存款市场占有率是升高了还是降低了。存款占有率的高低，很大程度上反映了客户是扩大了，还是流失了。这是一个十分重要的指标。

2. 税前利润是上升了还是下降了。利润指标很大程度上反映了银行的业务的发展状况和业绩的好坏。这是考察的重要指标。

3. 不良贷款率是下降了还是上升了。如果不良贷款率继续上升，表明上市后的商业银行在经营管理、风险控制上存在较大的不足。同时也要注意如果该项指标的下降是因资产规模增大造成的，而不良贷款的余额仍在上升的话，这就表明此问题并未彻底解决。

4. 职工的凝聚力是增强了还是减弱了。商业银行经过股改，引进了境外战略投资者，进而公开上市，上市后，商业银行的业务经营和发展主要靠该行职工的努力才能实现。如果职工的凝聚力增强，企业文化进一步发扬，其业绩必然蒸蒸日上。这是商业银行成功的根本保证。反之，该行效益肯定低下。

5. 看其竞争力的排名是上升了还是下降了。近年来，国内有的研究机构（如《银行家》杂志等）每年对我国商业银行的综合实力通过各种数据进行定量、定性分析和考核，在此基础上，并根据其考评的各项综合指标进行排名。这也是考评上市成功指标之一。

参考文献

[1] 郦锡文：《五大看点解读四大商业银行年报》，载《金融时报》，2005－07－19。

[2] 中国银行2004年年报。

[3] 中国建设银行2004年年报。

[4] 李利明：《股东不满价格太低　民生银行缓发H股》，载《经济观察报》，2005－06－20。

[5] 吴念鲁：《金融热点探析——形势、汇率、调控、股改及其他》，北京，中国金融出版社，2005。

工商银行应考虑在境内上市*

2005 年是中国金融体制和金融环境发生重大转折的一年，从国有商业银行引进境外战略投资者、海外上市，到人民币汇率机制调整，再到资本市场解决股权分置改革的启动等，可以说每一项改革内容都蕴涵着“十年不遇”的变局，而这一切仅仅是个开始，在中国金融改革路径的具体选择上，似还有诸多可以反思和探讨之处。

在前述金融改革的几个领域，国有商业银行的改革启动最早，2003 年年底，对中国银行和中国建设银行的外汇储备的注资就掀起了轩然大波；以此为界，国有银行的再造路径也渐清晰，即剥离不良资产—以外汇储备或财政注资为主要特征的股份制改造—引进境外战略投资者—海外上市。按照这一“路线图”，中国建设银行 10 月在香港完成 IPO，中国银行、工商银行也在为明年海外上市进行准备。不过，随着建设银行 IPO 的完成，“海外上市”这个早已为国内外业界所熟知的国有银行改革路径也引起了新的争议。

11 月 8 日下午，中国人民银行研究生部博士生导师、中国国际金融学会副会长吴念鲁向《中国企业家》呼吁，“海外上市”不应成为国有银行改革的唯一路径。他建议，中国工商银行应选择于明年下半年在境内上市，这不仅对工商银行自身是利大于弊的选择，更可能成为国内资本市场发展的一个转机。

过于“倾向”境外投资者不可取

《中国企业家》：引进境外战略投资者已经成为国有商业银行改革的一个必要步骤。建设银行上市后，有关国有银行资产“贱卖”的说法也随之而来，您对此有何看法？

---

* 本文原载《中国企业家》2005 年第 23 期，记者胡海岩、杜亮。

吴念鲁： 前不久我写了一篇《重新考量银行业改革》的文章，有人已经把我当成“贱卖论”的代表了。“贱卖”这两个字我不敢说，但是我认为，当前国内银行上市前过于倾向引进境外投资者的思路不可取。由于把引进境外战略投资者作为上市的先决条件，在国有银行的改革上现在已经形成了一种倒逼机制。实际上国有商业银行在引进境外战略投资者时，如何充分发挥境外投资者的作用，实现国家利益和商业银行利益的最大化，同时又要让境外战略投资者获取好处，实现双赢的确是件难事，双方在定价、利益冲突等方面都存在矛盾。

去年，交通银行引进汇丰银行作为战略投资者时获得了86%的净资产溢价，而今年建设银行股权转让仅获得了17%的净资产溢价，中国银行获得的溢价更低，只有10%，工商银行的股权转让预期获得15%的溢价，都低于交通银行的价格。

在国有商业银行引进境外战略投资者时，净资产是双方定价的基础，但是还应考虑品牌、机构、市场、产品、客户、职工，特别是国家支持等因素。海尔的品牌值为550亿元，中国银行、工商银行的品牌价值显然应该超过海尔，同时这些国有银行拥有至少上千万个甚至上亿个的客户资源，而且在国家的支持下，不良资产大部分已经剥离。如果这样综合考虑的话，我认为交通银行引资的价格应该作为一个底线。国有商业银行在寻求战略投资者时，应联合起来共同商定一个不低于交通银行的底价。然而实际引资过程中，这些国有银行不但不能做到相互通气，甚至有些银行还要相互竞争，这就使得国有银行很难获得与外资谈判的筹码。

除价格外，国有银行在引进外资过程中如何衡量利益冲突，也有值得商榷的地方。目前尽管从已经引进外资的三家国有商业银行的整体情况来看，基本上没有形成根本的利益冲突。但是汇丰银行入股交通银行，整体看可能出现利益冲突。汇丰银行一直对发展在华业务有所图谋，目前其国内业务居外资银行首位，在国内设有12家分支机构，两家银行在未来业务发展上存在着利益冲突。从获利分配上看，交通银行盈利1元，拥有交通银行19.9%股份的汇丰银行只能获得0.2元，而其在华机构的盈利则能百分之百落入自己腰包。

汇丰银行的主席郑海泉曾经表示，在政策允许的情况下，汇丰将增持交通银行股份至40%。按照惯例，金融企业对外投资持有股份超过25%则并表处理。这就意味着，若汇丰增持交通银行股份超过25%，交通银行将成为汇丰的子公司。当然，如若交通银行成为汇丰子公司可以获得发展良机，也未尝不可。但眼前的威胁还有，目前汇丰银行已向交通银行派出几名高管协助管理，今后还会派出技术人员，这一方面能对交通银行提高管理水平和产品技术更新有一定帮助，但同时交通银行大量信息也被汇丰掌握，汇丰完全可能利用自己成熟的服务吸引交通银行高端客户转移。

《中国企业家》：那您认为国有银行应该怎样选择战略投资者呢?

吴念鲁：对于战略投资者，国际上的一般标准是要求业务上有共同的战略方向与合作目标，有足够的资金购买相当数量的股权，并在投资后股权冻结一年半以上（目前国内规定股权至少冻结 3 年)。

在战略投资者的选择上，其实不一定非要紧盯世界排名前 50 家的大银行不可，相反可以考虑发展那些具有专业特长、业绩稳定发展的中等银行作为战略伙伴。而且近年来相互持股、换股，已经成为跨国银行进行整合的重要方式之一，在引进战略投资者时，也不失为一种好的办法。管理层可以鼓励国内银行通过相互持股、换股引进国外投资者。双方可以按市场价格进行换股，不花一分钱，各自就能得到良好的投资伙伴，实现你中有我，我中有你，互补性更强。当前西方不同国家的银行，在业务上，特别是某些专门性业务联合经营，结成伙伴的例子并不少见。不过由于国内目前实行分业经营，相互持股、换股涉及监管、关联交易等法规的改进。

所有的战略投资者都不会保证永远不出售或转让其持有股权，因此国内银行引进战略投资者要防止其套利变现、恶意收购。战略投资者的目的都是为了盈利，当股票价格上涨、溢价达到相当高的水平时，出于集团利益的整体考虑，战略投资者将盈利变现的例子不胜枚举。目前国有商业银行引进的战略投资者的合作期初步定为 3 年，因此在思想上要做好对方撤资套现的准备。另外，管理层应鼓励商业银行并购整合，引进境内战略投资者。

《中国企业家》：境内的战略投资者好像给人以“不安全感”，特别是德隆出事之后。

吴念鲁：目前的情况是，宁可以较低价格引进国外的战略投资者，也不考虑引进境内的战略投资者。例如，今后交通银行股价如上涨到 3. 72 元，汇丰则只需把入股交通银行的 19. 9% 的股权脱手 9. 9% ，就可以拿回本金，到时不花分文便能持有交通银行 10% 的股份。无论国有银行还是地方银行，都试图找国外的战略投资者，而且引进的资金量并不大，只有几个亿。尽管境外资本可以带来经验和技术，而境内资本在历史上入股银行都曾经有“不良企图”，但不可忽视的是，境外投资者也完全可能成为战略投机者，因此国内银行上市前过于倾向引进境外投资者的思路并不可取。

实际上，国内有很多企业有意愿，而且也完全具备投资的实力和条件入股国内银行。通过对银行持股，有利于国内大企业资金的有效运用，也有助于国有商业银行壮大资本实力。如果更进一步可以相互持股，也就是银行可以投资参股企业，就能加快实现混业经营的步伐。

中国股市需要“定海神针”

《中国企业家》：国有银行引进境外投资者和海外上市是一条既定路线，您认为这条路线不应该继续走下去吗？

吴念鲁：中、农、工、建四大国有银行的资本金在2 000亿～3 000亿元，近年来各银行的利润在200亿～700亿元，四家银行的总资产规模相当于中国GDP总量的1.5倍，可以说是名副其实的蓝筹股。这些蓝筹股应该在国内上市，现在却纷纷到海外上市，的确是一种悲哀和无奈。这些蓝筹股的利润不能留在国内，而被海外投资者大量获得。中石油去年利润1 000多亿元，其中10%被国外投资者拿走。

过去都认为，国有商业银行在国内上市就像“航空母舰”，盘子大，溢价倍数高（通常要达到七八倍），加之国内证券市场容量小，可能引起崩盘。以工商银行为例，其总资产规模在2 800亿元左右，若公开发售10%的股份，溢价5倍就达到1 500亿元的规模，而国内整个证券市场只有四五千亿元规模。再加上国内市场正在进行股权分置改革，市场持续低迷，很多人认为国有银行在国内上市可能导致IPO失败，因此基本否定了在境内上市的计划，主张在中国香港、美国或欧洲市场发行股票。

不过从交通银行和建设银行在香港上市的情况看，未必如想象的那样可怕。交通银行在香港上市定价并不高，均价为2.5港元，共筹资146.5亿港元。建设银行10月底在香港上市，溢价也不高，仅为2倍，集资额600多亿港元。而且国内证券市场低迷只是暂时现象，随着股权分置改革的进行，股市重振在即。我还想强调的一点是，现在我们的证券市场缺的不是资金，而是好的上市公司。因此我呼吁工商银行应在上海A股市场上市，对工商银行来说，境内上市较境外上市必将利大于弊。

《中国企业家》：您的理由是什么？

吴念鲁：目前西方发达的证券市场，金融股所占比重一般都在50%以上，其市场价格和行情比较稳定，起到稳定市场的作用。而在中国的证券市场上金融股只占5%，因此在股权分置改革时，管理层应该考虑把金融股大量推上市场，以提高股市的稳定性。

在香港，整个股市的市值为7万亿港元左右，而汇丰银行的市值就高达1.9万亿港元，比重超过20%是市场的“定海神针”。美国花旗银行、美洲银行在纽约股票市场也有突出的地位。作为蓝筹股的国有商业银行，特别是工商银行，在境内上市，将改变国内上市公司的结构，工商银行将如同香港证券市场上的汇丰银行一样，成为整个市场的龙头股和“定海神针”。反之，工商银行作为中国最大的商业银行，若去香港或纽约上市，与汇丰和花旗银行相比，将大为逊色。汇丰银行股票每股100多港元，而工商银行在香港上市估计每股只值2港元多。

而且，工商银行在上海上市，在政治上也将产生重大深远的影响，不仅为促进上海成为国际金融中心增添了筹码，而且将对推进中国资本市场健康发展、国有金融企业股份制改造的深化起重要作用。同时，工商银行在境内上市的费用肯定比境外上市低，大大减少高管层海外上市准备工作和路演的精力，把更多的精力用于国内上市的准备上，可使国内机构投资者和广大股民更知晓工商银行的发展战略和上市后的举措。

此外，工商银行的资本来源立足国内，盈利可以与国内股民分享。在国内，工商银行家喻户晓，国内投资者对工商银行有较高的认知度。而在中国如此高的储蓄率的情况下，工商银行上市不仅能使庞大的储蓄资金有一个比较可靠的投资渠道，而且这些资金将发挥更大的作用和效益。随着资本账户的逐步开放，人民币自由兑换，工商银行绩效的提升，人们在全球各大金融中心都能买卖工商银行的股票，工商银行股票将在全球流通。因此，工商银行在境内上市，不仅会吸引国内机构投资者和广大股民购买，也能吸引国外投资者购买，有可能使低迷的股市呈现稳定趋好的转机。此外，工商银行在境内上市，由国内投资银行作保荐人和承销商，还能起到扶持本土券商的功效。

据测算，工商银行在境内上市额为扩大股本后的10%，约300亿元人民币，在准备工作充分和时机抓得好的情况下，预计每股溢价可超过建设银行在香港IPO溢价1.66～2倍的水平，达到2～2.5倍，即可筹资700亿元以上，并极可能出现超额配售，成为中国最大的上市公司，如发行顺利，也将成为明年全球最大的IPO。

总之，决策层应做换位思考，从战略发展的眼光，综合考虑国内经济和资本市场的发展，来看待工商银行的IPO。目前国内股市低迷，主要是投资者对上市公司没有信心。成思危曾经表示，市场上总共 1 200 家上市公司，真正赚钱的只是 10%。而工商银行每年利润达到 700 亿元，资本收益率约为 25%。工商银行若在国内上市，国内股民肯定欢迎，广大投资者会把工商银行的股票作为一种长期投资，这对其今后在资本市场陆续增股或发行可兑换债券都将打下良好基础。

目前国内股票市场正在进行股权分置改革，因此，工商银行国内上市要找好时机。如果工商银行明年六七月或再晚些时候在境内上市，届时股权分置改革的成果初步显现，负面影响将会减少；届时，建设银行、中国银行已经海外上市，对国内股价和资金压力也将减弱。证监会应改变观念，积极调整上市公司结构，对上市公司进行洗牌，鼓励筹划金融股上市。

不过工商银行如在境内上市，可能引发已经敲定的海外战略投资者的不满甚至退股。但这可以通过引进其他战略投资者或者二次赴海外 IPO 来解决。

国有大型银行改革仍任重道远*

——从建设银行回归A股说起

金融是现代经济的核心，大型银行是我国金融的主体。两年前，建设银行在香港成功上市，开国有商业银行在海外上市之先河。目前，工商银行、中国银行、交通银行都先后在境内外上市，农业银行股改也已启动。在全球上市银行市值前十大排名中，我国工商银行、中国银行、建设银行占据三席。应该说，经过三年改革的洗礼，我国大型银行体制已发生脱胎换骨的变化。

这些变化表现在国有大型银行拥有了清晰的市场目标约束，健全了公司治理要素，完善了风险控制，推进了业务结构调整等。以建设银行为例，其提出在2020年建成世界一流银行，率先在国内建立垂直管理体系，不断推进业务创新和结构调整，率先推行股权激励机制改革，积极贯彻客户服务至上理念和承担社会责任等，即是很好的证明。

此番建设银行回归，其A股最终定价为6.45元，较之中国银行A股的3.08元和工商银行A股的3.12元的发行价，已经翻了一倍有余，表明市场对国有大型银行价值已足够认可。

建设银行回归一方面可为其自身建立起境内外融资平台，开拓更多的发展空间，为内地居民提供优质蓝筹；另一方面，其在分散权重股成分，增加银行股份额的同时，为市场注入“有效价值”，将对市场起到稳定作用，有助于股市的长期健康发展。

从这个意义上讲，建设银行回归正当其时。建设银行的回归也标志着我国的国有大型银行改革进入到一个新阶段。放眼未来，我国大型银行改革仍任重道远，改革面临着一些不容回避的机制性和进一步发展的问题。这主要表现在以下几个方面：

一是公司治理制衡机制有待加强。近年来，大型银行通过股改上市，

* 本文原载2007年9月21日《上海证券报》。

建立了“三会一层”（即董事会、监事会、股东大会和高管层）的现代公司治理形式结构。但总体讲仍处在形似，而没有进入到神似的阶段。“三会一层”的制衡机制没有真正建立起来，相互协调和制衡等作用没有真正发挥。

二是内控机制有待完善。由于信息系统建设与国际一流大银行存在相当大的差距，业务流程和层级组织的改造没有完成，各部门之间的管理错位，都极大地限制了内控机制有效发挥作用。最近大型银行投资美国次级债所出现的问题值得深思。

三是核心竞争力有待提升。核心竞争力即企业的综合实力。要提高核心竞争力，关键在于银行业的创新能力。近年来，大型银行推出的创新产品数量不少，但自主品牌创新产品不多，服务创新也没能跟上。

四是信息系统建设滞后状况必须改变。几家大型银行的信息系统建设滞后的局面如果不能迅速调整和改变，必将制约它们迈向一流国际银行的步伐。

五是企业文化有待发扬。大型银行需考虑如何发挥自身的传统企业文化，建设和提升品牌知名度和认知度。只有本着“以人为本”提升企业整体素质的决心，带动广大员工对企业文化本质内涵的认同、信奉和实践，才能真正实现员工自我价值和企业价值取向相一致。

六是依法合规必须坚持。上市的大型银行在以股东利益最大化的经营理念下，可能会忽视有关的规章制度，打擦边球或心存侥幸，特别在内控机制不健全的情况下，就会对银行自身乃至国家经济秩序造成损失或负面影响。

五问国有银行引进海外战略投资者*

在当前国际金融危机的冲击下，美国、欧洲以及许多国家和地区的银行出现了大量亏损、破产，甚至倒闭的情况。以华尔街五大投资银行为代表的美国金融旗舰，昨日还显赫一时，今日有的沉入大海，有的被改组兼并。曾经名列全球首位的花旗银行也已濒临破产的边缘，不得已一分为二，靠政府救济赖以生存。

相反，中国金融业，特别是国有银行经过多年来的深化改革和股份制改造，改善了法人治理结构，增强了盈利和抗风险的能力。从2008年的业绩来看，无论是利润的增长，不良资产的下降以及业务的发展，都取得了较好的成绩。

针对上述反差，加之最近部分国有银行海外战略投资者相继变现退出，人们在重新审视我国国有商业银行改革特别是公开上市等问题时，不由自主地把问题集中在引进海外战略投资者身上。如何全面、科学、辩证、一分为二地看待国有银行引进海外战略投资者？对此，笔者提出以下几个问题，以供思考。

一、要不要引进海外战略投资者

一直有两种观点：一种意见认为，要上市不一定要引进海外战略投资者，因为三大国有商业银行经过剥离、注资后完全符合公开上市的条件。与其引进海外战略投资者，不如引进国内战略投资者。另一种意见认为，引进战略投资者，其目的并不是引进资金，主要是引进先进的管理技术和改善公司治理。当时从国内总体来看，不存在合格的战略投资者，而且当时的国企也不是普遍看好国有银行改革。银监会曾要求商业银行上市必须引进海外战略投资者，这种“一刀切”的做法显然不很妥当。后来关于商

* 本文原载《中国企业家》2008年第3~4合刊。

业银行上市的规定，取消了必须引进海外战略投资者作为上市的条件。但事实上几大国有商业银行仍然都走的是引进海外战略投资者的道路。

二、如何选择海外战略投资者

当时的条件是：首先，要引进真正的战略伙伴，除了增加资本外（所占股份一般不低于5%），还能带来一个很好的合作效益和合力效益，这个合力效益能够更好地推动中国银行业的改革，提升中国银行业的国际竞争力；其次，改善公司治理结构，特别是引进公司治理结构完善、管理经验丰富、经营业绩良好的国际一流金融集团，可以帮助国有商业银行加强完善治理结构；再次，能提供产品和技术方面的有效帮助；最后，对IPO的成功发行增加重要砝码，提升国际资本市场对国有商业银行上市的信心。

从目前国有商业银行以及其他地方银行选择的战略投资者来看，是否达到了上述标准，应该对三年多的合作实践进行一次认真的总结。在选择海外战略投资者时，是否考虑到对方的所长能够弥补自身所短，是否可利用其海外市场以助于拓展自身的市场，是否可以达到双赢或多赢。从新加坡淡马锡入股中资银行的情况来看，显然并不满足上述条件。首先它不是一家商业银行，并不具备银行的管理经验和提供产品、技术的条件；从其入股、套现的行为来看，应该说，它不是一个合适的战略投资者。

三、再次考量引进海外战略投资者的定价是否合适

3家国有商业银行引进海外战略投资者的股权定价是按照净资产作价，每股的价格在1.10~1.18元，同时允诺在参股后，给予其他种种优惠增持条件。当时，笔者认为，以净资产定价主要是用于对破产企业或中小企业估值的方法。而我国的国有商业银行在定价时，虽然可以用此作为基础，但还应考虑品牌、机构、市场、产品、客户、职工，特别是国家支持等因素，尤其是当时3家国有商业银行不良资产已经剥离，因此，应把上述因素考虑进去，制定一个更加合理的价格。当3家银行先后在香港上市时，其IPO价格每股均价比原始价格高出1.66~2.0倍。在香港这个国际金融市场，投资者之所以看好3家银行的股票，是因为他们看好中国概念股，看好中国经济发展前景，以及这3家银行自身的品牌。这也意味着，海外战略投资者参股上市后，即可获取多倍的收益。于是，出现截然不同的看法，如“合理论”、“贱卖论”等。这两种观点都有以偏赅全之嫌。如今应以发展的眼光，科学地、实事求是地认真总结，吸取经验教训，以便在我国银行或

大企业引进海外战略投资者时，作出一个更合理的定价。

四、如何看待海外战略投资者的套现行为

2008年1月7日，美国银行（下称美银）抛售56.2亿股建设银行H股股份，价格为每股3.92港元，总交易金额超过28.3亿美元。相对美银2008年5月28日以每股2.42港元从汇金公司购买的60亿股建设银行H股股份，美国银行“一增一减”取得约合10.83亿美元的收益。另一战略投资者淡马锡早就在2007年年底通过减持建设银行H股，已获利15亿港元。

2005年5月和8月中国银行分别与苏格兰皇家银行、瑞士银行、淡马锡下属富登金融公司及亚洲开发银行签订投资协议，四家合计持有352.99亿股H股，占中国银行总股本的13.9%。其中苏格兰皇家银行投资9亿英镑，持股8.47%，成为投资牵头人。2008年1月14日，苏格兰皇家银行集团将持有的108.09亿股中国银行H股悉数卖出，套现16亿英镑；2008年该行还从中国银行获得8 000万英镑的分红。2007年年底，瑞士银行已全部售出所持股份，淡马锡于去年9月通过减持获利十几亿港元。李嘉诚基金也减持了20亿股中国银行H股。至此，投资中国银行的海外战略投资者基本清空所持股份。

首先，我们应该以平常心看待海外战略投资者的套现行为。按协议规定，投资者在持股3年后可以出售其所持股权，它们本身具有这样的权力，这属于正常的市场交易行为，特别是在受到国际金融危机冲击的背景下。其次，3家国有商业银行应该认真总结引进海外战略投资者3年来合作的成效，是否达到了原来预计的目标，对它们的业务技术和管理经验应以科学的态度加以评估，特别是应深入分析和研究为什么这些名列世界前茅的国际知名大银行会出现如此巨额的亏损，从中吸取哪些教训。最后，要清楚了解并安排好谁来接盘，也就是说，3家国有商业银行乃至其他有外资持股的银行都应该做好充分准备，如何更换战略投资者和财务投资者。其实，战略投资者和财务投资者之间并没有严格的区别，而且两者角色也常常可以转换。所谓战略，乃因人、因时、因事、因地而异，你有你的战略，他有他的战略，我有我的战略。总体来说，一致性和共同性总是短暂的，不一致性和差异性是基本的、主要的和长远的。因此，如何认真看待合作、竞争，如何选择合作伙伴与竞争对手都不是一相情愿的事，而且要知道合作伙伴和竞争对手是可以相互转化的。

如今中国银行的股票基本上已经没有套现的压力，而建设银行、工商

银行和交通银行等上市银行由于海外战略投资者只是部分减持套现或尚未减持套现，仍然存在着套现压力，对此应做好应对措施。

五、农业银行是否要引进海外战略投资者，又如何引进海外战略投资者

作为四大国有商业银行最后一家的中国农业银行已经完成了股份制改造的工作，由财政部和汇金公司共同注资 2 600 亿元后，成为我国资本金最大的商业银行。在当前的经济形势下，拓展海内外业务，支持“三农”发展，为我国经济增长和扩大内需作出努力，是农业银行所面临的使命。有人认为，农业银行上市无须引进战略投资者，特别是海外战略投资者。笔者认为，谨慎选择的战略投资者对完善股份制改革，加强法人治理结构是有积极作用的。据了解，农业银行已经与海外诸多银行进行了接触，有不少国际知名大型银行想入股农业银行。为此，农业银行应认真吸取建设银行、中国银行和工商银行的经验与教训，认真选择战略合作伙伴，做好股票定价和 IPO 定价以及投资协议，认真做到合作　互利、共赢和发展。如果谈不拢，就不要为引进而引进。也可以先在境内上市。如果经过深入调查研究，从共同利益出发，是否可以拿出一部分股权与一些专业性强、有针对性的国家和地区的银行进行相互换股，这样的合作性和互补性会更强。除了海外战略投资者外，也应适当选择国内战略投资者。同时，应专门研究海外战略投资者投资的外汇资金可能出现的汇率、利率风险，当然也包括汇金公司投入的外汇资本金。

从为国会“打工”说起*

美国总统布什在接待和会见许多外国使团特别是中国使团时，经常挂在嘴上的话是：我没有什么权力，我是为国会打工的。美国财政部部长、中美战略经济对话美方代表团团长保尔森，在与我方对话时，期望我方让步以取得实质性进展时，也总是说：好让我向国会作交代。

其实美国实行的是以联邦制为国家结构形式的总统共和制政体，立法权属于参议院和众议院组成的国会，行政权属于总统，司法权属于最高法院及其下级法院。在三权分立制度下，总统作为行政首脑独立于国会，不对国会负责，只对选民和联邦宪法负责。

那么，怎样理解美国领导人如此的言论呢？我认为至少反映了两个方面的问题：一方面，表明美国国会，具体而言国会的议员关注、参与美国国家重要的决策，他们代表了不同集团、不同领域、不同阶层的利益，也可以说，美国国会在一定程度上代表、反映了美国的国家利益，美国人民的利益。另一方面，美国领导人常拿国会说事，是为了达到谈判的目的、实现政策既定的目标找到充分的依据。总而言之，美国国会在维护美国国家利益，实现美国对外经济、政治、军事以及文化科技等方面的目标中发挥了重要的作用。美国领导层虽然利用国会说事，但一定层面上也常受到国会的制约，它反映了行政与立法之间的矛盾、冲突与制衡。从整体来看，在符合美国整体国家利益的情况下，行政与立法是相互配合的。

远的不说，就以中国企业参股并购美国企业为例。去年中国海洋石油公司准备以185亿美元收购美国第四大石油公司优尼科的部分股权，最后被美国议会否决，主要原因是出于美国的战略安全考虑。最近，我国外汇投资公司以30亿美元购买美国黑石基金10%的股权，持有期为四年，但无投票权。眼下，美国的基金不下几千家，虽然黑石有一些名气，但规模和盈利状况还够不上顶级。针对这一极为普通的参股事件，美国国会个别议员

---

* 本文原载《浙江金融》2007年第10期。

也加以反对，媒体也大肆报道。

反过来，看看我国对待外国投资的情况。为吸引外资我国制定了各种优惠政策，有的地方政府为了实现 GDP 的快速增长，又采取了其他优惠措施，加大对外招商引资的力度。

在此，也举几个例子。2005 年以来，建设银行、中国银行、工商银行三大国有商业银行，在股份制改革逐步取得成效的基础上，准备公开在海内外上市。根据有关规定，这 3 家银行上市前，各家的不良资产必须进行剥离，资本充足率必须达到国际清算银行规定的 8% 及以上的水平，同时必须引进境外战略投资者才能上市。这 3 家银行在与境外投资者经过艰难的谈判后，最后入股的价格按资产净值计算。

当时国内不少学者、人大代表、政协委员对究竟要不要引进战略投资者，是不是按这个价格引进战略投资者提出质疑。有的认为，既然国有商业银行不良资产已经剥离，资产充足率已达标，没有必要引进境外投资者。有的甚至说，按如此低价，即使砸锅卖铁谁都要买。对此，我国有关部门的领导人，却给予种种解释。

其实我们这些领导人不必出面去讲这些话，相反应该学习美国领导人拿国会说事。应该向对方说，你们看，我国学者、人大代表、政协委员以及老百姓对此事、此价格有意见，以此向对方施压。据说，工商银行是最后完成与境外战略投资者谈判的，因此各方面的条件都比建设银行、中国银行要好得多。截至 2007 年 7 月 16 日，建设银行在香港的股价为 5. 82 港元，中国银行、工商银行在上海的股价分别为 5. 03 元和 5. 27 元，这已是境外投资者出价的 5 倍左右。这也意味着再过一年多，这些境外投资者在有权按市价出售股票时，只要出售 1/4 就能收回成本，其余 3/4 的股票将持续获利。据统计，它们共投入约 100 亿美元，如果全部卖出，将获利 400 多亿美元。

在这里，我们应该充分肯定利用外资对我国经济高速发展的作用。而我觉得，我们的领导层应该有一种聆听不同声音、不同意见的心态。我希望看到的是，我国各级人大、人大常委会、政协、政协常委会以及民主党派、群众团体，在关注我国国家和地方多项重大问题时，多关注一些有关外资投资参股并购的问题，充分发挥他们的监督作用，特别是维护我国经济、政治利益的作用。我国许多相关部门的领导人在对外交往涉及国家利益时是否也能拿“人大”、“政协”说说事。而全国人大常委会完全有权否决有损于我国经济利益和安全的并购参股事件。

第十一篇

教学漫话及访谈篇

对青年朋友们的寄语*

——兼祝中国人民银行研究生部成立二十年

自1981年中国人民银行研究生部在北京市五道口创建起，我就一直兼任指导研究生和教学工作。1998年3月，我办了退休手续，正式从行政岗位退下来，从此我把主要的精力和时间放到五道口的教学和育人工作之中。二十年来，五道口已从一个婴儿成长为一个青年。看到研究生部的茁壮成长，我十分欣慰和高兴。二十年来我与五道口结下了深厚的情感。

现就我从事金融科研和业务工作四十年的经验，谈一点粗浅的感受，供同学们参考。

首先是三句话，希望同学们能做到：读万卷书，行万里路，交一万个朋友。

孔子说，“开卷有益”。杜甫诗曰：“读书破万卷，下笔如有神。”古人云：“书中自有黄金屋，书中自有颜如玉。”“书籍是知识的宝藏”。金庸在浙大文学院第一堂讲话的主要意思是，要同学们读书、读好书。这都表明读书的重要。人们常说的“功底”，其根底就是读书。

读书可分泛读、通读和精读，这三者缺一不可。先要有面、要有量，才谈得上质。这就是触类旁通、驾轻就熟的道理。每个人必须要精读几本好书，几本专业书，要会熟练应用工具书。比如搞会计的一定要精读一两本《会计原理》，对每章、每节都要深入理解，并应有自己的见解，这是从事会计工作的看家本领。

行万里路，主要意义在于实践。实践是检验真理的唯一标准。要知道梨子的味道，就得亲自品尝。只有通过感性认识才能上升到理性认识。理论也只有通过实践才能检验其正确与否。见多识广，没有调查就没有发言权就是这个道理。我们决不能轻视经验，要勇于实践。但是，决不能停留

---

* 本文系为庆贺中国人民银行研究生部成立二十周年而作，发表在《五道口论坛》2001年校庆特刊上。

在感性认识上，一定要上升到理性认识，要善于用理论来指导和检验实践。同时也要清楚地认识到，“实践不等于替代”、“知其然而不知其所以然”的道理。

交一万个朋友，这是极而言之。应该提倡广交友，慎交友。孔子说：“三人行，必有我师”。人们常说，“三个臭皮匠顶个诸葛亮”。这就是指，从朋友的身上可以看到别人的优点、自己的不足。干事业，孤家寡人是不行的，要靠志同道合的朋友的支持和帮助，正所谓“一个好汉三个帮，一个篱笆三个桩”。真朋友、假朋友往往在关键时刻会显现出来，有的朋友在你困惑、困难的时候，开导你、帮助你、替你讲话在所不惜，所谓人生有一知己，死而无憾。但有的人却把你引向歧途、推入困境，更有甚者，落井下石，踏着别人肩膀向上爬的也大有人在。

这三句话中，只要有条件，容易做到的还是行万里路，要真心做到读万卷书、交一万个朋友则是件不容易的事。

其次，谈一下我四十年来从事研究工作的体会。我认为，对任何事，都必须独立思考，要问一问为什么。

孔子曰：“学而不思则罔，思而不学则贻。”一个人碰到任何事情，首先要思考（包含调查研究）。如果脑子发热，一时冲动，肯定会作出错误的判断和行为。在思考的同时，一定要继续学习。现在任何事物都在不断变化，不断前进，不断更新。孔子所说的“学无止境”就是这个道理。学问、学问就是要学、要思、要问。因此，要活到老、思到老、学到老。

从事研究工作，一定要学会并善于独立思考。要不然，就是人云亦云，上边叫你干什么，你就干什么，墨守成规，不思进取，这样就没有创新、没有突破、没有发展和前进。在独立思考的过程中，我送同学们二十个字共勉。头十个字是：“不为尊者唯，不为权者唯。”也就是说，在尊者，即长辈、权威、老者甚至父母的面前以及权者，即当官或有权势人的面前，不唯唯诺诺、唯命是从。另十个字是：“不为尊者讳，不为权者讳。”在尊者、权者面前，敢于直言不讳、发表自己的意见，有时这些意见与尊者、权者的意见相反，而且是他们不愿听的反面意见。当然，有人常提醒我，要注意提意见的场合和方式。然而，我们也应该清醒地知道，孔子所说的“学而优则仕”有一定的道理，因为有学问就有当官的条件，但决不等于说“仕而优则学”，不能认为因为官大了，他的学问也长了、也大了，真理也就在他的手里。

我从 1960 年分配到人民银行国外局综合处研究组从事金融研究工作，

虽然机构不断调整变化，比如人民银行金融研究所、中国银行国际金融研究所等，但研究工作的性质基本未变。我先从资料员做起，取电报、编外汇行情表，在老同志的帮助下做了一点研究工作。到1981年我担任了研究室副主任，此后又担任了副所长、所长职务。1992年因工作需要，我担任了中行卢森堡分行总经理职务，从事了五年多的业务工作。

同学们走上工作岗位后，也可能会担任大大小小的领导职务。我也有几句话给你们，第一句是："小事讲风格，大事讲原则"。作为一个领导，一定要知道你那个摊子什么是大事，要把握好大事的原则，除此之外提倡讲风格。第二句话是："水至清则无鱼，人至察则无徒"。要创造宽松的环境，让下属发挥自己的聪明才智，不要把人管死，每个人有自己的秉性和优缺点，如果让部属无所适从，那么还有什么人愿意跟你干呢？第三句是："要有超前意识，要勇于承担责任"。一个领导没有开拓精神，不敢负责任，这个单位肯定搞不好。有创新精神，有凝聚力，敢于用人，这个摊子必然有朝气，所谓强将手下无弱兵就是这个道理。

我曾在1990年第1期《国际金融研究》新春寄语上写道：经济理论研究工作有和其他工作不同的特点，这就是："运用马列主义的立场、观点和方法，对社会经济变化做超前的研究，不仅要研究热点，而且要研究潜在热点和问题，对具体问题提出对策性建议并做可行性研究；对政治、经济、金融领域发展变化和已执行的政策措施做比较性、规律性和总结性研究。"这也是我四十年来从事业务部门研究工作的心得体会。

"学习，学习，再学习；研究，探索，再研究。理论联系实际，努力不懈，辛勤耕耘"。这是我对自己提出的座右铭。我也愿以此与同学们共勉。

2000年7月14日　草于北京家中

五道口推动了中国金融改革发展*

——访中国人民银行研究生部博士生导师吴念鲁

吴念鲁是我国著名的国际金融学家。从五道口创立之初直到现在，吴念鲁一直在学校担任教学工作，是五道口硕士生、博士生导师。在五道口成立30周年之际，他接受记者采访，回忆了五道口初创时期的情景，分析了五道口的优势和特点，总结归纳了五道口的精神，并对五道口的发展提出了中肯的建议。透过他的言语，不难看出他对五道口的师生以及学校有着极其深厚的感情。

值得肯定的办学、教学模式

五道口成立于1981年。在这之前，1977年全国恢复高考。1979年中国实行改革开放，全国为之一振，开始重新建设，经济金融工作也被提到重要日程之上。此时，金融界高端人才严重缺乏，人民银行金融研究所也面临着人才不足的困境。刘鸿儒时任人民银行副行长，主管金融体制改革。在他的大力支持和积极参与下，人民银行研究所提出建立研究生部的设想，经人民银行党组报经教育部批准，中国人民银行研究生部正式成立。

其实，不仅人民银行缺人才，后来从人民银行先后分设出去的中、农、建、工四大国有专业银行，以及保险公司都缺人才。这些金融机构于是有钱出钱，有人出人，有物出物，支持研究生部办学。比如，有一些金融机构当时还给学校提供了一些旧的打字机，和一些图书资料等物品。

1981年，全国恢复职称评定。人民银行金融研究所丁鹄、周林被评为研究员，甘培根、虞关涛等被评为副研究员。当时在中国银行国际金融研

---

* 本文由王春霞、李霞采写，原载《现代金融家》2011年第9期庆祝中国人民银行研究生部成立三十周年特刊。

究所的吴念鲁等也被评为副研究员。“这样，五道口就有老师了，可以招生了。招生有两个方向，一是货币银行学，一是国际金融。”吴念鲁担任国际金融方向的硕士生导师，参与考生入学出题和面试工作。由于吴念鲁经常在刊物上发表学术文章，在业界有一定的知名度，当时有不少报国际金融方向的学生，都报吴老师作为指导老师。但是，能否成为他的研究生，还要由学校统一安排才能确定。

五道口前十届的学生，基本上是定向招生。进校的时候，这些人就已经确定好，毕业之后，哪些人去人民银行，哪些人去四大专业银行或保险公司。但是，虽然规定如此，也有不少学生到了工作单位后，从原单位离开，或是“下海”，或是出国等。

从创办之初，五道口就开始了一种新的金融教学模式的摸索。五道口虽然没有自己专职的老师，但是聘请的都是北大、人大等高校的一流老师，而且当时还请了国外一些名校的老师，以及国外一些金融机构资深研究员或者专家来讲课。当然，人民银行和四大专业银行以及保险公司的研究人员和高管人员也来校讲课，并担任论文指导老师。

五道口在甘培根主任和唐旭主任本着创业、敬业、身体力行精神的带领下，不断进行教学模式的探索与改革。吴念鲁认为，五道口硕士生的课是越开越好。本世纪以来，他还曾劝一些博士生去听硕士生的课，尤其是金融理论前沿和实务课尤为突出。

“在那个时候，在其他大学里的学生，他们是接触不到这些教授、这些专家的。这就是五道口的特色，五道口拥有的特殊资源。”吴念鲁说。同时，五道口整个的教学，以及学生，都非常注重理论联系实际，提倡独立思考和创新性研究，而且非常关心整个金融改革的进程，因此，学生的论文也多是一些为大家所关注的金融改革中的热点问题，提出了一些有价值的观点和政策建议。在 1987 年全国教学评比中，五道口货币银行学专业被评为第一，国际金融专业被评为第二。

开拓创新、求真务实、追求卓越、团结奋进

对于五道口的精神，吴念鲁总结为 16 个字：开拓创新、求真务实、追求卓越、团结奋进。

他认为，五道口精神首先是体现为“开拓”，正是有了这种精神，五道口才能够比较好地成长，走到现在已经 30 年了。“创新”是指五道口紧跟

时代的发展，紧跟改革开放的步伐，不管是课程设置、还是教材，不管是教学理念，还是学生的思路，都是创新的。

在“求真务实”方面，五道口就做得很好。如果仅仅只是开拓创新，而不能够“求真务实”的话，那你肯定是站不住脚的，是不可持续发展的。“求真”，就是理论和实践紧密联系，比如说我国经济金融体制改革到底应该怎么去改，应该怎么去研究，应该怎么去做调查，在这一点上，在刘鸿儒等老师的引导下，五道口学生的积极性都非常高。特别是前几届的学生直接参与我国金融体制改革方案的制订和实施。可以说，五道口在改革开放的大潮中诞生，在大潮中成长，为改革的深化作出了成绩和贡献。“务实”，就是五道口毕业的学生参加工作后，眼睛不是朝上看，而是往下看，可以干具体的业务，肯吃苦，很务实，到工作单位后很容易上手。

“追求卓越”，主要是讲五道口学生还能够做到不因循守旧，积极进取，认真负责，怀着为祖国金融建设的理想和抱负，努力把工作做到好上加好。这种理念激励他们勇往直前。

五道口还有一个特点，即“团结奋进”，因为学校很小，前后几届相邻的校友，以及同学之间交流频繁，毕业之后，同学之间、师生之间，大家也是经常联系、相互帮助，共同创业，有一种无形的、强大的亲和力和凝聚力。

“不论五道口学生在哪里，开拓创新、求真务实、追求卓越、团结奋进，这个精神在五道口人、在五道口学子的身上会永远继承和发扬下去。”吴念鲁说。

英国牛津大学和剑桥大学作为一个教育中心和学术研究中心，它们的使命主要有三条，即“知识的积累、知识的传递、知识的创新”。吴念鲁说：“五道口这30年来，我觉得这三条都做到了，而且做得不输给名校。”

他表示，五道口的老师，以及学生在学术研究上也非常认真，出版了大量的金融方面的著作、教材和译著，以及优秀的论文，在毕业之后，许多学子在工作岗位上仍作出了优秀的成绩。他说，人们常讲，五道口第一届的学生如何优秀，其实每一届五道口的学子身上都流淌着五道口精神，他们的优秀事迹举不胜举。

于是他举第二届学生的例子说，武捷思毕业以后，曾担任中国工商银行深圳分行副行长、深圳市副市长、广东省省长助理，他曾临危受命，担任粤海企业集团董事长兼总经理，负责粤海集团债务危机重组，这是一个非常成功的创新案例，武捷思还写了一本书《粤海重组》，成为经典的案例教材。后来，武捷思每年都到五道口去上课，就分析这个案例，介绍重组并购的过程，这种教学方式，无疑是一个非常好的相互交流和传递。

还有同级的万建华，他曾任招商银行上海分行行长、总行常务副行长，为招商银行的发展作出了突出的贡献。2001 年，他带领了几个五道口弟子，到上海筹办了我国首家全国性的支付平台——银联，任首届总裁，为我国金融支付领域的发展作出开创性的功绩。

吴念鲁认为，五道口师生积累的这些知识和传承发扬的五道口精神，不仅丰富，而且，对整个中国经济金融的改革开放，以及中国金融教育的普及和深入，中国金融学科的建设、提升和创新，都起到了积极的推动作用。

名声在外，扬起新的风帆

吴念鲁曾在欧洲工作生活了多年。他在德国时，曾在德国商业银行实习进修半年。在该行培训中心曾学习两周，德国其他几家大银行的培训中心，吴念鲁都去参观考察过。他在跟德国商业银行培训中心的人交流的时候，对方跟他介绍，德意志联邦银行（德国中央银行），也办了一所学院，跟五道口类似，这所学院在德国金融界有很高的知名度，而且，这个知名度也为德国中央银行增光添彩。同样，吴念鲁在德国也听到有人说到，中国人民银行下面有一个研究生院，并对它评价很高，同样，也认为研究生院的成功是中国人民银行的荣耀和骄傲。

“现在，人民银行两个副行长，还有行长助理，都是从五道口毕业的，司局级干部就更多了，一个中央银行的中高层领导都是学校自己培养的，另外，金融行业大量精英也出自这所学校，有的也担任该校的硕士生导师和博士生导师。这就证明了这个学校是非常成功的，是举足轻重的，而且是不可缺少的。”吴念鲁说，五道口具有不可替代性，名声在外，具有很高的品牌价值，对中国经济金融改革作出了重要的贡献。

他说，下一步，五道口可以着重培养国际性金融高端人才。因为随着国际经济一体化，国际金融竞争越来越激烈，中国从一个经济大国迈向经济强国，最后要变成一个资本大国、资本强国，金融资本市场也一定要崛起，银行业、保险业、证券业要大发展，而且要国际化，这最后的竞争，实际上是综合实力的竞争，归结到底就是人才和人才机制的竞争，是高端金融人才的竞争。

吴念鲁建议，五道口可以朝两个方向发展，一是重新整合资源，逐渐加强对博士生的培养，扩大博士生的招生范围，加强理论联系实际进行学术研究，学生质量会比其他高校更有特色。二是开设 EMBA 班和其他高级专业班，除了面向金融界以外，还要面向企业高管，开展金融再教育培训工作。他表示，如果五道口办 EMBA 班，以他自己的亲身体会，师资绝对不会输给其他高校。

吴念鲁曾在一些高校 EMBA 班授课，由于他曾经从事过具体的金融实务工作，也精通理论，所以，他经常在课堂上会介绍一些生动的案例，有一些案例是他参与过的，有一些是他调研了解到的，而有的大学老师只是纯粹地讲理论，或者只是按照书本上的案例照本宣科，所以，吴念鲁的讲座很受那些企业高管的欢迎。

他认为，现在五道口要不断发展进步，还需要大胆地面对挑战、克服困难。30 年前，五道口初创阶段，人民银行整合了中、农、建、工四大银行和保险公司的资源合力培养人才。现在，30 年过去了，竞争越来越激烈，五道口同样面临整合各种资源的挑战。尤其是还可以得到许多五道口校友在精神和物质上的大力支持。吴念鲁建议，应该对现有的、可以利用的银行、证券、保险等金融行业的资源重新进行整合，为今后高端金融人才培养，来一次新的转轨、新的整合、新的飞跃，扬起“三十而立”新的风帆。

经济学博士生学术论文写作要旨与方法*

经济学博士生学术论文写作要旨在于，首先要进行学术研究，然后才能够产生学术研究论文。论文写作“是攻读博士学位课程的深入，是一种更高层次的学术训练。从实际上说，它也是一种艰苦的经济学理论知识的创造过程”。由此可见，学术论文的内容、观点必须有所突破、有所创新，要把自己在经济学相关领域的研究成果和心得，以及新发现的知识和感受通过文字表述报告给大家。

一、学术论文与研究学问的关系

既然我们明确了学术论文是必须要有突破、要有创新的研究成果，学术研究是作者能力的综合体现。这里就产生两个必须解决的问题，一是必须要有自己新发现、独立见解的科研成果；二是要求科学地、系统地、准确地、清楚地阐述自己的科研成果。

科研成果创新与文字表述相比，科研成果创新更为重要。如果在学术上确有新突破、新发现、新见解，尽管表述上有点零乱，文字不那么优美，但是论文仍具有学术价值；如果文字功底很好、很流畅，但是没有自己的观点和见解，就没有学术价值。如果仅从写作的技巧上教导学生如何写作论文，这显然是一种误区。指导教师的首要职责就应着重于教学生如何去研究学问，其次才是论文表述的规范化，应力求做到两方面的珠联璧合。

1. 什么是学问

在一般的辞书里，“学问”就解释为知识，有学问就是有知识。学问属于知识范畴，但不等于一般知识，不是所有知识都能够称得上学问。梁实秋等学者对学问、知识的见解和看法是：“能认识、能判断、能抓住问题中

---

* 本文在写作过程中，参考和引用了复旦大学新闻学院姚福申教授撰写的《学术研究与论文写作》一文的部分框架和观点。本文原载《学位与研究生教育》2011 年第 2 期。

心所在，这就是有用，就是有学问，若不能认识问题的诀窍，不能判断、不能解决，这就是无学问。”“学问也是我们脑筋对宇宙形形色色许多材料的吸收消化，要进得去、出得来，要有活的生命，而不被书本所压倒。”“学问也就是能将眼前的道理、材料系统化、深刻化，更扼要地说，‘学问贵能得要’，能‘得要’才能算学问。”“见了能不能识，很难说，见而未必有识，见识加学识叫知识，非常高的知识叫学问。”

2. 学问的四种情况

（1）以前对它一无所知，经过我们研究，使之成为已知。例如，自古以来，无数人见过苹果落地，但都视而不见、熟视无睹，没有看出什么名堂，只有牛顿发现了“万有引力”定律。

（2）过去对它已经有一定的认识，但认识并不完全正确，经过研究，使认识更接近于真理。例如，五四运动提倡白话文，过去一直认为，因其普及性是有百利而无一弊的好事。但台湾学者南怀瑾认为，由于文言文的淘汰，大多数人已经看不懂古籍，于是传统中国文化得不到很好的开发与利用，看来是一种欠缺。这对五四运动提倡白话文的利弊有了更全面和更加接近真理的认识。

（3）过去对它已经有了一些零零星星的认识，但总体上仍然是模模糊糊，理不出一条线索来，经过研究，使之条理井然，面目清楚，梳理出一条发展演变的轨迹。例如，门捷列夫在研究了多种元素后，把它分别归纳出不同的类别和序列，发明了元素周期表。元素周期表的发现对自然科学的进步有着不可估量的划时代的贡献。

（4）在知识经济时代，对学问综合性的研究和探索越来越受到重视，从而对学问的认识更提升一步。由于知识的特殊性和知识产生的特殊性以及各生产要素之间的复杂性，对学问的认识也将进入一个新阶段。比如，传统经济学认为，人是理性的，但在现实中并非如此。如果传统经济学能认识到人们努力去做到理性，但却无法达到的话，于是越来越认识到人类行为本身的重要性。这就促成经济学与心理学、行为学联合的开始。

以上四种情况都有一个共同特点，那就是在人类知识总量上，不同程度地增添了一些分量和砝码。尽管新发现的知识学术价值有高有低，但均有创新意义，都称得上是学问。知识虽然是人类的公有财产，但是新知识的发现和创新往往带有个人标志的色彩。

3. 研究学问的知识基础

研究学问需要有一定的资本，这资本就是知识，只有积累相当数量的知识，才有研究学问的足够资本。知识越丰富越有利于开拓未知的领域，这里有一个由表及里、由此及彼、触类旁通、获得真知灼见的过程。

作为教育学术研究中心的牛津大学、剑桥大学，提倡独立思考，进行创新性研究，它们的使命有三条：“知识的积累，知识的传递，知识的创新”。我认为，这不仅是学校的使命，也是每个同学写好学术论文，研究好学问，必须努力做到的“金三条”。

人生精力有限，我们不可能无限地汲取和积累多种知识，去实现知识的传递和创新，因而必须了解，进行经济学学术研究必须具备两大类知识：①基础性的知识。这种知识主要起工具的作用，如文字表述能力、逻辑思辨能力、基本数理化知识和文史知识等等，即在中小学阶段打下的基础知识。②专业知识。一般来说，进入大学后，除了巩固基础知识外，开始学习基础性的专业知识，但是对进行学术研究来说是远远不够的，因此必须通过自学来补充专业知识。大学本科阶段学的是基础专业知识，硕士生时期则较深入地学习了基础专业知识和相关专业知识；而博士生学习阶段，则更多地要通过自学来深入学习专业知识。

二、课题的选择

我们不可能掌握经济学科的全部专业知识，但是在充实和填补了经济学基础知识的基础上，必须自学一些与自己研究课题相关的专业知识。因此，在具体进行学术研究之前，先要在学科范围内确定一个方向，随后再选一个研究的题目。

1. 先确定一个研究方向

经济学的专业知识、相关理论、规律、结论浩如烟海。西方经济学的核心理论是微观经济学与宏观经济学，然而在实际应用中应用经济学更得到社会各界的重视，它运用经济学的基本原理研究国民经济各部门、各专业领域的经济生活和经济关系的规律性，从而较有效地解释、解决经济发展中出现的问题。有人把金融学、财政学、劳动经济学、产业经济学、发展经济学、行为经济学都纳入其中。

由此看来，经济学乃至金融学涉及的内容实在太多，如果笼统地把其中的某个内容作为研究的方向，显然太大，难以驾驭。为此，我们只能选择其中一个较为狭小的范围作为自己学术研究的领域。因为只有在对所研究的知识领域有了较深入透彻的了解之后，才能发现其薄弱环节，才能对弥补薄弱环节提出自己独立见解，才能最后可能拿出有一定创新的成果来。

选好研究方向，往往是成功的关键。在选择研究方向时可做如下的考虑：①已有相当知识积累的领域，也就是说这个领域对你来说不陌生，已有一定的了解；②自己感兴趣的领域，因为只要有兴趣才可能钻研深透；③在现有条件下，容易找到参考资料的领域。与此同时，把研究范围定得狭小一些，这样更便于掌握更多的相关领域知识，这就为下一步深入研究打下基础。

2. 尽可能掌握有关研究方向的所有资料

在确定研究方向后，便要去收集和阅读有关这一方面的所有论文、著作和有关资料。论文与著作相比，著作的出版周期长，只需选择有代表性的、有影响的著作，而论文则反映了新的情况、新的观点，应尽量阅读新论文、新资料。

阅读这些论文和资料的目的是了解和掌握以下情况：①这一研究领域，当前对哪些问题存在争议？主要有哪几种不同看法？问题的焦点在什么地方？②该领域目前研究水平达到何种程度？最近在哪些方面有进展？③在这些论文中，你认为哪些意见是可以商榷的？哪些结论的依据尚嫌不足？哪些见解是明显错误的？到这个时候，可以说你可以在这一有限的范围内，已经具有一定的行家眼力，如果持续不断地关注这方面的新动向、新成果、新信息，通过分析、比较，多用心思去思考这一领域出现的新问题或悬而未决的问题，并初步形成自己的某些看法，顺着这条路走下去，便可以找到自己研究的主题，即学术论文的题目。

3. 研究选题的最后确定

在阅读了大量具有某种相关性论文之后，如果是一边阅读一边思考的话，必然会对其中若干问题形成自己的看法。虽然对这些问题的想法有待进一步充实、完善和证实，但对于这些问题的认识已达到相当的深度，研究选题便可从这些议题中去选择。当然，在选择过程中与导师进行沟通交换意见，也可征求其他人意见。在最终选择确定论文题目时，建议最好选择以下题目：

（1）容易找到资料的课题。资料是撰写学术论文的基础，是记载事实的文献，是前人的思维成果，既可给我们启迪，也可引发疑问和反思，总之，没有足够的资料和数据将无法证明自己的见解。

（2）选择有争议的议题。有争议的议题多数是热点问题或悬而未决的问题，各种观点壁垒分明，许多资料在探讨中也都应用过，往往比较集中。别人选用过的问题和材料，非但可以应用，还可以进行新的理解和发挥，并可据此发现一些新的线索，促使问题研究更深入。

（3）开拓现在尚属空白的领域。研究热门选题的人很多，想要有突破和创新比较困难，冷门选题竞争者少，许多规律尚待发现，而且很难找到，但一旦找到，学术价值就很高。

（4）论文题目宁小毋大。能具有重要的理论意义和现实意义的选题固然很好，其学术价值也一定较高，但是这种重大课题是较难驾驭的。题目过大，涉及面太广，资料也收不全，更难形成自己的新见解，勉强敷衍成篇，反而显出浅薄和空泛。所以题目宁可小些，比较容易全面掌握现有的研究成果，在此基础上深入探讨就显得游刃有余。应该小题大做，而不是大题小做。

三、文献资料的收集和利用

1. 研究工作就是文献资料的整理工作

凡是前人留下或今人提供、可以为我们利用的各种信息，都可称为资料，文献资料则是指在某个领域具有重要价值的资料。文献资料在没有被利用的时候，静静地躺在那里，各不相关，一旦把它们组织起来，相互连成有机整体，便可以说明一系列问题，就产生了学术价值。著名历史学家吴晗认为，“资料工作与研究工作实际是一回事。”我认为，研究工作实际是资料的综合分析工作。

2. 资料的收集与阅读

（1）要会精读，也要会略读。苏轼说过：“读书之法，莫贵于循序而致精。”因此，凡属于自己研究方向的学术论文和学术信息必须阅读。然而，凡是碰到什么资料都专心地阅读的话，势必浪费许多精力，只有发现这篇文章确有新意或有新的材料时，才值得精读。著名学者培根也告诉我们：“阅读方式不一，有些书必然浅尝辄止，有些书必须囫囵吞枣，少数书必须咀嚼再三，彻底消化。”

（2）做笔记摘录文字要首尾完整，注明出处。做笔记，特别是摘录精彩的要点以备今后写论文引用时，必须注意三点：①不要图一时省力，不注明出处，不仅要注明论文作者、论文题目，而且要注下页码以备查找。②抄录后要校读一遍，保证以后引用时不会出错。我有个学生由于校阅不细，引用文字有误，后来他发现，竟然其他人还一而再再而三地引用了他错误的引文，真是贻害匪浅。③字迹不能潦草，否则过了一段时间自己也不认识了。摘录的文字要求首尾完整，一般抄录原文为主，也可以作内容摘要，并加上自己的见解。但内容摘要的缺陷是引用时还得翻检原文。

（3）对资料要有鉴别和分析。郭沫若在《十批判书》中写到：“无论做任何研究，材料的鉴别是最必要的阶段。材料不够，固然大成问题，而材料的真伪或时代性未能规定清楚，那比缺乏材料更加危险。因为材料缺乏，顶多得不出结论，而材料不正确，便会得出错误的结论。这样的结论比没有更加有害。”

（4）顺藤摸瓜，开发新的资料。学术研究中最有力也是最困难的便是发现能说明问题的第一手资料，其次，则是要有新观点。为了寻找新的一手资料和创新性观点，其实完全可以把已掌握的资料作为线索，根据这一线索去顺藤摸瓜往往会有意外收获。比如，看到论文作者引用了某篇资料，特别在脚注中加入了对该资料的相关看法，于是通过仔细阅读该引用资料，从中可以意外地发现自己更加需要的资料和新的线索，勾起自己对此问题的新观点、新想法。

3. 查找数据

（1）统计数据是阐述问题的重要依据。凡属经济、金融学相关课题，绝大多数在阐述和论证时，由数据说话。因此，在收集资料时绝不能忽视或遗漏各项统计数据，因为往往定量分析会更有说服力。

（2）必须学会查找有关国际经济、金融统计资料。要会查找国际金融机构出版的各种统计月报和年报、主要发达国家中央银行和统计局出版的月报和年报。如果有时间还应学会查看西方大银行的年报，这对进一步掌握相关数据和知晓这些银行如何分析世界经济、本国经济以及该银行的发展状况大有裨益。

（3）必须学会查找我国有关经济、金融统计资料。要查找掌握有关我国经济、金融数据时，首先采用国家统计局的资料和中国人民银行、银监会、证监会、保监会、财政部、外经贸部等相关部委发表的统计报告。此外，我们还可查找《中国统计年鉴》、《中国经济年鉴》、《中国金融年鉴》等年鉴资料。这些统计数据对不同的领域、行业相关数据做了同比和环比，而且还列举了多种指数化的方法以及数据的来源，这对论文写作也十分重要。

4. 做好文献综述

（1）综述是资料收集与阅读的深入。在进行学术论文写作前，我们强调收集阅读文献资料。但是要把收集与阅读的资料加以整理并按不同的观点加以分类归纳梳理还是要花相当的力气。一般来说，往往先把西方学者的主要观点放在一起，再把国内学者的主要观点放在一起，特别要对一些有争议的、有影响力的观点加以阐述、加以梳理。这项工作如果做得深入透彻，那就意味着你对这个领域里的研究成果有了相当的了解，这为进一步深入研究打下良好的基础。

（2）文献综述可以夹叙夹议。文献综述本身就是一项学术研究，如果能对不同的理论、不同的观点加以评议，同时阐述亮明自己的观点，这对进一步深入研究有重要作用。

（3）文献综述一定要注明文献出处。文献综述是一项严肃认真的工作，要尊重其他学者的成果和劳动。因此必须一一注明资料出处和作者姓名，这一点绝不能忽视。

（4）文献综述是学术论文不可缺少的部分。评价一篇学术论文水平的高低，只要看文献综述部分如何梳理和如何评议的，作者自己有何种观点和见解，大体就可以看出，这篇论文作者对这一领域所掌握的理论与实践到了什么程度，从中也可以看出作者将如何进一步阐述和论证自己的观点。因此，在文献综述上下了工夫，有了良好的开始，就成功了一半。

四、学术研究上的一些体会

1. 要掌握扎实的学科基础理论和知识

我本人在大学读的是外国语言文学专业，经济学理论基础和基础知识很差。我从收集、编写资料入手，在参与、编著《外汇基础知识》、《国际金融学概论》、《商业银行经营管理》、《国际金融研究》等教材和审阅编辑有关国际金融教材和杂志的过程中，迫使自己对相关基础理论、基础知识有一个全面深入的了解和把握，否则就无法编写、审阅教材和相关文章。我在国有商业银行研究所工作 30 多年，因为承担的工作任务不是纯学术研究，因此必须理论与实践相结合，研究问题要为政策服务，为业务发展服务，这就避免了空对空。由于有这样的环境，加上自己的努力，编写了一些有质量的、有学术价值的教材，出了一些研究成果。

2. 要善于借鉴吸收本学科和其他学科的研究成果

牛顿说过："如果说我看得比别人更远些，那是因为我站在了巨人的肩上。"马克思的《资本论》创造性地提出了"剩余价值"学说，揭露了资本主义剥削的秘密，在政治经济学史上完成了一个伟大的变革。有人说："如果不读凯恩斯的《通论》，就没有资格谈经济学。"因此，阅读这些经典有助于自己的思考和研究。我一直强调借鉴其他学科的研究成果，可以阅读

《红楼梦》、《三国演义》、《水浒传》，甚至金庸的作品，文学名著也能丰富我们的生活阅历，增强思考能力。

3. 头脑中要经常有问号，要学会独立思考

遇事要问一个为什么，要学会独立思考，撰写学术论文也应如此。1982年8月，墨西哥宣布无力偿还外债本息后，拉美国家相继爆发了债务危机。1984年3月24日我在上海《世界经济导报》上发表了《如何正确分析国际债务危机》一文，指出了国内学者和媒体在研究此问题中值得注意的倾向。比如，在分析巴西、墨西哥某个具体国家危机时，主要着重分析其内部原因，如过分依赖外资搞基建投资，不注意国家财力，不注意偿还能力，筹资过程中失误，短资借贷过多等等。但是在评述国际债务危机时，往往只强调外部原因，把危机症结归之为“在于当前不合理的国际货币体系及其种种弊端”。这就使人不得不提出问题：在考虑债务危机的原因时，对其内部与外部、局部与整体、一般与个别的关系究竟应如何分析和判断？如何把握好它们之间的关系？我们不应该为了某种需要而得出简单的结论。

4. 要善于找到一个解决问题的思路

改革开放30年来，引进外资对我国经济高速发展起到重要作用，在审视引进利用外资得失时，必须充分肯定其作用，但是如何全面、科学、辩证地来分析和考虑十分重要。对利用外资问题，我一直进行跟踪研究。2005年以来，我针对建设银行、中国银行、工商银行准备在境内外公开上市，但条件是必须引进海外战略投资者提出了一些看法和质疑。比如，如何定价，按净资产作价是否合理；如何衡量存在或可能存在的利益冲突；如何防止套利变现，恶意收购；如何鼓励相互持股参股；如何引进境内战略投资者；如何增加和创造中资投行做保荐人的条件；如何提高引进外资的质量，引导外资进入的领域；如何加强监管外资的频繁流动对经济、金融造成的冲击和风险。在引进外资上，如何取得双赢或多赢不仅是个经济问题，也是一个重要的政治问题、国际关系问题，同时也是一个经济、金融安全问题。因此，我主张，凡是涉及国计民生、国家经济命脉的企业必须认真权衡是否引进外资。如果允许参股，绝不允许外资拥有控股权。

5. 必须坚持良好的学术品格和情操

做学术研究要刻苦认真，脚踏实地，要淡泊名利，要坚持良好的学术品格和节操。我国著名经济学家董辅礽在他著作的《守身为大》一文中认为，坚守自己的节操是最重要的。他写道：“‘守身’在不同时期有不同的内涵。在市场经济下，货币功能大为扩大，货币几乎可以买到一切。任何

权力可以转换成金钱，连学术职称也与金钱联系在一起。‘守身为大’是与人是否追逐金钱、权力、地位、名誉而干出违法乱纪、违背道德有关，与有关制度环境有关，但毕竟在不同样制度环境中，更多的人坚持守身为大，而有的人却不注意守身而陷入污泥浊水……。因此要求每人必须时刻注意思想品德修养，注意遵守制度和法律以及社会的道德。”

我认为，做事做人必须有道德标准和行为底线，在金钱和物质的诱惑面前，才能挺直腰，站得稳。我有二十字可与同学们“共勉”：“不为尊者唯，不为权者唯；不为尊者讳，不为权者讳”。在学习和做学问、做研究时，必须坚持守住原则和学会独立思考。在尊者、在有权势的人面前，不唯唯诺诺，敢于直言，即使与他们意见相左，也不应隐藏自己的看法和观点。胸怀坦荡，与人为善，实事求是，独立思考，加强自身修养，坚持学术品格和情操，这就是做人的根基，也是明智的生活观、学习观和工作观。真正的学者要勇于探索，勇于追求真理，不迷信权威。只有敢于想前人之未想，创前人之未创，抱有上下求索的精神，人类文明、人类社会才能不断向前发展。

五、论文的研究、论述方式和格式要求

1. 论文的研究论述方式

学术论文的研究、论述方式没有统一的规定，但要注意以下几条。

（1）理论分析与实践研究相结合。比如，在研究商业银行跨国经营时，一方面可梳理有关理论进行分析，同时通过整理发达国家在此方面的发展经验，从中吸取经验教训。

（2）比较分析法。可将发达国家和发展中国家商业银行跨国经营的发展历程与现实情况进行比较。

（3）规范分析与实证分析相结合。在分析商业银行跨国经营时离不开规范分析，比如运用一整套成本—收益分析法，同时面对复杂现实情况和个体特点又必须采取实证分析加以验证。

（4）定性分析与定量分析相结合。定性分析可帮助我们解答“应该是什么”的问题，而定量分析可以帮助我们解答“为什么应该是这样”的问题。两者必须很好地结合起来。

（5）还可采取经济学、金融学采取的其他分析方法。

2. 对论文格式和篇幅的要求

论文虽然没有固定的形式，但有一条准则，首先是把问题讲清楚，其

次是要求简洁、明快，即要求简洁性、逻辑性、条理性。因此，社会科学的学术论文也有其约定俗成的格式，即提出问题（绪论）、讨论问题（本论）和得出结论（结论）。博士学位论文的篇幅一般应在10万字以上。

3. 对论文中各大部件的要求

（1）题目。题目的确定和表述十分重要，它是全文中心内容的概括，要求能准确表述论文的基本内容，并恰如其分地反映研究的范围，如能体现研究方法和研究达到的深度自然更好。

题目要求简洁，一目了然，但是为了恰如其分、完整地反映和涵盖研究范围，有时也只好长一些。例如，研究课题的范围已确定为商业银行跨国经营，题目可供选择的有："商业银行跨国经营研究"、"商业银行跨国经营：进入动因、模式选择及现实路径"、"商业银行跨国经营研究——基于动因、模式、路径分析的视角"。因此，同样一个研究范围，但是题目的表述却有所不同，这主要看作者对研究内容的侧重，如果侧重点只是在动因上，副标题可突出动因，如果侧重点在现实路径上，副标题的侧重点可放在路径上。

（2）摘要。博士学位论文的摘要（称提要更妥）字数以3 000～4 000字为好。这样的篇幅不仅能把论文的主要背景、内容架构、研究方法、创新突破、不足和今后努力方向一一阐明，而且使所有的读者只要阅读论文摘要，就能较系统、全面地了解论文的整体情况。有的高校经济学博士学位论文摘要只有一页（不足1 000字），在学校学位评定委员会审议时，根本无法从几百字的论文摘要中了解此论文的全貌、真实水平及其学术价值。

（3）绪论。绪论是在正式论证问题之前，先讲一讲为什么要探讨这一问题，研究这一选题的意义何在。题目与绪论起着画龙点睛、提纲挈领的作用，给读者以第一印象，读者据此决定是否要看下去或再看其他篇章。题目的字数有限，没有多少回旋余地，绪论可长可短，有较大灵活性。但是它也有一定的范围，绪论所包含的内容，一般应分为以下几方面：①介绍所研究选题的性质、意义、背景和现状（即问题的重要性、现实意义、理论意义和现有的研究水平）；②研究的动机和目的；③论文的主要架构（可扼要简述各章的中心内容）；④论文研究的主要方法；⑤论文的难点、创新、突破、不足和今后努力方向。上述内容也不一定全部都要有，行文力求简约。如果中外学者对此课题的研究不多，或因种种原因收集不到更多的资料，可把相关的文献综述放在绪论中，如果相关文献资料丰富，则可单列一章进行阐述。

（4）本论。本论是整篇论文的论证过程，是充分表达作者研究功力和研究成果的部分，占正文的绝大部分篇幅。其要点是证据确凿，能说明问题，有说服力。

必须注意的地方是：①阐述时必须遵守的原则。文字要求简洁准确，陈述事实平铺直叙，力求客观，避免歧义，避免带主观感情色彩的夸张性表述。引用他人资料或梳理文献评述他人观点时，应采用中性立场，哪怕是顶级知名学者或高官，也忌用恭维话；哪怕已经被批判过的人物或论点，也不应采取嘲讽、挖苦的语言。②尽量避免概念上的混乱。可以把选题的相关概念予以明确界定并注明相关出处。非万不得已，不要制定新的概念，倘要制定新的概念，必须使意义更加清楚，同时要有明确的界定。③处理好文献综述与理论分析框架的关系。在本论中除了梳理文献外，还应就相关理论进行综述，因此，处理好这两者的关系也十分重要，但要避免两者的重复，或者根据论文的需要突出一个部分为好。④恰当使用数学工具。“经济学运用数学分析虽然是必要的，但是经济学理论研究不能单靠数学工具，经济学不能‘数学化’，那样不仅会影响经济学理论研究的科学性，也不足以得出科学的结论。”因此运用数学工具，特别是运用数理模型要恰当，是为了进一步说明问题而用，不是为徒有其表而用。⑤问卷调查应注意代表性、准确性。本论中，常有通过问卷调查或调查报告来说明作者的论点，但采取此方法时，应注意问卷答案或调查方式是否具有普遍性、代表性。

（5）结论。结论放在文章的最后，对所讨论的问题，归纳出几条明确的意见，作为全文的总结，目的是使整篇文章的眉目更加清楚，但要避免与正文过多重复，特别是有的作者往往在本论的每章后面做一个简单的小结，这样就更需注意，否则不符合简洁明快的要求。

结论的重要内容可为：①突出科研工作的贡献，并说明发现的观点或推导出的规律所适用的范围；②可以包括旁证材料对结论的验证；③可提出与结论有关的建议，以及建议的可行性探讨和思考；④提出本研究的不足之处和进一步研究的设想。

4. 对引文与注释的要求

（1）引文必须符合原作者本意并注明出处。引用别人的语句决不允许作任何改动，切忌根据自己的需要曲解原意。为了避免斩头去尾、断章取义，引文一定要引用到句号为止。引用别人的话一定要加上引号，与自己的阐述有所区别，并注明出处。引用别人的观点来说明论证自己的观点或赞同他的观点，这是十分正常的事情，如果该作者的观点和表述被许多人加以引用，正好说明他的观点有独到之处。但是，如果引用时不加引号，并与自己的阐述混在一起，这就有剽窃他人成果之嫌。当前，某些人学风不正，抄袭、剽窃他人成果之事屡屡发生，必须引以为戒。因此，对所有引文都要加注，注明作者、书名或篇名、刊名、出版社、出版年月、年份、期号或页码。需要指出的是，如果引用了外国学者的原文，如出自译著必须注明译者，如出自原著必须列出原文和自己的译文。

引用别人观点但未引用原话，可以先写上“×××认为”，后面再加上冒号，而不加引号，但同样不能改变人家的原意。如果引用文中有明显的错字，可以在错字后将正确的字注入括号中。

（2）对注释（篇后注、章注、夹注、脚注）的要求。篇后注，即参考文献，主要列出参考文献的目录，凡是参考和引用过的书籍论文都应编入其中，以示对原作者的尊重和便于读者查找。中文参考文献的排列顺序应按中文作者姓氏拼音字母先后排序，英文参考文献也应以英文作者姓名的字母排序。我不赞成与论文无关的中外文文献都列入参考文献之中。

章注，即在每章后一一列出该章引用的参考文献。目前在经济学博士学位论文中，采取章注的情况已经很少，大多数把各章引用的资料一并放在篇后注里。

夹注，又称文中注，直接将注文加上括号注在引文之后，如 Paul Krugman（1979）、王广谦（1985），在脚注或篇后注中需注出该作者当时发表的有关论文。

脚注。为了便于查找或突出引文的出处，可以多用一些脚注，一来让读者很快可知道引文的出处，同时在脚注里还可加上作者的一些议论和看法，而这些议论和看法又不便在正文中阐述。特别是一些有关数据的出处，如果是一组数据可通过脚注来表明出处。脚注涉及的文献在篇后注中也应出现。

此外，有些论文还将具有一定学术价值且不易找到的原始资料或调查报告作为附录，编入正文之后，以供参考。附录较多时，应予编号列在论文的目录之中。也可把各章的图表列入目录中便于查找。

参考文献

[1] 邱兆祥. 经济学博士论文写作中的若干问题［G］//在经济科学园地里耕耘. 北京：光明日报出版社，2007：78－83.

［2］姚福申．学术研究与论文写作［G］//学海泛舟 20 年．香港：香港语丝出版社，2001：426 – 443.

［3］吴念鲁．国际金融纵横谈——对策研究［M］．北京：中国金融出版社，1998.

［4］吴念鲁．中国应对世界经济挑战的思考——金融热点再探析［M］．北京：中国金融出版社，2009.

思想之树常青*

——记我国著名金融理论家吴念鲁教授

在我国金融界有这样一位长者，他从事了三十多年的金融研究，又在海外商业银行主持五年多的实务工作，还曾在德国商业银行和瑞士银行以及圣加仑经济学院实习进修一年，现在虽然年过花甲，仍然神采奕奕地在讲台上为年轻人授课。至今已经培养指导了几十名经济学博士、硕士，他就是我国著名的金融专家、银行家——吴念鲁教授。

自古以来，转行成功之例并不鲜见。班超投笔从戎，建功立业；鲁迅弃医从文，名垂千史。而吴老师从文转金的经历，也堪称中国金融发展史上的一段佳话。老师于1936年10月在上海出生，其父是深得鲁迅晚年信任的出版家，深得鲁迅的教诲和支持，鲁迅后期的作品都交由他所创办的文化生活出版社出版。鲁迅先生逝世后不久，老师出生，因此其父给他取名为“念鲁”，即怀念鲁迅之意。老师家学渊源，在其父的熏陶下，从小就酷爱文学，博览群书。由于其父留学日本学的是德国文学，老师于1956年考取了南京大学外文系，学的也是德国语言文学。1960年大学毕业后，吴老师被分配到《人民日报》国际部工作，当时，正值中央机关精简调整，三个月以后他被重新分配到了人民银行国外局，从此开始了从一个普通文学青年到著名金融专家的传奇转变。在其后数十年的金融生涯中，老师“学习、研究、探索，理论联系实际，辛勤耕耘”，在中国金融发展史上留下了浓墨重彩的一段篇章，为新中国的金融改革与发展事业作出了不可磨灭的贡献。

一、磨炼——“文革”风云

“文革”期间，老师与同年代的许多人一样历经磨难。不愿参加派别之争的他既不是造反派，也不是保守派，被列入“破铁烂铜”，在人民银行所

---

* 本文原载《中国金融家》2004年第11期，作者汪明文系中国人民银行研究生部博士生。

谓的“破铁烂铜下河南”的干部下放劳动中，被作为第一批先遣队下放到河南淮滨干校。他在河南因为坚持真理，不随波逐流，也是吃尽了苦头。当时生活艰苦，老师刚到干校时任连队司务长，只能想方设法改善大伙的生活。初春时节，老师冒着凛冽北风，骑车过河到安徽买了点肉和鸡蛋，原想为大伙改善伙食的好意却被报告到北京总行军代表那儿，受到大会点名批判，说他缺乏艰苦朴素甘于吃苦的思想作风。老师当时是杨培新专案组的成员，专案组要把杨培新定性为叛徒、反动学术权威，而老师坚持事实，认为杨没有什么问题，不应定性为叛徒。于是，老师被视为是怜悯叛徒、立场不清、界线不明，被迫离开了专案组。正是由于有了这几次所谓的严重问题，后来银行业务组点名要将老师调回北京搞课题研究受阻，老师被迫继续滞留河南，直到1972年才回到了中国银行。

几十年后，当老师追忆往事，回忆起“文革”期间所经受的委屈和磨难时，我们问老师是否后悔当年的选择，老师仍是无怨无悔。几十年的沧桑，磨砺了老师的意志和心性，染白了两鬓，但却丝毫没能改变老师耿介坦诚、高洁的品行。

二、成材——国际金融专家

千淘万漉虽辛苦，吹尽狂沙始到金。回到中行后，老师致力于国际金融研究，成果累累。1981年评为副研究员，1983年组织筹建中国国际金融学会，此后任副会长兼秘书长。1986年评为研究员，1984年任国际金融研究所副所长，1986年为所长。创办并担任《国际金融研究》杂志主编。老师在长期主持研究所的工作中，培养、提拔、输送了一大批金融人才，并推动和促进了我国国际金融理论与实践工作的发展。老师在主持中国国际金融学会秘书处工作时期，团结我国金融实务工作者、理论研究工作者和教学工作者，为共同促进我国国际金融学术研究的繁荣，理论与实务的紧密结合以及为深化金融体制改革和对外开放作出了开拓性的、出色的贡献。

老师的研究领域主要涉及世界经济、国际金融的各个方面，尤其在国际收支、外汇储备、人民币汇率研究、外汇风险及其防范、商业银行经营管理等方面有很深的造诣。为了搞好金融研究工作，老师阅读了大量中外文资料，研究国外金融领域最前沿理论，并结合我国金融业实际，为中国银行的发展和金融业的改革开放提出了许多富有现实意义的建议。他积极参与我国金融体制改革，特别是外汇体制的改革。他首先建议国家统计局重新编制我国国际收支平衡表，又提出国际收支综合动态平衡的观点。1984

年，在国际黄金非货币化背景下，老师在国内率先提出应在国内扩大黄金首饰、工艺品、金币的生产与销售，引起了中央的高度重视，并得以迅速实施。而今，金银首饰已成为美化居民生活的一部分。1986 年，老师详细论述了我国对外金融的发展战略方针、战略重点、战略措施，以及利用外资的战略发展问题，受到国务院有关领导的高度重视。1987 年，老师在《红旗》上发表《评西方股市风暴》，深入分析了美国股市暴跌的前因后果，提出防范金融危机的对策措施。1991 年，老师在联合国贸易发展资金专家会议上提出当今世界经济发展态势可概括为“依存、合作、竞争、发展”，这八字观点至今仍有很大的影响。关于我国外汇储备的构成、性质、作用以及国际资本流动，老师均有过精辟的分析，尤其是对外汇储备管理改革的一些设想和建议，受到了国内外同行及有关领导的重视。

在日常的工作中，老师还善于结合工作中的问题进行对策性的学术研究。如 80 年代初，老师在参加广交会时，发现许多外贸界人士汇率风险意识淡薄，为此，老师针对汇率变化对报价、成交以及对经济、人民币汇率的确定及汇率改革方向的影响，进行了系统而深入的研究，取得了一系列研究成果。其中，与他人合写的《国际支付中的货币和汇价》一书以及在《红旗》上发表的《汇率变化及其对经济的影响》等有分量的著作均是在此阶段完成的。当时，这些理论紧密联系实际的研究成果对我国顺利开展外贸活动，了解和避免汇率风险，起到了积极的作用。老师活跃的思维和远见卓识常令我们叹为观止。

近年来，老师发表了《21 世纪前十年世界经济金融发展趋势及对策思考》、《对我国国有商业银行股份制改造的探讨》，都产生了很大的反响。经数十年的潜心研究和笔耕不辍，老师共发表学术论文二百多篇，有些在中国香港和国外报刊上转载，有些获得全国性奖。并且著有《欧洲美元与欧洲货币市场》、《人民币汇率研究》、《国际金融纵横谈》等九本专著。为了培养金融专业人才，编著了银行干部教材《商业银行经营管理》以及《国际金融学概论》和《商业银行经营管理》等高校教材。此外，作为课题组负责人和学术带头人，老师还主持了原国家科委重点攻关课题“中国外债模型”及全国“七五”国家重点课题“西方主要资本市场与我国对外筹资选择”的研究。

三、升华——从金融理论到金融实务

老师曾和我们戏言，他的人生有两次大的转变。第一次就是从新闻领

域转到金融领域，这是人生道路的一次根本性转向；第二次则是从金融理论研究向金融实务的转变，而这次转变则使先生从一名金融学者成功地转型为一名名副其实的银行家。

1992 年，老师调至中国银行卢森堡分行任总经理（行长）。在老师的领导下，调整了人员结构，并针对全部业务流程进行了大规模改造和规范，重新整章建制。开展了信息技术系统基础建设，设计和开发了新的计算机业务软件。从此，改变了中行卢森堡分行在竞争中业务技术长期落后的被动局面，迅速增强了分行的运营效率和竞争实力。同时，老师审时度势，大力创新，增加业务品种，调整资产结构，在保证流动性的前提下，增加证券投资及各类放款的比例，大大提高了盈利能力。锐意的改革和创新取得了丰硕的成果，老师任职期间的效益占卢森堡分行建行 18 年全部利润的 70%。卢森堡分行经营状况名列中国银行海外分行第一名，人均利润每年为 50 万美元，资产和资本回报率分别高达 1.3% 和 130%，而不良资产率不到 1%。在卢森堡 220 家银行中，该行的综合效益已经进入前十名。

四、师恩——桃李满天下

作为改革开放后的第一代银行家，老师取得了丰硕成绩；而投身银行实务的同时，吴老师并没放下金融理论的研究和教学研究工作，学术造诣日益精深，1981 年起就担任中国人民银行研究生部指导教师。曾经兼任全国金融学术委员会委员，中国金融学会、中国经济合作学会、亚太贸易研究与培训中心常务理事，中国太平洋经济合作委员会委员等职，并被聘为中国人民大学、南开大学、武汉大学、中央财经大学、西南财经大学、东北财经大学、上海财经大学、对外经贸大学的兼职教授，是我国国际金融学术领域众望所归的泰斗之一。

老师治学并不推崇为理论而理论的研究方法，也不刻意追求缜密的理论体系构造，而是力求结合我国金融体制改革的热点和难点进行研究，以期能提炼出适合中国国情的新的学术观点和方法。"不唯书，只唯实，理论联系实际"，这是老师对我们的谆谆教诲，也是老师四十多年来治学的准则。

如今，老师继续担任中国国际金融学会副会长等职和人民银行研究生部及中央财经大学博士生导师。老师严谨的治学态度、高深的学术造诣、崇高的人格魅力，他的著作、言行、学术思想和治学风格都对我们形成强大的感召。"随风潜入夜，润物细无声"，在耳濡目染之下，我们在学术研究、为人处世方面都不知不觉中继承了师门作风。老师古道热肠，言传身教之余，对学生和蔼可亲，关爱有加，无论我们有何困难，他总是不遗余力地施以援手。师恩浩荡，如春风化雨。三十年来，从先生门下走出了三十多名硕士、博士，遍及全国金融业。在此，谨祝老师身体健康，思想之树常青。

做学问，做事业，更要做正直的人*

——记金融学家、银行家吴念鲁先生

一个人，要想在理论与学术方面有所建树，就不能再要求自己把现实或实用方面的事情做得多么完美，因为这需要进行两类不同的行为训练。社会中少有能在两个方面都有成就的人，但吴念鲁先生就是这样一个跨领域的成功者。

他出生在一个文化氛围浓郁的家庭。父亲是20世纪30年代崭露头角的激昂文学青年。他行将出生的时候，父亲正忙于一个伟人后事的相关事情。几天后，即使作为长子的他的降生，也没有让他的父亲彻底从悲痛中得以解脱，于是他从父亲那里得到了一个含义深沉的名字——怀念鲁迅。在后来的人生长河里，鲁迅的精神一直感召着他，他要做一个正直、有骨气的人，热爱学习、热爱生活的人。

最近，笔者有幸接受了采访吴先生的任务，让我有机会近距离地与这位德高望重的前辈交流思想，从中感受到了他鲜明的人格魅力。

学者本色

吴先生的大学专业是德国文学，如果不是命运的安排，他很可能也像他父亲那样成为一个文学青年。但1960年，他在人民日报社刚刚工作了3个月的时间，就被调到中国人民银行国外局，从此开始了漫长的金融领域内的跋涉。

他十分重视对国际金融理论的学习。他的学习，从做好一个资料员开始。他认真地编好每一个外汇行情表，虚心学习老同志在金融研究方面的每一个细节，逐渐成了这个领域的理论专家。1981年他被评为副研究员，

* 本文原载《银行家》2006年第6期，记者郭利华。

担任研究室副主任，并在人民银行研究生部任教。1986年成为研究员、中国银行国际金融研究所所长、《国际金融研究》主编、中国国际金融学会副会长兼秘书长，从此开始在国内金融理论领域为深化金融体制改革和对外开放以及国际金融学科建设，发挥出重要的作用和贡献。

他在理论研究中十分注重联系实际，强调理论要为现实服务，要以当前的国家经济的中心为研究的重点。他多次对自己的学生说："理论就是要运用马克思主义的立场、观点和方法，对社会经济变化作超前的研究；不仅要研究热点，而且要研究潜在热点和问题，对具体问题提出对策性建议并做可行性研究；对政治、经济、金融领域发展变化和已执行的政策措施作比较性、规律性和总结性研究。"

在此原则的指导下，先生撰写和主编了《人民币汇率研究》、《国际支付中的货币与汇价》、《欧洲美元与欧洲货币市场》、《国际金融纵横谈》、《国际金融学概论》、《商业银行经营管理》等十余本国际金融教材与专著，主持过多项国家重点课题研究。其研究领域涉及世界经济、国际金融的各个方面，尤其是在国际收支、外汇储备、人民币汇率研究、外汇风险及其防范、商业银行经营管理等方面有很深的造诣。他积极参与我国的金融体制改革，特别是外汇体制的改革。他提议国家统计局重新设计我国国际收支平衡表，又提出国际收支综合动态平衡的观点。1984年，在国际黄金非货币化的背景下，他率先提出应在国内扩大黄金首饰、工艺品、金币的生产与销售，引起了中央的高度重视，并得以迅速实施。1986年，他详细论述了我国对外金融的发展战略方针、战略重点、战略措施，以及利用外资的战略发展问题，受到国务院领导的高度重视。1987年他在《红旗》杂志上撰文《评西方股市风暴》，首次提出借鉴美国的经验教训，防范我国可能出现的金融危机的对策措施。1991年，他在联合国贸易发展会议上把当今世界经济发展态势概括为"依存、合作、竞争、发展"，这八字观点至今仍有很大的影响。近几年来，他在我国的外汇储备管理、人民币汇率问题、金融安全与金融稳定问题等方面均有精辟的分析和独到的见解，受到了国内外同行和有关领导的重视。他与另一位学者撰写的《人民币汇率研究》是第一部系统研究此类问题的专著，当时是为决策提供依据的，所以只是内部发行。2002年经他本人修订后重新出版，公开发行。直到今天，大凡研究人民币汇率问题的同志都会参考这部书。

从1986年起，吴先生就担任中国银行国际金融研究所所长，开创了国际金融研究的黄金时代，奠定了其主编的《国际金融研究》的学术地位。

关注现实

采访开始，他向我详细地介绍了他对这些现实金融问题的看法，自信而有哲理，很快我就进入了他的思路和感情，一任他在他的学术天地里驰骋翱翔。

关于我国的外汇储备管理与运营问题，他强调了重要的四个方面的内容。他认为，首先要重视储备的安全存放问题。我国的外汇储备大多是美元、欧元债券和主要西方国家货币表示的金融资产。近年来，特别是“9·11”事件以来，国际政治、经济形势的动荡和发展很可能会波及我国外汇储备的安全，因此大量的储备资产存放的国家和银行就面临选择的问题，需要慎重考虑。其次，要根据国内外形势，确定适合我国国情的外汇储备下限和上限以及外汇储备的数量区间。我国的外汇储备保持在适度较高的水平是符合改革开放的需要的，但外汇储备必须为经济发展服务，并不是越多越好。这是因为经常项目净流入，也即外贸顺差所形成的外汇储备保持太多，对资源是一种浪费。而且这部分外汇储备是靠出口商品和劳务换来的，我们换到的只是存放于国外大银行的各种可兑换货币的存款和其他金融资产，虽然我们能收到一定的利息或收益回报，但是这些资金并未投入生产运营，外汇资金也没有充分发挥效益；同时在我国当前资本项目没有完全放开的前提下，稳定汇率并不需要大量储备进行干预；而且过多的储备会增加通货膨胀的压力，干扰中央银行货币政策的实施。因此外汇储备不是越多越好，即要注意“度”的问题。再次，为解决储备过多的问题，他提出的思路是，可以把一部分外汇注资到一些公司，让其进行股权投资，如对西方一些跨国公司投资、参股，这样做不仅可以获取收益，并能做到“你中有我，我中有你”；把一部分外汇用于进口高新设备和技术，用进口来拉动内需。最后，也可以把一部分外汇储备交给国外知名的基金代管。这些基金会有专家将储备按不同的比例进行资产组合，并根据市场变化调整结构，因而回报较高。

对于金融安全与金融稳定的关系，吴先生给予了特别的关注。他认为两者具有密切的关系，只有确保金融稳定才能确保金融安全，而金融安全又是金融稳定的条件和基础。这就涉及金融法制化的问题。金融法制化是在国际竞争日益加剧的条件下决定金融战成败的关键因素。先生说，目前，我国涉及金融方面的法律、法规都是以金融稳定为出发点，主要针对金融机构、市场运行、监管等，并没有从宏观层面、国家整体利益制定金融安全法。所以，他认为应在紧急预案中，制定国家金融安全法。从程序上，凡是可能损害国家、民族、百姓的利益，可能影响国民经济秩序的正常运行，可能损害国际经济金融关系，可能危及国家经济金融安全的重大金融政策的出台和国有金融资产发生重大变化时，都需要经过全国人大听证，通过立法程序，以确保决策的正确性。因为只有决策程序的公正和透明，才能保证决策结果的正确性。

在关于商业银行股份制改造问题的研究中，他对商业银行如何进行股份制改造、如何走金融控股集团的道路、如何选择国内外战略投资者、如何在国内外证券市场上市等问题进行了探讨并提出了很实用的建设性意见。关于大家所关心的商业银行股改成功与否的判定标准问题，他提出：不能为上市而引进战略投资者，更不能为上市而上市，股改成功与否，只能从具体运营中考察。要通过一些指标进行全面评价，比如，看其存款市场占有率是升高了还是降低了，看税前利润是上升了还是下降了，看不良贷款率是下降了还是上升了，看职工的凝聚力是增强了还是减弱了，看竞争力的排名是上升了还是下降了。他特别强调，商业银行要慎重选择战略投资者，其中定价对双方来说都是重中之重的问题。定价不应局限于净资产的大小，要充分考虑品牌、客户、市场、分支机构，特别是国家支持的因素，要防止恶意压价、获利套现和恶意收购。在选择合作伙伴时，不要只盯住50家大银行，可选择某些有专长、业务稳定发展的中上等专业银行，采取投资与相互持股的方式，这样会有更大的互补性。

先生是一个学者，在与他的谈话中，我明显地感觉到了他作为一个学者的思维特点，那就是分析问题追根溯源，注重根本。不管是在人民币汇率问题还是外汇储备的管理问题上，他都特别强调基础理论和实证研究的作用。作为参与人民币汇率制度改革的亲历者，先生高度地评价科研机构工作者、高等院校教学和科研工作者在该领域作出的贡献。他说，他们的研究成果对政策的制定起到了积极的作用，现在应继续鼓励他们进行深入的研究。比如，对国际价值论、购买力平价理论、出口换汇成本、理论比价模型、均衡汇率模型、汇率预警模型以及其他模型和方案进行深入研究。再比如，对单一货币或者一篮子货币、爬行浮动、管理浮动、单独浮动、中心汇率等问题进行探讨，这些领域的基础理论研究意义重大。

说到理论研究，吴先生还对社会上很流行的一种现象——那就是照搬、盲目崇拜西方经济学理论的现象，谈了自己的看法。先生认为，我国还处于向市场经济的过渡时期，对西方的好东西我们可以借鉴，这对我们的发展肯定有好处，但不能盲目照搬。因为西方经济学讲的是资源配置和经济运行，即如何寻求配置的最佳和运行的稳定。马克思政治经济学讲的是生产力和生产关系，而我国经济改革的现实中却有许多属于生产关系的问题，因此，必须充分重视，认真对待，来不得半点马虎，决不能忽视对后者的学习。

一边听着先生的谈话，我一边思索着先生的身份——中国银行国际金融研究所所长，《国际金融研究》主编，中国银行卢森堡分行总经理，中国人民银行研究生部和中央财经大学博士生导师，先生的每一步似乎都那么的与众不同。他曾戏言，他的人生有两次大的转变，一次是从新闻领域转到金融领域，一次是从金融理论研究转向金融实务。而后者，使他从一名金融学者成功转型为一名名副其实的银行家。而今他更多地从事理论教学工作。

行长生涯

1992 年，他就任中国银行卢森堡分行总经理。上任伊始，他就走访当地华侨社团，征求他们对银行工作的意见。原来的分行办公楼地处类似王府井步行街地段，繁华自不必说，但是面积不大，特别是楼内和附近没有停车场，来自荷兰、比利时、德国、法国等地的客户深感停车不便，很是影响业务的持续发展。如果更新办公楼，既要占用大量资金，又会直接影响效益。为了分行的长远利益，他毅然决定购买新的办公楼，把营业面积扩大了 4 倍，楼内还有 20 个车位，大大改善了经营环境，为以后的业务发展打下了非常好的基础。

他做学问时养成的严谨和前瞻作风，很快就应用到实际工作中去。他先从狠抓存款入手，改变过去一贯压低存款利率的做法，将利率与当地大银行利率水平保持一致，对大客户还可优惠。他说，不能从卡存款利率中赚钱，应该在资金运用上赚钱。于是他更注重资产质量，调整资产结构，增加资产规模，以此获取更多的利润。与此同时，又下大力气强化内部控制机制和业务经营管理，增加业务品种，完善整章建制。他认为，这是加强管理，控制风险的根本保证。

在上述指导思想下，他担任中国银行卢森堡分行总经理的那段日子，正好是欧元准备诞生之际。凭着他的学术造诣和职业敏感，他断定欧元一旦面世，参加国经济必须趋同，而利率一定会向低水平趋同。于是，他决定让分行购买了大约3亿多美元的欧洲各国政府债券。这一项决策有效地改善了资产结构，保证了流动性、收益性与安全性的统一，而且带来了每年1 000多万美元的收益。1997年11月离任时，他完全可以把这些债券出手变现，加厚自己的业绩，且这一能带来丰厚收益的行为不会受到任何指责。但是，他从中国银行卢森堡分行的长远发展着想，还是把收益留给后任，使得继任者可以轻松地享用他的决策而带来的业绩。

在他任职的五年多的时间里，所创造的效益占卢森堡分行建行18年来全部利润的70%，卢森堡分行经营状况名列中国银行海外分行第一名，人均利润为每年50万美元，资产和资本收益率分别高达1.3%和130%，而不良资产率不到1%。在当时卢森堡全国220家银行中，该行的综合效益列入前十名。

谙熟国际金融业先进做法的吴先生，终于有了一个宝贵的应用理论的机会。同时，这段经历对于后来从事研究工作大有好处，以至于在2004年吴先生出版的《商业银行经营管理》一书中浸透了作为分行总经理的领悟与思考。这本案例丰富、操作性强的教材，一开始就提供了商业银行管理框架图，让人一目了然。他将商业银行经营管理分为商业银行运营架构、商业银行战略与营销管理、商业银行业务运作、商业银行管理四大板块，结构清晰。

师长尊严

吴先生作为我国国际金融学界的权威，在中国人民银行研究生部、中央财经大学带了30多名博士生、硕士生。他在学术上对学生要求很严，从不马虎。

其实受过吴老师教诲的不仅仅是他名下的学生，作为长期担任《国际金融研究》的主编和国际金融研究所所长的吴先生，他不仅影响其手下的研究人员，更影响了许多听过他的课、读过他的书的人。许多人慕名前往，他都非常热情，尽力帮助。奖掖后学，使他赢得了无数尊敬。

笔者虽然也是金融专业的学生，但是在采访中几乎忘记了来意，在聆听吴老滔滔不绝的话语时，只觉得不应当放过学习机会，始终洗耳恭听，以至于留下来用于了解吴老在现实生活中的风采的时间竟然不够用了。

最后，我终于只能用很短的时间了解吴老师学术以外的问题了。

我问到吴老师如何看待金融领域里出了那么多的落马者这件事情，他深深地叹息道，银行工作者特别是高管层必须时刻牢记“依法合规”这个基本准绳。做人、做事必须有道德标准和行为底线，在金钱和物质的诱惑面前，才能挺直腰，站得稳。他十分赞赏董辅礽先生所说、所做到的“守身为大”。

这件事情让我想起他的一位学生说起的一件事。

“文革”时，先生是所谓“叛徒”杨培新专案组的成员。当他发现那个判断是诬陷不实之词的时候，就大胆提出自己的意见。于是，他本人也因此而受到了另外一种“待遇”——延长在人民银行河南淮滨“五七”干校的下放期，直到 1972 年 9 月才回到北京。

胸怀坦荡、与人为善、实事求是、独立思考，加强自身修养，这就是做人根基，也是最明智的生活观。这样的人可能会受委屈于一时，但决不会跌倒在生活的长路上。防止腐化、防止与丑恶人群同流合污，没有这样的“盾牌”就难免“落马”。

他再三强调学习中的独立思考，在给他学生的“共勉”中说：“不为尊者唯，不为权者唯；不为尊者讳，不为权者讳。”在尊者面前，在有权势人的面前，不唯唯诺诺，敢于直言。即使与他们意见相左，也从不隐藏自己的看法。在许多前沿的金融敏感问题上，他发表了掷地有声的见解。

以前我拜读过他的文章，听到过他的事迹，但今天我是第一次见到他——一个永远用笑容直面人间的慈祥老人，一个在知识和现实问题面前一生都在不断思考的学者，一位让所有接触过他的年轻人永远难以忘怀的可敬的师长。我真为今天的收获而庆幸，更愿意把我的这点感想原原本本地传递给广大读者。

为学为商都应秉持求真务实*

——访中国人民银行研究生部学术委员、博士生导师吴念鲁

记者：感谢您接受《中国金融》杂志的专访。在过去的半个多世纪中，您一直辛勤工作在金融研究岗位，首先请您谈谈自己是如何与金融结缘的。

吴念鲁：我 1960 年毕业于南京大学外文系，最初被分配到《人民日报》国际部工作，3 个月后，因人民银行缺少德语翻译，组织上就安排我去中国人民银行。当时我非常喜欢新闻行业，希望做编辑工作，对去银行感到犹豫，于是征求父亲意见。没想到，做出版工作的父亲通过电报，只回复了“去银行”三个字。这样，我就到位于北京西交民巷的人民银行总行报到了，被分配到人民银行国外局（中国银行）研究组。该研究组的前身是国民党时期的中国银行经济研究室，曾拥有冀朝鼎、丁鹄等一大批著名的经济金融专家。我当时的工作主要是翻译德语方面的金融资料，同时还要编外汇行情表。为了编制外汇行情，我每天要骑车到东单的外贸部商情研究所取路透的电条，编制美元对西方主要货币的外汇牌价。最初是将编好的外汇行情表复写 16 份，寄送到在京相关单位和中国银行几大口岸行，同时每周两次刊登在外贸部的《外贸商情》报纸上，供外贸部门和银行作为定价、核算和记账的依据。面对每天涨跌起伏的外汇行情和期货行情，我逐渐对国际金融产生了兴趣。我开始阅读金融方面的书籍和一些苏联的教材，同时我注意向身边的同事学习，不断积累金融专业知识。后来，我负责研究和预测西德马克的汇率变化。这促使我去更广泛地关注国际经济和金融方面的情况，并深入研究包括西方的货币政策、银行、金融市场与经济发展的关系。就这样，我终于下定决心把国际金融研究作为自己一生的事业。回想起来，我在银行的第一项工作就与汇率有关，这也在很大程度上决定了我后来的研究方向和工作经历。1963 年，中国银行从事研究的

---

* 本文原载《中国金融》2011 年第 3 期，采访者为魏革军。

人员，都并入了新成立的中国人民银行金融研究所。文化大革命期间，1968年，我到了河南淮滨五七干校。1972 年，我重新回到中国银行工作。1978年十一届三中全会以后，我国银行业迎来了改革开放的新时期。中国银行从人民银行分设出来，并成立了国际金融研究所，这时，我重新系统地阅读西方金融著作，了解掌握西方金融业的最新动态。经过多年的知识积累，我撰写了许多有分量的资料和研究成果，在《人民日报》、《光明日报》、《大公报》、《中国金融》、《国际金融研究》、《世界知识》等重要报刊上陆续发表文章。1981 年，我被评为副研究员，并成为人民银行研究生部国际金融方向的首批研究生导师。1986 年我被评为研究员并被任命为国际金融研究所所长，同时兼任国际金融学会副会长和秘书长以及《国际金融研究》杂志主编。

记者：在您的研究生涯中，印象最深的有哪些事件？

吴念鲁：在我的学术生涯中，有几件事令我终生难忘。1980 年 1 月底至 2 月初，我参加了国务院进出口委员会、中国银行、社科院等单位在北京召开的一次关于利用外资的学术研讨会。这次会议的背景是，十一届三中全会以后，我国开始扩大对外经济往来和吸收利用外资。当时的中央领导曾对利用外资作出重要批示："外贸工作要把生意做活，更多地积累外汇。"邓小平副主席也指出"有外资不用是蠢，用得不好更蠢"。由于从 1949 年到 1978 年的过去 30 年中我国长期实行"闭关锁国"的政策，对内实行高度集中的计划经济体制，既无内债，也无外债；对外贸易坚持进口与出口平衡、略有结余的方针。所以在改革开放之初，许多人依然认为利用外资是搞资本主义、殖民主义。在利用外资问题上，仍存在相当多的困惑和阻力。而这次学术会实际上就是要从理论和实践上，对利用外资、引进技术、管理经验以及外资和整个宏观经济的关系，进行了深入的讨论。

在会上，国务院进出口管理委员会副主任汪道涵作了主题报告。他讲了关于利用外资的几个问题，提出几个艰巨任务。与会者献计献策，积极探讨如何借好、管好、用好外资，为四个现代化服务。会议旗帜鲜明地提出了利用外资的标准。这可以说是我国第一个关于利用外资的学术研讨会，对于我国利用外资具有开创性意义。

在这个会上，我提交了一篇题为《利用外资与国际收支平衡》的论文。我针对当时利用外资存在需求和供应脱节的现象，其主要原因之一在于没有用国际收支平衡的观点、综合平衡的观点来指导外资的利用和组织。为此我提出要编制我国的国际收支平衡表。我觉得通过完整的国际收支平衡表的编制，可以对未来年度的国际收支进行规划和预测。不仅可以预测贸易和非贸易的收支可以达到多大的顺差和逆差，而且还可以考虑到对外的负债到什么时候应该付利息，外国投资利润的汇出，不仅要考虑到资本收入的可能，而且要考虑必须履行的资本支出。这样，就可能把外资的收支全部纳入国际收支计划，这对促进我国合理利用外资，起到一个心中有数的指导作用。而过去国家统计局只编外汇收支表，只反映外汇的增减，没有把资本项目编进去，没有按照综合平衡、复式会计的方式来进行编制。会后我把这个建议送给了国家计委统计局，国家计委的领导作了批示，国家统计局约我就改编工作进行了几次讨论。我当时还设计了一个式样。因为这个建议，后来国家统计局和外汇管理局一起召开了专门会议，按照我的提议，编制了我国第一张国际收支平衡表。

1983 年 1 月，我参与中国国际金融学会的筹备工作，此后我长期担任副会长兼秘书长。通过各项活动，推动和促进了我国金融理论研究和实务工作以及教学工作的发展，进一步促进理论与实际的紧密联系，从而有助于提高我国在该领域的整体素质。

1984 年 6 月 4 日，我在《经济日报》头版发表了《从西方黄金用途谈我国的黄金销售》一文，在国际黄金非货币化的背景下，我率先提出应藏富于民，在国内扩大黄金首饰、工艺品、金币的生产与销售。我的观点引起了中央的高度重视，并得以迅速实施，这对于搞活我国黄金市场具有重要意义。为此我后来还多次收到黄金饰品企业发来的感谢信。

1991 年夏，中央政策研究室在中南海召开会议，江泽民总书记和宋平同志就世界经济形势以及对我国经济金融发展的影响听取意见。当时被邀参加会议的有国务院发展研究中心的孙尚清等 7 位同志。作为来自银行系统的唯一专家，我在会上分析了 1990 年国际金融形势对我国经济的影响，并提出了应采取的对策。会后，宋平同志还专门询问我关于我国外汇储备中国家外汇库存与中国银行外汇结存的关系。我一一作出了令他满意的回答。

1991 年秋，联合国贸发会邀请我在资金委员会上，就世界经济发展态势作主旨发言。我提出：“进入 90 年代以来，世界经济、金融的格局基本上仍在 80 年代多极化、区域化、集团化的基础上进一步发展和完善。支配这种格局的形成和发展是从当今世界发展的一种不可逆转的态势出发的。对此，可以归纳为八个字：依存、合作、竞争、发展。”这一观点仍然适用于当前的世界经济形势，如区域经济贸易集团的形成、治理金融危机的联合行动、国际贸易摩擦矛盾等。目前，尽管世界经济贸易发展仍然很不平衡，但世界经济会向着多极化、地区化和集团化方向发展，国际经济关系是在相互依存的基础上，进行合作与竞争，并在此过程中获得发展。

记者：您曾经在中国银行卢森堡分行工作多年，这段经历对您的学术研究有何影响？

吴念鲁：1992 年至 1997 年，我被委派到中国银行卢森堡分行任总经理。这段经历使我第一次可以把多年的理论研究用于实际工作之中。为了尽快熟悉当地情况，我主动走访当地华侨社团，听取他们对银行工作的意见。鉴于分行原有办公楼面积狭小、客户停车不便，我毅然决定购买新的办公楼，把营业面积扩大了 4 倍，此举为分行以后的业务发展打下了非常好的基础。针对分行长期以来压低存款利率导致存款增长缓慢的情况，我认为，不能靠压低存款利率来赚钱，而应该在资金运用上赚钱。为了多吸收存款，我们将利率提高到与当地大银行利率水平一致，并对大客户实行优惠。在资金运用上，我们更注重资产质量，调整资产结构，增加投资规模，以此获取更多的利润。与此同时，我们下大力气强化内部控制机制和业务经营管理，增加业务品种，完善整章建制。我认为，这是加强管理，控制风险的根本保证。

那时，正处在欧元孕育阶段。根据多年的理论学习和职业敏感，我断定欧元一旦面世，随着成员国经济趋同，利率也必然会向低水平趋同。于是，我决定购买了大约 3 亿多美元的欧洲各国政府债券。这一项决策有效地改善了分行的资产结构，保证了流动性、收益性与安全性的统一，给分行每年创造了 1 000 多万美元的收益。我把上述研究和判断写了《欧元启动前的三大问题》一文发表在 1997 年 10 月 14 日的《人民日报》上。在我任职的 5 年多时间里，分行所创造的效益占分行建行 18 年来全部利润的 70%，经营状况名列中行海外分行第一名，人均利润为每年 50 万美元，资产和资本回报率分别高达 1.3% 和 130%，而不良资产率不到 1%。在当时卢森堡全国 220 家银行中，我们分行的综合效益列入前 10 名。

在卢森堡分行的经历使我树立了现代银行经营理念，它带给我的经营启示是：商业银行管理者必须依法合规经营；要调整好负债结构和资产结构，合理有效运用资金，控制各种风险；要有适合客户的产品或超前的产品，没有好产品，就没有生命力；银行一定要依靠科技手段来提升竞争力；人才的培养团队的建设，整个企业的竞争力归根到底是人才的竞争。

这一经历使我认真思考，我国商业银行如何确立和完善海外发展战略，必须把实现海外本土化和调整优化海外组织架构放在重要的位置上。2004

年我出版的《商业银行经营管理》高校教材以及许多其他文章，都包含了我在卢森堡工作的许多研究与实践总结。

记者：作为一名资深学者，在当今社会，您认为治学精神中最重要的原则是什么？如何才能始终遵守这些原则？

吴念鲁：我认为，做学问必须始终秉持求真务实的态度。首先，要敢于坚持真理。我将其总结为20个字："不为尊者唯，不为权者唯；不为尊者讳，不为权者讳。"在尊者面前、在有权势人的面前，不唯唯诺诺，敢于直言；即使看问题与他们意见相反，也从不隐藏自己的看法。其次，要开拓创新，独立思考，勇于探索，敢于自我修正。再次，要加强自身修养，脚踏实地，淡泊名利，心胸坦荡。这是做人根基，也是最明智的生活观。这样做人可能会受委屈于一时，但决不会跌倒在生活的长路上。做人做事必须有道德标准和行为底线，在金钱和物质的诱惑面前才能挺得直站得稳，做学问才不至于虚浮空洞甚至抄袭造假。

记者：您在学术研究中的主要心得和体会有哪些？

吴念鲁：一是要掌握扎实的学科基础理论和知识。我本人在大学读的是外国语言文学专业，经济学理论基础和基础知识很差。我从收集、编写资料入手，在参与、编著《外汇基础知识》、《国际金融学概论》、《商业银行经营管理》、《国际金融研究》等教材和审阅编辑有关国际金融教材和杂志的过程中，迫使自己对相关基础理论、基础知识有一个全面深入的了解和把握，否则就无法编写、审阅教材和相关文章。

二是要善于借鉴吸收本学科和其他学科的研究成果。牛顿说过："如果说我看得比别人更远些，那是因为我站在了巨人的肩上。"因此，阅读古今中外经济学的经典有助于自己的思考和研究。我一直强调借鉴其他学科的研究成果，可以阅读中外文学名著，这也能丰富我们的生活阅历，增强思考能力。

三是头脑中要经常有问号，要学会独立思考。遇事要问一个为什么，要学会独立思考，撰写学术论文也应如此。比如，在研究西方经济金融危机根源时，往往只强调外部原因，把危机症结归之为"在于当前不合理的国际货币体系及其种种弊端"。但是对其内部与外部、局部与整体、一般与个别的关系究竟应如何分析和判断，如何把握好它们之间的关系，还须作深入的研究和探索。

四是要善于找到一个解决问题的思路。改革开放30年来，引进外资对我国经济高速发展起到重要作用，在审视引进利用外资得失时，必须充分肯定其作用，但是如何全面、科学、辩证地来分析和考虑十分重要。对利用外资问题，我一直进行跟踪研究。在引进外资上，如何取得双赢或多赢不仅是个经济问题，也是一个重要的政治问题、国际关系问题，同时也是一个经济、金融安全问题。因此，我主张，凡是涉及国计民生、国家经济命脉的企业必须认真权衡是否引进外资；可以允许外资参股，但不应让外资拥有控股权。

五是理论与实际必须紧密结合。首先要具备扎实的理论基础，要不断去思考。我在理论研究中十分注重联系实际，强调理论要为现实服务，要以各个时期的国家经济建设中心为研究重点，不能闭门造车。我常对自己的学生说："金融研究必须关注现实问题，要对社会经济变化作超前的研究，不仅要研究热点，而且要研究潜在热点和问题，对具体问题提出对策性建议并做可行性研究；要对政治、经济、金融领域发展变化和已执行的政策措施作比较性、规律性和总结性研究。"

记者：目前人们十分关注人民币资本项目可兑换与人民币国际化问题，请问您对此有何看法？

吴念鲁：资本项目可兑换（即货币可兑换）与货币国际化是既有区别又有联系的两个概念。货币可兑换不等于货币国际化。一国货币实现了资本项目可兑换并不意味着该国货币一定能成为国际货币。比如，新加坡元、俄罗斯卢布都是可兑换货币，但不是国际货币。其根本区别在于：资本项目可兑换是以供给为主导的，是货币发行国政府根据外汇供给以及其他因素进行决策；货币国际化是以需求为主导的，主要是由非居民对该国货币的需求偏好所决定的。

同时，两者又具有内在联系：可兑换是国际化的必要条件，但不是充要条件；可兑换和国际化两者可相互影响和相互促进；货币可兑换可推动货币国际化，货币国际化又可以促进货币可兑换进程。在当前我国经济持续发展、国际地位不断提高的情况下，积极推进人民币国际化的进程已成为必然趋势，但是在资本项目可兑换前实现的国际化，只能说具有国际化的功能，但称不上国际货币。

衡量人民币国际化的标准可概括为：人民币是否在世界范围内发挥价值尺度的职能并被广泛作为国际经贸往来的计价单位；人民币是否成为国际清算货币以及在国际贸易结算中被使用的比重；人民币在国际融资中被使用的比重；人民币是否作为国际干预货币使用，即能否为各国政府中央银行所持有并作为外汇平准基金来干预外汇市场；人民币能否发挥国际储备资产的职能；人民币在世界上的流通数量以及在国际金融中心的交易比例。

就目前情况看，人民币完全国际化还存在着众多的障碍。从经济层面看，中国经济还存在比较严重的结构性矛盾。比如说消费比例过低，投资比例过高，国民经济的运行效率有待较大提高。从金融层面看，人民币国际流通量增长不足，国内金融市场深度、广度和国际标准化程度不足，利率市场化、资本项目可兑换还没有完全实现，金融体系仍然比较脆弱，大规模推进人民币国际化进程的基础并不稳固。因此，人民币国际化必须要有恰当的路径、明确的整体发展战略和具体措施。首先，在地域扩张上采取“三步走”，即坚持人民币周边化、人民币区域化、人民币国际化的取向。其次，在货币职能上也采取“三步走”，即坚持人民币结算货币、人民币投资货币、人民币储备货币的取向。上述“三步走”中的每个步骤都是相互衔接、相互交叉进行的。尤其是各个阶段要与资本项目的开放相配套、相衔接、相呼应。需要指出的是，人民币国际化发展战略必须与国际货币体系改革的进程相一致。推动人民币国际化既符合我国经济金融发展的根本需要，也符合世界整体金融和经济利益。

记者：此次国际金融危机后，人们纷纷呼吁对国际货币体系进行彻底改革，请问您如何看待这个问题？

吴念鲁：此次危机集中暴露出美元霸权所蕴涵的种种弊端和风险，国际货币体系改革势在必行。首先，要建立一个多元化的本位制，以解决国际流动性出现的大幅波动。除了要强化特别提款权这类超主权货币的地位之外，还可以考虑增加大宗商品在稳定国际货币体系中的作用。其次，要加强对短期资本流动的监管。此外，要加强对汇率和国际收支的监管。要推动这些改革，其前提是要改革国际金融机构现行的“游戏规则”。当然，我们不可能指望短期内改变现存的国际货币体系状况。

记者：除了国际金融领域，您也一直关注我国的商业银行改革。您认为在股份制改造完成之后，我国商业银行发展还应当在哪些方面予以加强？

吴念鲁：对于商业银行股份制改造，我一向坚持这样的观点：不能为上市而引进战略投资者，更不能为上市而上市，股改成功与否，只能从具体运营中考察。要通过一些指标进行全面评价，比如，看其存款市场占有率是升高了还是降低了，看税前利润是上升了还是下降了，看不良贷款率是下降了还是上升了、看职工的凝聚力是增强了还是减少了，看竞争力的排名是上升了还是下降了。

2005 年以来，我针对建设银行、中国银行、工商银行准备在境内外公开上市并引进海外战略投资者提出了一些看法。比如，如何定价，按净资产作价是否合理；如何衡量存在或可能存在的利益冲突；如何防止套利变现，恶意收购；如何鼓励相互持股参股；如何引进境内战略投资者；如何增加和创造中资投行做保荐人的条件；如何提高引进外资的质量，引导外资进入的领域；如何加强监管外资的频繁流动对经济、金融造成的冲击和风险。

在股份制改造完成后，我认为商业银行应当特别重视企业文化建设。企业文化是银行创新和持续发展的源泉，是提升银行核心竞争力的重要保证。因此，在股份制改造完成后，商业银行应当把企业文化建设当做头等大事来抓。要尽快培养企业的核心价值观，增加员工的凝聚力和归属感，使员工的自我价值与企业的价值高度结合并保持一致。同时努力打造各具特色的企业品牌和产品，提高为客户服务的质量。

对对外开放、利用外资三十年的再认识*

——访中国人民银行研究生部吴念鲁教授

在北京秋高气爽的国庆节前夕，我又走进了慈祥睿智的吴念鲁老师家中，只要与吴老师交谈，都能够被他坦诚的胸怀、永远蕴藏着一股劲的精神所感染。吴老师是我国著名的国际金融专家，长期在我国金融机构和高等院校从事金融理论与实务工作以及教学工作，至今仍在从事教学，活跃在我国学术界。

我带着《银行家》交给的任务，请他谈谈有关金融领域改革开放三十年来他亲身经历的事件、认识和体会。我们从当今美国次贷危机所引发的华尔街风暴谈起，又谈到外资、热钱以及我国外汇储备的管理及应用，后来话题慢慢集中到对我国对外开放和利用外资的问题上。我被他侃侃而谈所吸引。

对外开放、利用外资是我国经济发展的必由之路

吴老师说，没有党的十一届三中全会所确定的改革开放政策，就不可能大规模地引进外资、利用外资，也不可能有我国经济持续高速的增长，我国经济建设也不可能取得如此巨大的成就。但是这些成就是经历艰难、曲折和斗争而取得的。1949—1978 年的 30 年中，我国实行的是高度集中的计划经济体制，对外实行“自力更生为主，争取外援为辅”的方针。虽然在新中国成立初期争取和接受了苏联的一定援助，但在“文革”初期，在“既无内债、又无外债”、“自力更生”的口号下，基本实行“闭关锁国”的政策，把对外开放、利用外资批判为“洋奴哲学”、“爬行主义”，是搞资

---

* 本文原载《银行家》2008 年第 11 期，记者郭利华。

本主义、殖民主义等。

吴老师回忆起在1973年夏，参与陈云同志布置给人民银行、外汇局几个课题研究的情况。那时正值“文革”中期，国内经济情况很差。陈云同志负责抓了一段时间的外汇、外贸工作，虽然时期不长，但他从调查研究入手，抓得很细。在听取人民银行领导汇报后，他给全行出了几个题目，主要是针对以美元为中心的国际货币体系垮台的形势下，当前西方主要资本主义国家的经济金融状况，国际金融市场形势和发展前景，特别是有关美国国际收支的变动状况、欧洲美元市场的情况，等等。陈云同志在分析我国外贸关系即对苏联东欧的贸易额减少，对西方国家的贸易额增加出现变化时指出，“和资本主义打交道大势已定”，告诫我们“不研究资本主义，我们就要吃亏”。陈云同志指出“不要把自力更生的方针与利用资本主义信贷对立起来”。这反映了他鲜明的对外开放、利用外资的观点，并明确要求银行把利用外资工作担当起来。

吴老师接着回忆起，他于1980年1月在北京参加了由国务院进出口委员会、中国银行、中国社会科学院世界经济研究所和国际关系联合会联合召开的“利用外资问题座谈会”，这是十一届三中全会以来第一次利用外资学术研讨会。这个会是紧接着1979年年底全国进出口工作会议后召开的。在会上汪道涵同志介绍了全国进出口会议的情况，传达了中央领导“外资工作要把生意做活，更多地积累外汇”的批示，特别是小平同志“银行要真正起到银行的作用”，“把银行真正办成银行”，“有外资不用是蠢，用不好更是蠢”的指示和批示。这个会议开得很成功，对我国如何更好地利用外资在理论上和实践上都起到了积极指导和推动作用。

吴老师认为，小平同志对我国对外开放和利用外资在理论上有精辟的、全面的、科学的阐述。小平同志指出：“现在的世界是开放的世界”，“对外开放具有重要意义，任何一个国家要发展，孤立起来是不可能的，闭关自守是不可能的。要实现我们的第一步目标和第二步目标，不开放不行，不加强国际交往不行，不引进发达国家的先进经验、先进技术成果和资金不行。关起门来是不行的。这叫对外开放。”

改革开放三十年来，虽然经受不少挫折，经济发展有所起伏，但党中央坚持对外开放、利用外资的方针，把它作为一项基本国策的决心从未动摇。

如何处理好对外开放中的几个关系

吴老师认为，随着对外开放和利用外资在深度和广度上的发展，如何处理和摆布好以下几个关系越发显得十分重要，这在理论上和实践中至今仍是一个再认识的过程，一个不断探索、不断积累、不断改进的过程，这也是中国经济与世界经济博弈的过程。

一、对外开放利用外资与经济发展的关系

1. 利用外资规模应与经济增长的需求相适应。要保持一个国家的经济持续增长，需要一定规模的外资投入加以保证。是否要把规定在一定期限内还清外债作为利用外资战略的目标呢？回答是否定的。因为这样规定，就会与尽可能多地利用一些可以利用的外资进行建设的长期政策发生矛盾。如果对外资利用妥善，运用得当，完全可以有借有还，循环周期使用，保证实现对外经济战略利用外资的需要。所以，按照经济建设的不同时期和不同阶段的需要，把利用外资长期保持在一个合理的水平上是必要的，也是可行的。

利用外资的规模应当控制在什么水平上比较合适呢？主要应该受以下三方面的制约：（1）原则上应控制在为保持合理国民经济增长速度所需的国内资金不足的范围之内，也就是根据实际的需要，首先考虑国内积累可提供的资金有多少，不足部分就需要引进外资。（2）债务的还本付息不超过当年出口收汇的20%。（3）控制在一个国民生产总值一定的百分比上，这个百分比的增长率不得超过国民生产总值的增长率。如果上述三方面掌握得好的话，必将促进国民经济的发展，形成国民经济的良性循环。

改革开放三十年来，我国在这方面应该说做得很好。近些年来，我国每年吸收的 FDI 都在 500 亿～800 亿美元，已连续十五年居发展中国家首位，现在，我国所吸收的 FDI 总量已达到8 000亿美元，共批准 62 万家外资企业，外债总规模接近 4 000 亿美元。毋庸置疑，外商投资对我国经济发展作出了重大贡献。

2. 利用外资应与我国的财力、物力、人力相配套、相适应。利用外资不能盲目，数量上也不是越多越好，要使外资利用规模与我国的财力、物力、人力相配套、相适应。要引导外资利用由数量型向质量效益型的转化。引进外资，要着重于提高引进技术的质量，努力实现外资向技术含量高、

附加值大的项目转移，改变目前一般加工工业和劳动密集型企业占主导地位的局面。

目前，我国企业对于引进技术的消化吸收和再创新能力不很理想。针对这种现状，政府可以加强引导，提高企业引进技术的质量，并运用税收、信贷等经济杠杆鼓励企业进行消化吸收和再创新，加大企业消化吸收的动力，发展自主创新能力，实现“引进技术—消化吸收—创新并产业化”的良性循环，促使我国外贸增长方式从“规模速度型”向“质量效益型”转变。

3. 利用外资应与经济发展方式转变的要求相适应。三十年来，我国外贸增长中的突出问题主要表现为以高投资为支撑的单纯的数量扩张，外贸数量扩张反映在国内经济运行与对外经济运行的关系上，是外贸依存度的持续上升。我国的外贸依存度已达到70%，出口占GDP的比重达到38%。中国现在已成为世界上外贸依存度最高的国家。外贸依存度的快速提高，一方面表明中国在国际分工体系中扮演着日益重要的角色，但另一方面过高的外贸依存度也意味着中国受到国际经济冲击的可能性不断增加。由于外贸依存度过高，尤其是原材料、战略物资、关键产品和重要技术的进口依存度过高，必然使中国经济面临难以预测的冲击和影响。

十七大报告提出，坚持科学发展观，改变经济增长方式，从依靠投资、出口拉动向消费、投资、出口协调拉动转变，扩大内需是拉动经济发展的根本。同时要积极推进外贸增长方式的转变，抑制外贸单纯数量扩张，改善外贸结构，提高外贸效益。要提升我国在世界贸易产业链中的地位，力图使我国变成世界的“制造工厂”，而不仅仅是世界的“加工车间”。

二、对外开放利用外资与外汇体制改革的关系

利用外资与外汇体制改革密切相关，随着外汇体制改革的深化，也为吸引外资创造了更为宽松的条件。在利用外资的过程中，我国先要求外企要尽量实现外汇自我平衡。与此同时国家为了调动企业创汇的积极性，扩大外汇收入，优化外汇资源管理，1979—1993年，实行了外汇管理留成办法，开辟了外汇调剂市场，这些改革和措施对我国利用外资有积极的推动作用。

1994年汇率并轨以后，我国实行以市场供求为基础的、有管理的浮动汇率制度，建立了统一的银行间外汇市场。1996年12月以来，我国实现了经常项目的开放，取消了三资企业外汇平衡的限制，实行外商直接投资的

汇兑自由，放宽外资在金融市场的投资，加大证券资本的流入，逐步放松国内企业向外资银行融资的限制，允许境内居民有限地向海外投资，适当允许境内机构向非居民融资，审慎放开非居民金融机构在我国境内融资。

1997 年 7 月，亚洲金融危机爆发，我国承诺人民币不贬值，得到国际社会的一致好评。2005 年 7 月 21 日，我国开始实施以市场供求为基础、参考一篮子货币进行调节、有管理的浮动汇率制度。至今人民币对美元已升值 20% 以上。目前，我国正创造条件，为实现资本项目的完全开放和人民币可兑换而努力。

随着汇率形成机制的不断变化，我国的经济金融结构也在发生着明显变化，银行和企业利用外资的深度与广度不断加深，这些变化与汇率，特别是外汇体制改革相伴相生，相互作用。面对国际金融市场汇率的起伏波动，金融机构和涉外企业必须加强对汇率问题的研究，提高风险意识，学会运用各种金融工具规避外汇风险。

三、对外开放利用外资与宏观经济调控的关系

近年来，我国国际收支顺差不断扩大，甚至出现了连年的“双顺差”局面。同时，外汇储备增长过快、过多，国际收支不平衡的矛盾比较突出，外债尤其是短期外债增长较快。截至 2008 年 6 月末，我国外债余额为 4 274 亿美元，其中，中长期外债余额为1 620. 67亿美元，占外债余额的 37. 92%；短期外债余额为2 653. 65亿美元，比上年年末增长 20. 57%，占外债余额的 62. 08%。

以上两种情况都值得我们警惕。因为，国际收支顺差过多，外汇储备增长过快会对国民经济增长带来不利的影响。一方面，外汇储备过快增长，导致中央银行基础货币被动投放增加，造成流动性过剩的压力增大，维持价格水平长期稳定的难度增加，通货膨胀压力增大，经济运行中的不确定性因素增多。另一方面，国际收支大额顺差增加了人民币升值预期，促使机构、企业、个人改变资产结构，减持外汇资产、增持人民币资产，也造成国际热钱的大量涌入，反过来又加大人民币升值的压力。如果国际形势出现逆转，会导致国际资本集中流出，对我国经济造成大的冲击和影响。

我国国际收支双顺差的局面在短时期内不会改变，所以，应积极发挥外汇储备充足、国际收支顺差的有利方面，加快经济结构和产业结构调整，逐步实现国际收支综合平衡。同时，要提高外汇储备的经营管理效率。要使外汇储备保持在一个合理的水平上，储备过多就违反了利用外资的初衷。

我们应该积极探寻有序逐步减少外汇储备的途径，根据经济发展的实际需要，大量增加高科技核心技术、能源原材料的进口。这样，外汇储备数量也下来了，进出口的地区结构和商品结构也会得到调整。

四、对外开放利用外资与“引进来”、“走出去”的关系

在三十年对外开放与利用外资的过程中，“引进来”与“走出去”并不匹配。这么多年来，我们在外资利用中强调的是“引进来”，不仅外资引进规模巨大，而且从投资结构上，外资已经从投资加工业向银行业、保险业、零售业、服务业、通信业迅速转移，影响和控制了许多部门的关键行业。反过来，我们的 FDI 与此太不匹配。从 2002 年到 2007 年，我国“走出去”的对外直接投资仅从 25 亿美元上升到 187.6 亿美元，在海外全部投资余额仅为 1 000 多亿美元，这与“引进来”的每年多达 500 亿 ~ 800 多亿美元、总余额接近 8 000 亿美元的 FDI 不可同日而语。为了最大限度地吸引外资，我国政府在税收、企业经营管理和原材料供应、销售渠道等方面给予外资长期过度的优惠，地方政府也采取多种优惠手段招商引资，使外资企业享受的待遇优于内资企业，形成了“超国民待遇”。内资企业不能与外资企业公平竞争，造成事实上对内资的一种“挤出”，这种挤出效应致使国内投资需求不足、民间投资难以有效启动。

这种情况需要改变。在经济全球化不断扩展和加深的背景下，利用外资的双向流动是世界各国对外开放、经济分工的普遍规律。我们必须在更大范围、更广领域和更高层次上参与国际经济技术合作和竞争，要充分利用国际国内两个市场，国内外各种资源实现生产要素的最优配置，拓宽发展空间。一方面，我们要坚持“引进来”，利用外资促进国内经济结构调整、国有企业改造；另一方面，我们要积极“走出去”，鼓励和支持有比较优势的各种所有制企业对外投资，带动商品和劳务出口，形成一批有实力的跨国企业和著名品牌。

做好四方面工作，加快对外开放的步伐

在全面分析上述四方面关系的基础上，吴老师认为，以下四点对如何更好地利用外资意义重大。

一、发展和完善资本市场

要深刻认识资本市场对经济强国的促进作用，也就是说，在经济全球化的形势下，金融资产的扩张是推动国民经济发展的重要一环，不能低估虚拟资本和财富效应的作用。虚拟经济与实体经济可以相互促进共同发展，对国民经济起到促进作用。如果不发展资本市场，我国的资产定价权、溢价权永远不能掌握在自己手里，财富将被外资轻易地侵占。事实上，资产价格重估是释放中国未被市场定价财富的一个过程，要更好地建立财富公平、公正的分享体制，让更多的群众增加财产性收入。发展资本市场是一项重要的战略性任务，对实现21世纪头20年国民经济翻两番的战略目标具有重要的意义。在当前金融动荡的形势下，建议中投公司以较大的资金在A股和H股市场，购买优质股票，作为长线战略性投资，持股三年以促进股市的健康、持续发展。

应进一步完善和优化资本市场的结构，增加债券，特别是企业债券的比例。应进一步落实上市公司分红制度，分红比例要逐步扩大，使广大投资者更多地从企业得到好处，而不是从投机溢价中获得收益，要严格监管上市公司缺少现金流的情况。

可以考虑设立一个稳定基金（或称完善资本市场基金），资金来源可由以下几个方面组成：证券交易印花税（估计已接近3 000亿元）、“大小非”解禁税（应有上百亿元），中投、社保基金从今后投资盈利中划出一定比例。该基金的金额可达5 000亿元以上。与此同时，适时推出股指期货，这对稳定我国资本市场运行和完善资本市场将起到积极作用。

二、资本项目开放要有时间表

要充分估计在国内经济条件不成熟时，全面实行资本项目开放，容易受到来自国际资本流动的冲击和国际金融动荡的影响打乱和干扰我国经济有序、稳定发展的危险。开放要有时间表。基金组织等根据时间序列的简单预测表明，鉴于我国经济和贸易增长速度快于日本，到2012年以后，我国GDP总量将超过日本。届时，从经济实力上看，我国已经具备资本项目开放的条件。因此我们要认真分析其利弊得失，拿出几套方案和时间表，最好不要迟于2016年实现资本项目开放与人民币可兑换。

与此同时，应着力打造上海成为全球国际金融中心。如果人民币实现自由兑换，应促使其成为人民币全球交易中心。这是我国从经济大国向经济强国和人民币迈向国际化的必由之路、必由之举。

加大利用证券投资、投资基金等方式吸收外资的力度，继续支持国内企业境外上市。按照国际规范完善企业运营机制，根据企业发展需要，通过配股、增资等方式扩大利用外资规模。支持符合条件的国内大型企业，把握国际资本市场的有利时机，在香港和其他境外股票债券市场发行证券融资。继续加强和规范对国内企业到境外发行股票、上市、资金使用等方面的管理，树立我国企业在国际资本市场上的良好形象。

三、打造一批现代化企业，加快“走出去”步伐

当前，西方跨国公司控制了世界生产的40%，国际贸易的50%，国际先进技术的60%～70%，国际直接投资的80%～90%，而我国企业进入世界500强的为数不多。为此，必须推进国有、民营资本向具有实力的大公司、大企业集中、整合，形成80～100家规模强大、技术先进、结构合理、机制灵活、拥有自主知识产权、自主创新和知名品牌的现代化、国际化跨国企业。

要以多元化的形式加快“走出去”的步伐，如通过投资、并购、相互持股、经销代理、建立开发区、以资本输出带动商品输出，到生产销售本土化，逐步缩小与“引进来”的差距，增加对外投资总额，提高对外投资收益，完善内外联动，做到“你中有我，我中有你”，实现互利共赢。

应重新审视我国企业特别是中资银行“走出去”的发展战略。这次危机为我国企业“走出去”提供了并购、参股的条件和时机。在选择地区和国家、行业、企业时，必须经过认真权衡，全面了解当地的投资环境、法律、法规。要实现出海的本土化，要与对外贸易和对外投资相结合，这样才能持续发展，实现双赢和多赢。

四、必须加强防范金融风险

美国次贷危机已引发了一场席卷全球的金融风暴，这场风暴具有关联性、复杂性和传导性。危机造成了全球股市的暴跌、多家大型金融机构被接管或破产，极大地动摇了人们对金融市场的信心。危机清楚地告诉人们，经济金融全球化和金融（制度、产品，特别是金融衍生产品）创新是一把“双刃剑”。西方的金融体系和监管体系并不是那么完美无缺的。我国在融入国际社会的过程中，只有审时度势、趋利避害、独立自主，提高综合实力，增加国际经济金融游戏规则制定的话语权，才能避免和减少危机带来

的冲击。

虽然中国的大型银行由于持有部分美国次债和“两房”债券损失数额可观，但吴老师认为，这场危机不会拖垮中国。因为一方面，我国金融机构所持有相关问题资产的比重不是太高，不会对它们的财务状况产生严重影响。另一方面，在中国尚未实现完全的资本项目开放的情况下，主要发达国家的金融动荡也不会造成我国资金的大规模外流。只要充分挖掘内部的潜力，提高内部需求对经济的拉动作用，中国经济就不会被这次危机所拖垮。

当然，当前和今后来自国际和国内危害我国经济金融安全的可能性随时存在。对此，吴老师强调，应该制定经济金融安全法律和法规，把它列入紧急预案中。凡重大金融政策的出台和国有金融资产以及其他领域国有资产乃至民营资产发生重大变化时，要经过全国人大听证，通过立法程序。因为只有决策程序的公正和透明，才能保证国民经济秩序的正常运行，防止危及国家经济金融安全的事件发生。凡是涉及国计民生、国家经济命脉的战略性企业，如果允许外资参股，无论其持有多少股份，绝不允许其拥有控制权。

第十二篇

回忆感受篇

把国际金融研究深入下去*

——往事的回忆与感受

时间过得好快，中国国际金融学会成立已12年多，截至今年8月学会的会刊《国际金融研究》将出刊第100期。7月下旬，刊物常务副主编梁宝忠同志邀我写点东西，以资庆贺。我欣然接受了。虽然我直接参与该刊的创办，创刊后，任主编耕耘了7年之久，与刊物结下了深厚的感情，但因要稿时间紧，目前又工作在海外，日常工作很忙，手头缺少资料，要在一个星期内利用业余时间写出系统、全面、有一定深度的东西是有相当难度的。我只能把《国际金融研究》创刊的背景和情况，一直到我离任前与中国银行国际金融研究所的同人，以及《国际金融研究》的编者、作者、读者的共同工作、学习交流和战斗的往事，写出一些片断的回忆和感受，以此庆贺《国际金融研究》出刊100期。

话要从1982年下半年说起，当时我任中国银行国际金融研究所综合室主任，总行党组要研究所负责筹组中国国际金融学会，当时的所长林基鑫把任务交给了我。成立中国国际金融学会是许多从事国际金融教学、研究和实际工作者的强烈愿望和要求，他们联名写信给中国金融学会，写信给当时中国银行董事长卜明，此外国际金融研究所和中行上海、广州等大城市的研究工作人员和实际工作者也强烈希望能尽早成立全国性的国际金融领域群众学术团体。

我接受这一任务后，收集和参考了当时已成立的社会科学方面的学术团体的章程等有关资料，结合当时的实际，草拟了学会章程，提出了学会理事推荐名单以及学会领导人的组成名单，草拟了成立大会上会长的主题讲话稿以及副会长在闭幕会上的总结讲话稿。上述材料经过反复修改，由林基鑫和副所长姚蕴芳审阅后交卜明定稿。在一切准备就绪后，确定中国国际金融学会成立大会与中国银行全国省分行行长会议套开，也即在1983

* 本文原载《国际金融研究》1995年第8期，也即该刊创刊第100期。

年 1 月，中国银行全国省分行行长会议结束后，召开中国国际金融学会成立大会，会期一天半。出席全国省分行行长会议的人员都作为中国国际金融学会成立大会的代表。大会也负责接待了北京以及其他各地的特邀代表参加大会。

成立大会在北京京丰宾馆举行，姚蕴芳所长主持了大会，会上选出了理事、常务理事、正副会长、正副秘书长。卜明任会长并作重要讲话，我们特别邀请了著名经济学家、国务院经济研究中心常务干事季崇威同志作了利用外资的专题报告，他的报告受到与会代表的热烈欢迎。他也被选为副会长。与会代表对章程和活动计划提出了宝贵修改意见，闭幕会上通过了章程，由学会副会长，当时中国银行行长金德琴作了总结讲话，他进一步明确了学会宗旨和各地区学会的筹组和国际金融学会之间的组织关系以及 1983 年的学会活动安排。会议虽然开得很短，但很成功。

中国国际金融学会的成立标志着我国从事国际金融的理论、教学和实际工作者有了自己的群众性的学术团体组织，我国国际金融学的研究有了一个新的起点，这个组织将促进和推动我国国际金融的理论研究、教学工作的深入发展，进一步促使理论与实际问题的紧密联系，有助于提高我国国际金融理论水平和教学水平的提高，从而有助于提高我国在该领域的整体素质。

当时，研究所综合室的全体同志担任了有关会务等方面的工作。值得一提的是，当时成立大会会场悬挂的横幅红布上几个突出醒目的仿宋美术字“中国国际金融学会成立大会”是出自现任副行长屠建基之手。他一直重视金融理论研究，写出许多有造诣的文章，学会从成立开始他一贯支持和关心学会的工作。

学会成立后，我又设计和筹印了“中国国际金融学会成立大会纪念册”。该册汇集了学会的章程（中英文）、理事、常务理事、正副会长、正副秘书长名单、季崇威同志的报告全文，卜明会长，金德琴副会长的讲话、新闻媒介的报道和采访（包括港澳的报刊）以及有关照片。纪念册上的“中国国际金融学会”几个俊逸功底深厚的题字是请原总行财会部总经理、学会理事谭枢安书写的。他写了好几张，我们选用了其中一张。这一题字成了学会专用字体，此后学会的用笺，西交民巷悬挂的学会会牌都用了他的题字。当时综合室的唐新宇负责把章程译成英文，陶礼明、刘小健担任了校对等工作。

学会成立后的第一个活动是在南京召开的，我以副秘书长名义负责了会议的筹备工作，讨论的主题是“人民币汇率改革”，卜明会长因突然有病，退了机票，不能出席，会议由当时副所长戴乾定主持，我们邀请了国家计委委员、著名经济学家勇龙桂，华东师大教授陈彪如，南开大学教授钱荣堃等100多名理论教学、实际工作者参加了大会。

1984年7月，学会在郑州召开了以“对外金融发展战略”为主题的第二次学术讨论会，卜明会长主持了会议。

经过这两次学术活动，不少代表和学会理事纷纷提出中国国际金融学会应该有自己的会刊。这个会刊能贯彻学会宗旨。应把这个刊物办成一本具有相当水平，也就是能反映我国国际金融界最高学术理论水平的一本刊物。同时也要重视理论与实际结合的研究，这样才能适应形势的发展和需要。

当时研究所虽然主办了一本全行系统的《国际金融》月刊，它主要偏重国际金融基础知识、业务实践，但如何再办一本学术性的理论刊物，此事也一直在我脑中萦绕。1984年10月，我被任命为副所长后，同时也兼管学会工作，因此对筹创会刊的事也思考更多。

1985年下半年，正式着手筹办会刊，在众多的刊物名称中，最后归纳为两个，一个是《国际金融研究》，一个是《国际金融理论与实践》。在我们就刊物事向卜明会长汇报，卜明会长倾向以《国际金融研究》作为会刊的名称。他认为，这本刊物主要是学术理论刊物，当然理论要与实践结合，但是作为一个理论刊物还是称“研究”为好。中国国际金融学会的会刊《国际金融研究》的名称就这样确定下来。由于人手和条件关系，决定先出季刊，内部发行。就这样，《国际金融研究》创刊号于1985年8月正式面世了。在创刊号上，我们以卜明会长的名义发表了发刊词，提出了办刊宗旨。发刊词称：“《国际金融研究》的创办，就是为适应形势的需要，深入探索国际金融发展变化的客观规律，为实现对外经济工作服务，为国家在外汇方面的宏观决策服务。”“我们要求刊物力求做到既有思想性、现实性，又有科学性、知识性。在理论密切联系实际的原则指导下，既要充分开展理论的探讨，又要解决实践中出现的一些问题，使刊物研究气氛浓厚，同时又有求实精神，充满生机，思想活跃。”“我们希望同志们多多关心和扶植这个刊物的成长。在大家的爱护和支持下，我们相信，这个刊物可以办好，也一定能办好。”

十年过去了，《国际金融研究》出满100期，它是否实现和达到发刊词的要求和希望呢？我认为，一个刊物办得成功与否，应由广大读者给予评价。但是，我相信，从创刊以来，刊物的编辑部是努力朝着办刊的要求去做的。令人欣慰的是，《国际金融研究》创办十年来，在广大读者、编辑、作者的关心扶植下正茁壮成长。

在试办1985年第1期和第2期《国际金融研究》工作中，研究所刘德芳研究员予以很大支持，她除了撰稿外，也承担了部分编辑工作。当时编辑工作暂由研究所综合室承担，嗣后学会秘书处人员略有增加，梁宝忠同志负责该处工作，刊物的具体日常工作就移到他身上。从此作为副主编的老梁在《国际金融研究》脚踏实地耕耘了10个春秋，他的业绩功不可没。我记得创刊号上刊登有林基鑫、刘德芳、吴念鲁、王传纶（人民大学教授，他一直支持学会和刊物的工作）等人的文章。

1985年，姚蕴芳、戴乾定所长先后调离研究所，陈文珍副所长不幸逝世。在这种情况下，我主持了全所工作，除了考虑全所工作，继续办好《国际金融》外，同时要把学会工作抓好，把会刊《国际金融研究》办好。

1986年《国际金融研究》改为全国性公开发行的双月刊杂志。杂志组成了以卜明为首的25人的顾问。这些顾问主要由学会的会长和副会长以及社会上知名的国际经济金融专家、教授等组成；组成了研究所正副所长以及上海、广州、香港中行研究所负责人以及人民银行陈全庚、虞关涛共17人的编委会（以后减至10人）；我以所长和学会秘书长的身份任主编；崔官斌副所长和梁宝忠处长任副主编。以后张德宝副所长任副主编。

1986年到1988年，《国际金融研究》一直是双月刊。当时担任具体编辑和编务工作的主力有梁宝忠、郭奎发、李承欧、罗佩金、华志红、李玲、张岗、马建彤、胡健、林小桐、陈兵、钱东宁、马广庆。陈抗风同志也担任过一段特约编辑。1990年张青松调来编辑部，由于工作出色后提升为副主编。值得指出的是，美编马广庆同志，他重新设计了封面，设计了刊标，并题写了刊物名称，展现在读者面前的《国际金融研究》杂志封面上的这几个俊秀的草楷，不是出自名家之手，而是写自一个业余书法爱好者。他从1985年到1992年一直从事会刊美编工作，为《国际金融研究》增添了光彩。

作为一个主编，我觉得确定每期的重点主题是十分重要的。一个杂志要办好，每一期必须要有一两篇有分量的、有观点的文章。这种文章需要组织，需要编辑人员出差，登门拜访约稿，当然，有时碰上投来的稿件。因此，每出一期时，总要考虑到下一期或下下一期的刊物重点和压轴文章。我除了平时常去编辑部外，每月召开1～3次讨论会，每个编辑先划分一下审稿的范围。由编辑先进行筛选，选进的、认为可供刊登的稿件，写明内容、观点以及为什么可以刊用，由每个编辑介绍，供大家讨论，然后，如果确定刊登，如何进行修改，有的请作者修改、补充；有的专题再请专家审定；有的文章交所里其他处室同志审定。重要的，我亲自审定。

大家觉得这样的讨论会的方式很好。有的编辑在自己认为应选用的稿件被否定后，仍可以再次重申为什么可以刊用的理由，结果也有被再予选用的。因此，这个会的气氛是民主的，但又是认真的。促使每个编辑人员认真对待稿件，因为你要经得住我的几个为什么的提问，对他们是个压力，也是一个动力，从中确有所获。当然，编辑工作是很辛苦的工作，是为他人作嫁衣的工作。比如，决定刊登某篇文章，但只登摘要，或需压缩，从5 000字中，写出1 500字的摘要，把5 000 字，压到3 000 字，但又不失作者的原意的观点，的确不是一件易事。你非得把此文细读三遍才行，有的读了三遍都还不知怎样下手。此外，我还利用出差机会，向专家学者约稿，向他们征求意见。因为我深深知道，刊物能长盛不衰的关键是稿源，有质量的稿源。为此，我们召开过编者、读者、作者的讨论会，聘请了特约撰稿人，也组织过对优秀中青年国际金融论文的评选活动。需要特别指出的是，学会举办了一次全国性中青年国际金融优秀论文评选会。学会聘请了全国著名经济学家陈岱荪教授为评委会主席。我去他家拜访，他说，为促进和推动年轻人对国际金融的研究，为了更快更好地培养年轻人成才他同意担任主席，他特别关心我国国际金融方面的研究工作。那次评审，我担任秘书长，在北京蓟门饭店举行。王烈望、周林、甘培根、周祥生、陈家盛、赵秉德、季崇威、雷祖华、陈岱荪、刘德芳、王传纶等著名专家教授任评审委员。他们住在旅馆认真阅读，最后评出了各级优秀论文。这些活动对鼓励中青年国际金融研究的深入开展有积极作用。

直到今天，我还回忆起，当时这些老同志认真负责孜孜不倦的精神，正是他们集中代表了我国国际金融领域最著名的老专家、学者、教授们，他们在培养下一代人才问题上是从不推辞，从不拒绝，全力以赴的。正因为他们，今天我国国际金融领域才不至人才匮乏；正因为他们，带领和推动了这个学科在我国的前进。

还有一件重要的往事值得介绍。在 1986 年下半年，为了进一步扩大《国际金融研究》的影响，推动国际金融研究学术活动的深入开展，我有一个大胆的设想，这个想法在我脑海里蕴藏了很久。事情的经过要追溯到1973 年 6 月 7 日，那正是文化大革命时期，陈云同志负责抓外贸、外汇工作。当他听取人民银行陈希愈行长工作汇报后（当时去汇报的还有乔培新副行长和当时负责外汇资金工作的国外局李裕民处长）。陈云作了重要讲话，给银行出了十个十分具体的研究题目，要求10天完稿。陈云布置的任务九个交给了当时人民银行国外局四处（中国银行国际金融研究所的前身）。当时关英菁、雷祖华、张学尧负责抓此项任务，我也参与了其中的具体工作。在人少的情况下，我们及时交卷，陈云同志对我们的材料和报告感到满意。这项任务结束后，我时常想，陈云为什么要这些资料呢？而这些资料和动向，恰恰是每个从事国际金融研究的同志应掌握和研究的重点课题。直到好几年后，这个谜才被解开。我终于看到当时李裕民同志手记的谈话记录稿，这个稿子的内容，我在准备国际金融学会成立卜明会长讲话稿里还提到过。我过去就想过，陈云的这个讲话能不能在学会的刊物上首次发表。一来这是一篇珍贵的文献资料，二来他当时就强调要很好研究资本主义。那时，他就告诫我们和资本主义打交道大势已定，因此必须对现代资本主义的经济运行规律有一个全面的系统研究，他对问题看得多么深远和透彻。这是一篇对研究工作具有指导性的讲话。因有了这个想法，我就找了当时任中国银行副行长的李裕民同志，把这个想法告诉了他，他很赞成。这样，我们把他的记录稿打印后，立即与中央文献室和陈云办公室联系，由学会出面讲明了因由。希望此稿能首次刊登在1987年第1期《国际金融研究》上。梁宝忠同志具体负责联系工作。最后，中央文献办公室作了很小的改动，初步定稿，并编写了几个注：如，陈希愈、乔培新、李裕民当时担任什么职务等，请李裕民写了一篇回忆的文章。为了隆重纪念陈云这篇讲话在会刊上发表，我与当时综合室主任陶礼明以评论员的名义写了一篇题为《要很好研究资本主义》的文章。这篇文章既表达了我们学习陈云讲话的心得体会，也着重指出了这篇讲话的现实意义。陈云要求银行把利用外资的任务担当起来，我们指出“在当前金融外汇体制改革、外汇和外贸体制改革，将会给具有悠久历史的中国银行不断带来新的活力。我们希望看到，中国银行不断地向高信誉、高效率、国际化和现代化方向发展前进。”

最后，我们以评论员的名义提出，“在研究借鉴资本主义的某些经济理论和实践上，一方面要做到真正吃透它，另一方面还必须深刻了解我国的实际状况，使两者能恰当地结合。即对资本主义的东西，不能完全排斥，也不能全盘照搬，目的是吸收其有益之处为建设有中国特色的社会主义服务。”

在1987年第1期《国际金融研究》首次刊登陈云这篇重要讲话的同时，《人民日报》《经济日报》转载了陈云的讲话和《国际金融研究》评论员的文章。这期会刊的反响很大，《国际金融研究》的知名度有进一步的提高。陈云同志的文章能首次在学会会刊上刊登，说明中央领导同志对银行工作，对中国银行工作，特别是中国国际金融学会的研究工作的支持和关心。

不久前，重新审定的陈云同志选集出版，把这篇重要讲话收集了进去，题目标为《要很好学习当代资本主义》，这样的改动很确切，因为陈云同志所指的是当代资本主义。

1989年《国际金融研究》又上一个新台阶，从双月刊改为月刊。我作为学会副会长有责任把会刊抓得更好，编辑部在人手少、任务重、压力大的情况下较好地完成了改刊任务。由于改为月刊后，能刊登稿件的容量增大一倍，这样各种专题能有一定的版面予以刊登。此外，也能刊登一些连载的有分量的长篇文章。

再谈一件小事。我思考在刊物开辟一个人物专栏，除介绍西方经济学家外，也计划刊登一些在我国金融界有建树的人物。我们研究决定先转载刊登人民银行上海市分行金融研究所副所长洪葭管同志撰写的发表在《人物》杂志上的《张嘉璈传》。张嘉璈曾任中国银行总经理，他对中国银行的经营管理与发展作出了积极贡献。洪做学问认真严肃，有论有据，我很爱读他写的史料和文章。文章刊登后，有一定反响。记得有一年夏天，张嘉璈在美国的侄孙女到北京，一定指名要见我，想通过我能否再提供一些有关张嘉璈的资料线索。后来，有人建议，应该再登一些解放后为中国银行作出突出贡献的老同志。原伦敦分行代总经理、财会部总经理张延年是这样的一位，他回国后给干部培训班讲话，他的讲稿受到行内外的好评，受到赵秉德副行长的极力推崇，我们决定在《国际金融研究》连载，最后以《外汇银行知识入门》为题，由中国金融出版社出版，通过学会的渠道进行了发行。总行工会和一些省分行还围绕该书的内容搞了知识竞赛，他的这本书对外汇银行业务知识的普及和提高起到积极的突出的作用。1991年我还请总行办公室原副主任、中国银行董事会叶绪华同志撰文介绍我行杰出国际金融专家郑铁如先生，郑老解放前担任中国银行香港分行经理，解放后宣布起义，多次受到周总理的表扬和称赞，是蜚声海内外杰出的爱国银行家。以后，我们又请了传记文学家邓加荣撰写乔培新同志。乔培新长期担任人民银行和中国银行的领导，他为中国银行的事业作出了突出贡献。他退休后，重视调查研究，孜孜不倦地为改革开放献计献策。何增禧同志是中国银行的专家，30 年代他自苏州中学毕业后，考入中国银行当练习生，刻苦自学，掌握好几国外语，熟悉、精通国际金融业务，他撰写的《资本主义国际结算方式》一书，是一本高质量、理论与实践相结合的优秀教材。他以此教材于 1960—1963 年在中央财政金融学院为总行招收的外汇班讲课，深受他们的欢迎和好评。当年外汇班的学生，现在大多工作在中国银行系统的领导岗位上。他 1961 年山东下放回京后，为了教学一度安排在国外局综合处。我当时是入行一年多的大学生，在该处研究组工作，与他曾同在一个办公室，我也一直把他当做自己的老师，对他渊博的知识和学问敬佩之至。这样一位自学成材的专家在文化大革命中被迫害致死，为了纪念他，我们特别邀请当年外汇班的学生曾达礼（现任港处人事部副总经理）、卿光中（研究员，现在港处经研部工作）对老师写了怀念文章。

此后，由于种种原因，这个专栏关于国内人物的介绍暂停了，但我认为，这样的工作还是应该做下去的。

此外，《国际金融研究》开展了对许多问题，比如关于国际金融教材教学大纲的讨论，外汇概念的讨论。又比如，对外汇管理体制改革、人民币汇率、国际收支、对外金融发展战略、商业银行经营管理、外汇储备等，以及对当前国际金融的发展变化和前景，如国际金融业的自由化，金融的脆弱性，统一监管等问题，进行了专题讨论。通过不同作者的文章，从各个侧面，把自己的观点和意见表达出来，或是把西方的观点介绍过来。这些文章将对对外经济工作，对改革开放的深化，对国际金融的深入研究都是有所裨益的。

1992 年 7 月，我因工作调动，张德宝继任主编，3 年来《国际金融研究》又有了长足的进步和发展。

我认为，国际金融研究应继续深入下去。经济理论研究工作应具有和其他工作不同的特点和素质，这就是：运用马列主义的立场、观点和方法，对社会经济的变化作超前的研究，不仅要研究热点，而且要研究潜在的热点和问题；对具体问题提出对策性建议并作可行性研究；对政治、经济、金融领域的变化和已执行的政策作比较性、规律性和总结性的研究。这样，才能跟上时代的步伐，才能发挥理论联系实际的作用。我以“学习、学习、再学习，研究、探索、再研究，理论联系实际，努力不懈，辛勤耕耘”这几句话，与曾经与我一起工作、学习、战斗的同志们共勉。感谢这些同志对《国际金融研究》和我的关心和支持，衷心感谢广大读者和作者的支持和鼓励，祝《国际金融研究》越办越好，把国际金融研究深入下去。

忆一本具有开创性国际金融教材的编写者*

1977 年中央决定恢复高考后，人民银行教育司的几任领导都把金融学科的教材建设列为工作重点。随着改革开放的深入，人民银行教育司教材处更加大了财经类高校国际金融教材的建设工作，重点组织编写了两本试用统编教材，即《国际金融概论》和《外汇概论》。

在此，我集中回忆有关《国际金融概论》一书的编写情况。此书从 1980 年冬开始编写，由人民银行教育司教材处处长谭秉文主抓。从挑选编写人员到拟定编写大纲，从讨论大纲到分工撰写，从讨论初稿到最后审定出版，为时将近两年。此书于 1982 年 12 月由中国财政经济出版社出版后，受到全国财经院校师生的欢迎，后多次再版，并被评为全国金融学科的优秀教材。此后，许多高等院校各自编著了国际金融的教材。1992 年人民银行教育司教材处赵帝英处长又统一组织编写全国普通高校金融类专业教材，并由我主编了《国际金融学概论》，此书于 1993 年由西南财经大学出版社出版。从改革开放至今，粗略统计，有关国际金融的高等教材不下几十种。但我认为，1982 年的这本《国际金融概论》是改革开放后高等财经院校的第一本教材。这本教材在改革开放初期，为我国高校国际金融学科建设和教材建设以及提升中国国际金融学教学水平发挥了重要作用，具有开创性意义。

由于当时我在中国银行国际金融研究所工作，从 1960 年大学毕业后已工作 20 年，担任欧洲处的副处长，人民银行教育司聘请我帮助此书的编写工作。我抱着学习的心态，积极参与此书提纲及书稿的讨论。在多次讨论后，我与当时编写此书的几个高校的教师也加深了了解，并结下深厚友谊。

最令人难忘的是，1980 年 12 月，编写组在距上海财经学院（1985 年更名为上海财经大学）较近的一个内部招待所召开的有关教材提纲的为期五

* 本文原载《中国金融》2008 年第 8 期，标题为《忆〈国际金融概论〉的编写者》。

天的讨论会。该书编写组的成员为：上海财经学院的朱元（组长）、谢树森、沈锦昶；中央财金学院（如今的中央财经大学）的张景文；天津财经学院（如今的天津财经大学）的吴开祺；陕西财经学院（现并入西安交通大学）的王海北；吉林财贸学院（如今的长春税务学院）的赵尚质；厦门大学的黄有土；辽宁财经学院（如今的东北财经大学）的曹世儒。当时这九位老师中，黄有土、赵尚质50岁左右，其他几位都50多岁，个别已过60岁。上海12月份的天气阴冷，除了上海财院的编写及讨论人员每天来招待所讨论外，其他人员都住在一个有里外间的套间里。我记得里间住有曹世儒、黄有土、赵尚质和我；外间住的是谭秉文、张景文、王海北和吴开祺。房间里只有一张很小的书桌，讨论时在外间，因椅子不够，大多数人坐在床上。

每天凌晨，谭秉文起得最早，他在楼道做自编的体操30～40分钟，据说已坚持了十几年。他身体修长，虽然年近六旬，但精神很好，动作灵活，弯腰双掌能触地。他是老一辈革命家谭平山的儿子，新中国成立前毕业于上海财院，是学校的高才生，在大学时就翻译出版过西方经济学名著，后在银行工作，20世纪50年代初大区行合并，他与夫人一起调到北京。他被分配在中国金融杂志社当编辑，爱人到中国银行总管理处工作。50年代末，他与爱人一起支援新疆建设，一去就是几十年。在新疆，他自学了维吾尔语，能读懂维吾尔语的书籍和报纸。70年代后期，他们返回北京，他分到人民银行教育司，他爱人又回到中国银行，这时，他把全部心血投入到财经院校教材基础建设工作。上海是他父亲20世纪20年代从事革命的地方，又是他大学学习的地方，所以他对上海、对上海财经学院充满了感情。当我问他小时候对上海的印象时，他说只记得父母老是搬家。老谭退休后，身体一直很好，从不上医院。他还利用业余时间翻译了不少西方名著，如《美国货币政策与金融制度》（与戴乾定合译）、《美国中央银行的宏观管理》等。大概在1996年冬，他发高烧转成了肺炎，医治无效不幸逝世。其实，他是最有资格回忆在改革开放头十年，人民银行教育司如何组织财经类高等院校金融教材建设的。今天，我们绝不会忘记在他组织下，编写出的十几本金融专业教材。他的辛勤工作对我国高校金融学科和教材的建设作出了重大贡献。

朱元当时是上海财经学院世界经济系系主任，编写成员中唯一的教授。他于20世纪40年代中期在美国哈佛大学获硕士学位，回国后到大学任教。他在统计学方面有较深的造诣。新中国成立前，曾担任过福建省财政厅厅长。他看上去老成稳重，说话有浓重苏北口音，但条理清楚，他与老谭一起主持讨论。此书序言由他执笔。他提出学习并熟练掌握国际金融理论与实务是一个刻不容缓的迫切任务；要用马克思主义的观点，实事求是的方法来研究分析国际金融领域发生的各种各样问题。

谢树森当时是上海财经学院世界经济系国际金融教研室主任、副教授。他 1948 年毕业于哥伦比亚大学，获经济硕士学位，回国后在上海圣约翰大学经济系任教，曾担任系主任，当时刚 30 岁出头。他直率、好辩，思维活跃，善于言谈，往往坚持自己的观点。他执笔和总纂了国际资本流动和金融市场的重要章节。他英文水平出众，钟爱国际金融教学。他一直主张把国际金融学与金融学并列为相同地位的学科，以便更好地培养国际金融的人才。为此，他 2002 年上书教育部，并向吴启迪副部长当面谈了上述意见，还建议提高高校国际金融专业入学的英语分数的门槛。2006 年 4 月，他以 87 岁的高龄出席了新加坡、台湾圣约翰科技大学的校庆活动。我与谢教授是忘年交，多次在一起参加学术研讨会。近年来，我去上海都能与他见面，节假日互通电话问候，他的声音仍然是铿锵有力。

上海财经学院的沈锦昶戴着金丝边眼镜，清瘦，显得很斯文。他 20 世纪 50 年代初毕业于圣约翰大学，获硕士学位，进入上海中国银行工作。因肺病离职，后又应聘为圣约翰大学的教师，院系调整后并入上海财经学院，成为教授国际金融专业的骨干教师。他英文根底好，无论英译中，还是中译英都有较深的造诣。他平时说话不多，但讲起课来慢条斯理，深入浅出，学生反映很好。他是该教材的总纂之一。此后，在上海国际金融学会举办的活动中，我们也多次见面。他曾为私宅搬迁而苦恼，因为上海马路扩建，他家受到影响，而那时的政策十分不合理，使他几年的生活很不方便，加之他原来体质较差，便较早地离开了人世。至今我手边还保存着由谢树森、沈锦昶主译的美国林德特与金德尔伯格所著的《国际经济学》，打开封页就看到他们赠送此书的签名。这本书近 50 万字，是 20 世纪 80 年代我国经贸、金融领域一本重要的理论与实务参考书。

中央财政金融学院的张景文，20 世纪 50 年代初毕业于复旦大学经济系，毕业后分配到上海中国银行总管理处，大区行合并调整，中国银行总管理处从上海迁至北京，他也调到北京。1958 年受到不公正的待遇，被安排到东北劳动工作，1976 年落实政策回到北京。这时他有两个选择，一是回中国银行总管理处，另一个是去中央财政金融学院，因为当时中央财政金融学院刚刚恢复招生，急需教师。而他在中国银行工作多年，搞过外汇管理、外汇信贷，英文水平也高，是金融学科不可多得的人才。在中央财政金融学院领导的盛邀下，他决定去中央财政金融学院，并组建金融系国际金融教研室和担任该教研室的主任。他对此书编写倾注了很多心血，他负责总纂的国际收支、外汇与汇率、汇率制度和外汇管制等章节都是该教材的重点内容。1983 年人民银行研究生部招考硕士研究生，张景文副教授指导了中央财政会融学院金融系委培的两名学生。90 年代初，他因工作过度劳累得了脑血栓，我曾到他家探望，他和我谈起 1980 年冬大家一起在上海度过的时日。他喜爱京剧，在房间里为大家清唱了几曲，后不幸病故。这几年中央财经大学金融学院每逢中秋邀请退休教师聚会时，我总能碰见他爱人杨美玲老师，而主持会议的院长、博士生导师张礼卿教授正是他当年指导的人民银行研究生部委培的学生。中央财经大学金融学科是全国重点学科，改革开放以来，培养了无数优秀的学生，他们努力工作在我国经济金融战线上。张景文老师当年作出的成绩是不会被忘怀的。

陕西财经学院的王海北副教授，身材矮胖，看上去年事已高。我印象中，他曾留学海外。他讨论时发言不多，主要撰写教材中国际金融机构部分。国际货币基金组织恢复了我国合法席位后，1983 年在陕西财经学院举办了一个有关基金组织的知识与业务培训班，当时我虽然没有参加，但是收到了培训班的全部中文翻译资料。据说，王海北承担了主要翻译工作，从这些资料中反映出他不仅英文功底深厚，而且具有扎实的西方经济金融学理论基础。这本教材出版几年后，他就退休了。

吉林财贸学院的赵尚质，当时显得较为年轻，个子比较高而挺拔，看上去很精神。他日文很好，曾毕业于日本商专。那时有关国际金融的资料有很大部分由日文翻译过来，因此从信息方面来看，吉林财贸学院一点也不落后。他是吉林财贸学院世界经济系国际金融专业的创始人，带出不少优秀学生。他退休后仍经常参加社会活动。他参与国际货币体系章节的撰写。

厦门大学的黄有土年龄与赵尚质相仿，福建人，身材较矮，是世界经济系国际金融教研室的负责人。在讨论时，他喜欢辩论，有时与谢老师争得面红耳赤。我是 1979 年参加中国社会科学院世界经济学会在厦门鼓浪屿召开的学术讨论会上认识他的。此后，他也多次参加国际金融学会组织的活动。20 世纪 90 年代，他就退休了。他参与国际金融市场部分章节的撰写。

辽宁财经学院的曹世儒是个大胖子，有东北人的豪爽劲，开朗和蔼。他是 20 世纪 50 年代中期人民大学经济系的研究生，毕业后一直在辽宁财经学院从事世界经济的教学工作。他称得上是该校国际金融学科的创建人。80

年代他被评为副教授后又晋升教授，带出一批优秀的学生。他也多次参加国际金融学会的活动，我们都有机会相见。我曾去过他家拜访，还看了当时他家的新装修。他一直患有高血压，80 年代后期退休，后不幸病故。他参与外汇管制章节的撰写。

天津财经学院的吴开祺中等身材，戴黑边眼镜，操苏北口音。他原是中国银行天津市分行的职工，是个海归，50 年代后期受到不公正的待遇离开银行，后在天津财经学院金融系国际金融专业任教。他参与了外汇与汇率、汇率制度、外汇管理部分章节的编写。90 年代退休后，仍笔耕不辍，1994 年、1995 年、1997 年立信会计出版社分别为他出版了《新编国际金融》、《现代投资学》、《现代国际结算》三本专著。几年前，他也病故了。当时，天津财经学院的国际金融专业力量很强，与吴开祺一样，有好几位教师都在中国银行天津市分行工作过，他们是徐国勋、马作舟、苏宗祥、石岷、蒋辑等教授。现在天津财经大学金融学院国际金融专业的实力仍然很强，有一批年轻新秀。院长、博士生导师王爱俭教授就是天津财经学院培养的接班人，她的教学和科研方向也是国际金融。

在提纲讨论中，我们对国际金融这门教材是从国际收支讲起，还是从外汇与汇率讲起而争论不休。有人认为，既然国际金融说的是国家间资本周转与流动，那么应该先谈外汇与汇率，也就是从微观说起。但多数人认为，应该从宏观说起。因为国际收支能全面反映国家间资本流动的存量与流量，它是一国与其他国家之间商品、劳务、资金交易等形成的债权、债务的综合反映，而它的变化将对汇率乃至经济金融发展产生重大影响。对如何表述国际货币基金组织与世界银行的性质、作用也进行了深入的讨论，对该组织维护国际货币体系正常运转，促进世界商品、劳务、资本流动的作用以及缓解国际货币体系危机仍给予了充分肯定。谭秉文和我还强调，在国际资本流动这一章，要把利用外资的内容放进去。大家十分赞同，决定用一节专门谈此问题，即利用外资的必要性、可能性；理论与实践；指导原则；渠道方式；注意问题。最后由谢树森和张景文执笔。该节阐述的内容，至今仍未过时。

以上所涉及此书编写的人和事，已经过去了几十年，但仍历历在目，提到的人绝大多数是我的学长和朋友。如今，我国高校国际金融专业正在蓬勃前进，已培养和造就了大批社会主义现代化的人才。所提及的老师大多都已故去，但是新一代的教师和学者正在不断崛起，他们以崭新的、与时俱进的学识必将把我国的国际金融学科建设推向更新、更高的水平。

努力不懈　辛勤耕耘*

——记为《中国金融》默默奉献的人们

《中国金融》走过了50年的历程，值此50周年庆典之际，我谨以一些片断的回忆，写一些我对所接触、了解和交往的《中国金融》编辑部同人的印象和琐事权作纪念与庆贺。我是1960年秋分配到中国人民银行国外局综合处从事国际金融资料工作的。由于大学学的是外国语言文学，对金融了解得不多，为此不得不努力学习金融知识，除了读金融专业书籍外，《中国金融》成了我的主要阅读对象，从此我与它结下了不解之缘。

入行40年，在组织和老同志的关怀、培养和帮助下，我从搞资料做起，慢慢参与研究，后来逐步走上室、所领导岗位，主持创办刊物，担任《国际金融研究》杂志的主编。我工作的单位和地点多次变动，但都未离开银行这个大系统。比如，1963年人民银行国外局综合处研究组并入人民银行金融研究所，我们的办公地点从东交民巷迁到了西交民巷。1968年初我被下放到干校，1972年秋又回到国外局研究处工作。1979年，中国银行（即人民银行国外局）从人民银行分设出来，研究处更名为国际金融研究所，我的工作性质未变，工作地点一直在西交民巷。工作性质注定我一直与《中国金融》编辑部打交道，工作地点则使我们在一个大院办公，同在一个食堂就餐。更有甚者，我与《中国金融》编辑部的一些编辑还曾同住一屋，同睡一炕，我与他们间的工作联系和个人交往都极为密切。

40年来，我与《中国金融》以及曾担任该杂志的编辑们有着深厚的感情。我认为，要办好一个刊物首先要有一支高素质的编辑队伍。杂志的主编应有扎实的理论基础、较高的政策水平和文字功底以及科研能力，编辑们要有对事业执著追求、勤奋敬业的精神。

杨培新是《中国金融》杂志的第一任主编，他16岁就以战地记者身份

---

* 本文系作者参加庆祝《中国金融》创刊五十周年举办的《我与中国金融》活动的征文，发表在《中国金融》2000年第12期。

参加抗日宣传队，从事革命活动。在重庆《商务日报》工作期间，他写了《通货膨胀论》一书，揭露国民党反动派制造通货膨胀，搜刮民脂民膏的事实，马寅初为此书写了序言。1950年杨培新辞去了香港《文汇报》经理的职务，回北京到成立不久的中国人民银行从事金融工作，以专员身份担任总行行长秘书并负责筹办《中国金融》杂志，《中国金融》创刊后担任主编。1963年我们在人民银行研究所一起共事，当时他与另一位担任过《中国金融》负责人的王庆彬都对我国货币流通有很深的研究，在研究所大家背后称杨培新为“杨货币”，称王庆彬为“王现金”。王庆彬后来担任人民银行计划司副司长，杨培新后任研究所副所长，以后又任国务院发展研究中心研究员，积极参与经济金融体改等理论研究，写了许多有价值的文章和专著，他是我国著名的经济学家。去年我去他家拜访，他腿脚不太方便，但思维依然敏捷，谈吐中蕴涵的渊博学识令人钦佩不已。

60年代初，有一段时间金融研究所与人民银行总行参事室在同一个小院里办公。这样，我认识了舒湮和朱绍文。他们两位也是《中国金融》的第一代编辑。舒湮，更准确地说应该叫冒舒湮，他姓冒，名舒湮。他称得上是一个文学家，是中国作家协会会员。舒湮是晚明才子冒辟疆的后代，他家学渊源，才华横溢，抗日时期在重庆就写过《董小宛》、《满江红》等剧本，演过话剧，当过记者，以后担任过中央信托局专员。1948年他与夫人秘密奔向解放区，受到人民银行行长南汉宸的赏识，被聘为人民银行专门委员，协助杨培新主持《中国金融》编辑部的工作。我曾在香港《大公报》看见过他写的有关古诗词的文章，以及《人民日报》发表的毛泽东主席、周恩来总理接见他父亲（冒鹤亭，清末民国初年文学家）和他本人的有关回忆文章。舒湮已经作古，但他渊博的学识，侃侃而谈的高论，倜傥洒脱的风貌依然给我留下了很深的印象。

认识朱绍文时，就知道他是日本东京帝大的高才生，他不但学识渊博，而且精通几门外语。记得有一次他对中共马列主义编译局翻译的《共产党宣言》一书中的一段译文有意见，他对照德文原文重新翻译，还把原文和译文让我看。“文革”后，他多次出访日本，他在日本的同班同学、时任日本首相的中曾根康弘单独接见了他，对促进中日经贸和文化往来做了许多工作。以后他去了中国社科院，从事经济理论研究，担任博士生导师，是我国著名经济学家。现在年轻的经济学家樊纲、左大培博士都曾师从朱绍文。今年，朱绍文又出版了《经典经济学和现代经济学》一书，在学术界有较大的影响。前年，我与爱人在紫竹院公园散步，与朱绍文不期相遇。

我们大约有十多年未见过面，他已年过八十，但还是那样洒脱，腰板很直，戴着一顶法国帽和大黑边眼镜，是位令人尊敬的长者、学者。

谭秉文也是《中国金融》早期的资深老编辑，他是老一代革命家谭平山的儿子。20 世纪 50 年代，他与爱人去了新疆，一去就是十几年。在新疆时，他学习维吾尔文，能读维吾尔文书籍和报纸。70 年代回人民银行总行后，一直在人民银行教育司从事金融大专院校教材的编审工作。他学识渊博、英语好，西方经济学理论功底也很深。他翻译了不少西方名著，如《美国货币政策与金融制度》、《美国中央银行的宏观管理》等。在他的主持下，我参加过多次金融大专院校教材的编审工作。记得 1980 年的冬天，他组织了 7 个院校的老师在上海讨论《国际金融概论》书稿，这是改革开放后人民银行组织的第一本高等财经院校试用教材。我们十几个人分住在两间套房里，大家一起度过了紧张的 5 天。《国际金融概论》出版后，反响较大，获得了优秀教材奖。谭秉文为我国财经院校教材的建设作出了卓越的、不可磨灭的贡献。

20 世纪 50 年代末、60 年代初，《中国金融》曾一度由刊物改版为报纸，由人民银行办公厅管理，具体由邵平负责。邵平是《中国金融》的第二任主编，他曾是人民银行副行长胡景沄的秘书，文字功夫相当好，理论政策水平也很高。当时，我只是入行不久的大学生，虽然与他接触不多，也不深，但对他的学识和人品相当敬佩。以后他去了中共中央政策研究室，参与许多改革开放政策的研究。

党的十一届三中全会后，《中国金融》于 1979 年复刊，当时朱川任主编。朱川是 20 年代末 30 年代初参加革命的老同志，曾任人民银行工商信贷局副局长。我与朱川接触较多，他个子高，老成、稳重，没有官架子，平易近人，是一个有水平、有修养的领导，是一位受人尊敬的忠厚长者。朱川在担任《中国金融》主编期间，每期稿发排前都要对稿件认真终审一遍。

1979 年对《中国金融》来说是一个新起点，从此杂志紧紧围绕一个中心，两个基本点，为深化金融体制改革服务。当时编辑部的具体工作由冯春林负责。冯春林早在 50 年代就在《中国金融》编辑部工作。60 年代邵平任主编时，他就是邵平的助手，一直是编辑部的骨干，不少评论出自他手。他是继朱川以后《中国金融》的第四任主编，同时他还任中国金融出版社社长。冯春林平时言辞不多，坚持实干，他的文字功夫、理论政策水平很高，学识深厚，工作认真负责，一丝不苟。我们在业务上多次打过交道，他从行政岗位退下来后，一直承担中国金融出版社图书的终审工作。我的拙作《国际金融纵横谈——对策研究》一书就是他终审的，终审时，他提出了很多宝贵的意见。与此同时，还要说到吴公浦。吴公浦原在人民银行广东省分行办公室工作，是当地有名的“笔杆子”，1963年调《中国金融》编辑部工作，我们下放时曾在一个连。他才思敏捷，善于谈吐，思维清晰，有较高的理论政策水平。吴公浦后来担任了中国金融出版社的总编辑。

我和李福钟的关系更深些，他是1951年复旦大学经济系毕业分到人民银行总行工作的。60年代，我们都住在康乐里，互有往来。我早知道他是编辑部的骨干。一篇七八千字的来稿，如果主编要求压到三千字，经他删改润色后，不但减少了篇幅，而且主题突出，文章变得既通顺又精练。他的编辑特点是既快又好。另外，他出笔也快。记得人民银行总行召开全国分行行长会议时，他参加了简报组，不少综合简报就是由他整理编发的。一些重要报道，他加一个夜班就能拿出高质量的稿件来。这充分说明李福钟具有坚实的理论基础，很高的政策学识水平。80年代中期，李福钟继冯春林任《中国金融》的第五任主编，同时任中国金融出版社总编辑。这期间，我担任中国银行国际金融研究所所长，在业务上经常打交道。我们曾计划由中国银行国际金融研究所、中国金融出版社、中国银行香港分行港澳管理处经济研究部一起编辑出版一套香港经济金融丛书。后来由我所副所长和中国金融出版社张天祥副总编带队去香港进行商讨，但由于种种原因此计划未能实现。李福钟虽然已退休，但仍承担中国金融出版社的书稿终审工作。近十年来，他笔耕不辍，已有三本著作问世。他与冯春林都是我国金融界著名的资深老编审，他们的编辑生涯几乎与《中国金融》同龄。

许树信是《中国金融》的第六任主编，他1952年大学毕业就分配到《中国金融》编辑部工作。1958年许树信去了青海，十多年后又回到人民银行总行。他先在金融研究所工作，任副所长，主持了一批金融科研课题，抓过一段中国金融学会的工作。这时，我才与他相识，业务上、工作上也多次打交道，后来他又回到中国金融出版社，先任副总编辑，后任总编辑兼《中国金融》主编。他是我认识的历届主编中最晚的一位。许树信有扎实的理论功底、较高的政策水平和文字能力，对我国货币史有很深的研究，主编和编著了多部金融图书。他办事认真干练，讲话也干脆利落，有较强的组织能力。

我与现任主编李守荣相认已35载。李守荣是1965年安徽银行学校毕业分配来人民银行总行的，当时他分在计划局。他很勤奋好学，除了广泛阅读马列著作外，还读了很多经济金融理论书籍，养成了钻研问题的习惯，那时他就参与编辑过马克思、恩格斯、列宁、斯大林、毛泽东关于金融的论著，开始了他的编辑生涯，后来在总行办公厅从事简报编写等工作。他到中国金融出版社工作后，担任了总编辑并兼《中国金融》主编。他 1993 年破格晋升为编审，先后出版《中国金融体系概论》、《中国经济转轨时期金融问题探索》两部著作。我任中国银行卢森堡分行总经理时，为了做好戴相龙任主编、我任副主编的《商业银行经营管理》一书的编写出版工作，1997 年，经人民银行总行批准，李守荣总编辑、该书责任编辑程建国主任等有关人员携带书稿清样来卢森堡，与我及其他作者共同研究如何把该书改得更好。在卢森堡期间，在我的陪同下，李守荣还会见了欧洲投资银行首席经济学家斯坦因赫尔。在交谈中，我觉得他的提问和回答问题都稳妥贴切，反映出他具有较高的政策水平和学识水平。程建国是 80 年代后期毕业分配到中国金融出版社的。他是武汉大学的经济学硕士，也是当时出版社第一位硕士。他工作勤奋努力，熟悉业务，对《商业银行经营管理》书稿看得很细，提出了许多有价值的建议。说来也巧，程建国返京后，调到《中国金融》编辑部任主任，《商业银行经营管理》一书的编辑工作就交给了彭元勋，这本书 1998 年 4 月出版时责任编辑就成为程建国和彭元勋两人。李守荣承担了《商业银行经营管理》一书的终审工作，还在《人民日报》上发表了该书书评。

现任副主编杜华，是中国金融出版社副总编辑。我们相识也较早，印象最深的是，《中国金融》1981 年第 1 期刊登了她以报告文学形式写的《她为什么走上绝路——记人行商丘县支行吴杰同志之死》，同时还刊登她写的《吴杰之死说明什么》的本刊评论。这是她深入基层经过调查研究后写成的。我觉得，两篇文章都写得很好，文笔清新流畅。

我认识的资深女编辑有王韵嘉，解放前在上海圣约翰大学上学，英文很好。王韵嘉对人态度特别和蔼，对编辑工作认真尽责，一丝不苟。余培翘也是资深编辑，我们 60 年代就相识，她有较高的理论政策水平，工作能力、分析能力很强，以后担任中国金融出版社副社长、人民银行条法司司长、国库司司长。周战地是 70 年代入行的大学生，从事过《中国金融》的编辑工作，她编辑工作成绩突出，现担任中国金融出版社副总编辑。此外，我还与《中国金融》编辑部的张永玉、夏清芬、刘平、孙芙蓉等都打过交道。张永玉曾担任过《中国金融》编辑部主任，却是英年早逝，令人痛惜。

张哲强也担任过《中国金融》编辑部主任，我们在稿件上也打过交道。其他还有许多曾在编辑部工作过的同志，如潘履孚，我们 60 年代初曾一起住在打磨厂集体宿舍，从干校回京后，潘履孚去了中国人民保险公司，成为保险专家，后任人保公司副总经理，退休后仍担任保险学会副会长，还从事学术研究工作。方磊是60年代从部队转业到人民银行总行的，他也在《中国金融》编辑部工作过，由于他学识和理论政策水平高，文字功底深，字也写得很好，讲话条理清晰，当时大家都叫他“方大编”。以后方磊担任人民银行教育司副司长，从行政岗位退下来后，他又主持管理过咨询公司，创办“中银网”，他曾邀请我参加该网的活动。他身体好，精力充沛，可称得上是“退而不休、老有所为”的老干部。此外，还有许兵，他是年轻的老革命，十几岁就去了延安，我们在干校二连菜园班一起劳动，他是班长，在他以身作则、实干苦干的作风带领下，菜园种得很好。明浩、端木树勋也和我们在一个班，我们好几年都住在一个房间。明浩后去了人民银行金融研究所从事研究工作，端木树勋后来到中国银行从事研究工作，退休后仍积极参与中国银行行史的编写工作。

王治民是《中国金融》编辑部的老同志，我们虽然交往不多，但对他勤勤恳恳长期从事通联工作十分钦佩。我十分爱读他编的《金融宣传出版工作通讯》。因为中国银行国际金融研究所也有两份刊物，《中国金融》是我们的老大哥，我们也有个通联的问题。因此，我要求我们杂志编辑部向老王学习。

顾伯其是1962年从上海社科院分配到人民银行的，当时我们同住在一个集体宿舍里。他在1979—1985年曾担任过《中国金融》的编务工作，主要是版面设计和总校。他工作认真，一丝不苟，勤勤恳恳，任劳任怨。顾伯其是干一行，爱一行，钻一行，有股干什么一定要把它干好的韧劲。他称得上是编务工作的楷模。

我给《中国金融》写稿是从名词解释写起的，后来写过一些文章。记得较有影响的是1986年第4期《人民币汇价改革的方向》，该文后被香港《文汇报》转载。80年代中后期，学术理论界开展利率改革讨论时，我写了《如何衡量一国利率水平》的文章，发表在《中国金融》1988年第8期上，据说反响较大，我介绍的测算利率水平的方法被主管部门采纳。近几年我也给《中国金融》投稿，为数不多，但每期《中国金融》杂志我都认真阅读。

我认为，《中国金融》是一个培养、造就人才的摇篮和大学校。它不仅培养了众多的资深编辑，从编辑队伍中也涌现了出类拔萃的人才。特别是通过《中国金融》这块园地和沃土，培养造就了金融领域无数出色的干部和专业人才。有许多金融界的干部就是通过《中国金融》这本刊物，增长了知识，提高了理论政策水平，增强了工作能力，逐步走上各级领导岗位的。

让我们铭记在《中国金融》这片鲜花盛开、硕果累累的沃土上，那些一代代、一茬茬与时共进，努力不懈，辛勤耕耘的编辑们吧！

路曼曼其修远兮，吾将上下而求索*

——忆父亲

1992 年 2 月 7 日，我作为我国政府代表团成员抵达哥伦比亚参加联合国第八届贸发大会。大概是 20 日深夜，正当我蒙蒙睡梦中，突然听见父亲叫我，“安保!”而且依稀见到父亲的身影，我当时为之一震，难道发生了什么事？

果然，我一返北京，爱人虹南立即告诉我，接到电报，父亲已于 2 月 20 日病故。这突然来的噩耗使我的心顿时凝固，我立即想到，父亲在我开会时已托梦给我，告诉我他已走完了自己人生求索的旅程。

小学、中学、大学时代

1904 年农历 8 月 27 日（和孔夫子是同天生日），父亲生于四川开县一个封建小官吏的家庭。祖父曾任东川道尹公署科长，重庆税捐总局督察主任，也经过商。

父亲 13 岁前一直在私塾读书，直到 1917 年 9 月才入江北县立高小读书。县立小学比之私塾有了一个广阔的学习天地，当时父亲受一位信仰无政府主义的江老师的思想影响较深，初步接触了一些进步刊物，如《新青年》、《民生》等。1920 年父亲进入巴县县立中学后，思想上进一步向往自由民主。受五四运动的影响，父亲还积极参与当地抵制日货的运动，并曾想与同学同去苏联，但因祖父阻止而未去成。那时父亲觉得四川的消息闭塞，思想文化教育都比较落后，在说服祖父同意后，父亲于 1921 年暑假离

---

* 本文写于 1999 年 5 月，约 3 万多字，刊登在上海鲁迅纪念馆编的《吴朗西先生纪念集》（上海文艺出版社，2000）；《人物》2001 年第 9 期摘要刊登了此稿，压缩为 1 万多字，题目改为《回忆父亲吴朗西》。本文所选为《人物》的压缩稿。

开重庆，坐船来到上海。

他先在上海澄衷中学读了半年书，1922 年 2 月又转入上海吴淞中国公学中学部。当时的教师沈仲九、匡互生都信仰无政府主义，父亲深受他们的思想影响。

父亲一心想学外文，认为可以通过外文学习了解西方的思想文化。1923 年在北大英文系旁听了半年，次年暑假到杭州报考之江大学，被录取在高中部三年级，同班同学陆圣泉（陆蠡）、许天虹（白石）、吴金堤都成为父亲的好友，而且后来和父亲一同创办经营了文化生活出版社。

1925 年五卅反帝运动爆发，父亲在学校里和舍监发生了冲突，便毅然离开了之江回到了上海。当时父亲热血沸腾，自发地参加了上海群众示威游行和街头宣传。就在那一年，祖父经商失败，无法继续供父亲读书，寄了路费要父亲回四川寻找职业。父亲不愿意回四川老家，便与同学雷雨凑集了一百多元作为资本，在江湾立达学园旁办起学生书店。他们打算借此维持生活，一面自学。那时母亲正在立达学园学习，由于经济困难，学园同意她兼任学校图书馆管理员，在这样的情况下母亲认识了父亲。但是学生书店效益并不好，维持不了生活。父亲便想去日本半工半读，于是当年 10 月只身闯荡到日本东京。

1925 年 11 月至 1926 年 3 月，父亲在日本东京补习日文。1926 年 4 月考入东京上智大学，学的是德国文学专业。最初二年父亲生活非常困难，两年后考取了四川省的官费生。经济上大大改观，每月有七十块日元，父亲用这些钱资助了其他两名中国留日学生，也经常临时帮助其他同学。就在这个时候，父亲写信给母亲，希望她也来日本学习，并表示经济上没有问题。虽然那时母亲正与父亲相爱，而且也认为父亲忠实可靠，但母亲从小自力更生惯了，因此婉言谢绝了父亲的邀请。

因为有了经济来源，父亲在学习后就能充分利用业余时间做一些事情。虽然父亲学的是德国文学，但他一直钟爱俄国文学和苏联近代文学作品。1929 年，父亲应《现代中学生》月刊之约，翻译了描写苏联农村合作化的长篇小说《布路斯基》和一些短篇小说，他还给上海《社会与教育》周刊翻译了伊林的《五年计划的故事》，后来上海新生命书局出版了单行本，这大概是国内最早《五年计划的故事》的中译本。父亲从介绍、翻译苏联农业化和五年计划等作品中逐渐对苏联社会主义制度有所了解，这使他对无政府主义的信仰不像过去那样执著，但是和信仰无政府主义的朋友、同学仍然保持着纯真的友谊。

父亲本打算大学毕业后再进上智大学研究院进一步对歌德、席勒等进行研究，但是读到大学最后一学期时，九一八事变发生了，激于爱国热情，父亲不愿在日本继续待下去，毅然放弃了即将到手的文凭和丰厚的官费于1931年10月初回到上海。

从泉州平中到“美术生活”“漫画生活”“文化生活”

父亲带着忧国忧民的心情和报效祖国的愿望回到上海，但一时找不到工作，只得靠翻译维持生活。1932年一·二八淞沪抗日战争爆发了，父亲的书稿和资料被日寇炮火毁于一旦。这可是他在日本五年多来积累的宝贵财富啊！这对父亲来说打击实在太大了。

1932年7月，福建泉州平明中学校长陈范予约父亲去那里教书。泉州平中是一个思想进步的学校，校长陈范予、教导主任叶非英都信仰无政府主义，学生大多数是闽南的贫寒子弟。父亲担任语文和英文教师，他与同学打成一片，一起搞宣传抗日的戏剧活动。父亲编写过剧本，还亲自参与演出。当时同在平中的还有袁志伊、袁继热、陆蠡、陈瑜清、俞福祚、张正楷、朱舜芭、卢采等人，其中有的是父亲介绍来平中的。巴金也去过平中。父亲与陆蠡、陈瑜清、伍禅等还创办泉州语文学社。平中民主思想较浓厚，教师学生互尊、互助、互爱，带有浓厚的理想主义者色彩。后来，该校学生有不少走向抗日革命，也有的走上了文学道路。

1933年10月，父亲因祖母病重回到四川。这时，母亲的大哥柳溥庆在上海为三一印刷公司创办《美术生活画报》，因缺少编辑，母亲打电报给父亲希望他回上海。这样，父亲来上海进了《美术生活画报》社，母亲也离开了南京女中图书馆，在该社担任会计总务。

1934年4月，父亲与母亲认识十年，经过彼此交往和了解终于在上海结婚。从此，母亲成为父亲的忠实伴侣。在五十多年的风风雨雨里，母亲在事业上、生活上给予父亲无比的支持和帮助。1935年5月我姐姐出世，父母给姐姐起名西柳，西字是父亲名字的最后一个字，柳则是母亲的姓。

1934年4月到1935年5月，在这短短的一年多的时间里，父亲创办和参与创办了三个“生活”社。父亲在美术生活杂志社，主要负责文字工作。在办刊过程中，特别喜爱富有战斗性的漫画作品，同时接触了许多有正义感的青年画家，如蔡若虹、黄士英等。他们创作的漫画内容主要是揭露与讽刺社会现实，与父亲的反压迫、反迫害的思想产生共鸣。由于这类稿件多了起来，《美术生活》用不了，也不宜过多使用，他们就商量筹办一个漫画刊物。1934 年 8 月，由父亲与黄士英担任主编，在一些年轻漫画家的支持下，《漫画生活》创刊了。在创刊号上，父亲执笔的开场白尖锐地指出："我们且翻开今天的节目来看看：战乱、失业、灾荒、饥饿的大悲剧占据了这个动乱年代的大舞台。生长在这个时代大众的生活实在是太悲惨了。然而在舞台的另一角，确有少数在这火山口上跳舞享乐的人们。这样展开在人们眼前的世界是充满着何等的矛盾。不过我们相信这个不调和的现象是应该消灭的，迟早是会消灭的。现在我们这个小小的刊物在这样的时代中产生了。它只是一只摄时代舞台上悲喜剧的镜头；陈列在读者面前的作品，也就是上演过的喜剧一幕一幕的写真。表演的情节：矛盾也罢，愉快也罢，悲苦也罢，我们只知道忠实地摄取，敬待读者去玩味，去证实，去认清，去批评。这便是我们这个小小刊物的小小希望。"《漫画生活》有一半的篇幅刊登杂文与讽刺小品，作者有鲁迅、茅盾、巴金、老舍、胡愈之、王统照、张天翼、欧阳山、黎烈文、丽尼、靳以等。这些作家中，有的父亲早就认识，有些正是在组稿过程中与他们结下了深厚的友谊。鲁迅先生也特别推崇《漫画生活》，还给这个刊物写了名为《阿金》的讽刺小品。父亲则以石生、静川等笔名，译写了许多文章。例如他撰写了《漫画家的素质》和一系列介绍漫画家概况的文章，他还翻译了日本岗本一平的《漫画论》和《西洋漫画史略》等。

文化生活出版社是父亲、伍禅（陆少懿）、郭安仁（丽尼）和母亲柳静于 1935 年 5 月创办的。当时丽尼翻译的法国作家纪德的《田园交响乐》在《大众小说》连载后，想出单行本，可一般书店都不愿意接受。父亲知道后与母亲商量，准备拿出自己的钱帮助丽尼出书。哪知就此激发了办书店的设想。由父亲选择许天虹翻译的美国政论家约翰·史蒂尔的《第二次世界大战》，于 1935 年 5 月 20 日作为《文化生活丛刊》的第一种书出版，紧接着丽尼的《田园交响乐》作为第二种书于 6 月出版。这时父亲写信给在日本的老友巴金，把办书店和出版一套《文化生活丛刊》的计划告诉他，向他索稿，并十分盼望他回国来主持编辑工作。巴金很快回了信，父母亲当时非常高兴，认为有他来挑重担，大家对事业的前途就更加有信心了。巴金 8 月份从日本回上海，接着伍禅、陆蠡、杨挹清、俞福祚也参加了文化生活出版社的工作。

1935 年 9 月 21 日，文化生活出版社在上海《申报》登了半版的大红套色广告，介绍了著名作家巴金主编的《文化生活丛刊》的六种书，除前述两种外，还有鲁迅翻译的高尔基的《俄罗斯童话》，巴金译的柏克曼的《狱中记》，吴朗西译的《柏林生活素描》，以及巴金的《俄国社会运动史话》。广告上宣称："我们刊行这部丛刊，是想以长期的努力，建立一个规模宏大的民众的文库，把学问从特权阶级那里拿过来送到万人的面前，使每个人只出最低的代价，便可享受它的利益"，这就是文化生活出版社的宗旨。

父亲一直说，每想起文化生活出版社草创时期的情景，就不能不想起鲁迅先生和茅盾先生。父亲 1928 年日本留学时，通过茅盾的表弟陈渝清结识了茅盾，以后多有往来。1934 年，由于茅盾的住所不便公开，他的一部分书信是由父亲转收的，因此经常去他家。当茅盾听说父亲他们打算出版《文化生活丛刊》时，非常高兴，并鼓励父亲好好地干，并把他翻译的铁霍诺夫的《战争》交由父亲出版。父亲在办《漫画生活》时，因明显的进步倾向得到过鲁迅的赞扬，文化生活出版社受到鲁迅的支持与信任则更大。文生社初办时，鲁迅就答应把自己翻译的《俄罗斯童话》给文生社出版。此后，鲁迅又把他的《死魂灵》译稿，小说《故事新编》交文生社出版。鲁迅自己出钱、由父亲经办的《死魂灵百图》于 1936 年 6 月出版。鲁迅编印的《凯绥·珂勒惠支版画选集》缩印本于鲁迅逝世前三天，即 1936 年 10 月 16 日出版。那天，父亲把装订好的几本精装书给鲁迅送去时，鲁迅仔细欣赏了封面，再一页一页翻开来看。在父亲回忆《鲁迅先生与文化生活出版社》一文中，父亲写道："后来，知道先生第二天拿了这《版画选集》缩印本去送鹿地亘君，在外面受了风寒，气喘复发，以致……我真后悔，悔不该 16 日把书送去。"

父亲十分敬佩鲁迅先生横眉冷对千夫指的傲骨和俯首甘为孺子牛的精神，在日常工作中，父亲一再告诫我们，要学习鲁迅那种对书稿和校对一丝不苟的作风。他常说，鲁迅先生吃的是草，挤出来的是奶。鲁迅先生是 10 月 19 日在上海逝世的。父亲一心扑在鲁迅治丧筹备委员会的具体工作中，在鲁迅出殡那天，父亲亲扶灵柩上车，并是抬棺入穴的八个青年文学工作者之一。那时母亲正临产住院，父亲也无暇看望母亲。我于 10 月 28 日出生，父亲为了纪念鲁迅先生，为我取名"念鲁"。

互生书店、合作社、和成银行、文生社

我出生的第二年，抗日战争爆发，我们举家内迁，后来在重庆沙坪坝

安下家来。为了生活，在母亲的主持下办了生活服务社，这实际上是一个经营点心和家常菜的小餐馆。1938 年 4 月父亲因文化生活出版社的事回上海，当时生活服务社因经济情况不佳，只得停业。母亲在父亲走后，一直在想如何帮助父亲在重庆再开办一个文化生活出版社。如果一时条件不够，能否先在沙坪坝办个书店。叶圣陶先生和范寿康给母亲很大支持，他们同意母亲代销开明书店的课本和教学参考书。当商量为书店取什么名字时，母亲想到自己在上海立达学园读书时，深受匡互生先生的教诲，父亲也曾是匡先生的学生，一向崇敬匡先生的为人，于是决心用匡先生的名字来命名这个书店，并请丰子恺先生书写“互生书店”的招牌。

1938 年 7 月，互生书店开张。书店经营情况不错，也成为接待友人的地点。这一段时期，汝龙夫妇在书店楼上住过，巴金、田一文也在楼上住过。华林、蒋碧薇、叶君健、章靳以、卫惠林、马宗融等也常来书店歇歇，聊天，吃饭。

1938 年 4 月，父亲回到上海。为了出售进步书刊，父亲他们在法租界霞飞路商场办起了一个门市部，但不久被日寇勾结的法国巡捕房关闭。父亲感到上海的外国租界也不安全了，就开始计划如何将文化生活社内迁。

父亲于 1939 年 9 月回到重庆沙坪坝。后来，在父亲、巴金、田一文、陈辉等人的努力下，终于在重庆民国路开办了文化生活社重庆分社。父亲任总经理，巴金任总编辑兼副总经理。

沙坪坝是重庆的一个文化区，但是由于交通不便，销售渠道不畅通，一些投机商人囤积居奇，特别是生活必需品的价格不断上涨，居民生活很不方便。

父亲为了改变这一状况，在他的互助、互爱、互利思想指导下，以“人人为我，我为人人”的服务宗旨创办消费合作社。合作社以入股方式发展社员，合作社向社员提供平价的日常生活用品，盈利给社员分红。中央大学教授胡焕镛担任理事主席，父亲任理事兼总经理，刘崑水任经理。据父亲回忆，有一次合作社买来一批大米，第二天开门正在出售时，刘崑水从重庆打来电话，说重庆米价已上涨了四分之一，这该怎么办呢？是不是应该把价格调整上去。后来父亲决定还是按原来的价格卖，并把这一情况告诉社员。合作社坚持微利、价格公平的原则，得到广大社员的赞许。他们都把合作社看成是自己的社。

1940 年 3 月，父亲的表舅、四川和成银行总经理吴晋航要父亲在沙坪坝开办和成银行办事处。父亲深知，创办一个事业，除了要有志同道合的朋友，资金支持必不可少，因此在得到巴金、刘昆水等朋友的赞同和吴晋航同意他兼顾文生社和合作社的允许后，进入和成银行工作。通过银行，父亲在资金周转上给予文生社、合作社很多支持。

沙坪坝消费合作社虽然在资金上能得到和成银行的便利，但是作为合作事业发展来看，应该成立自己的信用部，把社员的储蓄吸收起来，更好地运用。那时信用部苦于找不到合适的铺面，于是母亲决定将互生书店停业，把书店的铺面让给合作社。

为了解决居住问题，父亲又筹划建造合作新村。在沙坪坝庙湾，合作新村共盖了两栋房子，第一栋是平房，共十二单元；第二栋是二层楼房，有二十多套。我家搬到第一栋第一个院子。

合作社越来越得到沙坪坝居民特别是文教界的欢迎和爱戴，它的业绩也受到当时社会部合作事业管理局局长寿免成的注意和赏识。该局便指定沙坪坝消费合作社为重庆市模范合作社，后来又在他的提议下，父亲被选为重庆市消费合作社联合理事会主席。1944 年英国国会的合作社议员访华团来重庆，寿免成陪同他们参观了沙坪坝合作社。

在庆祝沙坪坝消费合作社三周年纪念的那天，父亲借故去了重庆，他让刘昆水主持了庆祝会，自己在重庆文生社过了一天，但是心中为合作社三年来的成绩和发展感到高兴。父亲就是这样默默地工作，不图名，不图利，只求为大众做点有益的事情。

在沙坪坝生活的岁月里，我们家的生活水平一般，父亲虽然担任沙坪坝和成银行办事处主任，但收入并不高，在文生社和合作社的兼职完全是尽义务。1940 年 6 月，母亲又生了二弟，我和姐姐上小学，我们的书包是母亲做的，没有铅笔盒，只有个母亲做的小布袋用来装铅笔、毛笔和橡皮，衣服也总是缝缝补补。在父母教导下，我和姐姐都以俭朴的生活为荣。

有朋自远方来，不亦乐乎

在沙坪坝生活时，父亲、母亲结识了许多朋友，也有一些同事来过我家。在此，我想重点提一些人和事。

丰子恺从广西来沙坪坝后，在父亲的帮助下，在离我家不远的地方盖了几间平房，用竹篱笆围成一个小院。丰子恺那时留着长胡子，我们叫他丰伯伯时，脑子就想着风在吹他的胡子。

父亲与丰子恺交往渐深，特别是解放后父亲主持文生社时，因书稿的事经常去丰家。当时文生社译文丛书中耿济之翻译的《猎人日记》的译文被报刊批评，父亲得知丰先生在学俄语，就请他重译。丰先生很用功，文笔流畅，译文流畅地表达了屠格涅夫诗画般的叙述，并更准确地将书名译为《猎人笔记》。印象最深的两件事是关于《父与子》和《童年与故乡》的。因为父亲一直钟爱漫话，在主编《漫画生活》时就介绍过卜劳恩和古尔布兰生的画。父亲保存的那本卜劳恩的《父与子》漫画集，都被我们翻破了。有一天，父亲把这本画册带给丰先生看，他也是翻一页笑一页，看完后，丰先生建议，由文生社翻印出版。父亲翻译了每一页画页的译文，丰先生写了序，并亲手在那封面上写了“父与子”和“文化生活出版社出版”等字，这本漫画册曾多次增印。古尔布兰生是当代最杰出的漫画家之一。父亲在编《漫画生活》月刊时，曾翻译过古氏以散文笔调书写自己童年生活的自传。该译稿在《漫画生活》发表过一部分，但因该刊被迫停刊，父亲也就中断了翻译。1951 年，文化生活社出版了以丰先生手书的题为《童年与故乡》的古尔布兰生作、吴朗西译、丰子恺书的画册，这究竟是怎么回事呢？丰先生在该画册写者后记中写道：“古尔布兰生这册书，是自己作画，自己作文，自己写字。写的字当然是德文。吴朗西兄把它译为中文，为了保存原书的特色，嘱我代为写字。我从来没有做过这种工作，但也居然鼓着兴趣写成了。”

凡是看了《童年与故乡》的读者，都十分爱好此书，特别是丰先生的钢笔字真是俊秀洒脱，配上古氏二百幅有趣的童年生活素描，真是一件有价值的艺术品。1998 年 12 月的一天，小弟念圣从东京给我来电话，说是李辉从陈思和处得知他的地址，写信给他，告诉他黄永玉见到《童年与故乡》爱不释手，建议山东画报出版社翻印出版，该书已出版了，问如何支付父亲的稿费，并告诉了我李辉的电话。我们子女决定，把该书的全部稿费以及两本重印画册捐赠给上海鲁迅纪念馆。我想父亲和丰先生得知此事，他们在天之灵也一定会感到欣慰的。

父亲和丰子恺都是很早认识日本人内山完造的。1952 年内山解放后第一次来上海，就是父亲与丰先生一起去旅馆看望他的。抗日战争胜利后，内山被遣返日本时，他有一些书稿寄存在姑父张季飞手里，以后张季飞去了日本，把内山的书稿留给了父亲，于是父亲当面把书稿还给他。父亲曾陪同他去万国公墓为他前妻扫墓，后又与当时上海鲁迅纪念馆筹备处负责人一起到虹口寻找鲁迅先生避难时的住所。1956 年，内山第二次来上海，父亲与他接触就更多了，父亲陪他去虹口公园鲁迅纪念馆参观，他离开上海时，父亲去车站送他。1959 年内山在北京逝世，父亲和丰子恺联名打了一个唁电到北京，内山在上海安葬时，父亲与丰子恺一起参加了葬礼。在内山逝世的第二年清明节，他们又一起到内山完造的坟上去扫墓。

写到沙坪坝儿时的记忆就不能不提到巴金。父亲认识巴金很早，可能要追溯到 20 年代。父亲和巴金为文化生活出版社走到一起，也为文化生活出版社的事业发展呕尽了心血。他们有共同的语言，有共同的奋斗理想，虽然经历了许多坎坷，遇到许多挫折和打击，但是他们共同造就了一批我国优秀的作家、翻译家和艺术家，为我国文学事业和出版事业的进步，为民族的繁荣奉献了自己的一生。

巴金在沙坪坝互生书店楼上创作了《还魂草》。这篇小说是以姐姐和她的好朋友陈修范为原形创作的。

1944 年 5 月，巴金与陈蕴珍（肖珊）在贵阳结婚后，他们把家安在重庆民国路文化生活社，后来在父母亲多次邀请下他们搬来沙坪坝，母亲把楼下的大房间腾给他们住。巴金正在写《第四病室》，并在这里完成了《第四病室》。我印象最深的是，有时晚饭后，我和姐姐去找李伯伯、陈孃孃玩扑克，主要是抽乌龟。有时李伯伯抽走黑桃 Q，当了乌龟，我们都大叫起来。我们也常让李伯伯讲故事。我还记得在 1947 年李伯伯和陈孃孃曾带着抱在手里的女儿来南京，父母亲盛情招待他们，有一天在和成银行营业厅，李伯伯和我开玩笑，一定要把女儿嫁给我，我当时非常不高兴。

返上海，去南京，赴东京，重返上海

1945 年 9 月抗战胜利了，父亲急于回上海重新安排恢复文生社的事，甚至要离开银行，专心致志搞出版社。这时和成银行总行任命父亲为业务专员并派驻上海。这样他仍可兼顾两方面的事。1946 年 2 月，和成银行总行又决定派父亲去南京筹办分行。这时由于文生社的内部原因，父亲为了顾全文生社的完整与合作，同意去和成银行南京分行工作。为此，上海文生社社务暂由巴金主持。

1946 年 3 月至 1948 年 11 月，父亲担任和成银行南京分行经理。和成银行是川帮银行，总经理吴晋航曾做过四川军阀刘文辉的代表，也是伪国大代表，和国民党军政界上层人物往来很多。1947 年在南京选举伪总统，有一些吴晋航的朋友到南京办事，总行指示南京分行接待，父亲也不得不和他们打交道。父亲从伪国大的选举中，看到国民党政府的腐败和它注定要灭亡的命运，同时也看到共产党代表着进步和希望。

这里还要提一下我们的大舅柳溥庆。他 1926 年在法国加入共产党，1927 年奉调到苏联中山大学学习，1928 年作为代表参加中共第六次代表大会，1930 年遭到王明的残酷迫害被开除党籍。1931 年回到了上海，当时王明主持中央工作，派人通知他“自谋职业，等待联系”。他虽处境艰难，但还是继续不断地自觉为革命工作。1946 年因国共合作破裂，中共华中局领导将保管新华日报印刷厂全部机器的任务交给大舅，大舅因此决定成立华东美术印刷厂。为了起掩护作用，大舅希望父亲投资并担任董事长，父亲立即答应了。

1948 年 11 月，母亲和姐弟从南京搬到上海，住在上海文生社。母亲已辞去南京和成银行的工作，她找到巴金，希望能到文生社工作。巴金没有同意，母亲从文生社的创办到开办互生书店一直为文生社义务出力，因此她对巴金的决定没有思想准备，以后母亲就一直没有工作，这使她终生遗憾。1992 年 2 月，父亲病故办完丧事后，我们姐弟去探望了李伯伯，感谢他为父亲献的花圈。他谈起父亲和母亲时，表露出他对父亲深深的怀念，并且连说了两声“对不起”。

“文革”中，巴金被揪出批斗，父亲也被打成黑帮下放干校劳动。造反派要父亲揭发巴金时，父亲对巴金没有任何不利的言行。“文革”中，父亲与巴金曾在路上见过，彼此默默擦肩而过。文革后，父母因国外友人来访事，曾给巴金写信，巴金回信欢迎去他家，母亲曾陪友人去过他家。后来他们又有数封书信往来，其中 1992 年 1 月 6 日，即在父亲去世前一个多月的来信写得较长，而且看起来字写得很吃力，信封写的是母亲的名字，信中写道：“朗西兄，柳静嫂：一月五日来信收到，真是好久不见了。我知道朗西兄长期患病，我也一样，行动不便，写字困难，语言障碍，记忆力衰退，早已无法工作……”。接着他详细地谈了关于日本人武田的事。武田是父亲与伍禅在日本念书时的熟人。1934 年 7 月，巴金从北京回到上海，因为曹禺这一年春假到日本旅行回来，谈起日本的情况，引起巴金去日本看看的兴趣，在父亲等一批留日同学的鼓动下，巴金决定去日本。父亲便写了一封信给武田，问他愿不愿意接待一个叫“黎德瑞”的中国人。到日本后，巴金在武田家住了三个月，写了一组随笔和三篇小说，其中两篇《神》和《鬼》都是以武田为模特儿的。可能因我弟弟念圣在日本，他的一些日本朋友，特别是对巴金与武田君后期的关系感兴趣，为此，弟弟希望父亲提供一些情况，这样母亲动手给巴金写了信。

当庆祝文化生活社十周年时，巴金赶译出屠格涅夫的《散文诗》，他在这本散文诗集写下了后记，这是他对文生社的赞颂，也是他事业和理想的表露。他写道："现在回想起来，文化生活出版社的创办应该是一个原因。但并非说我是文化生活社的创办人。不是，我回国时文化生活社的第三本书已经在排印中了。我是受了文林兄（即父亲——笔者注）那种苦干精神和乐观的态度的感动，才决心参加这吃力不讨好的工作。我说'吃力不讨好'，并非菲薄这种工作，只是因为在我们这样的人来做，它确是'吃力不讨好'的。在别人，那又是另一回事了。可是一经参加之后（虽说我只是一个赞助人），我的脚就给绊住了。我自己的许多工作也就被耽搁下来。那么屠格涅夫的散文诗的试译也应该是其中之一。我想离开文化生活社。可是文林兄总是这样说：等它有牢固的基础后，我和你一块离开吧。……为了庆祝它这十岁的生日，我拿不出像样的礼物，我非但两手空空，而且'贪心'。我只好求助于屠格涅夫，向他借一份礼品。他不会拒绝我。花去三个星期，我译完了他的散文诗。我借用他一句话送给这十岁的孩子：我们要继续奋斗！"

父亲与巴金都是四川人，一个重庆，一个成都，他们都比较内向，特别在大庭广众下，不善言辞，但与谈得拢的朋友在一起都能摆龙门阵，这大概是四川人的特点。他们都有一颗十分火热的心，一颗为事业、为朋友，勇往直前的善良、纯洁、坦诚的心。巴金作为世界著名的文学家，在文化生活社里他义务承担了这"吃力不讨好"的主编工作，父亲为这样的朋友感到骄傲。父亲也为了文化生活社呕心沥血，他在和成银行工作了八年多，但仍然把许多精力投入在文生社。1950 年，巴金辞去总经理、总编辑职务，离开了文化生活社，父亲则回来主持全面工作，直到 1954 年文化生活社公私合营被并入新文艺出版社。这时，文化生活社已走完了二十周年的历程。在这二十年的风雨历程中，父亲和巴金他们同战斗，共患难，也共同分享过喜悦，其间他们曾有过不愉快的事，但是友谊长在。

1949 年 1 月，父亲代表华光公司到日本去做贸易，向日本水田斋藤漆行出售了价值 5 万美元的 18 吨生漆，使东京的漆价大跌。接着父亲又签订了价值 24 万美元 60 吨生漆的合同。当时父亲从事与日贸易有三方面的关系，一是通过入江（原日商汉口银行董事长）和水田斋藤两家漆行联系，一是和内山完造担任董事长的吴山公司联系，一是和父亲在日本上智大学时的日本同学青山开办的青山公司联系。内山完造曾为生漆交易提供过一些资料（日本小译正元所著的《内山完造传》一书把此事的时间误为 1946

年）。父亲在日期间，曾随内山先生去新潟、燕市等地进行日中友好旅行宣传，并写下了一些见闻（后刊在开明书店出版的《中学生》上），同时买了许多书籍，其中也有不少名贵的图书。当时，华光公司要父亲长期住在日本，并希望全家迁到日本。

1949年4月中旬，父亲从报纸上看到人民解放军已逼进南京，全国解放在望，自己觉得新的生活在向自己召唤，于是于4月25日回到上海，迎接上海解放。1950年初父亲脱离了华光公司，该公司于1953年宣告结束。由于父亲所做的生漆交易对中日贸易方面有较大的影响，加之父亲在日本方面有种种关系，因此上级组织于1955年曾动员父亲举家去日本从事中日贸易等方面的工作。父亲认为此时自己已经回到了钟爱的文学工作上来，故此婉拒了组织的建议。父亲直到1974年退休后，才和我们子女谈及此事。

主持文生社，友谊树常青

1950年2月，文化生活社成立社务委员会，父亲被选为社务委员会主任，不久，巴金辞去文生社的工作。从此父亲将全部精力投入出版社的全面工作。这时父亲45岁，正处壮年，体力和精力都较充沛。父亲从三个方面着手选题和编审工作。一是出了一套北京人艺的戏剧丛书，这是由焦菊隐与父亲联系的，有《龙须沟》、《王贵与李香香》、《小二黑结婚》、《莫斯科的曙光》等。一套是现代生物丛书，共有十多种，主要是科普读本，朱洗负责了不少组稿工作。一套是译文丛书，文生社的译文丛书原由黄源主编，后由巴金负责，出版了许多西方古典名著，很受读者欢迎。这时父亲承担此任。父亲请高植重译了托尔斯泰的《战争与和平》。我记得父亲对此稿审校了三遍。又出版了毕修勺翻译的左拉的《劳动》、《萌芽》、《崩溃》等。请丰子恺重译了《猎人笔记》。有计划翻译出版了东德和日本的名著。这大概与父亲通晓德文和日文有关。在德文方面主要出版了由张威廉翻译的民主德国著名作家勃莱特尔自传体的三部曲《父亲们》、《儿子们》、《孙子们》等作品，在日文方面则由肖肖翻译了德永直的《静静的群山》、《箱根风云录》等。

父亲在这一时期十分勤奋，晚上他上夜校学习俄文，白天除了处理审阅书稿外，自己在业余时间还从事翻译德文和俄文小说。父亲翻译了东德著名作家沃尔夫的《童话集》，瑞典著名女作家拉格洛芙的《尼尔斯骑鹅旅行记》。父亲从30年代以来就热爱儿童文学，这期间父亲还为上海少年儿童出版社翻译了好几本德文的少儿故事和童话。父亲也翻译了几本俄文的儿童读物，如《无赖地母山羊》、《金角鹿》等。

在这四年多时间里，文化生活出版社在父亲一人主持编审、只有几个校对人员的情况下，却出版新书四五十种，再版了许多世界名著，而且经营的业绩也很好，受到朋友和同人们的称道。

父亲非常注重友情。这时期父亲在上海交往最密切的朋友是吴金堤（那时担任交通大学教授）、朱洗（我国著名的生物学家）、毕修勺（著名的左拉作品翻译者和左拉思想研究者）、俞福祚（父亲文中同学，文化生活社创办初期就参加了该社工作）等。他们几乎每周六都去朱洗家聊天、喝咖啡。

在文化生活社初创时期，陆蠡出力很多。他是我国五四以来有影响的散文学家。在文化生活社，他除担任编辑外，还担任会计工作。“文革”前，在清理图书时，我还见过陆蠡记的账页，字码写得工工整整、清清楚楚。在1942年4月被捕前，他主编了《少年读物》月刊，这是一本综合性的刊物，深受读者欢迎。抗战爆发后，父亲、巴金都离开上海去了内地，他一直在上海坚守。1941年底太平洋战争爆发后，日本人进了法租界，抄收了文生社出版的靳以的长篇小说《前夕》。日寇认为这本书具有反日意识，陆蠡当时不在，过了几天他去日本宪兵房讲理交涉，结果被日本人逮捕后失踪。据说，他是1942年5月13日或7月21日被日本宪兵用毒刑杀害的，当时只有34岁。在陆蠡失踪后，父亲曾想回上海参与营救，但未能成行。抗日战争胜利后，父亲为此事向国民党上海法院起诉，但仍无消息。父亲为痛失好友而悲痛万千，为了怀念他，为1948年6月在南京出生的小弟取名为念圣（纪念陆圣泉）。1947年，文化生活社改为股份公司登记时，父亲与巴金商定，父亲、巴金、陆蠡各占五分之一股份，其余五分之二为其他作家和为文生社出力的同人，如朱洗、吴金堤、毕修勺、伍禅、杨挹清、靳以、茅盾等拥有。父亲定期把抚恤金交给陆蠡的妹妹，赡养陆的父亲和女儿陆莲英。

后半生的岁月

1954年7月，文生社公私合营并入新文艺出版社，父亲担任外文编辑室副主任，定为出版六级，相当于行政十三级。新文艺出版社根据股份并入的数字，每年发放定息。这时，巴金、朱洗等股东都纷纷申明不领取股息，有的不承认自己是股东。父亲是以资方代表并入新文艺的，他不能不承认自己是股东，但他从未领取股息，然而父亲却从此戴上了资本家的帽子。我们子女的出身成分也成为资本家，这对我们学习、生活、工作都有影响。当时，新文艺出版社曾有几次机会给我们换房子，并同意给予房租贴补，但父母总觉得不愿让组织贴补，应自力更生靠自己。虽然我们的住处没有卫生设备，但住习惯了，就住下去吧！哪知父母一直住到 1988 年 8 月搬迁时，才离开生活四十多年的地方。

从 1954 年到 1966 年这 12 年中，父亲一直从事外国文学的编辑工作，工作单位几度更名，如人民文学出版社上海分社、译文出版社等，办公的地点也变过几次，但父亲的工作性质一直未变。在这期间，父亲担任出版社的编辑室主任、副主任，除了做好行政工作外，兢兢业业做好编辑工作。父亲也到过北京、南京等地组稿、开会，较好地完成了组稿、审稿、发稿等工作，他自己也翻译过一些作品。父亲的工作作风和与他人的和睦关系，都得到同事们的称道。

1966 年文化大革命开始，父亲也受到很大冲击，作为专政对象被审查，后下放到上海奉贤干校劳动，那时父亲已六十多岁了。工资停了，出版社每月只发 45 元生活费。造反派把父亲过去从事的工作无限上纲，并把父亲珍藏的八本《天方夜谭》法文烫金本抄走。该书我国只有两部，一部存放在北京图书馆，父亲的那部后来也一直未予退还，只赔了 500 元了事。

文革后期，父亲等被审查对象被组织起来搞翻译，父亲翻译了日本电影剧本以及有关日本首相田中角荣等的日文书籍。

1974 年夏，父母坐飞机来北京，这是文化大革命后他们第一次来北京，住在我家。这时，父亲在日本的妹妹吴德同妹夫张季飞的女儿张寿田来北京，父亲让我在西四沙锅居订了酒席宴请她。作陪的有吴震夫妇、王惠德夫妇、闵恩泽夫妇，那天父亲很高兴。在北京期间，父母亲还拜会了多年未见的茅盾、伍禅、周建人、叶绍钧、叶君健等老朋友。后来父母亲也到大舅柳溥庆家住了几天。父母亲在北京停留大概一个多星期，父亲急于回上海，他说社领导安排有好多翻译任务等着他。父亲匆匆回到上海，结果与社领导给他的说法完全相反，让他立即退休。父亲万万没有想到有这样的事，心里很想不通，其实那时父亲已七十岁了，但父亲根本不服老。

父亲退休后，一则继续替社里看译稿，同时自己也翻译一些东西，并着手写一些有关鲁迅、文化生活社等方面的回忆文章，另外父亲把重点放在社会公益事业、促进中日友好上面。比如，给黎明学园赠书，帮助兴建立达生物技术所，支持上海鲁迅纪念馆的工作等，晚年还设想和倡议为老人福利事业的发展，全国开展每人每天节约一分钱的活动。

1982 年 5 月，日本上智大学同学会庆祝首届毕业生 50 周年庆典，破例仍把父亲按首届毕业生对待，邀请父亲参加，母亲也同往，并提供全部费用。父亲在 1949 年去日本搞贸易时，曾去过母校，见过一些老师和同学。当时日本战后经济萧条，父亲曾为同学会捐赠了一些经费。小弟念圣从东京把上智大学同学会会长的亲笔邀请函和有关资料带回上海，转达了会长希望父母与老同学、老朋友在日本相聚的愿望。父亲已有三十多年没去日本，很想与母校老同学相会，看看在日本的小妹妹一家，目睹日本战后的变化。因此父亲不想放弃这个机会。这时，我也出差在上海，于是全家为父母是否去日本商量很久。那时报纸上不时报道一些专家教授因出国演讲活动而引起心脏病突发猝亡的消息。当时，我们认为父亲已 78 岁高龄，三十多年重返，一定有许多推不掉的应酬和活动，担心他的身体不好而吃不消，因此竭力主张放弃此行，由小弟念圣代表父亲参加这次庆典。于是，父亲用日文念了一篇贺词并录音，还请人画了一幅国画赠给母校以示庆贺。父亲将这笔给他和母亲赴日活动的费用，全部捐赠给母校图书馆，以表达敬意。后来，念圣报告了庆典活动的情况，母校为父母未能成行感到遗憾。事后，我也觉得当时的主张过于保守，使母亲，特别是父亲失去了最后一次去日本的机会。只有自己进入老年，才体会到年轻人与老年人在许多问题上的看法是有差异的。我也深为此事而内疚。

1985 年底，父亲与六十年未见面的日本友人中村伯三重逢，可称得上是中日友人再次相聚的佳话。以后，中村多次偕夫人来华看望父亲，我在上海也见过他。他为促进中日友好做了许多工作。我也在北京见过他两次。父亲去世时，他与夫人从日本专程赶到上海，参加了父亲的追悼会。

由于我在北京工作，和父亲见面的机会不多。1990 年 2 月下旬，我出差到上海，当时父亲躺在床上，告诉我上海鲁迅纪念馆为建馆四十周年要他写一篇纪念文章，他要我为他执笔整理。父亲主要讲了有关两本画册赠捐的事，母亲也在一旁补充。父亲的思路很清晰，怀着对鲁迅的深深敬慕。这是我与父亲生前的最后一次见面，也是我为父亲整理回忆有关鲁迅的唯一一篇文章。

父亲走完了 88 岁的生命历程，他对人生的追求和探索以及许多想法都富有理想主义的色彩，但他认为，只要一步一步地走，努力去做，一定能实现。著名现代文学史研究家陈思和在父亲逝世后，写过一篇纪念文章，发表在《文汇报》，题目是《永远的浪漫》。他最后写道："文化生活出版社的旧址已拆，在那儿耸立起一幢巍峨的高层建筑。创办文生社的吴先生也亡故了，但他崇高的理想，浪漫的精神和为人的原则，能否也像这新的建筑一样，在当代人心中竖起一座纪念碑呢？"

我觉得，能！

忆陈云同志一篇重要文献的发表*

1973年夏，正值“文革”中期，国内经济状况很差，陈云同志负责抓了一段外汇、外贸工作，虽然时间不长，但他从调查研究入手，抓得很细、抓了要害。6月7日那天，当他听取人民银行行长陈希愈工作汇报后（当时参加汇报的还有乔培新副行长和当时负责外汇资金工作的国外局李裕民处长），作了重要讲话并给银行出了十个题目，要求十天交卷。这十个研究题目，归纳起来，可以叫做四二一，即四个方面、两个重点和一项经常工作。四个方面是：（1）西方主要资本主义国家的货币流通和外汇储备状况；（2）西方资本主义国家经济增长及基本建设投资情况；（3）西方资本主义国家经济危机情况，特别是其对付危机的经济调整政策情况；（4）国际资本市场，特别是欧洲货币市场发展动向。两个重点是：（1）资本主义国家之间的政治经济矛盾，特别是贸易与货币的矛盾及其缓和办法；（2）美国经济状况，特别是美国国际收支的状况。一项经常工作是：对国际金融、货币近期和中期变化趋势的分析和估计。

陈云同志布置的任务有九个交给了当时人民银行国外局四处（中国银行国际金融研究所的前身）。当时林基鑫、雷祖华、张学尧负责抓此项工作，我也参与了其中的具体工作。在人手少的情况下，我们及时交卷，陈云同志对我们的材料和报告感到满意，还让秘书打来电话予以表扬。这项任务结束后，我时常想，在那个年代，陈云同志为什么要这些资料呢？直到好多年后，我终于看到当时李裕民同志手记的谈话记录稿，原来那时，陈云同志分析了我国对外贸易关系的变化情况，他指出“和资本主义打交道大势已定”。当时正值1973年以美元为中心的国际货币体系瓦解，这一巨大的变化必然对世界经济金融，特别对我国会产生影响，因此陈云同志告诫我们“不研究资本主义，我们就要吃亏，不研究资本主义，就不要想

---

* 本文原载1999年8月4日《中国改革报》。

在世界市场中占领我们应占的地位”。那时正值“四人帮”横行，利用外资是个禁区，一提及即被扣上“洋奴哲学”的帽子，但陈云同志指出“不要把自力更生的方针与利用资本主义信贷对立起来”，反映了他鲜明的对外开放、利用外资的观点，同时明确要求银行把利用外资的工作担当起来。我深深地感到这是一篇十分重要的讲话，是反映陈云同志经济思想的重要文献。

1986 年，在我任中国银行国际金融研究所所长同时兼任《国际金融研究》杂志（中国国际金融学会会刊）主编时，我萌发了这样的想法，能否把陈云同志这个讲话公开发表，一来这是一篇具有指导性的讲话，二来可以进一步推动改革开放和国际金融学术研究的深入开展。我找了当时任中国银行副行长的李裕民同志，把这个想法告诉了他，他很赞成。这样，我开始抓这件事，我们把他的记录稿进行了整理和打印，并立即与中央文献室和陈云同志办公室联系，讲明了因由。希望此稿首次刊登在 1987 年第 1 期《国际金融研究》上。后来，中央文献办公室作了很小的改动，并编写了几个注，如陈希愈、乔培新、李裕民当时担任什么职务等。为了隆重纪念陈云这篇讲话在会刊上的发表，李裕民同志写了一篇回忆文章；我与当时综合室主任陶礼明以评论员名义写了一篇题为《要很好研究资本主义》的文章，这篇文章既表达了我们学习陈云同志讲话的心得体会，也着重指出了这篇讲话的现实意义。

陈云同志这篇重要讲话首次公开发表后，《人民日报》、《经济日报》全文转载和摘要转载了《国际金融研究》评论员的文章。讲话刊出后，国内外反响很大。《国际金融研究》的知名度有了进一步提高。陈云同志的文章能够在学会的刊物上发表，说明陈云同志对银行工作、对中国银行工作，特别是对中国国际金融学会的研究工作的支持和关心。

以后，重新审定的陈云同志选集出版，就把这篇重要讲话收集进去，题目定为《要很好研究当代资本主义》。我认为，这样的提法很确切，因为陈云同志当时所指的就是当代资本主义。陈云同志这篇重要讲话已过了二十六年，正式发表也已十三年。今天重温他的讲话和给我们所出的题目，仍然具有重要的理论意义和现实意义。

敬祝张威廉先生百年诞辰*

——兼忆父亲与威廉先生的交往

父亲吴朗西大概是在1952年下半年认识威廉先生的。当时父亲主持上海文化生活出版社（以下简称文生社）的编辑出版工作，主编文生社出版的《译文丛书》。由于父亲对德国文学的偏爱，同时出于对民主德国的经济文化建设的关心，在他主持下，又主编了《民主德国文艺译丛》，其中包括《五十天》（勃莱特尔著，张威廉译，1953年3月出版）；《第一步》（安娜·西格斯著，微庐译，1953年4月出版）；《父亲们》（勃莱特尔著，张威廉译，1954年2月出版）；《一个人和他的名字》（安娜·西格斯著，廖尚果译，1953年12月出版）。从此，张先生的德文译稿主要由父亲工作的出版社出版，他们的交往也就开始了。

父亲1904年10月出生于四川开县。1921年赴上海就读私立澄衷中学、吴淞中国公学，1923年报考北京大学，未被录取，在北大英文系旁听。1925年赴日本勤工俭学，次年考入东京上智大学攻读德国文学，歌德研究是主课，因无经济来源，生活异常窘迫，连学费也拖欠。1927年父亲以优异成绩考取四川省留日庚子赔款公费生后，生活有了改善，学习得以继续。在学习期间，父亲用英文翻译了两本苏联文学作品。1931年，因九·一八事变爆发，父亲激于爱国抗日热情，毅然放弃了优厚的庚款及唾手可得的毕业文凭，义无反顾地辍学返回上海。返上海后，工作却无着落，靠译稿为生，后又去福建泉州平明中学当了一年半的教师。1934年经母亲介绍，参加了大舅柳溥庆主持的《美术生活》杂志社工作。从此，父亲开始了自己的编辑生涯。以后他创办了《漫画生活》杂志。后于1935年与友人伍禅（陆少懿）、郭安仁（尼丽）、母亲（柳静）创办了文生社。不久邀请了在日本的友人巴金回上海负责编辑事务。

---

* 本文为敬贺张威廉老师百年诞辰及母校南京大学建校百年而作，载于高澎主编《永恒的魅力——校友回忆文集》（南京大学出版社，2002）。

文生社在草创时期得到鲁迅和茅盾等前辈的大力支持。鲁迅和茅盾都把他们创作的小说和翻译稿交给父亲出版。父亲称得上为鲁迅晚年最信任的出版家。文生社自 1935 年创办到 1954 年合营并入新文艺出版社的二十年里，共出版了二十套丛书，大致有：《文化生活丛刊》、《文学丛刊》、《文季丛书》、《译文丛书》、《现代长篇小说丛书》、《水墨丛书》、《面聪小书》、《翻译小文库》、《现代日本文学丛刊》、《民主德国文艺译丛》、《戏剧集》、《青年读物丛刊》、《少年读物小丛刊》、《少年科学丛书》、《现代科学小丛书》、《生物丛书》、《战时经济丛书》、《综合史地丛书》 等。

张先生翻译的《五十天》是一部中篇报告文学，讲的是民主德国图林根州的一个村庄，由于山洪暴发遭受严重损失，在党和政府领导下，工人、农民、青年们团结一致，经过五十天的共同奋斗重建了家园。记得父亲在校阅译稿后说，这对我国农村的生产建设也有样板的借鉴意义，张先生的译文十分流畅。后来关于父亲怎样与张先生商量，同意由张先生翻译勃莱特尔的代表著《亲戚和朋友们》三部曲的具体状况，我不十分清楚。这三部曲即《父亲们》、《儿子们》、《孙子们》，它是反映德国工人阶级斗争史的工人阶级家庭小说。作者塑造出一个家庭的亲戚和朋友们的各种命运，典型地反映了三个时代德国工人运动的真实写照，堪称是一部德国工人运动的史诗，在民主德国，特别是在社会主义革命文学乃至世界文学的宝库中都具有相当影响。我想正是由于父亲了解张先生具有深厚的德文基础和扎实的中文根底，所以认为由他来担任翻译一定能出色完成任务。父亲承担了这三本书的审校编辑工作。张先生在《父亲们》的译者前言里对父亲表示了感谢。为沟通《父亲们》译稿中的问题，张先生来过我家，父亲也带我去过张先生在上海“明春坊”的家回访。在上海我们两家住得不远。记得那时，他们之间也有过书信往来。

1954 年 7 月，文生社并入新文艺出版社，实行公私合营，后又并入文艺出版社、人民文学出版社上海分社、上海译文出版社，父亲一直任外国文学编辑室副主任。主要负责除俄文外的其他文种的编辑工作。张先生翻译的《儿子们》、《孙子们》后由新文艺出版社出版。

我记得有一次父亲说，张先生翻译的勃莱特尔的三部曲将代表上海新文艺出版社参加德国举办的国际图书展展出。当时还特别出了精装本，书里刊登了勃莱特尔和家人的照片。我印象最深的是，看到勃莱特尔的照片后，觉得很像张先生。我就是通过张先生与父亲的交往认识张先生的。

由于受父亲的影响，以及对文学的浓厚兴趣，1956 年 7 月我报考了德国文学专业。父亲一直认为，北大虽有冯至先生，但南大有商承祖先生、张威廉先生、陈铨先生、贺良先生等，父亲又相识这些老师，南大师资总体实力强于北大。后来我在复习期间，还与丰子恺女儿丰一吟等人一起去跟一个德国老太太专门学习了两个月的德文。高校揭榜，我以较高的分数考入第一志愿——南京大学外文系德语专业。从此我成为张先生的学生。

1956 年 8 月，我到南京大学报到后，就去拜访了张先生和张师母，转达了父亲、母亲对他们的问候。他们也为我考入南大德文专业十分高兴。以后在校学习期间，我与同学李建、朱其石一起也去过他家拜访。

在南大学习的四年，深受张先生和其他老师的教诲。1960 年毕业后，我分配在北京人民日报国际部，同年 11 月又重新分配到人民银行国外局搞国际、国内金融资料工作。到北京工作后，父亲与张先生在译稿上、工作上仍然继续交往。而我则开始与金融打上交道，德语成了一门工具。1981 年我在德国商业银行实习进修半年。1989 年作为访问学者赴瑞士圣加仑经济学院和瑞士银行学习半年。1992 年到 1997 年底，我在中国银行卢森堡分行工作五年多。1998 年退休后，在中国人民银行研究生部任教，指导博士研究生。

1998 年 9 月，南大德文系发起祝贺张先生 95 诞辰活动。我立即寄了音乐生日贺卡过去，不久收到张先生回复的明信片。从他那俊逸洒脱的字里行间中，我感受到先生的文化素养和健康的体质。他在片中还深情地询问了家父的情况，可惜我的父亲已于 1992 年 2 月病故了。

2000 年 5 月，由我班同学徐正明、王平庚倡议，全班同学在毕业后四十年重返母校，共同相聚。我班同学原来近三十人，毕业后分配各方，现在迈入老年，基本上都退休了。有的同学有往来，还有音讯，有的同学则不知在何方。但是这次相聚，全班有一半的同学从各地赶回南京母校。特别是在美国的蔡跃雄，在奥地利的华锡圻，在香港的王润荣都专程赶到。南大外语学院、德语系的领导会见了我们，进行了座谈。大家回忆了四十年前的学习情况，老师们的授课情景历历在目。大家在校园留影后，又带了鲜花一起去看望张先生与张师母。同学们都在张先生准备的本上签了名，然后与张先生、张师母合影留念。

2001 年 4 月初，我收到张先生寄给我他撰写的《德语教学随笔》，心里十分高兴，由衷地敬佩张先生教学上精益求精的精神，德语研究的高深造诣，德国文学翻译的高超水平。特别看到联邦德国驻沪总领事特奥多尔博士 1985 年 6 月 14 日代表魏茨泽克总统在南京大学授予张先生大十字勋章的致辞，深为感动。正如致辞中所说：“您给好几代学生传授了德国语言、文学及文化知识。您还通过许多篇卓有成果的科研论文和许多翻译作品来补充您的教学工作。您毕生在德中两国间充当了文化中间人。”

张先生毕生作出的成就和贡献得到我国政府的肯定，也得到了德国政府的肯定和表彰。这是张先生应得的荣誉。我想他教授过的所有学生都会感到喜悦和高兴。

在庆贺张先生百年华诞之际，我作为他的学生，并代表父亲、母亲借此表达对张先生、张师母的深深祝福：福如东海，寿比南山。

父亲与鲁迅先生的交往*

今年10月6日是父亲——吴朗西诞辰一百周年。上海鲁迅纪念馆为纪念父亲百年诞辰，拟出版《吴朗西画传》，并定于10月30日至31日举办纪念活动，彰显父亲在中国文学史和出版史上的贡献，进一步推动鲁迅研究和现代文学研究。作为子女的我们，对此表示深切的谢意。

10月19日是鲁迅先生逝世68周年的纪念日。在我们表示对鲁迅先生深切怀念的同时，更让我们回忆起父亲与鲁迅先生交往的那些日子。

父亲与鲁迅第一次见面可追溯到1922年秋天。那时父亲在北大旁听，一天下午，他去北京世界语专门学校看朋友，朋友指着坐在教室的一位先生对他说："他就是鲁迅先生。"

1934年的一天，父亲去上海内山书店买书，第二次看见了鲁迅先生，感觉他还是十多年前的样子。

1934年9月，父亲终于有机会与鲁迅接近了。当时父亲在编《漫画生活》杂志，他通过茅盾介绍请鲁迅写文章，鲁迅很爽快地答应了，他写了《说面子》、《弄堂生意古今谈》以及《阿金》。1934年10月30日，鲁迅日记中说："吴朗西邀饮于梁园，晚与仲方同去，合席十人。""仲方"即茅盾，同席的还有黄源。1935年5月，父亲与丽尼、伍禅以及母亲，创办了文化生活出版社（简称文生社）。在该社草创时期，鲁迅先生把他的《俄罗斯童话》、《死魂灵》译稿交给该社出版。接着把创作的《故事新编》也交文生社出版，把编印的《凯绥·珂勒惠支版画选集》缩印本也交文生社付印出版。另外，鲁迅自己出钱，将翻印的《死魂灵百图》也交文生社经办。

总之，鲁迅先生晚年的作品和编选的画册都是交给父亲出版的，父亲是深得鲁迅先生晚年信任的出版家。父亲为出版事宜经常去鲁迅家并与鲁

---

* 本文系作者在上海鲁迅纪念馆组织举办吴朗西百年诞辰活动前夕，执笔撰写的回忆文章之一，发表于2004年10月22日《金融时报》及2004年10月29日《读者导报》，同时署名的还有吴西柳、吴念祖、吴念圣。

迅先生保持书信往来。他在《鲁迅与文化生活出版社》一文中写道："鲁迅先生为什么对这刚办的小小出版社这样信任？我想，是先生通过黄源了解到我们的情况，而有心支持的吧。"

父亲对鲁迅的书稿和交办的事情，总是认真、踏实地去做，一定把它做好，一定让鲁迅先生满意。比如，《死魂灵百图》精装本是鲁迅先生精心策划的，他主张用绸布做封面。为了选购绸面，父亲与钱君匋一起跑了几家绸庄，最后在一家湖州绸庄选中了一款绿色绸子，父亲把绸样送给鲁迅，鲁迅同意采用。画册印出后，鲁迅表示满意，并在该书小引中最后写道："至于校印装制，则是吴朗西君和另外几位朋友所经营。这都应该在这里声明谢意。"

鲁迅对父亲的关怀教导也使父亲终生难忘。鲁迅知道父亲在日本学的是德国文学，在得知父亲曾翻译过德国漫画家奥纳夫·古尔布兰生的《过去》，并在《漫画生活》上连载，但后来没有翻译下去时，鲁迅对他说："这本书蛮好嘛，你应该翻译下去。"还鼓励他继续编一些类似《柏林生活素描》的漫画集。

还有一件事也是父亲难以忘怀的。1936 年春天的一个傍晚，父亲到上海永安公司附近参加一个鲁迅也出席的宴会。在日升楼下了电车，父亲去一家彩票店购买航空奖券，因为朋友买奖券中了奖，他也很想碰碰运气，心想也许能为文生社弄点资金。忽然感觉有人在拍他肩膀，回头一看，原来是鲁迅先生，父亲好像一个做了错事被老师抓住的学生，窘得脸都红了，找不出旁的话，却问鲁迅先生："先生，你买不买奖券？"鲁迅笑着说："我从来不买发财票。"

在 1935 年到 1936 年期间，由于父亲时常去鲁迅家，鲁迅很喜欢这个热情天真的年轻人，常常留父亲吃饭，他每次都与父亲各饮半斤黄酒。鲁迅一喝酒，就兴致很高，话也多起来，他们一个讲绍兴话，一个讲四川话，谁都不觉得理解上有什么困难。他们谈得最多的还是书籍，鲁迅先生收藏的版画很多，他时常拿出一些版画给父亲看，一面说："这些都是值得介绍翻印的，慢慢来吧。"1976 年，吴念鲁从北京返上海探亲，父亲找出两本书，可能其中有一本是画册，说是鲁迅先生的，要他带回北京当面交给周海婴。念鲁回北京后给海婴写了信，后来海婴与他爱人来念鲁家取了图书，他说对父亲印象很深，并说念鲁长得像父亲。

父亲还告诉我们，在他把印好的 50 本精装《死魂灵百图》送到鲁迅家后，见鲁迅拿了一本就包扎起来，动作熟练，把邮包扎得整整齐齐，父亲十分惊讶，鲁迅先生突然说："我是在南货店学过生意的啦。"父亲被这话逗笑了。

父亲与鲁迅的交往毫无隔阂。在鲁迅1935年、1936年的日记里，频频出现"夜吴朗西来"，"寄吴朗西信并样稿"这样的记载。鲁迅后期的作品几乎都在文化生活出版社出版。这一方面表明，父亲和文生社深得鲁迅的信任，另一方面也证实文生社对新文化运动作出了贡献。

1936年10月19日，鲁迅先生因病去世，父亲一心扑在鲁迅治丧的具体工作中，在鲁迅出殡那天，父亲亲扶灵柩上车，并是抬棺入穴的八个青年文学工作者之一。那时母亲正临产住院，父亲无暇看望母亲。父亲景仰鲁迅先生的人格，为了纪念鲁迅先生，学习鲁迅先生的精神，他为当时出生的儿子取名念鲁，作为永远的怀念。

1954年文化生活出版社公私合营并入新文艺出版社，以后父亲一直从事外国文学的编辑工作。1974年父亲退休后，一面继续替社里看稿，同时自己也翻译一些东西，并着手写出有关鲁迅、文化生活出版社等方面的回忆文章。1992年2月，父亲在上海病故。

父亲生前一直积极支持上海鲁迅纪念馆的工作，与该馆保持密切联系，并与纪念馆的同志们结下深厚的友谊。2000年上海鲁迅纪念馆新馆落成，该馆为与鲁迅交往密切的文化人士设立了《朝华文库》。《吴朗西专库》也设在其中，我们子女把父亲生前的藏书和手稿以及一些书柜、家具捐赠给文库。这些图书和资料定会对研究中国新文化史和出版史有所帮助。

在我们纪念父亲百岁诞辰的日子里，在缅怀父亲的一生时，我们特别珍视父亲与鲁迅结下的友谊，以及鲁迅对父亲的教诲。让鲁迅精神永远激励我们前进吧！

斯人已去　精神永存*

——唐旭永远活在我们心中

2月12日上午，我与老伴参加了唐旭的遗体告别会。他英年早逝突然离去，看着那安详的遗容和那充满灿烂笑容的遗像，我的心情十分沉痛，深深三鞠躬，愿他一路走好。出席告别会的有一行三会的领导、同事、友好、学生等上千人，有的专门从外地赶来，只为最后见上一面。

两年多前，唐旭得了重症，但他乐观面对，仍放不下工作，坚持上了一段时间的班，同时还惦记着五道口的教学。我几次参与他指导的博士生论文答辩和开题报告。前年秋，康以同副主任与他商量如何对2007级博士生综合考试命题，他建议相关人员到我家讨论。到了我家后，他认真对考题提出意见。这时，我发现他明显消瘦了。为了治病，他去上海做了手术，去年6月我去上海时，还去医院看望了他，手术做得很好，他精神也很不错，依然乐观坦然。10月得知他回京后，我们还通过电话，谈及五道口的前景，他非常关心今后的发展。此后，他的病情时好时坏。今年2月1日，突闻他走的噩耗，我立即给他的夫人李文玲发了短信，“节哀保重，他永远深深活在我们心中”，以表达我的哀思。

唐旭是五道口的第三届研究生，导师是刘鸿儒和黄莺飞，后又攻读博士学位，导师仍然是校学术、学位委员会主席刘鸿儒老师。我是五道口的第一批指导老师，因唐旭也是四川人，我们很快就熟悉了。唐旭毕业后留校的二十年里，从事过教务、教学、科研等工作，1994年接任甘培根老师担任研究生部主任，一干就是13年。他熟悉五道口的一砖一瓦、一草一木，他热爱五道口的教师、职工、学生，为五道口的发展，倾注了全部精力和心血。他是优秀的行政管理人才，在他的带领和努力下，研究生部成为全国著名的培养金融精英的学府，五道口精神得以传承和发扬。他学术造诣深厚，是个出色的学科带头人，他发表了许多高质量、有价值的学术论文，

---

* 本文原载《当代金融家》2011年第3期。

主持完成多项国家重点研究课题，还翻译了大量外国金融名著。

1997 年初，我在卢森堡工作期间，邀请唐旭来卢参加欧洲投资银行与卢中行举办的国际研讨会，会上他做了中国金融体制改革的报告，并回答了与会代表的提问，反响很好。

我回国退休后，把主要精力投入到研究生部的工作上，与他接触的机会就更多了。我们共同开会研究试题，参加学生综合考试、开题报告、论文答辩，还有每年两次的学位委员会、新生入学、硕士和博士学位授予大会及其他研讨会等活动。此外，我们两家也常有互访，与他夫人也常有联系。

唐旭把一生献给了中国人民银行。无论岗位变化、职务提升、单位调动，他都干得有声有色，取得了突出的成绩。然而他谦和、坦荡的品格没有变化。他坚持原则，实事求是，勤奋好学，严于律己，宽以待人，无私奉献，淡泊名利，深得领导的信任，同人和学生的爱戴、敬佩。

为迎接五道口三十周年校庆的到来，我把五道口精神归纳为：“求真务实、开拓创新、追求卓越、团结奋进”。唐旭是五道口培养的精英，是金融界的精英，我认为，他是名副其实的五道口精神的践行者、身体力行者和主要带头人。愿五道口精神永远传承发扬下去。五道口的学人、学子一定会告慰他：“安息吧！唐老师。”“你是五道口精神的化身。”“你永远深深活在我们心中。”

附录 1

作者主要著作（包括独著、合著及主编）和主持科研课题目录

作品名称	出版单位/课题单位	合作者	发表时间
欧洲美元与欧洲货币市场	中国财政经济出版社		1981 年
西德的货币与银行	中国财政经济出版社	史映如	1981 年
国际支付中的货币与汇价	中国财政经济出版社	陈全庚、陶湘	1981 年
莺歌海天然气开发利用工程外汇资金问题研究报告（课题主持人）	石油部		1985 年
外汇基础知识	中国银行总行	章济平	1986 年
主要资本主义国家的商业银行	中国财政经济出版社		1988 年
中国外债模型（课题主持人）	国家信息中心		1988 年
人民币汇率研究	中国金融出版社	陈全庚	1989 年初版，1992 年再版，2002 年修订版
国际金融手册（主编）	人民出版社		1990 年
西方国家主要资本市场及我国对外筹资的选择（“七五”国家社会科学重点研究课题课题主持人）	中国金融出版社/全国哲学社会科学规划办公室		1990 年
国际金融纵横谈	中国金融出版社		1991 年
瑞士资本市场	中国金融出版社	李瑞呈	1991 年
九十年代世界经济与金融展望	中国金融出版社		1991 年
各国银行概况（主编）	世界知识出版社		1991 年
西方主要资本市场及我国对外筹资选择（主编）	中国金融出版社		1991 年
国际金融学概论（主编）	西南财经大学出版社		1993 年
国际金融纵横谈——对策研究	中国金融出版社		1998 年
商业银行经营管理（副主编）	中国金融出版社	戴相龙主编	1998 年
商业银行经营管理	高等教育出版社		2004 年初版，2009 年第二版
金融热点探析	中国金融出版社		2005 年
中国应对世界经济挑战的思考——金融热点再探析	中国金融出版社		2009 年
2009 年中国金融产业安全报告（课题主持人）	北京交通大学出版社/北京交通大学中国产业安全中心		2009 年

附录 2

作者在报纸上发表的文章和记者访谈目录

作品名称	报纸名称	刊载日期	合作者
困扰西方的货币风潮	人民日报	1978 - 4 - 29	
金价猛涨原因何在	人民日报	1978 - 11 - 2	
美元升值和黄金贬值	人民日报	1980 - 3 - 19	
外债偿还能力考核标准	财贸战线	1980 - 5 - 20	
西方大银行经营状况的考核	财贸战线	1980 - 6 - 3	
西方货币金融市场的近况和前景	世界经济导报	1980 - 12 - 30	
今年金价总趋势看涨	世界经济导报	1981 - 1 - 5	署名金炼
什么叫特别提款权	中国财贸报	1981 - 1 - 31	
关于人民币汇价的几个问题	世界经济导报	1981 - 2 - 2	
人民币的汇价是怎样制定的	国际贸易消息	1981 - 2 - 3	与陈全庚合写
西方金价最近何以下跌	中国财贸报	1981 - 2 - 24	
为什么最近西方国家利率变化频繁?	中国财贸报	1981 - 3 - 24	
黄金价格变动近况和前景	中国财贸报	1981 - 6 - 16	
美国的高利率及其后果	人民日报	1981 - 6 - 24	
西德酒祸	世界经济导报	1981 - 11 - 16	
外债清偿率	世界经济导报	1981 - 12 - 21	
西方银行的技术改革意味着什么	世界经济导报	1982 - 1 - 5	
拉丁美洲国家外债负担沉重	中国财贸报	1982 - 2 - 10	署名金炼
油价下跌会导致金融危机吗?	中国财贸报	1982 - 6 - 1	
黄金价格变动近况和前景	中国财贸报	1982 - 6 - 16	
七十年代以来世界黄金价格波动激烈	国际贸易消息	1982 - 7 - 26	
人民币对西方货币的汇价变动概况	国际贸易消息	1982 - 7 - 29	
有关人民币汇价的几个问题	国际贸易消息	1982 - 7 - 29	
关于国际储备资产的管理	世界经济导报	1983 - 1 - 17，24	署名西青
利用外资与国际收支平衡	经济日报	1983 - 3 - 21	
人民币的买价和卖价	经济日报	1983 - 5 - 7	署名西青

续表

作品名称	报纸名称	刊载日期	合作者
世界各国货币怎样定值	经济日报	1983-5-11	署名西青
为什么世界各国货币的汇价大都以美元来表示	经济日报	1983-5-20	署名西青
三十年代西方金融危机概况	国际贸易消息	1983-7-10	
货币的选择与保值	世界经济导报	1983-7-25	
"一篮子"货币的保值	世界经济导报	1983-8-15	
对我国利用外资战略出发点的探讨	经济日报	1983-8-18	
对资产净值质疑	经济日报	1983-8-20	署名西青
人民币计价结算的保值作用	世界经济导报	1983-8-29	
如何正确看待国际债务危机	世界经济导报	1984-3-26	
从西方黄金用途谈我国的黄金销售	经济日报	1984-6-4	
变动中的国际金融巨流	世界经济导报	1986-1-6	
谈人民币汇率政策的制定	世界经济导报	1986-2-24	
中国的国际借贷状况	文汇报（香港）	1986-4-10	
对外贸易中的汇率风险和远期交易	国际商报	1986-8-7	
国际金融市场回顾与展望	世界经济导报	1987-1-22	与刘锐合写
国际金融市场动荡不安	经济日报	1987-4-18	
人民币汇率改革：效果、影响及对策	世界经济导报	1987-6-1	与张颖合写
最大债务国美国的外债问题	世界经济导报	1987-10-5	
国际资本流动、特点、趋势及对策	世界经济导报	1988-6-27	
世界银行业的变化和面临的挑战	金融时报	1989-5-5	
依存、竞争、合作、发展——九十年代世界经济和金融发展纵横谈	经济参考	1990-11-25	
我国外汇储备管理改革设想	金融时报	1991-1-14	记者程博民访谈
九十年代国际金融发展的特征	人民日报	1991-2-4	1991年2月《新华月报》转载
海峡两岸金融合作前景探讨	中国日报-产业周刊	1992-5-24	
不能过分依赖外资——从墨西哥金融危机反思中国国际金融形势	文汇报（香港）	1995-4-15	
"欧元"启动前的三大问题	人民日报	1997-10-14	
欧元启动的政治与经济动因	经济日报	1998-5-8	
欧元解析	国际商报	1998-5-19	
美钞境外流通的奥秘	经济日报	1998-8-19	

续表

作品名称	报纸名称	刊载日期	合作者
当前世界经济金融形势发展的特点及对策思考	金融时报	1998－11－18	
当前国际金融形势及其对我国外经贸的影响	国际经贸消息	1999－3－22、23	
回顾历史把握现实	金融时报	1999－5－22	
购买欧元的良机	中国改革报	1999－7－14	记者李向阳
忆陈云同志一篇重要文献的发表	中国改革报	1999－8－4	
防范国际金融危机需“四管”齐下	中国改革报	2000－1－26	记者李长修
长波周期与经济增长	金融时报	2000－2－19	
德国产业银行股东和参股状况的启示	金融时报	2000－5－27	
美联储加息行动仍会继续	北京青年报	2000－6－5	
拆除壁垒打造现代金融	中国改革报	2000－9－21	记者李长修、李超辉
21 世纪头十年全球经济怎么走	国际金融报	2001－3－14	
研究金融危机的新视角——简评《全球金融风险监管》	金融时报	2001－10－13	
2002 年世界经济四大特征	国际金融报	2001－12－25	
风雨潇潇路难行	金融时报	2002－1－2	与鄂志寰合写
国有独资商业银行上市策略之我见	金融时报	2002－2－11	
我国银行业加入世贸组织后的应对策略	金融时报	2002－3－9	
美元：美国经济的最后一个泡沫？	中国经营报	2002－7－29	记者刘海燕访谈
重视对外贸易依存度的研究	国际金融报	2002－9－19	
中国是全球经济发展中的积极力量	金融时报	2003－3－7	
伊拉克战争对全球经济金融的影响	金融时报	2003－4－14	
人民币汇率机制改革的几点思考	中国改革报	2003－7－31	
为中国企业“走出去”提供的多种金融服务	参考消息	2003－9－29	
美元贬值为何越演越烈	金融时报	2003－10－20	记者袁蓉君、孙建耘访谈
积极推进国有独资商业银行股份制改造	金融时报	2003－12－29	
银行股改不能“悄悄”进行	中国财经报	2004－3－30	
大连如何建成区域金融中心	大连日报	2004－4－25	

续表

作品名称	报纸名称	刊载日期	合作者
用调整汇率来抑制经济过热不是明智之举	中国经营报	2004－6－14	
对实行适度从紧货币政策的思考	证券日报	2004－6－24	
一桩往事的回忆——四万美元假钞的风波	金融时报	2004－7－2	
研究国有商业银行改革的宏观视角	金融时报	2004－8－24	
大银行改革　小银行怎么办	金融时报	2004－9－25	记者金立新
父亲与鲁迅先生的交往	金融时报	2004－10－22	
父亲与鲁迅先生的交往	读者导报	2004－10－29	
银行管理者应该阅读的一本好书	金融时报	2004－11－23	
商业银行股份改革应把握重点——访中国国际金融学会副会长吴念鲁	中国改革报	2005－1－17	记者刘健刚
银行资本管理的全方位分析	金融时报	2005－1－28	
完善金融结构改变两个5%	证券日报	2005－3－28	
回归到真正的有管理浮动	第一财经日报	2005－5－17	答记者徐以新问
独立货币政策是首要选择	第一财经日报	2005－5－18	答记者徐以新问
我们需要怎样的汇率制度	中国证券时报	2005－6－12	
我们需要怎样的汇率制度	第一财经日报	2005－6－18	
汇率制度改革需要充分的过渡期	中国改革报	2005－6－23	
趋之若鹜不足取——关于银行选择战略投资者和上市的思考	证券日报	2005－7－13	
如何让“不动产”动起来	中华工商时报	2005－9－23	
重新考量银行业改革	经济观察报	2005－10－3	
印制前辈柳溥庆	金融时报	2005－10－28	记者李文玲访谈
金融安全立法：嘉宾座谈	团结报	2006－1－21	
宏观经济金融与稳定	金融时报	2006－5－22	
经济金融全球化与金融安全	金融时报	2006－7－3	
跨国经营的路径选择	经济观察报	2007－1－29	
几个值得深思的问题——亚洲金融危机十周年有感	国际商报	2007－4－25	
加快改革抵御风险	国际商报	2007－5－7	
谈我国银行业的海外拓展和并购战争	上海证券报	2007－5－17	答记者谢晓冬问

续表

作品名称	报纸名称	刊载日期	合作者
国有大型银行改革仍任重道远——从建设银行回归 A 股说起	上海证券报	2007－9－21	
我谈中行企业文化	中行职工报	2007－10－18	
消费需求是拉动经济发展之根本	金融时报	2007－11－5	
“热钱之忧”的看法	上海证券报	2008－7－4	答记者谢晓冬问
热钱撤离之忧：多虑下的警示	上海证券报	2008－7－7	答记者谢晓冬问
加强完善我国资本市场刻不容缓	中国财经报	2008－7－15	记者解希明访谈
经济全球化纵深发展为我国带来新的机遇与挑战	金融时报－理论周刊	2008－8－25	记者柳立访谈
进一步完善中国的外汇投资管理体制	经济观察报	2008－9－1	答记者欧阳晓红问
中国外汇储备投资的大国选择	上海证券报	2008－9－2	嘉宾访谈
“忧虑”：中资银行出海要看准天气	经济观察网	2008－9－8	答记者严钰问
中国金融市场何去何从——访中国国际金融学会教授吴念鲁	中国财经报	2008－9－23	记者解希明访谈
维护国际金融秩序，促进世界经济增长	和讯网	2008－11－17	答记者易菀问
如何看待我国外汇储备下降的原因及趋势	经济观察报	2008－12－20	答记者欧阳晓红问
对外开放是我国经济发展的必由之路	金融时报	2008－12－27	记者柳立访谈
外储 5 年来首降　资本流向逆转须严防	上海证券报	2009－1－12	但有为、李丹丹访谈
反思当前金融危机下的中国隐患	金融时报	2009－2－9	
适应人民币区域化实际需要的新作	人民日报	2009－6－16	
书山有路勤为径——读《天道酬勤——守拙笔耕文集》有感	金融时报	2009－9－18	
理论先行指导实践	金融时报	2009－10－1	记者柳立访谈
人民币国际化：金融新秩序的推动力	经济观察报	2009－10－12	
亲临风暴现场 洞察剖析危机	金融时报	2010－3－19	
以新思维、新视角、新思路审视中国的外汇	金融时报	2010－5－31	记者柳立访谈
美国国债危机的最大风险是政策失误	中国房地产报	2011－8－1	记者苗野访谈
香港要做人民币业务“桥头堡”	经济日报	2011－11－4	

附录 3

作者在期刊上发表的文章目录

作品名称	期刊	日期	合作者、记者
利用国外资金的几种途径	中国金融	1979 年第 2 期	
一首诗的故事	战地	1979 年第 4 期增刊	
国际贸易中的货币选择和保值	国际贸易问题	1979 年第 4 期	
西方货币制度的改革和前景	教学与研究	1979 年第 4 期	陶湘
欧洲货币市场的形成. 发展及其影响	世界经济	1979 年第 6 期	王传纶
国际资金市场的借贷和几个有关问题	世界经济	1979 年第 8 期	
美元与黄金	世界知识	1979 年第 20 期	陶湘
利用外资的途径和需要注意的问题	世界经济参考资料	1979 年第 41 期	
西方金融市场剧烈动荡的一年	中国金融	1980 年第 1 期	
国际债券	中国金融	1980 年第 2 期	
西方金价狂涨暴跌说明什么	新时期	1980 年第 4 期	
西方金价为什么急剧下跌	中国金融	1980 年第 4 期	
西欧增值税的产生、内容和应用	世界经济	1980 年第 4 期增刊	
国际资金市场银行贷款的几个问题	中国金融	1980 年第 5 期	
今年西方正面临一场严重的货币危机吗?	世界经济	1980 年第 8 期	
解答“对取消外汇券，恢复调剂外汇”等问题的看法	香港《经济导报》	1980 年第 14 期	
一九七九年的国际资金市场和一九八〇年的展望	广东金融研究	1980 年第 25 期	
人民币市场汇价应作怎样的调整	世界经济调研	1980 年第 44 期	
国际金融市场的回顾和展望	中国金融	1981 年第 1 期	
特别提款权	世界知识	1981 年第 4 期	

续表

作品名称	期刊	日期	合作者、记者
当前西方利率变化的原因和趋势	中国金融	1981 年第 5 期	
外汇兑换券还是停发较妥	金融研究	1981 年第 5 期	王传纶、姚蕴芳、刘德芳
外债清偿率	世界经济	1981 年第 8 期	
西德通货膨胀相对缓和的原因	世界经济	1981 年第 8 期	
国际支付中的货币与汇价	中国金融	1981 年第 9 期	
美国高利率政策及其影响	世界经济	1981 年第 9 期	夏治沔
对今后人民币汇价改革方针的几点意见	金融研究	1981 年第 11 期	王传纶
人民币外汇兑换券还是停发较好	广东金融研究	1981 年第 11 期	王传纶、姚蕴芳、刘德芳
利用外资与国际收支平衡	国际金融	1982 年第 6 期	
欧洲货币市场对国际经济的影响	金融研究	1982 年第 12 期	
利用外资与国际收支平衡	对外经贸研究	1982 年第 40 期	
汇价变化与出口商品交易的关系	国际贸易	1983 年第 1 期	
汇价变化与进口商品交易的关系	国际贸易	1983 年第 2 期	
人民币汇价的性质和改革方向	金融研究	1983 年第 9 期	
战后国际金融领域的变化与银行倒闭风潮	世界经济	1983 年第 12 期	
谈谈西方金融危机	世界经济	1983 年第 12 期	
如何加强我国国际储备资产的管理	世界经济调研	1983 年增刊第 1 期	
怎样运用世界大银行名次排列表	国际金融	1984 年第 3 期	
对我国利用外资战略问题的探讨	国际贸易	1984 年第 5 期	
谈我国黄金外汇储备的管理和运用	金融研究	1984 年第 10 期	
有关人民币汇价改革的几个问题	金融研究	1984 年第 12 期	
对我国利用外资战略问题的探讨	国际金融研究	1985 年第 1 期	
有关人民币汇价的几个问题	国际金融研究	1985 年第 2 期	
我国目前银行政策及条例	国际贸易	1985 年第 8 期	
汇率的变化及其对经济的影响	国际贸易	1985 年第 9 期	
汇率的变化及其对经济的影响	红旗	1985 年第 15 期	

续表

作品名称	期刊	日期	合作者、记者
浅议我国利用外资中的商业性贷款	计划经济研究	1985 年第 25 期	
对我国对外金融发展战略的探讨	国际金融研究	1986 年第 1 期	
国际金融市场述评	国际贸易	1986 年第 2 期	
谈金融体制改革中的四个问题	四川金融	1986 年第 2 期	
对我国外汇储备状况的看法	中国金融	1986 年第 3 期	
论国际货币基金的国际收支调节理论和政策	国际金融研究	1986 年第 3 期	
中国的国际借贷状况	国际金融研究	1986 年第 3 期	
外汇留成问题专题讨论	国际金融研究	1986 年第 4 期	
谈人民币汇价改革和政策的制定	中国金融	1986 年第 5 期	
汇率风险和对策	中国金融	1986 年第 12 期	
要很好地研究资本主义	国际金融研究	1987 年第 1 期	陶礼明
国际货币体制的演变和发展趋势	世界经济	1987 年第 1 期	
中日金融关系发展前景广阔	国际贸易	1987 年第 1 期	
祝贺·期望·鼓励——《国际贸易》创刊五周年座谈会	国际贸易	1987 年第 1 期	
中国的经济体制改革与金融体制改革	国际金融研究	1987 年第 1 期	陶礼明
货币、汇率、外汇储备及其风险	国际金融研究	1987 年第 4 期	
谈中国开放外汇市场问题	中国对外市场	1987 年第 5 期	
经济金融形势与思考	东北国际金融	1987 年第 6 期	
谈西方股市风暴	红旗	1987 年第 22 期	张颖
加强和完善外汇的宏观经济管理	河北国际金融	1988 年第 1 期	
人民币汇率贬不贬？不贬怎么办——对人民币汇率调整的意见	国际金融研究与实务	1988 年第 1 期	
关于实行现汇留成和开放外汇市场的建议	金融科学	1988 年第 2 期	
试论外汇的概念	国际金融研究	1988 年第 2 期	
德意志商业银行调研部工作独具特色	国际金融研究	1988 年第 3 期	
外汇与人民币资金间的运动关系	国际金融研究	1988 年第 5 期	

续表

作品名称	期刊	日期	合作者、记者
世界经济的发展态势与中国沿海地区的崛起	国际金融研究	1988 年第 6 期	
国际资本迅速膨胀流动的主要原因	国际贸易	1988 年第 7 期	
如何衡量一国的利率水平——兼谈我国利率调整问题	中国金融	1988 年第 8 期	
有关德国魏玛共和国恶性通货膨胀	世界知识	1988 年第 23 期	
关于实行现汇留成和开放外汇市场边议	世界经济调研	1988 年第 25 期	
台湾经济面临的困境及其出路	瞭望周刊（海外版）	1988 年第 40 期	
西方经济金融形势回顾与展望	国际经济合作	1989 年第 1 期	
西方经济金融形势回顾与展望	中国金融	1989 年第 1 期	
善于探索　求实创新	国际金融探索	1989 年第 1 期	
国际金融市场综述——回顾、展望与对策	世界经济调研	1989 年第 2 期	
中国国际金融学会工作总结报告（摘要）	国际金融研究	1989 年第 4 期	
我国外汇储备的状况及加强管理的建议	国际金融研究	1989 年第 5 期	
论人民币汇率的确定	国际金融研究	1989 年第 6 期	
我国外汇储备状况及加强管理的建议	北京金融	1990 年增刊第 1 期	
竞争中的欧洲银行业	国际金融	1990 年第 4 期	
九十年代世界经济和国际金融的发展趋势	国际金融研究	1990 年第 6 期	
对我国国际收支状况的分析与思考	国际金融研究	1990 年第 8 期	毛晓威
还债高峰期不等于债务危机	国际金融研究	1990 年第 10 期	
有关我国外债问题的几点认识	国际金融研究	1990 年第 10 期	
在中国国际金融学会第四次常务理事会扩大会议上的工作报告	国际金融研究	1990 年第 11 期	
我国外汇储备状况及加强管理的建议	金融研究	1990 年第 11 期	

续表

作品名称	期刊	日期	合作者、记者
企业在证券市场的融资关系及其工具	国际金融研究	1990 年第 12 期	李瑞呈
不懈耕耘——新春寄语	国际金融研究	1991 年第 1 期	
世界经济金融形势及对我国的影响	国际金融研究	1991 年第 1 期	
对当前世界经济金融形势的思考	国际金融研究	1991 年第 2 期	李瑞呈
九十年代国际金融发展的特征	新华月报	1991 年第 2 期	
世界经济形势讨论会发言选登	世界经济	1991 年第 2 期	
实行现汇留成　开放外汇市场	中国金融	1991 年第 4 期	
再论人民币汇率改革的方向	国际金融研究	1991 年第 6 期	
总结经验，发扬成绩，开创国际金融学会工作新局面——中国国际金融学会工作报告	国际金融研究	1991 年第 10 期	
关于外贸体制改革的调查报告	国际金融研究	1991 年增刊	
不断开拓　不懈耕耘　努力开创国际金融刊物编辑出版工作的新局面	国际金融研究	1992 年第 2 期	
国际金融形势回顾与展望	世界经济	1992 年第 2 期	
欧洲银行业变革述评	国际金融研究	1992 年第 4 期	张青松
编后寄语	国际金融研究	1992 年第 7 期	
海峡两岸金融合作前景探讨	国际金融研究	1992 年第 7 期	
海峡两岸金融合作前景探讨	甘肃国际金融	1992 年创刊号	
国际货币制度改革述评	国际金融研究	1994 年第 2 期	
对我国外汇储备管理政策的思考	国际金融研究	1995 年第 5 期	
把国际金融研究深入下去——往事的回忆与感受	国际金融研究	1995 年第 8 期	
外汇储备管理之我见	欧中贸易（巴黎）	1997 年第 1 期	
“欧元”启动前的三大问题	国际金融研究	1997 年第 10 期	
“欧元”启动前的三大问题	金融信息参考	1997 年第 12 期	
当前世界经济金融发展的特点及其思考	国际金融研究	1998 年第 3 期	
当前世界经济金融发展的特点和思考	中国金融	1998 年第 4 期	

续表

作品名称	期刊	日期	合作者、记者
当前国际金融发展的特点及其对策	科学决策	1998 年第 6 期	
论现代商业银行的发展趋势	国际金融研究	1998 年第 7 期	
当前国有商业银行改革面临的几个问题	群言	1998 年第 7 期	
当前国际金融形势及其对我国外经贸的影响	黑龙江对外经贸	1999 年第 2 期	
金融危机及其防范	国际金融研究	1999 年第 6 期	
当前国际金融发展形势及其对策思考	中国科技产业	1999 年第 10 期	
九十年代国际汇率变化趋势分析	汇市参考	1999 年第 10 期	
国际金融危机及其防范	城市金融论坛	1999 年第 11 期	
论人民币汇率机制及人民币自由兑换的前景	国家行政学院学报	2000 年第 1 期	
人民币资本项目开放　路在何方？	金融信息参考	2000 年第 1 期	
试论人民币资本项目可兑换的条件和前景	香港《经济与法律》	2000 年第 2 期	
人民币资本项目开放：路在何方？	现代商业银行	2000 年第 4 期	
如何实现人民币资本项目可兑换	湖南财政与会计	2000 年第 5 期	
论人民币汇率机制及人民币自由兑换的前景	国际金融研究	2000 年第 6 期	
加入 WTO 问题	华夏金融	2000 年第 6 期	
金融资本全球化是否历史发展的必然——全球资本流动动因分析	金融研究	2000 年第 10 期	鄂志寰
努力不懈　辛勤耕耘——记为《中国金融》默默奉献的人们	中国金融	2000 年第 12 期	
21 世纪前十年世界经济金融发展趋势展望	中国金融	2001 年第 4 期	
21 世纪头 10 年全球经济怎么走	金融信息参考	2001 年第 5 期	
21 世纪的金融自由化	国际融资	2001 年第 8 期	
回忆父亲吴朗西	人物	2001 年第 9 期	

续表

作品名称	期刊	日期	合作者、记者
对青年朋友们的寄语——兼祝中国人民银行研究生部成立二十周年	五道口论坛	2001年校庆特刊	
2002年国际金融市场前景分析	中国金融	2002年第2期	鄂志寰
未来十年全球经济金融走势及对策思考	经济学动态	2002年第6期	
银行家并非天生	银行家	2002年第8期	记者王培洁访谈
中国应对全球经济金融新挑战的思考	国际金融研究	2003年第1期	
2002年国际金融十大新闻述评	国际金融研究	2003年第1期	
当前全球经济金融发展特点及思考	国际金融研究	2003年第1期	
当前全球经济金融发展特点及思考	市场经济研究	2003年第2期	
伊拉克战争对全球经济金融的影响	金融信息参考	2003年第5期	
金融监管的制胜一招	现代商业银行	2003年第6期	记者吕莹专访
加强我国外汇储备管理的探讨——兼论储备是否越多越好？	国际金融研究	2003年第7期	
外汇储备是否越多越好？	现代商业银行	2003年第8期	
近期人民币升值预期的成因与对策分析	国际金融研究	2003年第9期	鄂志寰
历史长镜头	现代商业银行	2003年第9期	
为中国企业“走出去”提供各种金融服务	参考消息“走出去战略”专辑	2003年第9期	
对人民币汇率机制改革的思考	现代商业银行	2003年第10期	
给人民币汇率一个说法	中国商人	2003年第11期	
2003年国际金融十大新闻述评	国际金融研究	2004年第1期	
为完善社会主义市场经济而努力——祝贺《现代商业银行》创刊五周年	现代商业银行	2004年第1期	
走出去，又是一片天——中国企业“走出去”战略论坛	化工管理	2004年第1期	

续表

作品名称	期刊	日期	合作者、记者
一本理论联系实际，颇具实用价值的好书——评陈恩良《国际辛迪加（银团贷款）理论与实务》	国际金融研究	2004 年第 4 期	
必须继续实施宏观调控政策	中国市场经济论坛文集	2004 年第 4 – 5 合刊	
经济学家畅谈中国经济	市场经济研究	2004 年第 5 期	
振兴东北　金融先行	银行家	2004 年第 5 期	
对我国国有商业银行股份制改造的探讨	中国流通经济	2004 年第 8 期	
思想之树常青——记我国著名金融理论家吴念鲁教授	中国金融家	2004 年第 11 期	汪明文访谈
有管理的浮动汇率将成主导	银行家	2004 年第 11 期	陈全庚、鄂志寰
加入世贸组织三年外资银行运营的启示	银行家	2004 年第 12 期	
论人民币汇率机制改革	财经科学	2005 年第 1 期	陈全庚、鄂志寰
当前世界经济区域结构与美国金融政策前景分析	国际金融研究	2005 年第 2 期	鄂志寰
对我国金融稳定性的再认识	金融研究	2005 年第 2 期	郧会梅
城市商业银行面临的压力和挑战	现代商业银行	2005 年第 4 期	
论人民币汇率机制改革的方针与步骤	经济学动态	2005 年第 4 期	《金融与保险》转载
外汇风险及其防范	新金融	2005 年第 5 期	
金融全球化与职业经理人的国际视野	上海企业	2005 年第 7 期	
对国有商业银行引进战略投资者及上市的评析	银行家	2005 年第 9 期	
银行的管理者需要有宏观意识	现代商业银行	2005 年第 11 期	
重新考量银行业改革	金融信息参考	2005 年第 11 期	
银行管理者需要有宏观意识	现代产业经济	2005 年第 11 期	
国有商业银行引进境外战略投资者和上市地问题	中国金融	2005 年第 22 期	

续表

作品名称	期刊	日期	合作者、记者
工商银行应考虑在境内上市	中国企业家	2005 年第 23 期	记者胡海岩、杜亮访谈
重大资产变动、重大改革出台应立法或听证	团结	2006 年第 1 期	
加强我国外汇储备管理与运营之我见	当代金融家	2006 年第 2 期	
重新考量国有商业银行改革——对引进境外战略投资者及上市的评析	广东金融学院学报	2006 年第 2 期	
加强我国外汇储备管理与运营之我见	银行家	2006 年第 3 期	
面对竞争，应对挑战	银行家	2006 年第 4 期	
外汇储备　如何进行中国式运作?	现代商业银行	2006 年第 5 期	
浅谈加入世界贸易组织	华夏金融	2006 年第 6 期	
做学问，做事业，更要做正直的人——记金融学家、银行家吴念鲁先生	银行家	2006 年第 6 期	记者郭利华访谈
中国银行业海外发展战略的思考	金融研究	2006 年第 10 期	《金融与保险》转载
经济全球化与中国银行业的品牌战略	上海企业	2006 年第 10 期	
期待金融安全立法	中国企业家	2006 年第 11 期	
亲历“反洗钱”	银行家	2007 年第 1 期	
完善我国证券市场之我见	中国经济报告	2007 年第 3 期	
在卢森堡与会计师打交道	银行家	2007 年第 5 期	
商业银行应牢记自身的社会责任	中国金融	2007 年第 6 期	
构架外汇储备管理新体系	现代商业银行	2007 年第 7 期	
重新认识我国外汇储备的管理与经营	金融研究	2007 年第 7 期	
外汇储备如何控制?	中国金融家	2007 年第 9 期	
从为国会“打工”说起	浙江金融	2007 年第 10 期	
消费需求是拉动经济发展之根本	现代商业银行	2007 年第 11 期	

续表

作品名称	期刊	日期	合作者、记者
如何看待当前股市的泡沫——兼谈优化资本市场结构	中国国情国力	2007 年第 11 期	
如何看待当前股市的泡沫——兼谈优化资本市场结构	新华每周财经分析	2007 年第 45 期	
美国次贷抵押危机的警示与思考	金融研究	2007 年第 12 期	郧会梅
“金融脱媒”的挑战	中国投资	2008 年第 1 期	
如何看待当前股市泡沫	财经界	2008 年第 1 期	
一次利用外资的开创性会议	当代金融家	2008 年第 2 期	
破除净资产定价误区	国企	2008 年第 2 – 3 合刊	记者席志刚
五问国有银行引进海外战略投资者	中国企业家	2008 年第 3 – 4 合刊	
村镇银行需未雨绸缪	现代商业银行	2008 年第 5 期	
西方商业银行成本、利润及纳税管理综述	内蒙古金融研究	2008 年第 7 期	
忆《国际金融概论》的编写者	中国金融	2008 年第 8 期	
关于打造中国国际金融中心的评析与思考	金融研究	2008 年第 8 期	杨海平
练好内功才能应对风险	人民论坛	2008 年第 9 期	
创新经济理论　深化金融体制改革	中国流通经济	2008 年第 10 期	
创新是经济可持续发展的根本	甘肃金融	2008 年第 10 期	
中国应对世界经济挑战的思考	当代财经	2008 年第 10 期	
对对外开放，利用外资三十年的再认识——访中国人民银行研究生部吴念鲁教授	银行家	2008 年第 11 期	记者郭利华访谈
为何要学 1997 香港救市	人民论坛	2008 年第 21 期	
贬值风险倒逼中国外储变阵	凤凰周刊	2008 年第 36 期	
股指震荡，期待“特定基金”呵护	中国经济报告	2009 年第 1 期	
从次贷危机到华尔街风暴：微观机理、制度根源、应对策略	经济学动态	2009 年第 2 期	杨海平

续表

作品名称	期刊	日期	合作者、记者
为我国金融业的进步和繁荣努力奋斗——2008年在“中国金融营销奖”颁奖大会致辞	金融家	2009年第4期	
全球金融危机爆发的制度根源以及对我国的反思	西南金融	2009年第4期	
坚定信心 从容应对全球金融危机	金融营销	2009年第4－5合刊	
商业银行如何应对经营环境的挑战	内蒙古金融研究	2009年第7期	
坚定信心 从容应对全球金融危机	内蒙古金融研究	2009年第9期	
吴念鲁：竞争力排名将促进银行业整体素质的提高	银行家	2009年第9期	
忆一次开创性的利用外资会议	现代商业银行	2009年第10期	
论人民币可兑换与国际化	国际金融研究	2009年第11期	杨海平、陈颖
读《天道酬勤——守拙笔耕文集》有感	中国金融	2009年第18期	
以新思维审视中国外汇储备风险	广东金融学院学报	2010年第1期	贾彦龙
2009中国金融营销奖评点	银行家	2010年第3期	
以新思维审视我国外汇储备风险	财经界	2010年第3期	
以新思维、新视角、新思路审视中国的外汇	银行家	2010年第4期	
实现人民币国际化的利弊	经济研究参考	2010年第6期	
人民币汇率形成机制改革的走向	中国金融	2010年第7期	
大转折中的外汇新思维	现代产业经济	2010年第8期	
商业银行如何提升竞争力的要点	银行家	2010年第9期	
传播与创新是刊物发展的根本——庆贺《中国金融》甲子华诞	中国金融	2010年第19期	
完善我国商业银行内部控制制度的思考	金融教育研究	2011年第1期	
经济学博士生学术论文写作要旨与方法	学位与研究生教育	2011年第2期	

续表

作品名称	期刊	日期	合作者、记者
斯人已去　精神永存——唐旭永远活在我们心中	当代金融家	2011年第3期	
为学为商都应秉承求真务实——访中国人民银行研究生部学术委员、博士生导师吴念鲁	中国金融	2011年第3期	记者魏革军访谈
企业形象引领银行整体素质的提高	银行家	2011年第5期	
踏稳人民币可兑换与国际化的步伐	当代金融家	2011年第7期	
五道口推动了中国金融改革发展——访中国人民银行研究生部博士生导师吴念鲁	当代金融家	2011年第9期	记者王春霞、李霞
金融教育的“三驾马车”	金融博览	2011年第10期	记者仲垣
Banking Policy to Spur Economic Growth	Intertrade	8/1985	
Evolution of RMB Forex Rates	Intertrade	10/1985	
Where Does the Money Market go form Here?	Intertrade	4/1986	
China Look for Money	Intertrade	6/1986	
Keep a Smaller Forex Reserve, China	Intertrade	8/1986	
The world money marker	Intertrade	3/1987	
On Reform of China's Financial System	Economy and Law	3/1987	
Foreign – Exchange Markets in China	China's Foreign Trade	4/1987	
Evolution of China's Forex Market	Intertrade	4/1988	
The Present Exchange Control in China and its Problem	Economic and Financial Prospects Swiss Bank Corporation	5/1989	

附录 4

作者在他人著作和汇编中发表的文章

作品名称	书籍	出版社	出版时间
“特别提款权”的产生、演变及重新定值情况/第 506 - 514 页	各国货币手册（1979 年修订本）	中国财政经济出版社	1980
剧烈动荡的西方货币金融市场/第 40 - 44 页	世界经济年鉴（1979）	中国社会科学出版社	1980
一首诗的故事/第 106 - 109 页	丙辰清明记事	人民日报出版社	1980
国际金融市场剧烈动荡的一年/第 39 - 45 页	世界经济年鉴（1981）	中国社会科学出版社	1982
1980 年和 1981 年国际金融市场的发展变化/第 38 - 44 页	世界经济年鉴（1982）	中国社会科学出版社	1983
从西方外汇储备的变化谈我国的储备管理运用	对外金融发展战略讨论文集	中国金融出版社	1985
汇率的标价/条目/第 360 页	世界经济百科全书	中国大百科全书出版社	1987
货币汇率/条目/第 361 - 363 页	世界经济百科全书	中国大百科全书出版社	1987
联邦德国马克/条目/第 450 - 451 页	世界经济百科全书	中国大百科全书出版社	1987
美元危机/条目/第 516 - 517 页	世界经济百科全书	中国大百科全书出版社	1987
欧洲货币市场/条目/第 570 - 572 页	世界经济百科全书	中国大百科全书出版社	1987
欧洲美元/条目/第 577 - 578 页	世界经济百科全书	中国大百科全书出版社	1987
外汇/条目/第 731 - 732 页	世界经济百科全书	中国大百科全书出版社	1987
外汇交易/条目/第 734 页	世界经济百科全书	中国大百科全书出版社	1987
欧洲美元与欧洲货币市场/第 9 章	金融市场（刘鸿儒等编）	学苑出版社	1988
1984—1985 年国际金融市场概况/第 34 - 40 页	世界经济年鉴（1988）	中国社会科学出版社	1988
1986—1987 年国际金融市场概况/第 31 - 38 页	世界经济年鉴（1989）	中国社会科学出版社	1989

续表

作品名称	书籍	出版社	出版时间
1988年国际金融市场概况/第30－35页	世界经济年鉴（1990）	中国社会科学出版社	1991
中美金融关系十年/第233－240页	中美关系十年	商务印书馆	1989
为江启堂所著《外汇买卖实务》作序		海天出版社	1990
90年代世界经济和金融发展趋势/第14章	国际金融专论（钱荣坤主编）	中国金融出版社	1991
怀念大舅柳溥庆/第116－122页	柳溥庆纪念文集	中国金融出版社	2000
路曼曼其修远兮，吾将上下而求索——忆父亲/第203－243页	吴朗西先生纪念集	上海文艺出版社	2000
为徐刚主编《世界财经热点冷观》作序		上海财经大学出版社	2001
敬祝张威廉先生百年诞辰——兼忆父亲与威廉先生的交往	永恒的魅力——校友回忆文集	南京大学出版社	2002
德国商业银行股东和参股特征的启示/第356－359页	日耳曼学研究——贺张威廉先生百岁华诞论文集	上海外语教育出版社	2002
为陈卫深所著《欧元面世的来龙去脉》作序		香港季佳文汇出版社	2002
为李建军所著《国有商业银行绩效评价——理论、方法与实证》作序		中国金融出版社	2004
加强我国外汇储备管理的探讨——兼论储备是否越多越好?	第三届中国金融论坛论文集	中国金融出版社	2004
为陈恩良所著《国际辛迪加（银团）贷款理论与实务》作序		中国金融出版社	2004
为罗军所著《中国现代产融耦合研究》作序		西南财经大学出版社	2005
为倪宏伟所著《管理与核心竞争》作序		四川大学出版社	2005
为张吉光所著《商业银行操作风险识别与管理》作序		中国人民大学出版社	2005

续表

作品名称	书籍	出版社	出版时间
为李文所著《从利润管理到价值管理——商业银行资本管理探析》作序		中国金融出版社	2007
对国际货币基金组织改革与作用的评估/第41－54页	金融评论2007卷第1辑	中国金融出版社	2007
为刘洁所著《繁荣与危机：透视流动性过剩》作序		中国金融出版社	2008
为高谦所著《资本结构与公司控制权安排》作序		中国金融出版社	2009
为陈颖所著《商业银行营销》作序		中国人民大学出版社	2010
为上官永清、田瑞章主编《中小企业金融知识读本》作序		中国金融出版社	2011
为宋海所著《人民币汇率制度改革与国际化研究》作序		中国金融出版社	2011
百年中国金融思想学说史·第一卷/第45章	百年中国金融思想学说史·第一卷（曾康霖等主编）	中国金融出版社	2011

注：以上目录系作者公开发表的作品，但因种种原因未能收全。

附录 5

作者指导的研究生名录

硕士：

1982 级　张颖
1983 级　阎小田、吴可夫
1984 级　吴东民
1985 级　石俊志、何宾、杨洪
1986 级　王化
1987 级　焦程跃
1989 级　赵凯
1995 级　赵凡、杨如海
1998 级　庄磊、张勇淼
1999 级　张吉光、许瑢、张青、张冰
2000 级　胡红业
2009 级　王海波、聂平

博士：

1994 级　张青松（退出）
1995 级　石俊志
1996 级　宗良
1997 级　鄂志寰
1998 级　李向东
1999 级　成家军、孙国申
2000 级　黄兴海、魏志宏
2001 级　李文、廖肇辉、贺培、赵紫剑
2002 级　刘洁、陈颖、韩志萍、郧会梅
2003 级　任康钰、高谦、项春生、毛娜、黄维玉、李宪铎
2004 级　石岳、汪明文、赵春城、王凯
2005 级　李红岗、刘博、胡红业、胡兆峰、黄文涛
2006 级　汤莹玮、洪波、邱云波

2007 级　杨海平、傅瑾城、邓子良

2008 级　常德鹏、贾彦龙、程锐、解玉平、常洁

2009 级　舒胜晖、李刚、雷广平、郑冲

2010 级　张海阳、厉大业、邹新、郭亚静

2011 级　王馨、熊飞、张开宇、卜国军、陈洋林

博士后①

2009 级　党夏宁

① 作者担任合作导师。

后　记

当我看着厚厚两卷即将付印的校稿，心里难以平静。诚如我在自序中所说，书稿中所选出的百篇文章，基本代表和反映了我在改革开放以来，对我国及世界经济金融现实问题的观点和看法，凝聚了自己几十年来研究工作和实务教学工作的心血和汗水。在看完了校稿之后，我觉得这份书稿也是我做人、做学问、教书育人交上的一份答卷，心里顿感放松和欣慰。

在该书出版之际，即将迎来中国银行百年华诞，我与中国银行一起走过了51年的岁月。百年来，中国银行在各个时期凝聚和培养了无数中行人为之奋斗，我作为一名中行人感到无比自豪。在此，要深深感谢中国银行的领导和同人对我的培育和教导。

需要指出的是，本文选的出版得到中国金融出版社社长魏革军、原总编李守荣、教材一部主任王效端、编辑古炳鸿的大力支持和帮助。特别需要强调的是，原教材一部主任、现市场开发部主任彭元勋给予本书特殊的支持和帮助。我与彭主任已经相识十多年，我在中国金融出版社出版的书籍，几乎都由他主持的编辑室出版，他也担任过书籍的责任编辑。彭主任是资深编辑，他工作认真负责、耐心仔细，编辑经验丰富、文字水平很高。现在他主持市场开发部的工作很忙，然而他挤出业余时间，担任我文选的责任编辑，使文选得以顺利出版。在此，我深表谢意。同时，我也向关心支持文选出版的朋友和学生们表示感谢。

我夫人是我文章的第一读者，也是第一修改者，我的许多书籍都凝聚了她的劳动和汗水，我非常感谢她对我事业的支持和帮助。让我们共享文选出版的喜悦。

文选中定有许多问题分析不够深入，看法也有不当之处，敬请读者赐教指正。

吴念鲁

2011年11月2日于北京

中医名家名师讲稿

任应秋中医各家学说讲稿
任应秋内经研习拓导讲稿
刘渡舟伤寒论讲稿
李今庸金匮要略讲稿
凌耀星内经讲稿
印会河中医学基础讲稿
程士德中医学基础讲稿
王绵之方剂学讲稿
王洪图内经讲稿
李德新中医基础理论讲稿
刘景源温病学讲稿
郝万山伤寒论讲稿
连建伟金匮要略方论讲稿

策划编辑／李　丽
责任编辑／张　虹
封面设计／赵京津
版式设计／陈　朊
责任校对／屈彦莉

ISBN 978-7-117-09480-1

定　价：32.00 元